D1417358

LA JEUNE FILLE
SOUS L'OLIVIER

LEAH FLEMING

LA JEUNE FILLE
SOUS L'OLIVIER

Traduit de l'anglais par Laurence Videloup

ÉDITIONS FRANCE LOISIRS

Titre original : *The girl under the olive tree*
Publié par Simon & Schuster, UK Ltd, Londres

Édition du Club France Loisirs,
avec l'autorisation des Éditions Belfond.

Éditions France Loisirs,
123, boulevard de Grenelle, Paris.
www.franceloisirs.com

Vous pouvez consulter le site de l'auteur à l'adresse suivante :
www.leahfleming.co.uk

ISBN : 978-2-298-09226-4

À la Crète, île de mes rêves et de mes héros.
À qui je souhaite de prospérer

Première partie

DÉPARTS

« Ceux qui sont tombés sous le charme du cœur montagneux de la Crète et de l'âme des gens qui y vivent ne pourront plus en repartir. »

Lew Lind, *Les Fleurs de Réthymnon*

Crète, 1941

Au son des coups de feu, elle recula jusqu'au fond de la grotte et s'aplatit contre la paroi d'un des renfoncements. Elle espérait que, cette fois encore, ce ne serait qu'une fausse alerte. Elle fit corps avec la roche humide tandis que les tirs s'intensifiaient et que les balles ricochaient sur les boîtes en métal. Soudain, la faible lumière qui pénétrait depuis l'entrée fut bloquée par une troupe de soldats qui se précipitaient en hurlant : « Dehors... dehors ! » *et prenaient d'assaut l'endroit comme seuls des conquérants peuvent le faire.*

Elle se jeta à terre en un mouvement rapide et tenta de dissimuler sa présence, de faire la morte tandis que les soldats emmenaient les aides-infirmiers et les blessés, et les alignaient dehors sur les rochers.

Chaque seconde lui sembla durer une heure, allongée là dans l'obscurité, un goût de sable salé, de terre, et celui plus fort du sang séché sur ses lèvres. Elle essayait de ne pas trembler. Dans quelques minutes à peine, ils allaient la découvrir, alors ce n'était pas le moment de flancher. Sois courageuse, digne d'une Britannique... Oh, et puis assez de toutes ces bêtises, *songea-t-elle. Elle n'éprouvait qu'une rage froide jusque* dans ses tripes. Comment pouvait-elle partir alors qu'il y avait encore tant à faire ?

Tout à coup, une paire de bottes couvertes de boue apparut dans son champ de vision, une main balafrée la força à se relever avec violence. Le moment de vérité était arrivé – vérité et défi. Si elle affrontait l'ennemi sans crainte, son coup de bluff marcherait peut-être...

Stokencourt House, comté de Gloucester, avril 2001

Le cauchemar m'a de nouveau réveillée. D'abord le fusil pointé vers ma tête, puis l'eau qui se referme sur moi. Mes bras s'agitent dans tous les sens sous les draps afin que je puisse remonter à la surface, mes oreilles vont éclater, mes poumons privés d'air luttent. Je me débats contre des corps en train de couler qui m'agrippent dans l'espoir de s'en sortir, je donne des coups de pied, l'effort m'épuise et mes yeux s'ouvrent, écarquillés de terreur puis de surprise. Ce n'est qu'un rêve, pourtant j'ai le cœur qui bat la chamade. Il m'est chaque fois plus difficile d'atteindre la surface. À combien de cauchemars semblables survivrai-je encore ? *Il n'y a rien d'autre à faire que me lever et affronter cette journée*, me dis-je. Puis, avec soulagement, je me rappelle que, pour une fois, je ne suis pas seule.

Je tire les rideaux damassés d'or et scrute le matin. Le printemps résiste et le soleil d'avril réchauffe déjà le mur sud de Stokencourt, fait de cette pierre des Cotswolds, à la couleur miel si caractéristique. Les jonquilles sont presque défleuries, mais les cerisiers commencent à se teinter de rose et il flotte dans l'air un parfum de vie nouvelle. C'est l'heure d'aller inspecter rapidement, encore en robe de chambre, les bordures herbacées. Je veux voir ce qu'Olivier, le jeune jardinier, a pu négliger. Il a tellement hâte de finir le travail de taille et de partir rejoindre sa petite amie !

Loïs se repose encore au lit et Alex, assis devant la télé, n'a pas besoin qu'on s'occupe de lui. Tant mieux. Un peu plus tard, je lui ordonnerai de faire le tour du petit lac en courant. Ma nièce a l'air d'accuser encore le départ de son mari l'année dernière et semble avoir un besoin désespéré de trouver un refuge. En fait, je suis heureuse d'avoir leur compagnie en ce lundi férié. Les week-ends prolongés ne sont pas mes moments préférés : voitures obstruant les chemins, étrangers qui passent la tête par-dessus les murs de pierre pour regarder chez vous et laissent derrière eux papiers gras et crottes de chien. Stokencourt House s'est toujours animée aux cris d'enfants résonnant le long de ses couloirs infinis et sur ses sols dallés ; les banquettes, derrière les fenêtres à meneaux, sont encombrées de jouets abandonnés. Des jouets de bébé, a décrété Alex. Les jeunes grandissent tellement vite aujourd'hui.

Mais Alex apprécie vraiment les promenades qu'il fait dans le village avec Trojan, dernier spécimen d'une lignée de fox-terriers à poil dur. C'est dans ce village que notre famille vit depuis des générations. Quand Loïs et Alex disparaîtront sur la M4 pour rentrer à Londres, je ressentirai bien vite le froid laissé par leur absence.

Quelques heures plus tard, alors que je relève la tête de mon désherbage, j'aperçois Loïs qui cligne des yeux dans le soleil du matin et, soudain, j'ai la vision d'Athéna, sa mère, au même âge. Grande et élancée, comme toutes les femmes de la famille Georgiou, des femmes qui se sont toujours épanouies au grand air et au soleil avec leur peau couleur olive et leurs cheveux blonds.

— Bon anniversaire, tante Pen !

Je marque un temps d'arrêt, étonnée, puis je soupire.

— Merci, mais à mon âge les anniversaires sont un supplément d'âme. Se réveiller tous les matins et constater qu'on respire encore est déjà suffisant.

Je regrette aussitôt ces dernières paroles. Pourquoi faut-il que je sois toujours si acerbe et si peu reconnaissante ?

— Je savais que tu allais dire ça ! Tout de même, c'est un bel âge à célébrer. Mais tu n'aimes pas que l'on te rappelle tout ce que tu fais pour nous, à nous recevoir ici. Depuis qu'Adam a quitté…

Sa voix s'est éteinte, Loïs n'a pas encore fait le deuil du départ de son mari.

— Ma chère, lui dis-je, tu es ma seule parente encore vivante qui ne soit pas dans quelque institution à sucrer les fraises. Pourquoi t'embêtes-tu avec une vieille bique comme moi, je me le demanderai toujours !

Loïs, avec un sourire, tient bon.

— Ne change pas de sujet. Bon anniversaire de la part d'Alex et de la mienne, avec toute notre affection.

Elle sort une enveloppe de derrière son dos et me la fourre dans la main.

— Ah, alors, qu'est-ce que c'est ?

Je farfouille dans la poche de mon tablier de jardinage, à la recherche de mes lunettes de lecture.

— Une carte et une brochure. En fait, j'ai pensé que tu aimerais peut-être venir en vacances avec nous, alors j'ai réservé une villa en mai, quand Alex n'aura pas école.

Instinctivement, je fais non de la tête.

— C'est gentil mais non, vraiment… Si tu tiens tellement à me rappeler mon grand âge, m'inviter à déjeuner au Royal Oak sera bien suffisant.

— Non, ce n'est pas ce que nous allons faire cette année. Depuis la mort de maman, tu as été plus qu'une mère pour moi.

— Que peut désirer d'autre une vieille femme que la compagnie des jeunes ? C'est déjà un beau cadeau, tu sais. Et je le pense sincèrement.

Je me retourne et reprends mon désherbage là où je l'ai laissé. Je ressens un besoin irrésistible d'enlever tous les détritus accumulés pendant l'hiver.

— Tu as bien une amie avec laquelle tu préférerais passer tes vacances, j'en suis sûre ; quelqu'un qui irait à ton rythme.

Loïs ne se décourage pas si facilement et insiste pour que je jette un œil à la brochure.

— Mais regarde, tu ne sais même pas où je t'emmène. La villa que j'ai choisie se trouve en Crète. D'abord, on prend l'Eurostar jusqu'à Paris, puis un autre train jusqu'à Rimini ou Ancône, et enfin le ferry de la compagnie Anek pour traverser l'Adriatique. On pourrait s'arrêter à Athènes et emmener Alex voir l'Acropole. Tu aurais de nouveau l'occasion de visiter le Musée national archéologique et on prendrait le bateau de nuit depuis le Pirée jusqu'en Crète.

À l'évocation de toutes ces cités enfouies depuis longtemps dans ma mémoire, mon cœur fait un bond : l'Italie, la Grèce ; je n'y suis pas retournée depuis la guerre.

— Pourquoi aurais-je envie d'y aller ? dis-je d'un ton cassant, excédée par les manigances de Loïs dans mon dos.

Je vis seule depuis trop longtemps pour pouvoir dissimuler mes sentiments.

— Pour nous montrer l'endroit, réplique Loïs. Je sais que cette île t'est particulièrement chère. Sinon, pourquoi cette maison regorgerait-elle ainsi de photos d'oliviers, de montagnes, de tapis tissés et de tessons de poteries antiques ? Tu dois y retourner et retrouver la paix intérieure. En outre, j'ai pensé que tu aimerais assister à la cérémonie du soixantième anniversaire. Peut-être y aura-t-il des gens que tu connais.

Je n'ai jamais aimé les surprises.

Je réponds d'un ton sec, dans l'espoir de couper court à cette conversation :

— Pas du tout… Dieu merci, les gens que j'ai connus seront tous morts maintenant.

— Ce sont des bêtises, et tu le sais. Cette période de ta vie a toujours été un mystère. À ton retour de la guerre, grand-mère a dit à maman que c'était comme si rien ne s'était jamais produit, qu'il ne fallait souffler mot de tes aventures à personne, et bien entendu je ne veux pas être indiscrète. Mais j'ai pensé que tu aimerais rendre un hommage à tous ces gens, c'est tout... Sinon, on pourrait juste passer des vacances sous le soleil crétois.

— Depuis quand m'as-tu vue me prélasser au soleil ? Il fera trop chaud et ce sera trop fatigant, à mon âge, je réplique en lui retournant son propre argument.

Mais Loïs s'est visiblement préparée à toutes mes objections.

— Sottises ! Tu es plus en forme que moi. Tu marches des kilomètres avec Trojan. Et on ne se fera pas bronzer tout le temps, on visitera les sites. J'aimerais que tu me montres le palais de Knossos. Qui mieux que toi pourrait faire le guide ? Tu sais, pour tout te dire, les vacances c'est un peu le cauchemar. (Elle soupire.) Adam manque beaucoup à Alex depuis qu'il est en Arabie saoudite. L'école m'a autorisée à partir un peu plus tôt pour les petites vacances afin d'assister à cette cérémonie historique du souvenir. Ils font la Seconde Guerre en histoire...

— Tu as tout prévu, n'est-ce pas ? dis-je à Loïs, observant attentivement ses yeux noirs mouillés de larmes.

Abasourdie, je me relève avec précaution, en faisant bien attention à ma hanche. Je ne veux pas lui faire de la peine, mais même après toutes ces années je ne suis pas certaine d'être prête à retourner en Crète.

— Ma chérie, vraiment, je ne suis pas sûre qu'à cette période de ma vie ce soit une idée bien raisonnable.

— Quand as-tu déjà été raisonnable, tante Pen ? Grand-mère disait que tu avais toujours creusé ton sillon, et je sais quel scandale tu as causé dans la famille quand tu es partie.

— Peut-être, mais c'était il y a si longtemps. Écoute, si tu dois partir en vacances, nous pourrions aller en Écosse, faire un tour à Fair Isle. Mais la Crète, non, vraiment, je ne crois pas.

— Alex devrait au moins connaître un peu l'héritage des Georgiou, a argué Loïs, avant de changer de tactique. Je n'aurais jamais cru que tu étais une trouillarde.

L'attaque est tellement directe que je ne peux qu'en rire. Les jeunes ne mâchent pas leurs mots. Et Loïs a vu juste. Si seulement elle savait combien la vieillesse est insidieuse ! Tous ces membres qui craquent minent mon assurance et m'empêchent d'aller vagabonder bien loin ; quant à me replonger dans le passé…

— Nos ancêtres grecs remontent au XIXe siècle, même si ma mère a bien veillé à ce que nous soyons aussi authentiquement anglais qu'une tasse de thé. Ce projet mérite réflexion. Tu ne dois pas me brusquer.

— Réfléchis-y et, puisque tu as parlé de thé, je vais faire chauffer de l'eau. (Loïs s'est déjà élancée vers la porte de la cuisine.) Petit déjeuner au jardin ?

Je crie dans son dos :

— J'ai simplement dit que j'y réfléchirais. Et puis, il faut aussi penser à Trojan.

Loïs s'arrête et se retourne vers moi.

— Les chenils, ça existe… ou l'une de tes amies pourrait le prendre. Ce ne sera que pour deux ou trois semaines.

— *Si* je pars en vacances, il ira dans une pension pour chiens.

Un éclat de triomphe dans ses yeux noirs, Loïs pointe du doigt la cabane en bois au coin de la pelouse.

— Je vais apporter le petit déjeuner au pavillon d'été.

Mes jambes flageolent soudain, et je dois m'asseoir sur le vieux banc à l'abri du cèdre qui ombrage la pelouse. Je regarde vers le lac. C'est à peine si j'aperçois Stokencourt Place, l'antique demeure des Georgiou, sise sur l'autre rive, qui abrite désormais des appartements de luxe. Tout ce qui reste de la propriété est un petit manoir jouxtant le village. Depuis ma retraite, il y a quinze ans, c'est ma maison, trop grande, trop vide, trop emplie de fantômes. Je suis la dernière survivante de la fratrie. *Mais elle t'accompagnera jusqu'à la fin*, me dit une petite voix intérieure.

Chère Loïs ! Elle n'a pas idée de ce que réveille en moi ce cadeau-surprise. Mais je ne peux la décevoir. Athéna, sa mère, est morte bien trop jeune, et maintenant qu'Évadné, ma propre sœur, n'est plus, elle a besoin de soutien.

Alex est également en souffrance. Nous sommes les trois derniers éléments de la tribu Georgiou et, pour Loïs, je suis comme une mère de substitution. Cela semble cruel de refuser, et pourtant… Ces événements ont beau remonter à si longtemps, comment vais-je affronter ce retour en

Crète ? Comment soixante ans ont-ils pu s'écouler depuis cette période troublée ?

Aujourd'hui encore, la seule pensée de cette île fait resurgir de terribles souvenirs. Les souvenirs d'une époque marquée par le pire mais aussi par le meilleur. Oui, le meilleur, car en dépit de la cruauté, de la souffrance et de la faim, cela a été une expérience unique dans ma vie. J'y ai découvert la griserie du danger mais aussi la bonté prodiguée par des inconnus. Beaucoup de choses que je ne pourrai jamais raconter.

Loïs crie à Alex de quitter la télé. Tasses et verres s'entrechoquent sur le plateau du petit déjeuner tandis qu'elle traverse la pelouse ; pourtant, cela ne parvient pas à briser totalement ma rêverie. Comment se fait-il qu'à l'idée de retourner là-bas mon cœur se mette à battre si vite, et que ma réticence instinctive semble faiblir à chaque minute qui passe ?

Pourquoi ne connaîtraient-ils pas un peu mon histoire ? À qui d'autre, encore en vie, la transmettre désormais ? Reste-t-il des gens à qui cela nuirait ? Quelqu'un devrait savoir ce qui s'est vraiment passé avant que tous mes précieux secrets ne soient ensevelis avec moi dans la tombe.

À mon âge, chaque jour de plus est un cadeau qu'il ne faut pas gaspiller. Bien que je rechigne à l'idée de partager un pan de mon passé, je sais qu'il est temps de me libérer de ce qui, toutes ces années, a pesé sur mon cœur. Les jeunes ont le droit de savoir comment les choses se sont passées. Nous avons subi des épreuves mais nous les avons également prises à bras-le-corps, découvrant ainsi une part de nous-mêmes insoupçonnée.

Les garçons comme Alex doivent apprendre que la guerre n'existe pas que dans les jeux vidéo, qu'elle ne se limite pas seulement à des scènes d'action et des fanfaronnades, mais que c'est une chose sanglante et sale. Des hommes et des femmes se sont sacrifiés pour qu'il puisse vivre libéré de la peur ; il doit le savoir. Tant de mes amis n'ont pas vécu assez longtemps pour jouir d'une retraite confortable comme la mienne ! La bataille de Crète est désormais oubliée depuis des lustres ; il en reste à peine une page dans des manuels poussiéreux.

Comment puis-je y retourner, affronter tous ces fantômes et toutes les émotions enfermées dans cette île sacrée ? me dis-je. *Comment puis-je survivre aux souvenirs, aux cauchemars et au rêve ?*

Il est peut-être temps alors, ma fille, que tu les libères ? réplique cette petite voix intérieure qui me harcèle.

Je ramasse la brochure et me dirige lentement vers les vieux fauteuils confortables du pavillon d'été où m'attend Loïs.

Cette nuit-là, il m'est apparu de nouveau, l'homme hâlé de mes rêves – vision indistincte de sa silhouette jeune, dont je ne me souviens qu'à moitié. Il porte une chemise noire, avec, en bandoulière, une cartouchière en cuir, des jodhpurs et de hautes bottes en cuir couvertes de poussière. Le bandana de dentelle ceint son front, et ses lèvres se plissent comme toujours en un rire sardonique. Sa présence embrase la brume matinale, et de nouveau je sens l'odeur du romarin et du thym qui poussent sur les rochers gris-blanc des montagnes Blanches. Je cours à sa rencontre, mue par le désir, mais alors son visage se transforme et le grondement des fusils emporte mon cri. Un nuage de poussière et de sable s'épaissit et le cache à ma vue. Je ne peux l'atteindre... C'est alors que je me suis réveillée, les yeux humides et embués, et le seul bruit que j'ai entendu par la fenêtre ouverte, porté par le vent du matin, a été le bêlement des brebis appelant leurs agneaux.

Qui m'appelle ainsi à venir retrouver l'île, ses senteurs de sauge et de citron, nos nuits méditerranéennes ? « Chaque amour a son propre paysage », n'ai-je pas lu cela un jour quelque part ?

Mais ce n'est pas là-bas que tout a commencé, oh non, me suis-je rappelé avec un soupir en reposant ma tête sur l'oreiller. Pour que ce voyage fasse sens, il faut le commencer dans une autre contrée bien plus au nord, un pays de torrents et de landes couvertes de bruyère, et se rappeler cette première lueur de ce qui pourrait être...

Blair Atholl, Écosse,
septembre 1936

Assise sur la bruyère humide, Penny Georgiou scrutait la campagne avec ses jumelles pour essayer d'apercevoir le vieux cerf roux que le garde-chasse du propriétaire avait sélectionné pour l'abattage. Elle n'aimait rien tant qu'être dehors sur la lande à faire du repérage, cachée dans les bruyères, cherchant le gibier à la longue-vue, faisant semblant d'être l'un des gars partis écumer les collines autour de Blair Atholl.

Le soleil était haut dans le ciel et les collines d'un mauve scintillant moutonnaient de tous côtés comme une vaste mer de déferlantes, à perte de vue. Penny adorait l'excitation de la traque, la marche sur des pistes irrégulières, les montées sur les pierriers. Le guide de chasse disait qu'elle avait le pied agile, et qu'avec ses longues jambes elle pouvait aller plus vite que bon nombre d'hommes, mais quand elle avait rapporté ce compliment à sa mère, celui-ci n'avait pas été très bien reçu. « Je ne t'ai pas élevée pour sillonner la montagne en culottes. Enlèvemoi ces horreurs et mets une tenue présentable », avait exigé sa mère.

Dehors au grand air, Penny oubliait toutes les contraintes quotidiennes de sa vie : les études, les leçons de danse, les rendez-vous interminables chez la couturière. Ici, elle était libre ; libre de s'étirer, de respirer le parfum âcre de la bruyère et d'oublier sa condition de fille. D'ailleurs, elle était un excellent fusil, bien meilleur que son frère, Zan.

Elle devrait à présent songer à rentrer. Ce jour-là, il ne s'agissait que d'un entraînement car la plupart des chasseurs participaient à un challenge Macnab : pêcher un saumon, tuer deux tétras et un cerf, tout cela en une journée, une expédition à laquelle elle n'avait pas le droit de prendre part. Ce soir aurait lieu le bal des Highlands, et les femmes s'affairaient à leur toilette. Durant ce bal, sa sœur aînée Évadné serait présentée à sa future belle-famille, les Jefferson.

Pour la deuxième saison de débutante d'Évadné, lady Fabia, leur mère, avait arpenté les salles de bal de Belgravia afin de débusquer un gibier qui convienne à sa fille. Sans succès. La Cour portait alors le deuil du roi George V, mort au début de l'année, et, pour le bal que ses parents donnaient en son honneur, Évadné avait absolument tenu à s'habiller en noir. Ce choix audacieux et sophistiqué lui avait valu un trophée en la personne de Walter Jefferson, diplomate au Foreign Office, jeune homme de bon pedigree mais sans titre, à la grande déception de sa mère. Leurs fiançailles devaient être annoncées le soir même.

Au moins, à Blair Atholl, personne n'ennuyait Penny, qui se retrouvait libre d'errer dans la

23

magnifique demeure à la cage d'escalier tapissée des portraits de plusieurs générations de la famille Murray, de noble lignée. Elle avait repéré la bibliothèque, un lieu magique aux murs recouverts de volumes reliés cuir. Des livres tout écornés, lus et relus – à la différence des volumes tape-à-l'œil qui, dans le bureau de papa à Stokencourt, passaient pour de la littérature. *Pourquoi pensent-ils tous que lire est une perte de temps ?* songeait-elle. Papa lisait le *Financial Times*, mère feuilletait le magazine *The Lady* à la recherche de domestiques. Quant à Évadné, elle ne lisait pas du tout. Elle était toujours partie en promenade avec ses amies, et Penny était trop jeune pour apprécier tous leurs bavardages de filles. Parfois, cependant, elle aurait aimé ressembler davantage à sa grande sœur, avoir son physique et son tempérament. Peut-être alors que mère n'aurait pas été aussi sévère avec elle lorsqu'elle la retrouvait plongée dans un livre.

Penny reprit le chemin de la grande demeure et se faufila jusqu'à la bibliothèque, où les bustes magnifiques de Milton et de Shakespeare la regardèrent. Le peu d'éducation qu'elle avait, elle le devait à cette pauvre miss Francis qui lui avait donné des cours particuliers pendant un temps. Penny avait désormais seize ans et demi, et on n'attendait d'elle rien d'autre que de montrer de l'intérêt pour l'arrangement floral, le dessin et les leçons de danse de salon. Elle, elle aspirait à aller à l'université, poussée par une passion secrète qu'aucun membre de sa famille ne comprendrait jamais.

Cette passion était née à l'âge de sept ans, quand Albert Gregg, le vieux jardinier, lui avait donné un silex taillé qu'il avait trouvé dans le jardin. Il lui avait montré comment la pierre avait été travaillée, dans des temps reculés, pour en faire une tête de flèche destinée à la chasse. Toucher un objet vieux de plusieurs millénaires l'avait ravie, et elle s'était mise à creuser les bordures, à la recherche d'autres trésors. Sa mère n'avait pas décoléré quand elle était arrivée en retard au repas, couverte de boue. La pauvre Nanny avait été tenue pour responsable de cette honte. Cela n'avait pas empêché Penny de continuer à chercher dans les labours des vestiges de l'époque romaine, des fragments de tuile et de poterie qu'elle cachait ensuite dans des cartons à chaussures. Elle avait même découvert un jour une pièce frappée au sceau d'un empereur, et avait regretté de ne pouvoir déchiffrer l'inscription latine. Chaque promenade dans ces champs des Cotswolds à la terre si brune devenait, grâce à sa curiosité, une incursion dans l'histoire.

Au moins, miss Francis la laissait nettoyer ses trouvailles et les dessiner dans son bloc-notes spécial. Penny était bonne dans ce domaine : dessin au trait, croquis à l'encre et au crayon. Elle avait l'œil pour produire des représentations fidèles, lui avait dit miss Francis, mais pas pour l'invention.

Ici, au château de Blair Atholl, la bibliothèque renfermait tout un monde d'œuvres nouvelles, dont un livre sur son sujet de prédilection : *Digging up the Past*, de sir Leonard Woolley, illustré de photographies de fouilles dans des contrées lointaines et exotiques, l'Égypte, la Perse et la Grèce. Penny se demandait si elle ne pourrait pas l'emprunter un ou deux jours, mais mère ne manquerait sans doute pas de le lui subtiliser avec un air de dégoût en lui disant : « Tu n'es vraiment pas une fille normale. Je ne t'ai pas fait venir au monde pour devenir un bas-bleu ! »

Penny se demandait parfois pourquoi ses parents s'étaient donné la peine de la concevoir. Ils avaient déjà une fille et un garçon, Évadné et Alexander. Elle n'était qu'un ajout, et de surcroît pas un enfant mâle ! Les filles coûtaient cher jusqu'à leur entrée dans le monde, on ne leur offrait donc pas cette éducation que Zan avait reçue comme un dû. Quelle injustice !

À Londres, un après-midi, Penny avait réussi à fausser compagnie à son chaperon et était entrée à Burlington House voir une exposition sur le palais de Knossos, où elle avait vu des reproductions de fresques et ce qui ressemblait à un singe bleu merveilleux. Elle avait convaincu Évadné de l'accompagner au British Museum et y avait passé des heures à déambuler dans les salles consacrées à l'Antiquité, s'émerveillant devant les vestiges des civilisations anciennes tandis que sa sœur bâillait d'ennui. Cette visite avait décidé Penny à prendre une carte à la bibliothèque de Cheltenham, la ville la plus proche de Stokencourt, et à continuer ses recherches en secret. Elle y avait emprunté tout ce qui avait trait à l'histoire de l'Antiquité.

Puis, à cause d'une méprise concernant une amende infligée par la bibliothèque parce qu'elle n'avait pas rapporté un livre à temps, mère lui avait volé dans les plumes.

— Pénélope, qu'est-ce que c'est que ces coups en douce ? Qu'allons-nous faire pour mettre un terme à toutes ces sottises ?

— Ce ne sont *pas* des sottises, je veux aller à l'université, avait-elle répondu d'un ton sec. Je serai archéologue.

Tout le monde autour de la table s'était esclaffé.

— Pas d'insolence ! avait rugi sa mère. Les jeunes filles de notre rang ne font pas... elles se contentent d'*être*, ce sont les futures compagnes des hommes d'élite de ce pays. Papa, explique-lui ! À ton âge, Pénélope, j'étais mariée, et je n'ai jamais lu un seul livre de ma vie. Ce n'est qu'une perte de temps.

Fabia s'était tournée vers son mari, qui, tassé derrière son journal, avait marmonné :

— Cette petite a un esprit indépendant. Si vous ne la laissez pas l'utiliser, elle fera des bêtises.

Penny savait que son père était de son côté, mais personne ne s'opposait à mère quand celle-ci était d'humeur belliqueuse.

— Plutôt mourir ! s'était exclamée Fabia. Il faut qu'elle apprenne à obéir. Regarde-la, cette asperge, et regarde-moi cette façon qu'elle a de s'avachir... Je lui paie toutes ces leçons de danse, et elle continue à se tenir les épaules voûtées. En plus, elle a le teint trop sombre.

Elle s'était arrêtée et avait regardé Penny avec dégoût.

— Je suppose que l'un de nos rejetons devait finir par hériter de ta peau de Grec, Philip.

Redresse-toi, ma fille, pour une fois. Et il faut que tu te remplumes.

— Je ne suis pas une oie qu'on engraisse pour Noël. J'aimerais vraiment aller à l'université, passer des examens. Je ne veux pas participer à la saison mondaine. S'il s'agit d'argent, pense à toutes ces dépenses que tu n'aurais pas à faire. Je pourrais gagner ma vie. Miss Francis dit qu'il y a des cours…

— Une petite-fille de sir Lionel Dellamane ne *travaille* pas !

Fabia avait craché ce mot comme s'il était empoisonné, et la conversation s'était arrêtée là. Elle était sortie, furieuse, et avait laissé Penny pleurer de frustration.

Son père avait soupiré.

— Pas de chance, ma grande, mais elle veut vraiment ton bien.

— Elle veut surtout ce qui est bien pour elle, avait grommelé Penny sans qu'on l'entende.

Sa mère n'était qu'une snob. Ces nobles de Dellamane remontaient peut-être à la conquête normande mais leur fortune venait de la banque. Papa, lui, devait sa fortune à son grand-père grec, un commerçant qui s'était enrichi grâce au transport maritime ; toutes choses que Fabia avait choisi d'ignorer, anglicisant son nom chaque fois qu'elle le pouvait. Penny portait en elle ce patrimoine ; elle était blonde, mais avec des yeux de charbon et une peau couleur de noix.

Le changement de nom avait toutefois été la seule concession que lady Fabia avait pu obtenir. Philip était fier de sa famille et avait fait en sorte que ses enfants apprennent sa langue maternelle. Cela avait aidé Zan pour ses cours de lettres classiques à Harrow. Penny avait recopié des leçons dans ses manuels mais il était difficile d'étudier seule. Miss Francis n'enseignait aux filles que le français, au cas où elles auraient besoin de parfaire leur formation dans une institution en Suisse…

Une cloche retentit, rappelant à chacun qu'il était l'heure de s'habiller. Penny reposa à regret le livre sur l'étagère et se promit de revenir. À l'étage, dans leur suite, tout le monde s'affairait autour d'Évadné – qui autour de sa coiffure, qui autour de son maquillage. Elle était vraiment belle dans sa robe de bal en satin blanc, et aucun fard n'aurait pu lui donner cet air radieux. Effy était visiblement amoureuse. Le mariage aurait lieu au printemps, et mère prévoyait déjà le trousseau et la robe de mariée. Quand sa grande sœur emménagerait chez elle, à Londres, Penny ressentirait un vide, mais elle aurait toujours la possibilité de lui rendre visite, et donc d'échapper au quotidien enrégimenté imposé par sa mère pour explorer tout ce que Londres avait à offrir.

— Pourquoi n'es-tu pas prête ? dit Fabia en lançant un regard noir à sa fille, encore en habits de chasse et couverte de boue. Qui t'a prêté ces pantalons ? Tu dépasses vraiment les bornes ; un garçon manqué, voilà ce que tu es. On dirait qu'on t'a traînée dans une haie. Comment va-t-on réussir à t'arranger à temps pour le bal ? Dieu merci, il reste encore un an avant ton entrée dans le monde, soupira-t-elle tout en lui montrant la porte du doigt. Il va falloir travailler à te façonner, ou tu finiras par épouser un fermier !

Mère poursuivit son sermon derrière la porte de la salle de bains dans laquelle Penny avait fini par battre en retraite.

— Ce soir, tu resteras assise auprès des autres jeunes filles, tu observeras et tu apprendras.

Penny se mit la tête sous l'eau pour ne plus entendre la voix stridente de sa mère. Elle se moquait bien de ce que celle-ci pensait. Au fond, ses parents ne savaient pas vraiment qui elle était. Seules Effy et Nanny prêtaient attention à ses pleurs et à ses problèmes. Papa faisait de son mieux mais il était toujours occupé ou absent. Et qu'y avait-il de mal à épouser un fermier ? Quand elle se marierait, ce serait par amour, et non pour satisfaire les aspirations sociales de sa mère.

La superbe salle de bal chatoyait à la lumière des bougies. Parquet ciré, débauche de kilts multicolores et de vestes de velours noir, dames dans leurs longues robes blanches avec leur écharpe en tartan, épées, bannières et portraits aux murs. Les joueurs de cornemuse emplissaient l'air de leurs mélodies, et la fumée des pipes et des cigares montait vers l'escalier où se tenait Penny. Elle observa la scène ; on eût dit qu'un tableau, soudain, s'animait.

Au centre, Effy et Walter Jefferson se lancèrent sur la piste de danse pour célébrer l'annonce officielle de leurs fiançailles. Au doigt d'Effy scintillait une grappe de diamants et de saphirs qui s'harmonisaient avec le bleu de ses yeux étincelants. C'était sa soirée, son moment de gloire, et mère, immobile, dans sa robe de velours bleu lavande, les cheveux plaqués en vagues ondulantes, admirait sa progéniture et recevait des compliments comme une reine au milieu des courtisans. C'était son heure à elle aussi, sa mission accomplie, une fille fiancée et bientôt mariée.

Penny contemplait la scène. Ce triomphe, elle le savait, serait pour mère le premier et le dernier. Il était hors de question qu'elle se plie à tout ce cirque pour trouver un compagnon. Elle avait lu des livres de biologie et comprenait fort bien que tout cela se résumait à une histoire de reproduction. Il fallait trouver le géniteur approprié pour assurer la perpétuation de la race. Mais bon sang, la vie ne pouvait pas se résumer aux mariages, aux soirées et aux bals de débutantes !

Elle s'assit en compagnie d'autres futures débutantes qui battaient la mesure du pied, impatientes d'aller danser avec ces hommes fringants aux épais mollets et à la large poitrine qui faisaient tourbillonner leur partenaire sur des airs de plus en plus rapides et entraînants. Leur tour viendrait plus tard, tel était le protocole. *Quelle injustice*, songea Penny, *que de rester clouée sur sa chaise à faire poliment la conversation tandis que les autres s'amusent !*

Mère, debout derrière elle, désigna du doigt un groupe de jeunes hommes qui riaient bruyamment dans un coin, leur verre de whisky étincelant à la lumière des flammes.

— Ce sont sans doute ces canailles de Balran-noch... De beaux spécimens mais des sauvageons. J'ai entendu dire que lord Balrannoch n'a jamais été capable de contrôler ses garçons, ajouta-t-elle, les détaillant comme du bétail. Le grand n'est qu'un ami. À son accent, on dirait qu'il vient des colonies. Expulsé d'Eton, d'après ce que l'on m'a raconté.

Elle renifla et le toisa avec dédain.

— Un des frères, Torquil ou Tormod, est à l'armée... Il est bien regrettable que leur mère soit morte et qu'on les ait laissés pousser comme des herbes folles. Mais sur une piste de danse, ils ont fière allure, je le reconnais.

Une femme à écharpe de tartan chuchota :

— Fabia, songes-tu à l'un de ces garçons pour Pénélope ? Elle pourrait tomber plus mal...

Penny tendit l'oreille avec angoisse pour saisir la réponse.

— Non, pas encore, mais je me demandais s'ils avaient une sœur...

— Pour Alexandre ? Hélas non, que des garçons. Il y en a un autre, plus mesuré, qui pourrait convenir à Pénélope, cela dit.

Penny sentit ses joues s'empourprer de rage. Elle ne se laisserait pas imposer qui que ce soit. Sous prétexte de devoir aller aux toilettes, elle se leva discrètement de sa chaise. De l'air ! Elle avait absolument besoin de respirer. Les couloirs, éclairés par des torches, étaient dans une semi-pénombre mais elle connaissait le chemin de la bibliothèque. Là, au moins, régnaient le silence et la paix ! Les lampes étaient allumées, et dans l'âtre une bonne flambée réchauffait la pièce. Délicieusement seule, elle se dirigea vers le rayonnage où se trouvait le livre d'archéologie qui avait si fort embrasé son imagination et se carra tout au fond d'un des fauteuils en cuir. Personne ne se soucierait d'elle pendant un moment.

Son regard fut attiré par un numéro du *Scottish Field* et par le catalogue d'une exposition de l'Ashmolean Museum contenant des photos de poteries en provenance de fouilles récentes au palais de Knossos. Oxford n'était pas très loin de chez elle. Si elle s'y prenait bien, elle pourrait suggérer à Effy d'aller y faire des courses et la persuader de voir l'exposition. Cela valait la peine d'essayer.

— Pas mal...

Penny sursauta au son de la voix dans son dos.

— ... j'ai vu certains de ces objets en vrai. Plus de cinq mille ans, et on les croirait fabriqués hier. Ça vous intéresse, ces choses ?

Penny se retourna pour voir qui parlait ; elle n'avait encore jamais entendu un tel accent, rond et profond. C'était l'un des garçons dont sa mère avait parlé, l'un des « sauvageons » du clan Balrannoch.

— Où les avez-vous vus ?

Elle toisa le jeune homme. Plus grand que Zan, les cheveux noirs plaqués en arrière avec de la gomina, son jabot en dentelle déjà éclaboussé de sauce.

— Sur une île, au large de la Grèce, alors qu'on les dégageait du sol. On a lavé les morceaux et on les a assemblés – enfin, les spécialistes dont c'était le travail... Moi, je me suis contenté d'observer.

Je suivais des cours d'été à Athènes, à l'École britannique d'archéologie. Un endroit génial !

— Ç'a l'air merveilleux. Qu'est-ce que j'aimerais faire ça ! soupira Penny. Pourquoi les garçons ont-ils toutes ces possibilités ? Pourquoi peuvent-ils voyager à l'étranger, aller dans des endroits exotiques ?

— Ils prennent des étudiantes, vous pouvez toujours envoyer votre candidature… C'est un travail qui vous casse les reins, cela dit. En pleine chaleur de surcroît, et dans la poussière. Payant, bien sûr, mais tentez le coup. Allez-y l'année prochaine.

Il sourit, comme s'il n'y avait rien de plus facile à faire. Tandis qu'il devisait, elle remarqua ses yeux noirs qui brillaient d'enthousiasme. Son haleine sentait le whisky. Personne ne lui avait jamais parlé ainsi, d'égal à égal.

— D'où êtes-vous ? Vous n'avez pas l'accent écossais.

— Mes parents ont émigré en Nouvelle-Zélande mais m'ont envoyé à l'internat ici. C'est comme ça que j'ai rencontré Torquil et Tormod, les jumeaux fous…

Il se mit à rire. *Un son de carillons*, se dit-elle.

— Je suis à Cambridge, je veux être archéologue mais mon père dit que quand j'aurai terminé mes études je devrai intégrer l'armée. Où étudiez-vous ?

— Nulle part. (Penny rougit, honteuse.) Évadné se marie l'année prochaine… Ce sera ensuite ma saison, marmonna-t-elle, comme pour s'excuser.

— Ah, c'est *vous*, la petite sœur George ! La rumeur vous a précédée...

— Pardon ?

Penny se hérissa.

— Vous êtes la fille qui atteint une cible du premier coup et distance certains des guides de chasse plus âgés. « La chèvre des montagnes », c'est comme ça qu'on vous surnomme.

Il rit et la regarda, l'air amusé.

— Je suis Bruce, Bruce Jardine... avec un plumage d'emprunt, je le crains !

Il montra son kilt.

— Les Jardine sont originaires des Lowlands, ils n'ont pas de tartan, alors j'en ai emprunté un au clan de Torquil...

— Je suis Pénélope George mais ça, vous le savez déjà, ajouta-t-elle aussitôt, soudain mal à l'aise après son compliment ambigu. Se moquait-il d'elle ?

— La plupart des débutantes que je connais ne s'intéressent guère aux vieilles poteries, mais rien de surprenant, dit-il, en jetant un œil intéressé sur son livre. Demain, s'il pleut, je montrerai mes diapositives sur un site de fouilles en Grèce.

— Où ? s'enquit-elle malgré elle.

— Ici, c'est pourquoi je repérais les lieux. Vous verrez ce dont je parle.

— Je ne serai jamais une débutante, annonça-t-elle tout à trac.

— Bonne décision. Et que ferez-vous alors ? L'université ?

— Vous voulez rire ! Ma mère en aurait une attaque, et je ne réussirais pas aux examens. Mais une chose est certaine, on ne me fera pas entrer dans ce marché aux bestiaux.

Elle refoula des larmes de frustration. Bruce s'assit à côté d'elle, les yeux dans les siens avec un air compatissant. Il lui prêtait une attention réelle. Il sortit sa pipe et commença à la bourrer avec un tabac très parfumé. Personne, chez elle, n'écoutait vraiment Penny, surtout quand il s'agissait de sujets sérieux. Elle se sentit en sécurité : avec Bruce à son côté, le feu qui crépitait dans l'âtre, les lampes qui vacillaient, elle était à mille lieues de cette bruyante salle de bal à l'étage. Elle s'installa à son aise sur le canapé, elle eût voulu que ce moment dure toujours.

— « Si vous désirez quelque chose avec assez de force, me disait ma vieille gouvernante, vous l'obtiendrez », déclara-t-il. « Ayez une passion, et chérissez-la », c'était un autre de ses adages. À demain !

Sur ces mots, il s'en alla, et un grand vide parut emplir la pièce, comme si un feu venait de mourir. Penny frissonna. Il était temps de regagner la salle de bal avant que sa mère n'envoie une équipe à sa recherche. Au lieu de cela, elle resta assise sur le divan en cuir, à se repasser le film de cette rencontre dans sa tête. Pourquoi n'aimait-elle pas qu'on l'appelle « la chèvre des montagnes » ? Pourquoi avait-elle ressenti soudain cette furieuse envie de danser sur la piste et d'avoir la vedette comme Effy plutôt que d'être mise sur la touche ?

« Ayez une passion et chérissez-la » : facile pour vous, Bruce, mais pour moi ? Comment m'y prendre pour

changer mon destin, résister aux projets de mes parents et m'éduquer afin de réaliser mes rêves ? Il doit y avoir un moyen, mais serai-je assez courageuse pour emprunter le chemin audacieux de la liberté ? Le seul espoir ? Que vous soyez de mon côté et croyiez en moi. Alors peut-être y parviendrai-je.

Tout à coup la vie ne lui parut plus si morose et, d'un bond, elle se leva pour regagner le bal.

2001

Je me suis réveillée le lendemain matin souriant au souvenir de cette première rencontre avec Bruce Jardine, il y a si longtemps, et à celui de l'éveil en moi de ces premiers désirs ; souriant aussi de la honte que j'avais éprouvée devant un si cruel manque de connaissances. J'étais tellement ignorante du vaste monde ! Je me rappelle m'être glissée le soir suivant dans la pièce assombrie où les volets fermés ne laissaient pas entrer la lumière glauque de l'automne, prête à dévorer ses discours et ses diapositives. Assis là, une poignée d'invités fixaient le drap blanc, la fumée de leurs cigares faisant des volutes de brume bleue devant le projecteur.

Le diaporama de Bruce nous transporta dans un autre monde, comme on en voyait rarement dans les bandes-annonces Pathé au cinéma : montagnes couronnées de neige se détachant contre un ciel bleu, port empli d'antiques bateaux à voile qu'il appelait des caïques, hommes dans un costume étrange – pantalons bouffants, bottes hautes et gilet –, d'épaisses moustaches ornant leur visage buriné et guerrier. Il avait aussi photographié leurs chefs de groupe, les Pendlebury, mari et femme, qui étaient les conservateurs de l'École britannique d'archéologie et de son annexe en Crète. Lui, un homme de grande taille avec un œil de verre ; elle, Hilda, toute petite, qui regardait droit devant l'appareil et clignait des yeux dans le soleil.

Suivit alors un premier aperçu d'archéologues en casque colonial occupés à déterrer d'antiques trésors, brossant le sable et la poussière, lavant les poteries. Des filles en short, guère plus âgées que moi, croquaient les découvertes en détail. Il y avait des tas de paniers en osier emplis de trouvailles prêtes à être étiquetées et cataloguées. Puis des vues depuis le sommet des montagnes, des pique-niques près de grottes en Crète. Des scènes de fêtes où tout le monde riait et où les hommes exécutaient d'étranges danses, et j'ai senti une jalousie féroce monter en moi à cause de cette liberté qu'ils avaient d'être là-bas et d'accomplir une œuvre importante. L'endroit semblait merveilleux mais il était aussi éloigné de ma vie routinière que la lune ! Il n'y avait que les garçons qui pouvaient vagabonder en Europe, voyager sans chaperon, apprendre des langues étrangères. J'étais à peine allée dans la rue toute seule. Il y avait toujours quelqu'un à mon côté, à me donner des ordres, à vérifier les coutures sur mes bas. Je n'avais jamais pris le bus ou le train par moi-même, jamais mis les pieds dans un pub ou un hôtel, ni eu la permission de rentrer tard le soir. On n'autoriserait jamais une fille comme moi à partir pour une expédition aussi risquée, même si la Grèce était la terre ancestrale de mon père et si je possédais quelques rudiments de grec.

Un sentiment brûlant d'injustice s'empara de moi face à l'inégalité de notre enfance, aussi privilégiée qu'elle ait été, mais aujourd'hui j'en ris tout haut.

Tu as réussi, ma vieille. Tu es arrivée à tes fins de la manière la plus détournée qui soit. Oh, l'arrogance entêtée de la jeunesse ! Ce devait être ton destin et tu as volé vers lui comme Icare vers le soleil, sans tenir compte des autres, ni du danger.

Je soupire en secouant la tête. Ah, si jeunesse savait, si vieillesse pouvait ! Comme ce proverbe est vrai ! Je ne me doutais guère alors que m'envoler ainsi du nid exigerait une vie au service d'autrui.

La brochure sur la Crète n'a pas bougé de ma table de nuit, je n'y ai pas touché. Je vais retourner là-bas, dans cet endroit si particulier, peut-être pour assembler les morceaux épars de moi-même, si je peux encore les retrouver. Ce n'est sans doute qu'en affrontant le passé que j'aurai les réponses aux mystères toujours cachés sur cette île de héros et de rêves.

Stokencourt Place,
avril 1937

Les préparatifs pour le mariage d'Évadné prirent des mois. Le choc causé par l'abdication du roi et le couronnement du nouveau roi George n'étaient que broutilles dans l'agenda de mère. Les rumeurs d'une guerre contre l'Allemagne ne troublèrent pas davantage sa détermination de faire de cette cérémonie le mariage de l'année. Après la messe dans l'église paroissiale, il devait y avoir une grande réception dans le parc de Stokencourt, avec un traiteur londonien.

La robe d'Effy était confectionnée par Victor Stiebel, le couturier de la haute société. Ses aides exigeaient sans cesse de nouveaux essayages, ce qui suscita des voyages réguliers à Londres. L'occasion se présenta ainsi à Penny d'explorer la capitale en compagnie de Diana Lindsey, la principale demoiselle d'honneur d'Effy.

Diane, comme elle préférait qu'on l'appelle, venait juste de parfaire son éducation dans une institution pour jeunes filles de Munich, et elle faisait mourir de rire les sœurs George quand elle leur racontait ses escapades dans l'Allemagne de Hitler. Elle décrivait la façon dont le Führer et ses ardents partisans se pavanaient dans les rues comme des coqs dans une basse-cour. Elle avait dû rentrer en Angleterre plus tôt que prévu, après avoir parlé trop haut lors d'une réception et fait une plaisanterie sur le camp des Jeunesses hitlériennes auquel elle s'était rendue avec ses hôtes.

— Rien à voir avec nos boy-scouts, ça, je peux vous le dire ! Je n'ai pas été dupe, ce sont de sales types : ils chassent les vieillards de la rue à coups de pied, scandent des injures à quiconque est forcé de porter une étoile jaune sur son manteau, font valser le chapeau de la tête de ces gens et harcèlent leurs enfants. Mes hôtes ont essayé de les excuser, mais j'ai bien vu qu'eux aussi étaient inquiets. Et je vous préviens : un jour, nous allons devoir nous en occuper !

Mais nul ne s'intéressa à de si lugubres nouvelles, préférant parler bouquet de la mariée et trousseau.

Diane était l'âme sœur de Penny. Elle partageait son sens de l'aventure et la couvrait tandis que Penny musardait dans les librairies et dépensait son argent de poche en ouvrages qui pourraient l'aider à devenir archéologue. Et ce fut Diane qui, à force de répéter qu'il leur faudrait faire œuvre utile au cas où la guerre éclaterait, déclencha quelque chose en elle.

— La Croix-Rouge organise des conférences et des stages de formation, nous devrions nous inscrire, déclara-t-elle, un jour qu'on leur essayait leurs robes de demoiselles d'honneur en satin, moulantes, coupées en biais et d'un vert Nil à la dernière mode.

Quelle ne fut pas l'horreur de lady Fabia quand elle vit qu'on ajustait cette même robe sur Penny !

— Elle devrait porter une tenue en organza avec des manches bouffantes et une ceinture, insista-t-elle.

Effy tint bon.

— Non ! Elle est plus grande que Diane et Clarissa, et ce style lui va parfaitement. Je les veux toutes les six identiques, je refuse que l'une d'elles jure dans le lot.

Penny aurait volontiers embrassé sa sœur mais, chez les George, on ne se répandait pas en marques d'affection. Elle avait envie de paraître adulte, de briller : et si un certain Néo-Zélandais figurait parmi les invités ? Depuis cette rencontre en Écosse, elle espérait revoir Bruce et lui dire combien elle étudiait, mais leurs chemins semblaient ne jamais se croiser.

Elle se rappelait ses encouragements et rêvait qu'il l'attendait quelque part. C'était idiot de s'être amourachée ainsi, mais elle n'oublierait jamais combien il l'avait aidée. Elle ne le décevrait pas.

La cérémonie eut lieu par une journée magnifique comme il en existe dans les Cotswolds au printemps ; le chemin qui menait à l'église était planté d'ormes au feuillage vert vif, et les agneaux nouveau-nés gambadaient dans les champs. Papa dans son habit à queue-de-pie et Zan dans son uniforme militaire de gala étaient très élégants. Mère arborait une robe en soie déclinant plusieurs nuances très pâles de crocus.

Walter fit un beau discours de remerciement. Angus Balrannoch, son témoin, porta un toast aux demoiselles d'honneur tout en faisant de l'œil à Clarissa. Penny entendit un invité dire que Bruce Jardine était reparti sur un autre site de fouilles, quelque part en Égypte ou en Grèce, mais elle essaya de ne pas se laisser gâcher la soirée par cette information. *À l'étranger, ça ne m'étonne pas de lui*, songea-t-elle, boudeuse.

La nouvelle qui fit l'effet d'une bombe fut annoncée plus tard : Walter déclara qu'après une lune de miel dans un lieu tenu secret il emmènerait Évadné dans les Balkans, en Grèce, où il occuperait un nouveau poste.

Mère faillit s'évanouir en entendant cela, tandis que papa sourit et, avec une tape dans le dos, félicita son gendre.

— Merveilleux endroit, bravo, jeune homme.

Diane éclata en sanglots.

— Oh ! Évadné, c'est si loin !

Évadné semblait penaude. Elle avait sans doute dû prendre sur elle pour garder le secret.

— Je ne pars pas avant un bon moment. D'abord, il y a le couronnement, ensuite il faut que la maison là-bas soit prête à nous accueillir, et puis vous pouvez prendre l'Orient-Express et venir me voir quand vous voulez.

Penny ne sut si elle devait rire ou pleurer. Perdre sa grande sœur parce qu'elle partait vivre à Londres était déjà une épreuve (elle avait bien imaginé toutes sortes de stratagèmes pour s'imposer au nouveau couple et commencer des études pour de bon), mais à Athènes ? Elle savait à peine localiser l'endroit sur une carte.

Le soleil se couchait au-dessus du lac, le tinte-
ment des verres s'arrêta, et des couples commencèrent à se retirer pour voir les jardins et quitter
cette fête splendide. Penny et ses parents s'assirent
sur le banc près du lac ; mère, sous le choc de
la nouvelle du départ d'Effy, était inconsolable.

— Comment peut-il nous faire ça, enlever ainsi
ma fille ? renifla-t-elle. Maintenant que Zan est
à Sandhurst, il y a des chances pour qu'il nous
ramène un mauvais parti, une de ces filles fri-
voles qu'il affectionne. Oh, pourquoi nos enfants
sont-ils si désobéissants ? soupira-t-elle. Évadné
était si sensée, si raisonnable, sans idées extrava-
gantes comme celle-ci. (Elle lança un coup d'œil
vers Penny.) C'est ton tour ensuite, mademoiselle. Espérons que tu jetteras tes filets plus près
de la maison.

— Je suis surtout inquiet de la façon dont la
situation s'envenime en Europe... Je n'aimerais
pas savoir notre fille prise au piège de quelque
méchante affaire. Athènes sera le dernier endroit
où se trouver si la guerre éclate.

— Oh, j'espère que ce ne sera pas le cas. Je ne
voudrais pas que Pénélope laisse passer sa chance,
si tous les garçons s'engagent. Il faut lui faire faire
ses débuts bien avant cela. Je demanderai à lady
March s'il est possible de louer sa maison pour
la prochaine saison mondaine.

On verra bien, se dit Penny, souriant en son for
intérieur. Mère pouvait toujours échafauder ses
plans, elle-même avait les siens. Les paroles pro-
noncées par Diane chez le couturier retentissaient
encore dans sa tête. Si la situation devenait

critique, on ne lui refuserait tout de même pas le droit de faire quelque chose d'utile !

Elle promena son regard autour d'elle : les amis d'Évadné et de Walter se détendaient au soleil. Un galon doré sur l'uniforme de Zan attrapa la lumière, et elle pria pour que la guerre, avec son lot de massacres et de chagrin, n'éclate pas de nouveau. On ne parlait pas beaucoup de la Grande Guerre au village, mais le Mémorial comportait une longue liste de noms locaux, y compris ceux de deux des cousins de papa. Pourvu que tout cela ne recommence pas ! Mais si c'était le cas et que cela affectât le pays où se rendaient les jeunes mariés ? Walter ne prendrait pas le risque d'exposer Effy au danger.

Pourtant, malgré le choc de cette nouvelle, un frisson d'excitation parcourut Pénélope. Ce beau Néo-Zélandais en kilt d'emprunt avait fait une inoubliable présentation, et il lui avait dit que l'École britannique d'archéologie d'Athènes acceptait les filles. Si Évadné était logée en sécurité dans cette ville, elle pourrait lui rendre visite, malgré les mille et une objections qu'on ne manquerait pas de lui opposer. Ses rêves allaient peut-être enfin se matérialiser.

Mais d'abord, elle devait gagner en indépendance, et s'inscrire aux conférences de la Croix-Rouge était un début. Qui pouvait dire où cela la mènerait ?

2001

Ce n'est pas l'angoisse du voyage qui a troublé mon sommeil mais la pensée de retourner dans un lieu que j'avais délibérément repoussé dans un coin de ma tête, tel un habit oublié au fond d'un tiroir. *Quels sentiments naîtront en moi lorsque je le reverrai si transformé, semblable au visage d'un ami autrefois jeune mais désormais abîmé par les ans ?*

Cesse de broder ainsi… À quoi bon ? Personne ne te connaîtra et tout le monde s'en fichera. Je me laisse tomber dans mon fauteuil préféré, lasse soudain, le regard perdu sur un cadre en argent. Une photographie d'Évadné et de Walter souriant au soleil.

« Tout ça, c'est ta faute, sœurette », dis-je dans un murmure. Nous ne nous doutions guère que le poste de diplomate de Walter changerait ma vie pour toujours, ferait sortir de son axe mon petit monde douillet et l'enverrait tournoyer au loin, hors de contrôle. Oh, quelle époque glorieuse, Effy ! Si seulement nous avions su à quel point le temps que nous avions à passer ensemble était précieux et éphémère…

Athènes, 1937

Fidèle à ses paroles, Diane s'inscrivit, et Penny avec elle, aux cours de premiers soins organisés par la Croix-Rouge. Elle persuada même la mère de Penny d'honorer de son parrainage le comité local qui organisait des journées de quête et d'excursion à la campagne pour les enfants malades.

Les conférences s'avérèrent complètes et plus intéressantes que ne l'avait imaginé Penny. Elle y apprit comment arrêter une hémorragie, poser des attelles en cas de fracture avec tout ce que l'on avait à portée de main, fixer un pansement au coude et pratiquer le bouche-à-bouche en cas de noyade. Qu'il s'agisse de jouer le rôle du patient ou celui du soignant, Penny se proposait toujours. Elle prit des notes, passa des examens et obtint son diplôme. Tout alla très vite : on lui prit ses mensurations pour son uniforme et, lors du County Show, elle se retrouva fièrement à côté de l'ambulance à guetter la première occasion de porter secours à un malade. Elle voulait tester son degré de sensibilité au cas où un problème vraiment sérieux se présenterait.

Si la guerre venait à éclater, il était question que les nouvelles recrues se portent volontaires dans des unités de soutien, offrant ainsi une aide supplémentaire aux hôpitaux de la région. Le sentiment qu'en Europe des changements étaient imminents n'échappait à personne, des changements qui pourraient bien un jour affecter aussi la Grande-Bretagne.

Évadné prit l'avion pour rejoindre Walter à Athènes après un dîner d'adieux larmoyant où elle fit promettre à leur père d'envoyer en visite Penny et Diane dès que Walter et elle seraient bien installés.

— À la perspective de leur venue, je me sentirai moins isolée, expliqua-t-elle à leur père d'un ton suppliant.

Ses grands yeux bleus plantés dans ceux de son père l'imploraient.

Au fil des semaines, les lettres d'Effy arrivèrent par la poste, pleines de récits de soirées entre diplomates au milieu de palmiers ou dans des oliveraies. Il y avait aussi des photographies : Effy et Walter installés dans des chaises longues à l'abri d'immenses parasols, sirotant d'exotiques cocktails ; le couple parti pique-niquer à dos de mule dans les collines boisées en dehors d'Athènes, ou en excursion à la montagne ou à la mer. Leur nouvelle maison, la villa Artemisia, semblait tout droit sortie d'un plateau de cinéma à Hollywood. Mais aucune mention d'une invitation, aucune proposition de dates. Effy avait-elle oublié sa promesse ?

Les préparatifs de mère pour la saison des débutantes étaient en cours.

— S'il doit y avoir la guerre, dit-elle à Penny, je veux que tu fasses ton entrée dans le monde avant que les choses ne s'enveniment, et donc j'espère que Neville Chamberlain fait ce qu'il faut pour empêcher ce minus de Hitler de gâcher nos projets.

Penny voyait souvent Diane ; elle représentait un lien affectif avec sa sœur qui lui manquait beaucoup. Le nouvel ami de Diane allait s'enrôler dans la marine. Zan était en manœuvre quelque part dans le Devon. Penny passa l'été à être traînée dans tous les lieux que fréquentait la bonne société, jusqu'à ce qu'il soit temps de filer en Écosse pour la saison de chasse.

Mais alors qu'elle avait perdu tout espoir de jamais pouvoir aller à Athènes, une lettre arriva qui changea radicalement la donne.

Penny adorera être à Athènes et voir tout ce que la ville peut offrir au cas où, à la saison prochaine, eh bien, la guerre éclaterait. Diane vient passer quelques semaines ici, elles peuvent donc voyager ensemble et je veillerai sur Penny, je vous le promets. S'il vous plaît, maman, un peu de réconfort me ferait du bien car je ne me sens pas très en forme. À vrai dire, je me sens même horriblement mal, mais le médecin m'assure que dès le mois de décembre j'irai nettement mieux… Eh oui, un bébé de voyage de noces est en route ! Ne vous faites surtout pas de souci, on m'enverra accoucher en Angleterre. N'est-ce pas une merveilleuse nouvelle ?

À cette annonce, mère se lança dans un ballet d'appels téléphoniques et cette invitation passa tout naturellement.

— Nous avons décidé d'envoyer Pénélope à Athènes pour parfaire son éducation mondaine. C'est Évadné qui la surveillera, bien sûr. Vous ai-je dit qu'ils attendent un heureux événement pour décembre ? Pénélope sera un tel soutien pour sa sœur...

Ce fut comme si l'idée de ce voyage avait germé dans le seul esprit de sa mère. Suivirent une flopée de rendez-vous chez le couturier pour équiper Penny d'une garde-robe appropriée, robes légères en coton, linge, sandales, et d'un ensemble d'élégantes valises en cuir.

Évadné avait également envoyé une liste de choses à rapporter obligatoirement, parmi lesquelles un grand bocal de bonbons à la réglisse dont, soudain, elle raffolait !

Le départ était prévu pour la fin du mois de juillet, avant celui des parents pour l'Écosse. Diane et Penny iraient à Paris prendre l'Orient-Express. Penny n'en pouvait plus d'attendre. Enfin, sa vie allait commencer, songeait-elle. Elle emprunta tous les livres qu'elle put afin de se documenter sur Athènes et son histoire, et demanda aussi à son père de l'aider à rafraîchir son grec. Elle voulait parer à toute éventualité : vie sociale nouvelle et intéressante avec Effy et les amis de Walter, possibilité d'étudier l'archéologie ou, du moins, de visiter les sites les plus célèbres, et peut-être même occasion de se retrouver nez à nez avec Bruce Jardine, de sorte que, pour une fois, elle s'intéressa vivement à la préparation de ses valises.

Le voyage depuis Londres fut un mélange confus de portiers, machines à vapeur, passagers affairés et bagages. À la gare de l'Est, elle admira, ébahie, les voitures d'un bleu profond, estampées de lettres d'or. Elle avait le sentiment d'être une star de cinéma, son cœur bondissait d'excitation. Diane, qui se morfondait encore d'avoir quitté son nouvel ami, espérait que le bateau de ce dernier ferait escale à Athènes et qu'ils pourraient s'y retrouver.

Elles purent ensuite contempler les champs de bataille de la Grande Guerre. Vision fugitive de la cathédrale de Reims, puis la ligne découpée des Alpes finit par apparaître. Sur le quai des gares, des noms défilaient : Strasbourg, Karlsruhe… Dîner au wagon-restaurant, vêtues de leur plus belle robe, les amusa. Ce furent des journées merveilleuses : une vie de luxe, tandis que des scènes de livres d'images se déployaient sous leurs yeux et que le train les emmenait à travers l'Europe, loin de l'univers étriqué de Stokencourt Place. Comme dans un rêve, elles se réveillaient chaque matin dans leur petit compartiment aux murs recouverts de boiseries dont les lits se repliaient pour se transformer en banquettes et faire salon. Bientôt, elles changeraient de direction à Nis pour terminer leur voyage jusqu'à Athènes, où les attendait un autre monde.

Diane pratiquait son français et son allemand avec succès, c'était une compagne de voyage infiniment précieuse. Penny améliorait ses rudiments de grec grâce au petit manuel Berlitz acheté avant de partir. Durant tout ce temps, l'excitation ne cessa de bouillonner dans sa poitrine. Évadné lui avait permis de vivre tout cela.

Comme elles se dégourdissaient les jambes, arrivées à destination, Penny sentit pour la première fois un puissant souffle de chaleur comme si quelqu'un dirigeait sur son visage un ventilateur d'air chaud. Ah, c'était donc ça, Athènes ! Pendant un moment, tandis qu'elle cherchait du regard un visage connu, elle fut assaillie par le bruit, l'agitation, les couleurs et les odeurs. Puis elle vit Évadné et Walter qui agitaient la main. Évadné vint à leur rencontre en courant, les prit dans ses bras et les embrassa sur les deux joues. Penny n'en revenait pas.

— Il va falloir que tu t'habitues à embrasser en public, déclara sa sœur. Tout le monde le fait, ici. Oh, quel plaisir de vous voir toutes les deux ! Je sais que c'est le pire moment de l'année. Je n'ai pas osé dire à maman à quel point il peut faire chaud, sinon elle ne vous aurait pas laissées partir. Ne prends pas de couleurs ou elle va me *tuer*, Penny. Tu la connais avec ses histoires : un teint clair, sinon on n'intéresse plus personne.

Penny trouva sa sœur plus sophistiquée que jamais. Évadné portait une robe en lin blanc aux manches trois-quarts, gansée de bleu aux poignets et au col. Un énorme chapeau de paille bleu marine et blanc, aux bords abaissés, lui cachait le visage. Sa tenue faisait très marin et très chic.

Elle avait le sentiment de l'avoir quittée la veille et pourtant, comme elle la regardait avec plus d'attention, Penny se rendit compte que sa sœur avait la mine pâle et les joues creusées. Walter, qui s'était tenu un peu à l'écart pour les laisser s'embrasser, lui donna une poignée de main formelle. Il portait un costume en lin froissé et un panama. Il les accompagna jusqu'au cabriolet qui les attendait à la sortie de la gare tandis qu'on fixait leurs bagages à l'arrière.

— Tu as apporté les réglisses ? (Évadné s'était retournée vers Penny.) Si ce n'est pas le cas, tu peux repartir à la maison ! J'en rêve, je te le jure ! On va bien s'amuser. Je suis tellement impatiente de vous montrer les monuments.

— Attention ! Tu dois surveiller ta sœur, dit Walter. Faire en sorte qu'elle se repose l'aprèsmidi, et interdiction de sortir aux heures chaudes de la journée.

— N'ayez crainte, nous sommes secouristes désormais, répliqua Diane. Nous avons même notre insigne.

Les premiers jours passèrent à toute allure : Penny et Diane s'habituaient peu à peu à la chaleur ; elles se promenaient nonchalamment dans la lumière rose du soir, dînaient dans des nightclubs trépidants où tous les étrangers bavardaient avec leur propre coterie. L'opulence, si visible dans ces endroits, contrastait avec la pauvreté de certains quartiers entraperçus depuis l'arrière de la limousine.

D'une blancheur éblouissante sous le soleil, Athènes était une ville élégante, avec ses larges boulevards ponctués de places bordées de cyprès, d'orangers et de buissons de lauriers roses. Les cafés ouvraient sur les trottoirs autour de la place de la Constitution, et l'on pouvait rester assis à regarder les gens se presser et s'affairer, ou alors profiter de la richesse intérieure de l'hôtel de Grande-Bretagne et observer à loisir les nantis.

Penny absorbait la chaleur poussiéreuse tandis que des sites qu'elle n'avait jusqu'alors contemplés qu'en cartes postales prenaient vie sous ses yeux : le Parthénon, l'Acropole, les rues bruyantes et malfamées du quartier de la Plaka, où elles se promenaient escortées par des membres de confiance du personnel de l'ambassade désignés par Walter. Attablées au restaurant, elles goûtaient à de copieux *mezedes* : yaourt parfumé à l'ail âcre et à la menthe, salade de poulpe, sauce tomate épaisse riche en haricots séchés et en herbes aromatiques, feta onctueuse arrosée d'un filet d'huile d'olive, et pâtisseries à la crème juste sorties du four.

Partout un feu d'artifice de couleurs ravissait l'œil : rouge sang des géraniums qui pendaient aux balcons en fer forgé, mauve des glycines qui dégoulinaient le long des murs, bleu nuit des volubilis qui rampaient sur des terrains en friche, et bougainvillées aux bractées mousseuses et très colorées, vermillon, violettes et roses. Des expressions oubliées depuis longtemps refaisaient surface et, à sa grande surprise, Penny se découvrit capable de comprendre des bribes de conversations débitées à la vitesse d'une mitraillette, ou d'ordres lancés en criant ; on eût dit qu'elle connaissait cette langue depuis toujours. Pour l'écrit, ce n'était pas la même histoire. Si seulement on lui avait enseigné des bases de grec de façon plus soutenue, comme à Zan, songeait-elle avec nostalgie.

La maison d'Évadné était une délicieuse villa, de la couleur d'un flan rosé. Sols en marbre, hauts plafonds, élégants meubles en bois. Les volets restaient toujours fermés. En été, le soleil était un ennemi implacable qui blanchissait les tissus et le bois. Au plafond, les ventilateurs tournaient toute la nuit pour rafraîchir l'air. Penny dormait sous un drap et une moustiquaire et se réveillait dès l'aube, pressée que la journée commence.

Comme la vie était différente de leur routine chez elles ! Si une excursion était prévue, elles se levaient tôt dans la fraîcheur du petit matin, se promenaient en ville, s'arrêtant pour boire un café fort ou un jus d'oranges fraîchement pressées, puis se dirigeaient vers le marché en plein air, avant la fermeture de midi. Là, le bruit des vendeurs qui faisaient l'article en criant agressait les oreilles. Disposés sur des tables, des poissons frais, pour la plupart d'espèces inconnues, brillaient dans la lumière. Les bouchers présentaient, suspendus à des crocs, des lapins dépecés aux pattes poilues, des agneaux entiers et de la volaille. Les étals de légumes offraient un arc-en-ciel de formes nouvelles et exotiques. La gouvernante d'Évadné se levait à l'aube pour s'y procurer les produits les plus frais ; les jeunes femmes, elles, n'y allaient que pour s'émerveiller de la variété des marchandises, de la foule affairée et du contraste avec les stalles carrées de leur paisible petit marché anglais.

Elles déjeunaient souvent avec Walter, puis c'était la sieste obligatoire, suivie de quelques courses ou de visites à des amis dans leur jardin luxuriant et bien entretenu, assises dans un petit bois de citronniers à siroter de la limonade ou du thé sans lait. Après quoi on rentrait à la maison pour se changer et aller dîner tard le soir dans l'un des clubs en compagnie d'amis de la communauté britannique.

Dans le quartier vivaient de nombreux compatriotes, dont la vie sociale consistait en une ronde de cocktails, de visites de fin d'après-midi, de danses dans les night-clubs. Et toujours le même cercle d'amis. Évadné ne risquait-elle pas de s'en lasser ? Penny savait que, pour elle, cela aurait été le cas.

Leurs sorties à la mer étaient un bonheur : on pique-niquait sous de grands parasols, le regard perdu sur la mer Égée d'un bleu fabuleux. Mais à cause du changement de régime, et de toutes ces pâtisseries imbibées de miel, Diane attrapa une gastro-entérite, maladie fréquente chez la plupart des nouveaux arrivants. Elle passa une journée entière dans la salle de bains à vomir ses tripes. Penny joua les infirmières consciencieuses, essayant de mettre en pratique ses maigres connaissances.

Elle fut étonnée de la rapidité avec laquelle elle s'occupa des draps et de la toilette, ce qui tombait bien car la pauvre Effy, gênée par les odeurs, n'eut bientôt qu'une envie : vomir elle aussi. Walter, réfugié dans son bureau, laissa Penny veiller sur les deux malades. Quand l'heure du départ sonna pour Diane, qui pesait quelques kilos de moins qu'à son arrivée, Penny fut ravie de rester et de passer du temps seule avec sa sœur. Il

y avait des endroits raffinés où acquérir des vêtements de bébé et des dentelles à rapporter à la
maison, prendre des déjeuners et faire des balades
dans le merveilleux jardin national d'Athènes.

Ce séjour prolongé lui donnerait l'occasion de
continuer ses explorations. Mais pas seulement.

— Tu sais, mère a dit que je devais parfaire
mon éducation mondaine ici. Eh bien, j'aimerais prendre quelques cours de dessin. Connais-
tu quelqu'un qui m'en donnerait ? demanda-t-elle
un jour à Effy, tandis qu'elles sirotaient du café
glacé en grignotant un gâteau sirupeux.

Évadné se mit à rire.

— Il y a des tas de jeunes artistes qui seraient
ravis de me soulager de ta présence, mais aucun
à qui je te confierais seule… Je vais voir ce que
je peux faire. Je comprends que tu n'aies pas
encore envie de rentrer au bercail.

Elle fit une pause, ôta ses lunettes de soleil et
regarda Penny avec intérêt.

— Tu as grandi, p'tite sœur, une vraie gazelle.
(Évadné sourit en fumant sa cigarette.) Toute ces
histoires de Croix-Rouge t'ont rendue plus responsable. Tu nous as remplis de fierté quand cette
pauvre Diane a été malade. Je n'aurais vraiment
pas pu l'approcher. Si la guerre éclate, tu sauras où te rendre utile. J'espère que je pourrai
l'être aussi.

— Mais tu auras le bébé…

— Il y a toujours Nanny, cela ne changera pas
tellement notre vie. Regarde maman, quand le fait
d'avoir trois enfants l'a-t-il empêchée de faire ce

qu'elle voulait ? (Elle s'installa plus confortablement dans son fauteuil, détendue à cette pensée.)

— Certes, mais on ne la voyait jamais, c'est Nanny qui nous a élevés. Je ne voudrais pas de cela pour mon enfant.

Penny se pencha en avant et sirota son café glacé avec sa paille.

— Cela ne nous a pas nui, répondit Évadné. Et si tu en as tellement envie, tu pourras pousser le landau quand nous serons de retour à la maison. Nous n'allons pas rester ici éternellement, mais Walter dit que nous ne craignons rien car Hitler ne veut pas de l'Europe du Sud. Il la laisse à Mussolini, qui est tout occupé à jouer à César.

Penny haussa les épaules. C'était drôle cette façon qu'avait Effy de prendre tout ce que disait Walter pour parole d'évangile. Toutes les femmes mariées réagissaient-elles comme elle ?

— Je t'aiderai quand le bébé sera là, mais avant j'aimerais aller voir l'École britannique d'archéologie. Tu te souviens de ta soirée de fiançailles et du diaporama du lendemain ? Quelqu'un m'a parlé de cette école, ce soir-là.

Penny ne voulait pas mentionner Bruce Jardine, de crainte qu'Effy s'imagine des choses.

— Ah oui, nous connaissons le directeur et son épouse, et certains de leurs étudiants, un groupe hétéroclite… Les étudiantes sont très intelligentes, du genre passionné, très mordues. Dans l'ensemble, elles ne se mêlent guère aux autres, toujours parties à creuser dans les montagnes ou à remonter quelque objet poussiéreux. Elles ont une

allure épouvantable, avec leurs bottes en caoutchouc et leurs jupes courtes !

— J'aimerais devenir archéologue, soupira
Penny, mais à l'allure à laquelle je vais, assis-
tante est plus réaliste. Je ne suis pas encore au
niveau en dessin, mais si je prends des cours, ça
m'entraînera.

— Je suis certaine que maman n'a pas en tête
de carrière universitaire pour toi. Mais parlons
d'autre chose. Où allons-nous aujourd'hui ? Cela
me fait tellement de bien de te voir ; désormais,
j'ai de l'énergie à revendre.

Mentalement, Penny cochait chaque jour qui
passait avec une anxiété grandissante. Pourquoi
le début d'un séjour allait-il si lentement, tandis
qu'à mesure qu'approchait le retour tout s'accélérait ? Il était prévu qu'elle rentre à la maison
en septembre, via Londres, avec les Boulton, une
famille de diplomates dont les enfants partaient
en pensionnat à Cheltenham. Elle redoutait le
jour où ses valises ressortiraient des placards.
Comment pourrait-elle affronter la monotonie
de son pays après avoir goûté ici à la vie d'une
capitale, aux couleurs, aux parfums et au bavar-
dage des Grecs ? Comment pourrait-elle partir
avant d'avoir vu tout ce qu'il y avait à voir ?
Effy, souvent fatiguée, ne voulait pas aller loin,
et Penny n'avait pas le droit de sortir seule.

Désespérée, elle supplia Walter de lui trouver
une escorte. Il la confia à l'une des secrétaires de
l'ambassade, miss Celia Brand. Cette dernière l'emmena en ville, lui indiqua les magasins en vue et
passa des heures à faire du lèche-vitrines, contem-

plant les tenues à la mode. Ce qui n'était guère l'idée que se faisait Penny d'un divertissement.

Un après-midi, en désespoir de cause, elle faussa compagnie à Celia. Après une courte promenade, tout à la joie de son indépendance, elle se retrouva dans des petites rues au beau milieu d'une manifestation nationaliste. Des rues pleines de jeunes, filles et garçons. En tenue de scouts, banderoles à la main, ils défilaient d'un air fier, et certains passants s'arrêtaient pour leur faire le salut nazi.

« Bravo ! Bravo ! » criait la foule, mais Penny n'aimait pas l'expression qui se dégageait de ces visages fervents. « Qu'est-ce que c'est ? » demanda-t-elle. Une femme haussa les épaules. « Des fascistes... La jeune armée de voyous du général Metaxas », dit-elle en crachant par terre. Tout à coup, des hommes se mirent à crier des insultes depuis un balcon. Penny recula : des manifestants en chemise brune quittaient le défilé et gravissaient l'escalier quatre à quatre jusqu'à un appartement. Il y eut des cris, une échauffourée, et soudain un homme fut jeté du balcon sur la chaussée, où il demeura tel un pantin immobile. Des femmes hurlèrent et se précipitèrent afin de le protéger d'autres coups mais, le regard droit devant eux, les jeunes continuèrent d'avancer.

Penny regarda avec horreur cette bande de voyous traîner ceux qui protestaient, les frapper à la tête et les embarquer. Elle venait d'assister à quelque chose d'innommable, à mille lieues du monde paisible qui était le sien à la Villa Artemisa. Impuissante, apeurée, elle se rendit compte qu'elle avait commis une sacrée bêtise en venant là.

Comme la foule commençait à se disperser, elle comprit qu'elle devait vite trouver un chemin pour rentrer. Il lui fallut tout son courage et sa rapidité d'esprit. Elle se couvrit la tête de son écharpe en soie, acheta vite un sac d'oranges, baissa la tête et, se faisant passer pour une ménagère grecque très occupée, elle se faufila dans une rue perpendiculaire et parvint à retrouver les artères principales.

Quand, pâle et ébranlée, elle arriva à l'ambassade et décrivit la scène, Walter se mit en colère.

— Plus tôt tu rentreras en Angleterre, mieux ce sera, jeune fille ! Les femmes de notre rang ne déambulent pas dans les rues comme ça. Surtout en ce moment ! Ce n'est pas sûr. Depuis l'arrivée au pouvoir de Metaxas, des bandes fascistes défilent partout en ville, des troubles se préparent. Je serai heureux de savoir Évadné de retour à la maison. Il y a des forces mauvaises à l'œuvre, et qui sait jusqu'où cela ira ?

Penny ne l'avait jamais entendu tenir un discours aussi pessimiste. En son for intérieur, elle était fière d'avoir réussi à rentrer seule sans encombre et sans aide.

Puis, durant la quatrième semaine de son séjour, un événement se produisit qui allait tout changer. Un matin de septembre brumeux de chaleur, Évadné se réveilla grognon ; elle avait mal au dos. Comme la matinée s'écoulait, Penny remarqua son extrême pâleur. La douleur avait augmenté. Ce fut au moment où Effy essaya de se lever que Penny, voulant défroisser les draps, remarqua qu'ils étaient trempés de sang.

— Depuis combien de temps saignes-tu ? demanda-t-elle, s'efforçant de paraître calme alors que son pouls s'accélérait.

— Je saigne ? (Évadné souleva le drap, étonnée.) Mon Dieu ! dit-elle en regardant Penny, les yeux tout à coup emplis de peur. Qu'est-ce qui se passe ? Ça va aller, n'est-ce pas ?

Penny appela aussitôt Kaliope, la gouvernante, et lui dit de faire venir le médecin. Le temps que celui-ci arrive, la pauvre Effy était roulée en boule et pleurait de douleur. Penny trouva une trousse et y fourra quelques affaires de toilette pendant que le médecin examinait rapidement Effy. Il la conduisit ensuite à sa voiture et l'emmena jusqu'à la clinique.

Walter entra, le visage impassible ; assise devant la chambre privée d'Effy, Penny se sentait impuissante.

Tout à coup, il n'y avait plus de bébé de voyage de noces, pas d'explication, pas de raison pour une fausse couche si tardive.

— Ce sont des choses qui arrivent, se borna à constater le médecin de garde dans un anglais approximatif. On ne sait jamais pourquoi. Votre femme est en bonne santé, elle devrait vous faire des tas de beaux garçons dès qu'elle sera remise.

Il se voulait rassurant mais Penny le trouva froid et sans cœur. *Si jamais j'étais infirmière et si je devais annoncer une mauvaise nouvelle, se dit-elle, je ferais asseoir les gens dans une pièce et leur exprimerais quelque compassion.*

Un moment plus tard, au côté d'Effy, Penny vit que les yeux de sa sœur avaient perdu leur éclat. Elle semblait si menue, on eût dit un petit enfant apeuré ; ce n'était plus la cavalière intrépide qui franchissait des palissades élevées, qui servait au tennis comme un homme et gagnait la partie d'un coup droit destructeur. Allongée là, elle était maintenant désarmée, résignée, apathique.

— Ils ont tout emporté… Je n'ai même pas vu si c'était un garçon ou une fille… Je me sens vide, tellement vide ! (Elle ne pleurait pas mais restait là à regarder par la fenêtre.) Ramène-moi à la maison, Penny, s'il te plaît, murmura-t-elle.

Ces quelques heures semblaient avoir ouvert devant Penny un nouvel univers de souffrance, un monde dont, grâce à sa vie de privilégiée, elle avait tout ignoré jusqu'à présent. Rien ne subsistait du rêve de sa sœur. Kaliope avait rangé la layette hors de sa vue. Ne demeurait que cette terrible déception dont personne ne pouvait parler. Elle planait dans l'air, informulée, d'autant plus puissante qu'on n'exprimait rien. Personne dans leur entourage n'avait reçu l'éducation qui lui aurait permis d'évoquer les sentiments ou les fonctions intimes du corps. « Pas de chance, ma grande », fut tout ce que parvinrent à lui dire les amis d'Évadné dans les jours qui suivirent.

Penny aurait voulu étreindre sa sœur avec plus de chaleur, mais elle ne pouvait lui donner ce qui lui avait été si cruellement ôté. On ramena Évadné à la maison, où elle resta au lit, couchée en boule, sans parler. Penny comprit qu'elle ne repartirait pas comme prévu avec les Boulton et se fit horreur de ressentir un tel soulagement à un moment pareil.

Walter, heureux qu'elle veuille rester, envoya un câble en Angleterre afin de prévenir la famille de ce changement de projets. Il était étrange de penser que cette triste perte représentait le salut de Penny. Même mère ne pouvait lui en vouloir de ce séjour prolongé, elle qui appelait chaque jour pour vérifier qu'Évadné se rétablissait et menaçait de venir elle-même en cas de besoin. Elle insista pour que tout le monde soit de retour pour Noël. Puis, essayant de leur mettre du baume au cœur, elle leur promit qu'on commencerait alors à préparer le grand bal des débutantes prévu au printemps, bal au cours duquel Penny et Clémence, la fille de lady Forbes-Halsted, feraient leur entrée dans le monde.

Ce fut un Walter reconnaissant qui insista pour que Penny continue sa formation à l'École britannique d'archéologie, s'arrangeant même pour qu'elle ait à l'automne des cours privés de dessin. Elle pouvait rester, se servir de leur villa comme d'une base et vivre la vie d'une expatriée. Penny n'en revenait pas de sa bonne fortune : on la traitait enfin en adulte et on lui accordait des libertés inédites.

Comme Évadné recouvrait des forces, sinon le moral, elles devinrent encore plus proches. Penny découvrit que la souffrance mettait tout le monde au même niveau, sans discrimination d'âge, de statut ou de richesse. Elle apprit à se rendre utile, à être indépendante. Comme elle aurait voulu pouvoir vivre tout cela en d'autres circonstances ! Mais le destin avait joué à sa sœur ce tour cruel et, désormais, elle était là, pour le meilleur ou pour le pire.

2001

Je me suis réveillée en sursaut. Somnoler dans l'après-midi devient une mauvaise habitude et, à la pensée de retourner en Crète, le passé se rapproche considérablement dans mes rêves. *Chère Évadné, je te dois tant pour ma liberté, et comme nous fûmes tous soulagés quand tu as fini par avoir ta récompense !* Athéna, la précieuse fille d'Évadné et de Walter, vint au monde après la guerre. Une enfant étrange, assez semblable à moi, qui nous apporta d'immenses joies, puis, plus tard, lorsqu'elle mourut jeune d'une leucémie, un immense chagrin.

Des jours bénis s'étendaient devant nous ! Athènes vibrait d'une vitalité qui charmait mes sens et m'attirait vers son cœur. *Cette époque enivrante du savoir et de l'indépendance ne s'achèvera jamais*, songeai-je. Pourtant, il arriva, ce jour redouté où je dus prendre la décision la plus grave de toute ma jeune vie, et couper à jamais les fils soyeux des loyautés familiales, choisissant d'abandonner tout ce que j'avais connu dans ma tentative de mener une vie romanesque et aventureuse.

Comment ai-je pu faire cela ? Je me pose souvent la question, et la réponse est toujours la même : tu étais jeune et les jeunes n'éprouvent pas la peur. C'est seulement ce grand désir de liberté qui m'a donné le courage de changer mon destin.

Athènes, 1937-1938

Miss Bushnell arriva un matin à la villa pour une prise de contact avec Penny, car elle n'avait pas l'intention de s'engager à lui donner des cours si elle n'était pas motivée. Elle-même étudiait à l'École britannique grâce à une bourse étoffée par son ancien lycée de filles, dans le nord de l'Angleterre. Grande, les cheveux blonds décolorés par le soleil, elle portait des lunettes rondes. Elle avait à peu près le même âge que Penny et une envie dévorante de se faire un nom en archéologie. Le directeur lui-même l'avait recommandée à Walter. Elle regarda sa nouvelle élève d'un air soupçonneux, Penny essaya de paraître pleine d'enthousiasme. Cet entretien était important.

— Qu'avez-vous lu ? Quelle expérience avez-vous ? Quel est le niveau de votre grec ?

Penny lui fourra sous le nez toutes les reproductions d'objets qu'elle avait faites. *Ela.*

Miss Bushnell, les examinant attentivement, releva les yeux et la considéra avec intérêt.

— Vous avez l'œil, mais dans *notre* travail il s'agit de savoir tracer des lignes avec précision et jouer avec les ombres. Il vous faudra une plus grande et meilleure palette de stylos et de crayons… Je ne peux vous les fournir. Vous avez visité tous les musées, ici, j'imagine ?

Penny fit oui de la tête, déconcertée par le ton sec de miss Bushnell. Ce n'était pas un début encourageant.

— Si je vous prends comme élève, je ne veux pas que l'on perde de temps, pas d'envolée sur un coup de tête pour aller à un cocktail. Mon temps libre est précieux et je me fiche des excuses que vous me donneriez… Les filles de votre âge peuvent se montrer assidues un temps et puis, dès que la tâche devient ardue, passer à un autre engouement… Je ne ferai de compliments que mérités, poursuivit-elle d'un ton brusque, mais avec une pointe de chaleur dans le regard. Vous avez vaillamment tenté d'impressionner, je vous l'accorde, mais si vous voulez faire de l'illustration archéologique sérieusement, il faudra reprendre les bases. Une réputation se fait, ou se perd, selon la façon dont les découvertes sont représentées sur le papier. Êtes-vous déjà allée à un musée stratigraphique ?

Penny lui jeta un regard vide.

Miss Bushnell sourit.

— Latin et grec ; cela veut dire couches et dessins. C'est l'endroit où l'on nettoie les objets mis au jour, où ils sont triés, enregistrés, reproduits sous différents angles. Avant d'être classés pour les ouvrages de référence et la recherche. Vous devez lire les travaux de John Pendlebury, et bien sûr ceux de sir Arthur Evans sur Knossos.

— Un jour, papa a assisté à un dîner où sir Arthur était l'invité, intervint Penny avec espoir.

— Votre vie mondaine ne m'intéresse pas, répliqua miss Bushnell d'un ton cassant. Il faut que vous lisiez tout ce qui traite de votre sujet et voyiez où en sont les recherches, ici, à l'École britannique. Je peux vous avoir une carte pour la bibliothèque Penrose. Mais avant tout, fixons quelques règles de base pour nos cours. Nous nous verrons six fois, ensuite je pars en chantier de fouilles. Je vous laisserai du travail à faire pendant mon absence. Si vous vous débrouillez bien, je vous en donnerai davantage. Je vais retourner en Crète avec les Pendlebury au printemps prochain. Cela pourrait vous donner un objectif.

Le printemps prochain... Penny faillit s'étrangler – avec sa sœur, elle devait être de retour à la maison pour Noël –, mais elle hocha la tête.

— Merveilleux, mais il faudra que j'en parle à mes parents.

— Pourquoi ? Quel âge avez-vous ?

— J'aurai dix-huit ans alors.

— Et vous n'avez jamais travaillé de votre vie, je parie... Dans la région d'où je viens, des enfants de treize ans travaillent à temps plein dans les fabriques. Assurément, vos parents ne s'opposeront pas à vos études ; on se salit sur un chantier, cela dit. Vous ne garderez pas ces ongles, ces mains, et votre peau va se parcheminer au soleil, la mit-elle en garde, un œil critique sur les mains lisses de Penny et sur ses ongles vernis.

— Il ne s'agit pas de cela, c'est juste qu'ils ont d'autres projets pour moi.

— Ne me dites pas que vous allez être l'une de ces débutantes, avec des plumes dépassant à l'arrière de la tête, qui s'en vont à Buckingham faire la révérence devant une pièce montée ! Si c'est le cas, nous ferions mieux de tout arrêter là.

Miss Bushnell se tourna, prête à partir.

— Non, s'il vous plaît ! lança Penny. Je ne veux pas être une débutante. J'aimerais tant rester ici ! J'adore Athènes, j'ai des ancêtres grecs. Papa comprendra, je lui écrirai et lui expliquerai. Je veux faire quelque chose d'utile qui m'intéresse. Un jour, quelqu'un m'a dit : « Ayez une passion et chérissez-la », et voilà, c'est ce que je m'efforce de faire...

— Je n'aurais pas exprimé mieux les choses. (Miss Bushnell pivota vers elle.) Aucune éducation, alors ?

— Hélas, je crains que non, soupira Penny. On estime que pour les filles de mon milieu, ce n'est pas nécessaire. On ne choisit pas ses parents, n'est-ce pas ? Leur monde est différent et ils s'attendent à ce que nous soyons leur copie conforme.

— Vous n'avez pas tort, répliqua miss Bushnell dont les yeux s'adoucirent. Pardonnez-moi de vous avoir reproché un état de fait dont vous n'êtes pas responsable. Mais dorénavant, si vous prenez votre vie en main, les choses peuvent changer. Ne vous attendez pas à des miracles, il faut des années pour entraîner l'œil à voir vraiment ce qui est devant vous et l'interpréter. Il vous faut de la confiance, des livres de référence et beaucoup de patience. (Miss Bushnell lui tendit une main parcheminée.) À la semaine prochaine,

Pénélope. Au moins vos parents vous ont donné un beau prénom, bien grec.

— Merci, miss Bushnell, mais je préfère Penny.

— Alors, appelez-moi Joan ou *Kyria* Joanna, conclut-elle en riant.

Tandis que Penny la regardait s'éloigner sur le chemin à grandes enjambées, l'espoir monta en elle. Avec une femme comme Joan pour encadrer ses études, peut-être pourrait-elle réussir. Joan ne la laisserait pas tomber.

Évadné sortit soudain du verger d'agrumes.

— Mon Dieu, quel bas-bleu ! s'exclama-t-elle en suivant du regard la silhouette de Joan qui s'éloignait.

— Oh, ne dis pas cela, répliqua Penny, saisie d'une envie curieuse de protéger son nouveau professeur. Elle aime son travail... Je vais visiter l'École britannique d'archéologie et sa bibliothèque, se vanta-t-elle.

— Elle est très masculine. J'espère que ce n'est pas l'une de ces... Tu vois ce que je veux dire.

Penny crut comprendre ce qu'elle insinuait.

— Elle porte une bague de fiançailles. Arrête, je l'apprécie vraiment. Elle revient la semaine prochaine et m'a laissé la liste de tout ce dont j'aurai besoin.

— Chic ! Une sortie dans les magasins... mais je ne t'envie pas, ajouta Effy avec un sourire. Attends que je dise à mummy que tu as une tutrice... Allez, prenons un petit verre.

Penny la saisit par le bras.

— Non, Effy, je préférerais que tu ne leur dises rien, pas encore, pas avant que j'aie des travaux à leur montrer. Ce sera la surprise. Ils vont croire que je fais cela juste pour m'amuser. Je veux vraiment que ce soit notre secret, vraiment. Promis ? l'implora-t-elle.

— À ta guise, mais n'oublie pas que nous revenons à la maison pour Noël, et qu'ensuite tu seras très prise par ton entrée dans le monde…

Non, je ne le serai pas, songea Penny bien que cette pensée scandaleuse ne lui apporte aucun réconfort. Si elle restait ici, ça allait barder, et Effy serait accusée de l'avoir détournée du droit chemin. Toutefois, la graine de la rébellion, plantée depuis longtemps dans son esprit, avait désormais germé, et bien germé.

Lorsqu'elle se rendit pour la première fois à l'École britannique d'archéologie, Penny eut le droit d'y aller seule, avec des consignes strictes : n'adresser la parole à personne et prendre le tram direct. Évadné jouait au bridge avec des amies et convint de la retrouver plus tard pour dîner chez Costas.

Le bâtiment était impressionnant ; situé sur les hauteurs du mont Lycabette, il offrait un panorama grandiose sur la ville. La maison du directeur, de style classique, était entourée de pelouses parfaites, de vergers et même d'un court de tennis en terre battue.

Penny trouva son chemin jusqu'au pavillon des étudiants, construit dans le même style, et vit Joan qui l'attendait à la bibliothèque dont les murs semblaient tapissés de tout ce que l'on avait pu écrire sur l'Antiquité. Comment allait-elle pouvoir ingurgiter tout ce savoir ? Pendant un instant, paniquée, l'envie d'en ressortir à toute vitesse, de peur que son ignorance ne fasse rire tout le monde, la saisit. Qui était-elle pour prétendre rejoindre ces étudiants ? Que connaissait-elle qui en vaille la peine ? Les étudiants se contentèrent de lever le nez de leur devoir et de lui adresser un sourire avant de s'y replonger.

Un visage pourtant continua de la fixer avec un large sourire.

— Mon Dieu ! Mais c'est « la chèvre des montagnes » ! Alors, vous avez réussi à venir en Grèce ! Je me disais bien que vous y parviendriez. J'avais repéré cet air dans votre regard, une détermination farouche.

Bruce Jardine lui décocha un grand sourire. Il paraissait deux fois plus grand et plus charmant que dans son souvenir du bal en Écosse.

Tous les yeux étaient désormais fixés sur elle, tout le monde attendait sa réponse. Penny se sentit rougir mais Joan, les bras chargés des livres qu'elle avait sélectionnés sur les étagères, bondit.

— Ne faites pas attention à notre ami néo-zélandais ; il est constamment en train de faire du charme aux nouvelles recrues. Vous connaissez ce malotru ?

— Nous nous sommes rencontrés lors d'un bal en Écosse... Il a présenté des diapositives.

— Heureuse de voir qu'il prend ses études au sérieux. Miss George nous rejoint pour suivre des cours ce trimestre, alors ne la perturbez pas, prévint-elle Bruce. Venez, Penny.

Bruce se leva d'un bond.

— Comment va la famille, Penny ? Au fait, cela vous dirait de faire une partie de tennis un de ces jours ?

— Elle est ici pour travailler, et non pour se démener sur un court.

— Esclavagiste ! murmura Bruce assez fort, et Joan elle-même en rit tandis qu'elle guidait Penny vers le couloir.

— Il dépasse les bornes. Les filles lui mangent dans la main, elles s'extasient toutes sur ses cuisses musclées lorsqu'il est en short, mais moi, ça me laisse de marbre, dit-elle, les yeux posés sur sa bague. Mon fiancé est de retour en Angleterre et nous allons nous marier quand ma bourse sera terminée.

Elles se dirigèrent vers une autre salle commune, avec une énorme cheminée et des fauteuils, les murs couverts d'encore plus de volumes reliés cuir.

— C'est notre salle de détente, pour le soir.

Joan montra du doigt une salle à manger et un escalier qui conduisait jusqu'aux chambres. Penny eut droit à la visite complète de la partie étudiante.

La chambre de Joan était étroite et nue comme la cellule d'un moine, la place manquait pour leur leçon. Partout régnait une ambiance studieuse, universitaire, et Penny sentit sa confiance s'évanouir : comment trouverait-elle sa place ici ? Mais elle comprit aussi que les étudiants s'amusaient. Tous paraissaient pleins de vie, et étaient bien sûr plus âgés qu'elle, professeurs, chercheurs, diplômés avec des petits budgets.

75

— Tout le monde a son propre projet : fouilles sur lesquelles il faut écrire, trouvailles à répertorier, théories à débattre, expliqua Joan. Des réunions sont ouvertes à tous, vous devez y assister si vous voulez savoir où se feront les prochaines fouilles. Notre directeur en fait une la semaine prochaine. Puis nous sortons souvent dîner tard le soir, un restaurant pas cher mais vivant. Vous apprécierez sans doute cet aspect-là de la vie étudiante, mais tenez-vous éloignée de Jardine. On dirait un boy-scout grandi trop vite. Il vous fera galoper dans la montagne comme si vous étiez dans une région de collines. Et cette histoire de « chèvre des montagnes », qu'est-ce que c'est ?

— Oh, une blague. J'adore traquer le gibier dans les Highlands ; d'ailleurs, j'aimerais bien faire une marche correcte. Je me ramollis en ville.

— Vous, les aristos, vous vivez vraiment dans un autre monde. Tout ça, ce n'est qu'un jeu, non ? (Joan eut un sourire de dédain.) Je ne comprends pas pourquoi vous vous embêtez à avoir un métier. Vous n'avez pas besoin de travailler, si ? Jardine, c'est pareil. Ni lui ni vous n'êtes taillés pour la rudesse de la vie. (Joan s'assit avec humeur, cigarette aux lèvres, regard perdu dehors.) Vous n'avez pas idée de la difficulté que ça représente pour nous de poursuivre nos rêves.

— Et vous, vous n'avez pas idée du nombre de mensonges que j'ai dû inventer rien que pour être là, assise dans cette magnifique bâtisse, à contempler un monde auquel je ne pourrai jamais appartenir, répliqua sèchement Penny, montrant d'un geste ample les livres et les photographies. Nous ne sommes pas si différentes. Au moins, vous avez des diplômes et un univers vers lequel vous tourner, tandis que moi je dépends des caprices de ma famille. Je ne suis même pas capable de m'aventurer seule dehors. Je n'ai d'autre perspective que celle de faire un « beau » mariage, une cage dorée à la porte fermée.

Penny sentit les larmes lui monter aux yeux ; elle s'affaissa sur sa chaise, en proie au désespoir.

— Calmez-vous, je ne voulais pas m'immiscer dans votre vie, chuchota Joan en lui mettant la main sur l'épaule. Désolée... Continuons notre visite, ensuite nous irons en ville. Il vaut mieux que nous fassions nos cours en privé à la villa. Il faudra vous endurcir, cela dit, jeune dame, si vous voulez nous rejoindre dans le monde réel.

Penny tenta un sourire en retour. Joan essayait de se montrer aimable mais elle ne comprenait pas à quel point Penny lui enviait son existence, sa liberté, ses connaissances. Elle résolut de ne pas perdre une minute de cette chance merveilleuse. Elle avait toujours désiré cela, une telle occasion ne se représenterait peut-être jamais.

Les leçons de Joan devinrent le point d'orgue de sa journée, et Effy en nourrit une jalousie certaine. Trop prise par ses travaux, Penny ne pouvait plus courir les magasins ou l'accompagner à la plage. Elle saisissait toutes les occasions de se retrouver en compagnie d'autres étudiants, de boire un café dans un nuage de fumée bleue ; ils faisaient durer leur ouzo et leurs mezze, construisaient un monde plus juste, prévoyaient la façon de financer leurs prochaines fouilles, bûchaient leurs examens dans un univers qui leur semblait d'une instabilité grandissante. Tous empruntaient des journaux en anglais pour savoir où en étaient les tentatives de *Herr* Hitler et de *Mister* Chamberlain pour trouver un accord. On parlait d'apaisement et de montée du fascisme. Penny se souvenait de la violence causée dans les ruelles par les Chemises brunes et de leurs slogans. Et si toute cette agitation s'étendait ? Elle se mit à s'intéresser aux débats et à lire elle aussi les journaux écornés. Elle regardait différemment ces étudiants de troisième cycle, ces enseignants en détachement et ces professeurs d'université. Que leur arriverait-il si la guerre éclatait ?

Bruce lui proposa de jouer au tennis en double, de la ramener à la maison et de saluer Walter et Évadné, mais les avertissements de Joan résonnaient à ses oreilles. Il était trop vieux et avait trop l'expérience du monde pour elle. En sa présence, elle se sentait désormais intimidée, nerveuse et mal à l'aise. Il était plus sombre, plus fruste que dans son souvenir, avec ses traits durs, taillés à la serpe. Au café, souvent, il parlait fort, à moitié saoul, prompt à déclencher une querelle et à faire des plaisanteries qu'elle ne comprenait pas. Puis il disparut dans la montagne, quelque part dans le Péloponnèse sur un chantier de fouilles, la laissant à ses rêves. Lorsqu'elle parla d'aller sur un site de fouilles, Évadné ne voulut rien entendre.

— Écoute, il faut voir les choses comme elles sont : il est temps que tu rentres à la maison. Il faut nous préparer, bien que je n'aie pas envie de rater le bal de la légation. Et te trouver une tenue décente pour cela aussi...

Bien vite, Évadné se mit à parler chiffons et, l'attention distraite, abandonna par bonheur le sujet. Mais Penny n'avait que trop conscience du temps qui passait.

Évadné ne tenait jamais en place, elle était toujours sortie dans les magasins, chez des amies, ou se préparait à recevoir. Penny remarqua que, comme approchait le moment où elle aurait dû donner naissance à son bébé, elle devenait de plus en plus agitée et irritable. Si Penny abusait de son hospitalité, l'idée du retour à la maison lui était désormais insupportable. Elle savait maintenant que le réalisme avec lequel Joan rejetait cet univers de la haute société n'était pas de la jalousie, mais un seau d'eau glacée bienvenu, lancé sur tous les projets fantaisistes de mère pour la prochaine saison mondaine. Parfois, Joan se montrait provocatrice : « Pour qui fait-elle tout ça, pour toi ou pour elle ? » Et Penny adorait ces instants où elle argumentait si ardemment en sa faveur, de cet accent qui aurait épouvanté sa mère. Joan devenait une amie proche, Penny avait tant à apprendre d'elle : apprendre à interpréter les sculptures, l'art, à étudier les livres et écrire les rapports, à vivre avec un budget dérisoire et à rechercher les bonnes affaires dans les magasins ou au marché. Quand Joan était dans les parages, la vie n'était jamais terne.

Penny voulut forcer Évadné à lui expliquer pourquoi il fallait qu'elle fasse ses débuts dans le monde mais cette dernière balaya ses arguments d'un geste de la main.

— Si moi, j'ai dû supporter ça, alors à ton tour maintenant. Ce n'est pas l'enfer, tout de même ! Et cela m'a permis de rencontrer mon Walter chéri et de m'extirper des griffes de mère. Alors dépasse cela et sois forte !

Toutefois, Évadné ne se pressait pas pour partir, tant il y avait de fêtes et de réceptions mondaines pendant les vacances de Noël.

Lors de l'une de ces soirées à l'église anglicane de Saint Paul, Penny sentit tout à coup un serrement à la gorge, une migraine fulgurante, puis la pièce se mit à tourner. Le temps qu'on la ramène à la maison et la mette au lit, elle ne pouvait plus lever la tête de son oreiller. En l'espace de quelques heures, Walter se retrouva prostré au lit dans l'autre chambre et, très vite, ce fut au tour d'Évadné de se sentir mal, tout juste capable de ramper à quatre pattes. Ils avaient attrapé la grippe et n'étaient absolument pas en état de voyager. Noël fut annulé.

Comme ils gardaient le lit, terrassés et souhaitant presque mourir, Joan vint les voir avec des provisions, et Kaliope leur donna des jus de fruits frais pour reprendre des forces. Aucun de leurs amis des bons jours n'osa leur rendre visite de peur d'être atteints, mais Bruce, qui était dans le Nord, envoya des fleurs à Penny, accompagnées d'une carte : il lui promettait de l'emmener à la bénédiction de l'eau du Nouvel An. Une charmante surprise qui accéléra son rétablissement. C'était une belle perspective, une autre occasion de se retrouver en sa compagnie. Peut-être tenait-il à elle après tout ?

Un télégramme furieux arriva d'Angleterre : les filles avaient gâché tout le programme des soirées de leur mère. Penny devait rentrer immédiatement, par avion ou par bateau. Sa présence était réclamée à Londres pour des essayages, sinon elle devrait faire ses débuts dans la robe d'organza à fanfreluches de l'an passé.

Penny ne pouvait même pas se lever pour répondre, et encore moins se sentir concernée... Pour une fois, elle allait ignorer les injonctions venant de Stokencourt Place. Comment rentrer à la maison quand tant de choses l'attendaient ici ? Si seulement elle pouvait se sentir mieux. Quel ennui, d'être malade et faible, sans goût pour rien sinon dormir...

Si Penny avait encore les jambes flageolantes et manquait de courage à la vue de tous ces gens qui se bousculaient près du vieux port du Pirée, elle était bien décidée à n'en rien montrer. C'était sa première sortie depuis la grippe et elle se sentait encore vidée, les articulations douloureuses et les idées confuses. La peur de savoir que le temps qui lui était alloué ici s'épuisait rôdait toujours au bord de sa conscience et elle ne voulait rien rater. Ses journées remplies de ce qu'elle désirait faire et non de ce que l'on attendait d'elle lui rendaient l'idée de Stokencourt encore plus déplaisante.

De plus se posait la question délicate de Bruce Jardine. Il était passé voir comment se

81

débrouillaient les malades et avait charmé Kaliope, qui avait rajouté un couvert pour lui au dîner. Walter et Évadné, heureux de sa venue, bavardaient et prenaient des nouvelles de la famille, sans faire attention à Penny. Elle se faisait l'impression, en la présence de Bruce, d'être une écolière, gauche et niaise. Mais il lui rappela son invitation à l'accompagner, lui et ses amis, à la bénédiction de l'eau, et Effy fut contente de la laisser partir. Penny se retrouva donc sur le port, au milieu de la foule des badauds, les jambes chancelantes et la mine peu avantageuse.

— Surtout, faites attention à votre sac, coincez-le sous votre bras, il y aura des pickpockets partout dans cette mêlée, hurla Bruce qui la prit par la main comme si elle était une enfant.

Il la guida à travers la foule comme il aurait guidé sa petite sœur, une aide utile au début, tant qu'elle n'avait pas trouvé ses repères, mais étrangement irritante au bout d'un moment. Elle avait vu la manière dont il flirtait avec les autres étudiantes, dont il les taquinait et plaisantait, mais, avec elle, il se montrait toujours correct, poli et prudent. À cause de son milieu ? Walter lui avait-il parlé en privé ? Était-il son chaperon, la protégeait-il d'attentions gênantes ? Oh, quelle humiliation !

Les Athéniens occupaient chaque coin et recoin, grimpant même aux lampadaires pour entr'apercevoir l'archevêque et, au moment crucial de la cérémonie, le voir lever son grand crucifix tandis que tous se signaient avec ferveur. Des psaumes et des chants suivirent, puis il jeta le haut de sa précieuse croix en argent dans l'eau glacée. Une nuée de garçons torse nu et de jeunes hommes y plongèrent pour la récupérer. La foule applaudit et cria quand un bras apparut hors de l'eau, *Excalibur sortant du lac*, pensa Penny. Le plongeur chanceux vint recevoir la bénédiction spéciale qui l'assurait d'un sort heureux pour toute l'année 1938.

— Purifier l'eau des esprits malins est une cérémonie très ancienne, murmura Joan. (Penny était contente qu'elle soit là. Elle essayait de prendre des photographies avec son appareil boîtier.) As-tu remarqué comme ils sont tous superstitieux dans ce pays ?

Joan n'assista pas à la messe à Saint Paul. La religion institutionnalisée ne l'intéressait pas. Cela avait choqué Penny, habituée à se rendre à Saint Mark dans son village du comté de Gloucester. Cela se faisait, pour afficher son soutien aux gens du village, et montrer l'exemple. Ici, plus elle se mêlait aux foules urbaines, plus elle se rendait compte que les Athéniens n'observaient guère le rituel du dimanche, préférant se prélasser à la terrasse des cafés, journal à la main, déjeuner à l'ombre des mûriers ou sur les trottoirs, boire et danser jusqu'à point d'heure, tandis qu'elle devait être de retour à la villa Artemisa avant vingt-trois heures, ordre de Walter.

Les cérémonies de la bénédiction se poursuivirent toute la journée, avec des danses et des chants dans les restaurants au son du bouzouki. Plus tard, des fusils crépitèrent partout dans la ville, non pour la guerre mais pour marquer le début des fêtes de rue et des bals.

Malgré sa fatigue, Penny aurait voulu que cette journée ne finisse jamais. Ils avaient projeté d'aller au café Zonar puis dans une boîte de nuit, et d'y retrouver la bande habituelle.

Alexis, un Grec américain râblé, venu en congé sabbatique pour quelques mois, leur présenta une jeune femme, prénommée Nikki. Elle avait l'air d'une star de cinéma tandis qu'elle serrait les mains autour de la table. Malgré son anglais hésitant, son effet sur les hommes fut instantané. Ils se redressèrent aussitôt, se lissèrent les cheveux et rivalisèrent pour s'asseoir à son côté. On aurait dit qu'elle dégageait dans l'air un parfum secret mais hypnotisant.

Elle n'était pas précisément jolie, malgré de grands yeux noirs et de longs cheveux d'ébène qui ondulaient jusqu'à sa taille, mais quelque chose dans la façon dont elle bougeait et se tenait, dont elle glissait sur la piste avec chacun des hommes à tour de rôle lui attirait tous les regards. Penny sentit des pointes de jalousie lorsqu'elle vit que Bruce faisait montre de tout son charme habituel, avec efficacité.

— Qui est-ce ? demanda Joan qui, elle aussi, avait perçu le changement d'atmosphère. Une vraie Mata-Hari, très exotique, italienne sans doute ou turque. Regarde-les, ces pauvres types avec la langue pendante, se moqua-t-elle. Elle doit danser à merveille avec un corps pareil.

— Elle est grecque, et de bonne famille, chuchota Sally, l'une des étudiantes qui aidaient

Penny dans les ateliers stratigraphiques. Si les garçons se permettent des libertés, il y aura des problèmes avec ses oncles. Sa famille est puissante en ville. Je pensais qu'en général les Grecs ne laissaient pas leurs filles sortir seules, alors ses parents doivent être très modernes.

Penny se moquait bien de savoir qui elle était, et aurait simplement voulu qu'elle s'en aille... En même temps, cette fille qui illuminait la salle l'intriguait. Elle essaya de s'asseoir plus près, mais ne put s'approcher à cause de Bruce et des autres. « Des papillons de nuit attirés par la flamme », fit remarquer Joan.

Tout à coup, Penny se sentit gauche et délaissée au milieu de cette foule. La fatigue causée par cette première sortie la rattrapait et le moment était venu de rentrer mais elle n'avait pas envie de marcher seule par les rues désertes. Elle s'était imaginé que Bruce la raccompagnerait. Guère probable maintenant !

— Bon, faut que j'y aille, annonça-t-elle à voix haute.

Lorsqu'elle se leva de sa chaise, son sac à main sous le bras, personne ne prêta attention à elle. Bruce était plongé dans sa conversation avec Nikki, et l'un des officiers de la légation essayait de s'immiscer entre eux.

— La journée a été assez remplie pour moi, je vais te raccompagner, proposa Joan qui se leva. Et je ne veux pas qu'Évadné fasse une crise, c'est une vraie mère poule avec toi.

Penny n'avait plus qu'une envie : s'en aller. Elle ne se sentait pas bien, et le fait que personne n'ait remarqué son départ la rendait furieuse. Était-elle si invisible ?

Elles marchèrent en silence dans la nuit parfumée. Joan voyait bien que Penny souffrait.

— Un bon conseil… Ce n'est pas ton univers de chasse habituel. Tous les gars ici n'ont qu'une idée en tête : faire avancer leur carrière ou gagner une expérience utile à l'étranger, en saisissant les occasions au vol. Avant la fin de l'année, ils seront à l'armée. Ne leur envie pas leurs jeux et leurs plaisirs. Tu auras tout le temps d'en profiter…, poursuivit Joan, mais Penny avait cessé de l'écouter.

Je n'ai pas tout le temps, songea-t-elle. *Tu ne comprends pas. Je dois rentrer bientôt, et ensuite ?*

Le temps qu'elles regagnent la villa, Penny était épuisée et abattue. La faute à Bruce Jardine, qui ne la regardait pas comme il regardait cette Nikki.

Comme elle se tournait et se retournait dans le noir, Penny se rendit compte que, si elle avait pu rester ici aussi longtemps, ce n'était que grâce aux caprices du destin : une fausse couche, une grippe. Ces événements inattendus lui avaient permis de repousser son retour ; plus pour longtemps désormais. Évadné organisait leur voyage, Penny allait rentrer en Angleterre pour la saison mondaine et reprendre contact avec la famille. D'ici à février, Walter et elles auraient quitté Athènes, au moment précis où le printemps arrivait. Les étudiants, eux, seraient en route pour la Crète, île d'une beauté spectaculaire, au dire de Joan. Comment pouvait-elle abandonner tous ces projets : ses études, les cours de Joan et, par-dessus tout, sa liberté ? Mais impossible de compter sur des manifestations naturelles pour annuler leur voyage. Si elle commettait l'impensable, elle devrait assumer la responsabilité de l'orage qui l'attendait. L'assumer seule.

— Pardon, qu'est-ce que tu me racontes ? Tu ne rentres pas avec moi ?

Évadné faillit s'étouffer en mangeant sa soupe aux pâtes.

Ils étaient assis dans la salle à manger quand Penny leur fit part de ses intentions.

— Non, je ne repars pas, je veux rester à Athènes et continuer mes cours.

— Ne sois pas pénible, tout est prévu. Nous partons dans deux semaines.

Évadné arracha un gros morceau au pain à la mie dense.

— Alors on peut revenir en arrière : je peux rester ici avec Walter jusqu'à ce que je m'organise, poursuivit Penny, consciente d'avoir désormais retenu toute l'attention de sa sœur.

— Oh non. Impossible qu'une jeune fille seule reste ici avec moi, répliqua Walter d'une voix cassante. Ça ne se fait pas. Quand Évadné s'en va, tu pars aussi, et inutile de discuter.

— Qui se soucie de ce qui se fait ou non ? Je ne veux pas être une débutante, je veux étudier.

— Et comment comptes-tu te débrouiller sans argent ? Vivre de l'air du temps ?

Agacé, Walter reposa sa cuillère à soupe bruyamment.

— Tu n'as jamais gagné un sou de ta vie.

— Je sais, et n'est-ce pas terrible à mon âge ? Je trouverai un moyen... Je ne pars pas, un point c'est tout.

— On va voir ça ! Je vais immédiatement envoyer un télégramme à mummy, déclara Évadné. Elle insistera pour que tu rentres. Nous ne t'avons pas invitée ici pour que tu agisses des vagues dans la famille et que tu agisses n'importe comment. Ne nous déshonore pas. Je ne veux pas me fâcher avec toi. Je pensais que tu avais assez grandi pour savoir quand vient le moment de tirer sa révérence.

— Désolée de te décevoir, Effy, mais serait-ce un déshonneur si je voulais gagner ma vie par moi-même, me servir de mon cerveau, être utile et pas seulement une potiche ?

Penny était désolée de contrarier sa sœur mais elle devait lui faire comprendre ce qu'elle ressentait réellement.

— Ah, parce que moi je suis une potiche, sans aucune utilité pour quiconque ? C'est ce que tu penses, ingrate, après tout ce que nous avons fait pour toi ? (Évadné était maintenant en larmes.) Qu'est-ce qui te prend ? Ce doit être la grippe ; on dit que cela peut affecter le cerveau. Ça ne tourne pas rond, ou quoi ? Nous t'avons laissé toute cette liberté et tu nous la renvoies en pleine figure. Comment puis-je rentrer à la maison sans toi ?

— Ne vois-tu pas que j'essaie de me montrer adulte ? Tu es venue ici seule, et je me suis rendue utile depuis que... (Penny hésita, ne souhaitant pas blesser davantage sa sœur.)... depuis que tu as été malade. Je ne pensais pas rester si longtemps mais il en a été ainsi. J'aime être à Athènes, je m'y sens chez moi, m'y suis fait des amis. Pourquoi tu ne comprends pas cela ?

— C'est à cause de ce Bruce Jardine, c'est lui qui est derrière tout ça, il t'a farci la tête de bêtises.

Walter frappa de nouveau sa cuillère sur la table, comme s'il voulait la rappeler à l'ordre.

Penny se sentit rougir.

— Non ce n'est pas cela, répliqua-t-elle, mais sans les convaincre.

— Écoute, je comprends, tu as le béguin pour lui. (Évadné bondit sur l'argument, sentant que la détermination de sa sœur fléchissait.) Oh, Penny, c'est normal, à ton âge. Tu as eu une vie très protégée jusqu'à présent et c'est le premier garçon qui s'intéresse à toi. Mais c'est un aventurier et il y a de grandes chances pour que, le moment venu, il ne se contente de rien moins qu'une comtesse. Je connais son genre : bel homme, sportif et un peu casse-cou, du genre à te briser le cœur. Ne fiche pas tout en l'air parce que tu baves devant quelque chose qui ne sera jamais à toi.

Penny secoua la tête.

— Non, tu te trompes complètement, Bruce ne s'intéresse pas le moins du monde à moi...

Dire cela à haute voix rendit tout à coup la chose plus réelle et plus douloureuse.

— Je reste parce que c'est ici que je veux être, et non à parader dans quelque salle de bal étouffante à Londres.

— C'est ce qu'on va voir, répondit le couple en chœur, tout en échangeant des regards.

89

— Tu n'es pas en position de continuer à discuter, ajouta Évadné. Finissons simplement le dîner en paix.

Pendant des jours, l'atmosphère fut tendue à la villa. Au début Penny refusa de céder. Elle passait autant de temps que possible à la résidence des étudiants : elle lisait, dessinait, se rendait utile au musée, lavait des poteries ; tout plutôt que de penser continuellement à ce qui allait arriver. Elle n'avait parlé à personne de son départ imminent, et surtout pas à Joan, sinon celui-ci deviendrait réel. Tous les matins, elle prenait en secret des vêtements, les emportait dans un sac à provisions à la résidence et les enfermait dans son casier. Elle faisait exprès de demander à Kaliope de lui laver son linge pour préparer sa valise, détendait ses habits de la corde, plusieurs à la fois, puis les fourrait dans son sac de cours, laissant tout son matériel à dessin à la résidence. Chaque jour, elle emportait quelques menus objets dont elle pourrait avoir l'usage : ses propres papiers, son carnet d'adresses. C'était de la folie, mais il fallait qu'elle s'enfuie avant qu'il ne soit trop tard. La veille du départ, elle fit semblant de se rendre aux désirs de Walter et Évadné, elle dit qu'elle voulait se coucher de bonne heure alors qu'ils allaient dîner en ville une dernière fois, rassurés de penser qu'enfin elle était revenue à la raison.

Dès qu'ils eurent le dos tourné, elle s'assit et écrivit une lettre à ses parents.

S'il vous plaît, ne rejetez pas sur Évadné ma décision de rester ici à Athènes. Elle n'y est pour rien et ignore tout de mes projets. Vous aurez le sentiment que je vous abandonne, je le sais, mais je veux que vous soyez fiers de moi d'une autre façon.

Papa, tes ancêtres étaient d'humbles commerçants qui, par un travail acharné et avec de la chance, et peut-être un peu de ruse, ont bâti leur fortune ici, dans cette ville. Je sens que j'ai des racines en Grèce. J'ai fait des progrès en grec. Ma professeur d'archéologie me dit que j'ai l'œil et le talent pour réussir par moi-même, et non parce que je connais des gens haut placés.

Pardonnez-moi, je vous en prie, de ne pas exaucer vos souhaits : nous n'avons qu'une vie et je veux vivre la mienne comme je l'entends.

Je ne m'engage pas dans une voie facile, je serai sans argent pour la première fois de ma vie ; mais au plus profond de moi je sais que ce chemin est le seul qui m'aille, quel que soit l'endroit où il me mènera.

Je demeure votre fille aimante, même si votre intention est de me déshériter et de me rejeter après une action que vous considérerez comme une trahison. Essayez de comprendre ma décision.

À jamais votre fille, qui vous aime, malgré sa désobéissance.

Penny Angelika Georgiou.

Plus tard dans la journée, Penny laissa un mot à Évadné, puis elle rassembla son nouveau sac de voyage et sa valise, se dirigea vers l'École britannique et laissa ses affaires au concierge. Il faisait encore jour quand elle gravit pour la première fois les pentes abruptes du mont Lycabette pour rejoindre la chapelle Saint George, qui s'élevait au sommet. Une ascension longue, lente, chaque pas l'éloignant davantage de sa maison et de sa famille. À mi-pente, elle s'arrêta, prise de panique : elle savait qu'elle aurait dû rebrousser chemin et aller dire au revoir à Évadné et à Walter, que sa fuite rendrait abasourdis, en colère et effraierait. Elle s'était rapprochée de sa sœur ces derniers mois et sa compagnie allait lui manquer, mais la seule voie possible pour elle était de continuer à aller de l'avant, parmi les buissons de thym et de sauge et les bourdonnements des insectes, en haut, toujours plus haut vers la petite chapelle blanche. Une fois arrivée au sommet, elle se tint là, impressionnée, à contempler le soleil se coucher sur la vie telle qu'elle l'avait connue. Comme il glissait vers l'ouest, le ciel devint un kaléidoscope, strié de bleu lavande, d'ocre, de tons rose et abricot. À la vue d'une telle beauté, des larmes de soulagement et d'émerveillement se mirent à couler. Comment pouvait-elle même songer à quitter un endroit si majestueux ?

Elle trouva un coin au calme pour s'asseoir et regarder les lampadaires de la ville, qui s'allumaient lentement tandis que le soir passait à la nuit.

Au petit matin, elle arriva à la porte de la chambre de Joan, les cheveux ébouriffés, épuisée après avoir passé la nuit assise dans la chapelle, bien consciente qu'il n'était plus possible de revenir en arrière.

— Mon Dieu, mais où étais-tu ? On t'a cherchée partout ! Honnêtement, Pénélope, j'avais une meilleure opinion de toi. Ta sœur est tellement inquiète. Tu ne peux pas disparaître comme ça, la sermonna Joan.

Puis, à la vue de la silhouette voûtée de Penny, de son air fatigué et apeuré, elle se radoucit.

— Tu n'as rien mangé, j'imagine. On va te trouver quelque chose dans la cuisine. Tu ferais mieux d'aller voir Bruce et de t'expliquer avec lui, pendant que tu es là. Il a vu débarquer à sa porte Walter, qui pensait que tu avais fui avec lui dans les collines.

Penny s'assit sur le bord du lit de Joan.

— Ils sont partis ? s'enquit-elle avec anxiété.

— Je ne sais pas, ça ne me regarde pas, ou du moins ça ne me regardait pas. Qu'est-ce qui t'est passé par la tête, pour errer ainsi dans les rues ? Tu aurais pu te faire voler, ou pire. Il y a des gens sans foi ni loi à Athènes, ces temps-ci…

— Je suis allée au sommet du mont Lycabette pour la vue et j'y suis restée jusqu'à l'aube. Le coucher de soleil était une telle splendeur. J'avais besoin de réfléchir à ce que j'allais faire. Je ne rentre pas, conclut Penny en pleurant.

— Qu'est-ce qui t'a amenée à cela ? lui demanda Joan d'une voix douce.

— Toi, répondit Penny qui la regarda à travers ses larmes. Tu m'as dit que je n'avais pas d'utilité et que je devrais travailler, et gagner ma vie.

Joan lança les mains en l'air en signe de protestation.

— Eh là, pas si vite ! je n'ai jamais rien dit de tel. Ne me mets pas tout sur le dos. J'ai peut-être souligné le contraste entre ta vie et celle de gens moins fortunés, mais il n'en reste pas moins qu'on ne lâche pas sa famille comme ça, après tout ce qu'ils ont fait pour toi, surtout ta sœur.

— Si je rentre en Angleterre, c'en est fini pour moi. Ils ne me laisseront jamais revenir.

— Comment le sais-tu ? Ne sois pas si théâtrale. Tu dois les affronter et défendre ta position. Fuir n'arrange rien. (Joan s'assit sur le lit à côté d'elle.) D'après moi, ça montre que tu es encore une enfant, incapable de faire face à la déception et à la colère que doivent ressentir tes parents. Ils t'ont laissée venir ici en toute confiance et tu les laisses tomber.

Penny se releva d'un bond et se dirigea vers la porte.

— Dans quel camp es-tu ?

— Le tien, bien sûr, mais si tu veux rester ici, fais les choses correctement et ne brûle pas toutes tes cartes. La famille, c'est important, fais un pas vers eux...

— Je leur ai écrit une lettre pour leur expliquer ma décision. Je ne rentrerai pas.

— Alors, dis-leur de te faire confiance, demande-leur de venir te rendre visite, qu'ils voient comment tu te débrouilles. Et puis, tu ferais mieux d'aller t'excuser auprès de Bruce, tu l'as mis dans une situation délicate.

— Cela n'a rien à voir avec lui, répliqua Penny sèchement.

— Ah bon ? Je pense qu'il est pour quelque chose dans l'attrait que la ville a sur toi. Je ne suis pas aveugle, tu le suis partout comme une collégienne enamourée.

— Je ne… Oh, tais-toi, Joan !

— Allez, ne sois pas si susceptible. J'essaie d'être raisonnable. Viens, allons te préparer un petit déjeuner, et voyons si on peut récupérer quelques cartes brûlées.

Plus tard, Penny trouva Bruce occupé à faire des balles sur le court. Il rit quand il la vit regarder par la grille.

— Ah, l'enfant prodigue est de retour ! s'exclama-t-il en frappant une balle. Vous avez causé un bel émoi. La moitié de la légation britannique était à votre recherche.

— Je suis désolée que vous ayez été impliqué, ce n'était pas la peine de paniquer. J'avais simplement besoin de réfléchir. Je me sens idiote maintenant.

— Walter a cru, semble-t-il, que je vous avais embarquée dans ma tanière. (Bruce rit de nouveau mais il y avait de l'inquiétude dans son regard.) Comme si je pouvais oser ? Vous êtes une fille adorable mais je ne suis pas prêt à me lancer dans des histoires amoureuses compliquées, pas avec la guerre qui se pointe à l'horizon. Je rentre en Angleterre, finis mon diplôme, et je m'enrôle pendant que j'en ai encore le choix. Tout va fermer ici, s'il y a des combats ; alors, profitez bien de votre séjour tant que ce sera possible. L'équipe de John Pendlebury part bientôt en Crète... Venez, allons boire un café. Vous avez été debout toute la nuit, j'imagine. Je ne vais pas vous laisser dépérir.

Il dénicha une place parfaite dans un café de rue, sous un mûrier, dans le village de Kifissia. Penny se sentait épuisée mais soulagée : il lui parlait encore même s'il avait dû balayer les tendres sentiments qu'elle avait nourris pour lui. Ils s'installèrent et partagèrent une énorme portion de baklava poisseuse. Penny faisait tellement d'efforts pour ne pas avoir du sirop partout sur la bouche que Bruce éclata de rire. Puis il lui lança un regard direct, de ses yeux noirs et perçants.

— Écoutez, si vous êtes décidée à rester ici, il faudra que vous travailliez dur, Joan vous maintiendra au niveau. Pas sûr qu'on vous laisse partir sur un chantier de fouilles, mais essayez d'apprivoiser les montagnes pendant que vous êtes ici, gardez votre rythme à la marche et partez en randonnée dans les collines. L'archéologie, ce n'est pas pour les fainéants. Avez-vous déjà rencontré Mercy Coutts et son amie Marion Blake ? Elles excellent dans leur domaine. Mercy est si agile qu'elle parvient même à dépasser John lorsqu'ils sillonnent la montagne. Demandez-leur des conseils, et vous ne vous tromperez pas.

— Vous n'êtes pas fâché contre moi alors ?

— Pourquoi donc ? Ce que vous faites vous regarde. Vous êtes à la poursuite d'un rêve, c'est bien. J'espère seulement que la paix va durer pour que l'école poursuive sa mission. Je n'aimerais pas que tout notre travail de fouilles en Égypte et en Grèce soit menacé.

Assis tous les deux à l'ombre, ils avaient l'air, aux yeux des passants, d'un jeune couple sorti faire une balade, mais Penny savait qu'à ses yeux à lui elle n'était qu'une enquiquineuse, une gamine qui s'était comportée comme le font souvent les mômes perturbées. Il s'était lié d'amitié avec elle et elle l'avait déçu. Maintenant, il la laissait gentiment tomber. Il allait s'en aller, suivre son destin, et elle n'en faisait pas partie.

Elle se sentit tout à coup terne, déprimée, surtout à cause des accusations portées par Joan, qui résonnaient encore à ses oreilles. Bruce, elle devait l'admettre, était le premier homme à avoir ainsi excité son imagination, mais elle se rendait compte que tout ça n'était qu'un bête rêve d'enfant. Comment avait-elle pu s'imaginer qu'elle comptait pour cet homme à la beauté rude, plein d'assurance ? Il avait brisé son rêve et elle devait cacher sa déception. Mais comment une histoire pouvait-elle s'achever quand elle n'avait même pas commencé ?

Il vaut mieux jouir le plus possible de ce moment, seule avec lui, le préserver et s'en délecter à l'avenir un jour d'orage, songea-t-elle avec un soupir tandis qu'elle plongeait la fourchette dans le dernier morceau de gâteau.

Une seule chose comptait : la carrière qu'elle s'était choisie, la possibilité d'œuvrer dans un domaine intéressant, et également de se montrer utile. Elle tirerait le meilleur parti de sa situation et prouverait à sa famille de quoi elle, Penny George, était capable.

Penny s'arma de courage, anticipant des retrouvailles déchirantes avec Évadné et un sacré savon de la part de Walter, mais quand elle sonna à la villa il n'y avait personne. Kaliope l'informa qu'ils étaient partis comme prévu, puis lui ferma la porte au nez. Elle était en disgrâce et, désormais, seule.

Bizarre comme les semaines qui suivirent semblèrent n'être qu'une succession d'au revoir. Tout le monde prenait la poudre d'escampette, dans la montagne, en Crète ou pour les vacances. Joan partit en Angleterre et Penny trouva à se loger chez miss Margery McDade, professeur à la retraite qui enseignait la musique et aidait parfois à laver et répertorier des objets dans l'atelier de stratigraphie.

Les Pendlebury n'avaient pas besoin d'elle pour leur expédition, elle se remit donc à nettoyer les artefacts sales provenant de fouilles récentes et à pratiquer le dessin. Elle s'efforçait toujours de se remémorer tout ce que Joan lui avait martelé. L'argent ne coulait pas à flots, et elle fut bien contente d'avoir retenu les petits stratagèmes enseignés par Joan pour survivre, mais elle finit par vendre son collier de perles afin de financer son séjour.

Il faisait chaud à Athènes en ce début juin, et c'était un soulagement d'aller chercher de la fraîcheur sur les pentes boisées du mont Lycabette chaque fois qu'elle le pouvait. Elle visita des sites comme une touriste ordinaire en compagnie de Margery qui lui servait de guide : d'abord le bois sacré de Delphes, au nord d'Athènes, ses pas dans ceux des pèlerins qui, des milliers d'années auparavant, venaient entendre les prophéties de l'Oracle. Puis elles visitèrent le temple d'Apollon, perché dans les collines du Péloponnèse, que l'on atteint par des sentes grossières et sinueuses menant jusqu'aux bandes de terre de la péninsule de Mani.

Plus tard, elles se rendirent à l'antique cité de Mycènes où l'École britannique fait une campagne de fouilles, et ce fut au tour de Penny de montrer le site à Margery.

Les soirées auxquelles les amis de Walter la conviaient, une fois sa disgrâce connue, se raréfièrent. Elle dut se débrouiller par elle-même, à son grand soulagement. Il y avait toujours un livre à lire, un musée à visiter et beaucoup de temps à consacrer à la réflexion, mais vivre avec un budget très limité n'était pas facile. Heureusement, il y avait des élèves désireux d'apprendre l'anglais, et la nourriture sur les marchés ne coûtait pas cher. Margery faisait toujours assez pour qu'il y en ait pour deux. Et si certains jours Penny connaissait la faim, c'était le prix à payer pour sa nouvelle indépendance.

Le silence depuis Stokencourt Place était assourdissant. Parfois, Penny avait le sentiment d'avoir commis une terrible erreur, des doutes s'insinuaient tandis qu'elle pataugeait sur les marges d'une communauté estudiantine de plus en plus étriquée, dans l'espoir de trouver à se distraire et oublier sa culpabilité – sans Bruce ni Joan et la troupe habituelle, ce n'était plus la même chose.

Une autre personne semblait tout aussi isolée : Steven Leonidis, de mère anglaise, originaire d'une famille de propriétaires terriens du Wiltshire, et d'un père grec, membre du corps diplomatique. Ce jeune homme avait été éduqué par des précepteurs, puis dans une *public school* et à Oxford. Il s'intéressait à tout ce qui était grec et à la philosophie de la société grecque antique. Il aimait randonner et se dorer au soleil à la plage dans le plus minimaliste des maillots de bain. Pour une raison ou pour une autre, les autres étudiants l'évitaient. Sitôt qu'il se mettait à parler politique, les groupes se dispersaient et Penny se retrouvait, son café à la main, ne sachant comment partir sans le froisser. Il était seul, elle aussi, il paraissait logique qu'ils se promènent ensemble.

Steven venait d'une famille catholique et avait nombre de frères et sœurs. Censé rejoindre bientôt l'armée, lui non plus n'avait aucune envie de rentrer au bercail. Tous deux prirent donc l'habitude de déjeuner et de se baigner nonchalamment, ou de randonner dans les collines. Au début, ce fut une sorte d'amitié agréable, mais Steven était sérieux, et lorsqu'un jour il la prit par la main, lui suggéra qu'elle rentre en Angleterre pour rencontrer sa famille, et lui demanda si elle pouvait envisager de se convertir au catholicisme, Penny sut que le moment était venu de refroidir ses ardeurs.

Au moins, quelqu'un la trouvait assez séduisante pour lui déclarer sa flamme, même si ce n'était pas Bruce. Mais il y avait, remarquait-elle, une dureté dans les yeux bleu ardoise de Steven quand il se mettait à élucubrer sur la façon merveilleuse dont l'Allemagne se sortait d'un traité aussi insultant. Il se réjouissait de l'action de Metaxas, le Premier ministre grec, qui suivait l'exemple de Hitler et transformait l'économie avec le lancement de travaux publics. On eût dit qu'il se tenait sur une estrade pour pérorer ; qu'elle soit là ou non ne paraissait alors guère compter.

— Cela ne t'excite pas de voir comment le nationalisme progresse dans toute l'Europe ? lui dit Steven, et elle regarda au loin sur la plage, avec l'envie d'être à nouveau dans la villa rose et d'y lire un livre. Je ne sais pas comment tu peux traîner avec tous ces gens de l'école, ajouta-t-il, rejetant ses amis d'un geste de la main.

— Tu étais bien content qu'ils te paient à boire, répliqua-t-elle, mordante. Ce sont mes amis, qu'est-ce qu'ils ont ?

Il haussa les épaules.

— Tous les attributs des dandys décadents, et ils se mêlent à la lie des Grecs, aux juifs, aux métèques...

Et toi, tu es lassant, pensa-t-elle. Elle n'avait pas oublié la scène terrible dont elle avait été témoin. Comment Steven pouvait-il admirer des gens pareils ? Cette amitié encombrante devenait un poids pour elle.

Ils partirent en expédition à Épidaure voir le grand théâtre à l'hémicycle et à l'acoustique parfaits. C'était amusant de chuchoter à l'épicentre et de savoir que l'on vous entendait jusque sur les gradins périphériques. Une merveille de construction. Penny était fière de savoir que ses ancêtres remontaient à des temps aussi nobles.

— Comment peux-tu être si blonde et de souche grecque ? J'ai cru que tu étais anglaise à cent pour cent, lui dit Steven un jour où ils se doraient au soleil.

— C'est comme toi, anglaise par ma mère, et puis qui sait d'où nous venons, nous autres Britanniques ? répliqua-t-elle en riant, mais cela ne l'amusa pas.

— À ta place, je ne me vanterais que de mon ascendance maternelle. Mélanger les races n'a jamais été une bonne idée. C'est déjà assez dur de vivre avec un patronyme grec. Enfin, nous avons de la chance, c'est toujours le sang maternel qui est le plus pur, soupira-t-il, alors toi et moi ne risquons rien.

S'il disait vraiment les pires idioties qui soient, ses attentions apaisaient le sentiment de solitude qu'éprouvait Penny. Ils grimpaient souvent jusqu'au sommet du mont Lycabette pour regarder la lune couleur abricot se lever et les étoiles rivaliser avec les lumières scintillantes de la ville. Steven tentait de brèves étreintes maladroites, l'embrassait avec passion, et Penny sentait son corps s'animer de sensations inhabituelles ; mais son esprit restait distant et indifférent. Ce n'était pas ce qu'elle souhaitait, de lui en tout cas. Il fallait qu'elle le laisse tomber gentiment, mais comment tempérer ses ardeurs sans le blesser ?

Elle se mit à prétexter diverses choses pour annuler leurs randonnées et rencontres au café mais ne put s'en défaire si facilement. Il savait où elle logeait, qu'elle était apparentée à l'un des diplomates et qu'elle donnait des cours d'anglais aux étrangers. Il l'interrogeait sans fin sur ses élèves, et aussi sur Walter et le personnel de l'École britannique, en particulier sur John Pendlebury et l'endroit où il menait ses fouilles.

— Je ne connais pas ses projets, c'est à peine si je le connais lui, répliqua-t-elle un jour.

L'été ne s'était pas déroulé comme elle l'avait prévu, et dorénavant Steven l'ennuyait avec son flot incessant de questions indiscrètes.

— Pourquoi me demandes-tu toujours autant de renseignements ? Tu les espionnes ? l'accusa-t-elle, mais il écarta le sujet d'un rire.

Elle songea même à avertir Walter de cette curiosité mais, depuis leur brouille, elle prenait grand soin de l'éviter. Sa fuite la mettait encore bien mal à l'aise.

Tandis que la chaleur de l'été devenait de plus en plus oppressante, son moral chuta à son point le plus bas. Un après-midi où elle faisait la sieste dans sa chambre, la sonnette retentit. Si c'était Steven qui revenait à la charge, il allait l'entendre. Comme miss McDade était sortie, Penny descendit en personne et ouvrit la porte en grand avec un « Oui ? » sec. Elle se trouva nez à nez avec un homme, le visage caché sous son panama.

Un homme sur le pas de la porte qui n'était autre que son père ! Elle lui tomba dans les bras

103

– foin de la réserve anglaise –, soulagée de voir un visage connu. *Oh ! papa !*

Il la serra contre sa poitrine.

— Pénélope, enfin ! Quand la montagne ne vient pas à toi… Tu vas bien ?

Elle éclata en sanglots et il l'étreignit de nouveau.

— Essuie-toi les yeux. Qu'est-ce qui t'est arrivé ? Mets quelque chose de correct, lui ordonna-t-il, l'œil fixé sur ses jambes nues et son short. Je t'emmène déjeuner.

Ils allèrent à l'hôtel de Grande-Bretagne, place de la Constitution, et franchirent les sacro-saints portails. Penny avait revêtu sa robe du dimanche en soie, chapeau de paille assorti et sandales à talons hauts. Cela faisait des mois qu'elle n'avait rien porté d'aussi habillé. Ils dînèrent de façon princière, comme s'ils étaient à Londres durant la saison mondaine. Papa se trouvait là à l'occasion d'une courte croisière.

— Bien, maintenant dis-moi juste ce qui s'est passé, demanda-t-il. Je n'obtiens rien de sensé de la part de ta sœur.

Et tout se déversa : Évadné, l'École britannique, la vie de Penny à Athènes, toutes les frustrations de ces mois où elle était restée seule…

— Alors, tu veux revenir à la maison ?

— Non, pas pour une saison mondaine et toutes ces histoires, avoua-t-elle.

Elle n'avait jamais parlé à son père de manière aussi franche et il la fixa avec surprise, comme s'il prenait la mesure de son changement depuis qu'elle était arrivée à Athènes.

— Tu es devenue une véritable jeune femme. Et tu as l'air très grecque, dit-il, notant sa peau dorée et ses cheveux décolorés par le soleil. Ta propre mère ne te reconnaîtrait pas, ajouta-t-il avec une étincelle dans les yeux.

— Comment va-t-elle ? demanda Penny avec angoisse. Est-elle très en colère contre moi parce que je lui ai désobéi ?

— Oh, elle s'en remettra, répondit-il, jetant un regard affamé sur sa soupe. Pour ses amies, tu finis encore ton éducation de débutante à Athènes. Mais elle se fait du souci, nous nous en faisons tous les deux… Es-tu en train de partir à la dérive ?

Que répondre à une question si directe ? Elle fit oui de la tête, puis non.

— Bien sûr, c'est l'impression que ça donne mais je pense que je n'ai simplement pas encore trouvé ce qui me convient. J'ai quelque chose à faire ici, mais quoi, je l'ignore. J'ai pensé devenir archéologue, et ne te méprends pas : j'adore l'école et tous ces merveilleux tuteurs ; mais je ne suis pas au niveau, papa. En dessin, ça va, mais pour le reste j'ai reçu une éducation trop superficielle.

Penny s'arrêta, étonnée de ce qu'elle venait de dire. Durant tout l'été, elle avait eu de plus en plus le sentiment qu'elle n'arriverait jamais à la cheville de Joan ou de Mercy Coutts, et des autres femmes dévouées à leur travail. Maintenant qu'elle avait exprimé ses craintes à haute voix, de quoi serait fait son avenir ?

— Et ton grec ? Il est bon désormais, je t'ai entendue parler à l'un des serveurs.

Le compliment fit sourire Penny. Après des semaines à marchander dans les magasins et sur les marchés pour trouver les meilleures affaires, à argumenter avec des voisins bruyants, elle maîtrisait la langue de la rue.

Le visage de son père s'immobilisa soudain.

— Il faut que je te dise : Évadné ne reviendra pas ici avant quelque temps. Elle a encore perdu un bébé, hélas ! Un médecin à Harley Street espère pouvoir régler le problème. Elle reviendra après avoir pris le repos nécessaire, pour être avec Walter. Il faudra alors vous réconcilier.

Penny baissa la tête.

— Je suis désolée, je suppose que mon attitude n'a guère aidé. Je ne savais pas...

— Elle a raconté comment tu l'avais soutenue avant. Je sais que tu seras gentille. Walter attend son transfert définitif pour l'Angleterre. Le climat ici ne convient pas à Évadné. S'il te plaît, va la voir et aide-la ; je compte sur toi, Penny.

Il tendit vers elle une main, qu'elle serra très fort.

— La guerre approche. Chamberlain tente l'apaisement mais cela ne marche pas. Cela me soucie de te savoir ici. Ce n'est pas que la Grèce soit d'un grand intérêt pour Hitler, mais tout le monde se prépare au combat. Zan a rejoint les rangs des Dragoons, et on est en train de renforcer son régiment. Qui sait comment tout cela finira ? C'est pourquoi tu dois me promettre que tu reviendras ; pas de comédie le moment venu.

(Il lui étreignit la main.) Tu as toujours été une drôle de petite bonne femme avec un esprit bien à toi. Tu te rappelles ce jour où tu t'es enfuie sur le lac dans le canot, seule avec tes jouets fourrés dans une taie d'oreiller, et où tu essayais de ramer jusqu'à la petite île ?

Penny eut un sourire, c'était après une dispute avec mère.

— On a eu beau parlementer, rien à faire, tu ne voulais pas revenir, jusqu'au moment où tu as laissé tomber la rame et il a fallu te récupérer.

Il rit, mais Penny remarqua les cernes prononcés sous ses yeux.

— Je suis une grande fille, papa...

— Tu es sûre ? Je l'espère. Je compte sur toi pour aider Effy si... quand viendra le moment. Ne me déçois pas.

— Je sais que cela paraît étrange, mais je me sens chez moi ici. Les Grecs sont notre peuple, et s'ils devaient se battre, j'aimerais me dire que je serais là pour les aider. Désolée, je ne sais pas bien m'expliquer mais je ne ferai rien de précipité, je te le promets. Ces dernières semaines n'ont pas été faciles, et je suis désolée pour Effy, mais il fallait que je m'accroche à mon indépendance, c'est tout.

— Je crois que je comprends, mais je veux être certain de te savoir en sécurité, menant la vie que tu t'es choisie. Tu es différente des autres. Ma grand-mère disait autrefois : « Tes enfants poseront tous leurs valises dans des endroits différents. » Ta pauvre mère ne te comprend pas, mais moi si. Je sais que tu nous rempliras de fierté.

107

Penny eut envie de pleurer mais se retint dans cette salle de restaurant si grandiose. Elle avait toujours senti que son père l'aimait mais, jusqu'à présent, elle n'avait pas su à quel point. Il avait défié sa femme, était venu la retrouver à des milliers de kilomètres de la maison, avait écouté ses problèmes et s'était en partie reconnu en elle. Après cette conversation, il n'insista plus jamais pour la faire revenir. Chaque jour, ils visitèrent les monuments de la ville, et il lui expliqua avec fierté le poids de l'histoire dans son héritage grec. Quand il partit rejoindre le bateau, elle ne retint pas ses larmes. Elle avait reçu sa bénédiction ; confiant, il ne doutait pas qu'elle ferait honneur à leur nom. À partir de ce moment-là, elle se fit appeler Georgiou.

2001

Un chien aboie quelque part dans le champ. Il me tire de ces jours lointains et, alors que l'obscurité m'entoure, me ramène à la conscience... J'ai utilisé ce nom de famille pendant des années. Il m'a de nombreuses fois sauvé la vie. Plus tard, quand le pays fut déchiré par les luttes politiques, on m'a conseillé de revenir à la version anglaise.

Comme les souvenirs de cet été à Athènes sont précieux ! Souvenirs d'un temps où la guerre n'avait pas encore dévasté son cœur policé et où la famine n'avait pas frappé ses habitants. Je n'ai découvert que plus tard que papa était suivi pour une maladie du cœur. Si seulement il m'avait confié la gravité de son état et dit que sa visite était en fait un adieu, je serais repartie avec lui. Je n'aurais jamais insisté autant pour gagner mon indépendance, et ma vie aurait pris un tour complètement différent. Je n'ai appris sa mort qu'en 1942, trop tard ! Ma mère ne m'a jamais pardonné de ne pas avoir assisté à ses obsèques mais à l'époque, quand bien même j'aurais su qu'il n'était plus, la situation était telle que je n'aurais pas pu rentrer. Cela me pèse de savoir qu'il m'a quittée en me laissant convaincue que tout allait bien pour lui, et de penser combien j'étais absorbée par mes propres projets.

Si nous n'avons eu que peu de temps ensemble, chaque instant de cette visite est à mes yeux nimbé de lumière. Une rencontre d'âmes sœurs. Son souvenir ne me quitte jamais et quand je pense à la façon dont il a dû alors me trouver têtue et égoïste, les larmes me viennent.

Aujourd'hui, je sais que l'amour véritable est assez grand pour englober de tels défauts et les transformer en forces. De ce haut-fourneau d'obstination sont sortis du courage et de la détermination, de la persévérance et une volonté farouche pour supporter les tortures de l'esprit et du corps. Comme j'ai eu besoin de tout cela pendant les années noires de l'Occupation ! Mais j'avance trop vite dans mon récit.

Il fait nuit. J'ai dû somnoler plus longtemps que je ne le croyais, j'ai le bras raide ; je me cale pourtant de nouveau dans le fauteuil et regarde par la fenêtre, je n'ai pas envie de bouger. Tant de souvenirs tourbillonnent encore dans mon esprit anxieux ! Cette dernière année avant la guerre, j'ai traîné avec les étudiants, flirté avec l'archéologie jusqu'à ce que je comprenne enfin que je n'avais ni les aptitudes, ni le talent, ni la discipline pour continuer dans cette voie exigeante. J'ai donné des cours d'anglais et, moins par conviction que pour ne pas être seule, je suis allée à l'église où, à mesure que s'achevait l'année 1938, je n'ai pu m'empêcher de remarquer le nombre grandissant d'uniformes sur les bancs. Les hôtels, les cafés ou les soirées regorgeaient d'étrangers qui tous racontaient des histoires d'expulsion et de fuite. Steven Leonidis avait disparu, parti dans sa famille ou à l'armée ; il ne m'intéressait alors plus du tout. Interlude plaisant au cours d'un été très chaud, dérivatif à mon propre chagrin.

Un par un, les Britanniques sont partis s'enrôler, et j'ai compris qu'il fallait que je donne une direction à ma vie. Mon éducation avait bel et bien été « finie » mais les réjouissances en Europe n'étaient plus de mise, le moment était venu de rentrer dans le monde réel. C'est le destin une fois encore qui, par un après-midi du printemps 1939, a décidé pour moi.

Le port du Pirée, 1939

Agiter son mouchoir sur le port pour dire au revoir à son père fut un moment difficile pour Penny. L'espace d'une seconde, elle eut envie de sauter dans le ferry qui l'emmenait vers la paquebot ancré dans la baie, mais l'entêtement qui collait ses pieds au sol la força à se retourner et à regagner la ville. Des larmes emplirent ses yeux et elle se sentit désormais plus seule que jamais.

Comme elle remontait depuis le port, elle remarqua une foule de gens qui se bousculaient bruyamment autour de ce qui, semblait-il, était une bagarre. Penny se faufila parmi eux. Un homme jeune faisait pleuvoir des coups sur la tête d'un homme plus âgé tandis que dans la foule certains poussaient des cris hostiles et que d'autres tentaient de les séparer. À l'évidence, le combat était inégal. Sous les coups, le vieil homme trébucha et tomba, on entendit le bruit caractéristique d'os qui se brisent. Comme il hurlait de douleur, les badauds s'écartèrent doucement et se fondirent dans le flux des gens affairés, laissant le blessé par terre sur les pavés ; seule Penny entendit ses cris.

— Il m'a volé mon argent ! S'il vous plaît...

Il parlait grec avec un fort accent, le souffle coupé par la douleur.

— Ne bougez pas, ne bougez pas, lui enjoignit Penny.

En se penchant, elle vit que du sang coulait de son pantalon. La façon dont la jambe était tordue suffisait à prouver qu'il y avait fracture.

L'homme essaya de se relever mais retomba évanoui sous l'effet du choc et de la douleur.

— Il faut trouver un médecin, constata à voix haute Penny, cherchant des yeux autour d'elle quelqu'un qui l'aiderait, mais personne n'était là pour l'entendre.

C'est alors que ses vieilles leçons de la Croix-Rouge lui revinrent subitement en tête. « *Page 14 : Que faire en cas de fracture ?* »

Elle devait attacher la jambe cassée à la jambe vaillante, vérifier s'il s'agissait d'une fracture ouverte. Si elle pouvait faire une attelle avec une planche ou un bâton... Elle promena son regard autour d'elle. Rien en vue. Elle remonta sa jupe et détacha ses bas de son porte-jarretelles ; elle avait au moins ça et la ceinture de sa robe en coton qu'elle pourrait nouer autour des chevilles de l'homme, mais il lui fallait de l'aide.

Elle jeta encore un coup d'œil alentour et vit une mère et ses deux garçons qui traînaient là, curieux. Elle les héla dans son grec le plus rugueux : « *Ela !* Venez ici, aidez-moi ! » Un homme qui avait entendu son appel sortit de son magasin avec deux ou trois balais qu'elle prit pour confectionner une attelle, utilisant ses souvenirs du mieux qu'elle pouvait. « *Maintenez le patient dans une position confortable. Traitez l'état de choc.* »

— *Efharisto poli… despinis.*

Le vieil homme revint lentement à lui.

— Vous êtes bonne, *despinis*. Cet escroc m'a volé mon argent. Il m'a promis des billets pour partir en bateau avec ma famille en Égypte. Je suis venu les chercher mais il m'a ri au nez. Maintenant, nous ne pouvons plus nous en aller. J'ai mes papiers et je ne peux rien en faire.

Sa détresse était évidente, la douleur donnait une teinte grisâtre à sa peau.

Penny savait qu'il était urgent de trouver un hôpital.

— *Kyrie*, vous avez la jambe cassée, vous ne pouvez aller nulle part, il vous faut un médecin.

— Mais je le dois, chuchota-t-il, ma femme, ma fille, elles m'attendent. Nous allons partir.

Il se remit à gémir dans une langue qu'elle ne comprit pas, pas plus visiblement que les gens autour d'elle.

— Où habitez-vous ? Je les trouverai, lui murmura-t-elle à l'oreille.

Il lui indiqua une adresse dans la partie la plus pauvre de la ville. Il fallait d'abord qu'elle ait un moyen de le transporter pour l'emmener loin de cette rue sale avant qu'il ne s'évanouisse de nouveau.

— Aidez-nous, s'il vous plaît… (Elle se tourna vers les étrangers.) On ne peut pas le laisser mourir là !

Qu'était-il arrivé à cette fameuse hospitalité grecque ? À ce pays connu pour sa gentillesse envers les étrangers et réputé pour sa courtoisie ? Personne ne voulait s'impliquer.

Un épicier et sa femme, constatant le drame, sortirent alors de leur magasin et proposèrent leur charrette à bras afin d'y allonger le vieil homme.

— Où est l'hôpital ? leur demanda Penny, mais ils secouèrent la tête, c'étaient des immigrants au grec hésitant.

Elle questionna des passants, et quelqu'un finit par lui indiquer un dispensaire en haut de la colline.

Pousser la charrette jusque-là ne fut pas une mince affaire. L'homme était petit mais râblé, ses constants gémissements de douleur la perturbaient ; heureusement, il ne cessait de s'évanouir. Le dispensaire, dans une maison miteuse, ne brillait guère par sa propreté. Tant pis, au moins c'était un endroit où on pourrait les aider.

— Vous êtes une parente ? demanda le médecin qui venait d'ouvrir la porte et regardait Penny avec intérêt après avoir entendu son histoire. Son nom ?

Elle fit deux fois non de la tête.

— *Pos sas lene* ? demanda-t-elle au vieil homme avec un sourire. Je vais trouver votre famille.

— Mon nom est Solomon Markos... Tenez, ajouta-t-il en désignant le passeport qu'il avait dans la poche.

— Encore un juif en fuite, commenta le docteur, un ricanement dédaigneux dans la voix.

Penny fut outrée.

— On l'a escroqué. Il a acheté des billets. Ses drachmes ne sont pas moins bonnes que celles des autres, et regardez, là ; il est né à Thessalonique. Il est aussi grec que vous, répliqua-t-elle d'un ton cassant. Il n'a fait que venir chercher ses billets, et quand l'homme a refusé de les lui donner, *Kyrie* Markos a protesté et a été tabassé. J'ai vu la scène, de mes propres yeux.

— Vous ne comprenez pas, lui dit le médecin avec condescendance. Les juifs ne sont pas d'ici, c'est comme ça depuis toujours. Certains veulent partir, d'autres en tirent profit. Il faudra qu'il paie. Il a de la famille ? Vous ne pouvez pas le laisser ici sans garantie.

— Vous avez son passeport, et j'ai ma montre. (Penny défit la montre en or de son poignet et la flanqua sur la table, écœurée.) Mais je veux un reçu. C'est ma garantie, et vous pouvez aussi appeler l'ambassade britannique. Ils répondront de moi, Pénélope Angelika Georgiou, conclut-elle avec son accent anglais le plus impérieux.

— Je vous aurais prise pour une Grecque, *despinis*.

— Occupez-vous de sa jambe, je reviens.

Comme elle redescendait vers la ville, elle espéra ardemment que l'homme serait bien soigné. Elle devait trouver la rue Othos Dimitris, où vivait la famille Markos, et leur annoncer la triste nouvelle. Elle se réjouit qu'il fasse encore jour tandis qu'elle traversait le quartier de Kokkinia par un dédale de rues sombres où les maisons délabrées étaient divisées en minuscules appartements et où le linge pendait à des fils tendus en travers de la rue. Des chiens féroces aboyaient, il régnait une puanteur de légumes et d'ordures pourrissants. Un monde aux antipodes des villas toutes blanches de l'avenue Kifissia où vivaient les diplomates. Où elle avait vécu autrefois.

Elle demanda à des femmes assises sur leur pas de porte où habitaient les Markos, mais celles-ci se contentèrent de hausser les épaules, crachèrent par terre et montrèrent du doigt les combles.

— C'est là qu'ils vivent, les juifs.

Penny plissa le nez tant la puanteur qui venait de la cage d'escalier était forte : graisse rance, urine et odeurs corporelles. Elle gravit avec difficulté l'escalier branlant qui menait au dernier étage jusqu'à une porte abîmée, à la peinture écaillée. Elle tambourina.

— Qui est-ce ? répondit une voix, mais la porte demeura close.

— J'ai des nouvelles de *Kyrie* Solomon Markos, c'est important.

La porte s'entrouvrit et deux yeux noirs et inquiets la scrutèrent.

— Qui êtes-vous ? Que lui voulez-vous ?

— S'il vous plaît, laissez-moi entrer. J'ai des nouvelles de votre mari. M. Markos a eu un accident.

La porte s'ouvrit alors en grand et la femme s'écria :

— Il est mort, son cœur a lâché. Je le savais !

Une jeune fille se tenait dans l'ombre. Le visage pâle, les cheveux tressés et remontés sur la tête, elle portait un tablier comme une serveuse ou comme une bonne dans l'une de ces maisons de diplomates.

— Oh, *kyria*, non, pas du tout. Il était en vie quand je l'ai quitté. Il a eu un accident dans la rue et il a une fracture. Il se trouve dans un dispensaire au Pirée, près du port. Ils vont lui remettre sa jambe.

Penny voulait rassurer et la mère et la fille.

— Mais nous prenons le bateau ce soir pour l'Égypte ! s'exclama Mme Markos. Tout est arrangé. Il est allé chercher les billets. Regardez, nos bagages sont faits pour le voyage.

Elle désignait désespérément du doigt deux grands sacs posés sur le sol. Penny vit alors qu'il n'y avait plus rien aux murs et que la pièce était quasiment vide.

La jeune fille s'avança vers sa mère pour la réconforter.

— Ne t'en fais pas, nous pouvons attendre. Papa a besoin de nous ici. Le voyage attendra.

— Mais les billets, qui nous échangera les billets ?

— Je crains qu'il n'y ait eu escroquerie car il n'y avait pas de billets. Votre mari a été volé. Ils se sont battus.

Penny ne savait comment mieux leur expliquer les choses sans les alarmer davantage.

— Oh, malheur ! Solomon n'est pas de taille à lutter contre ces gros rats. Je l'avais mis en garde mais il n'a pas voulu écouter, n'est-ce pas ? s'écria Mme Markos en se tournant vers sa fille. Nous n'avons plus d'économies désormais pour acheter d'autres billets.

— Chut, maman, nous pouvons toujours coudre et ravauder, et je peux travailler pour Beulah

Koen dans son magasin, la consola la jeune fille. Nous avons des amis qui nous aideront. (Elle tendit la main à Penny.) Merci pour votre aide. Je ne connais même pas votre nom...

— Pénélope Georgiou. Je suis étudiante, ou plutôt je l'étais. Et vous êtes... ?

— Yolanda Markos. (Elle prit le bras de sa mère.) Nous sommes arrivés de Thessalonique il y a six mois. Papa espérait enseigner à l'université ; hélas, cela n'a pas marché. Beaucoup de monde, peu de postes. J'espérais me former à la médecine, mais comme vous le voyez... (Sa voix faiblit.) Pauvre papa, il faut aller le voir.

— Je suis désolée de ces mauvaises nouvelles.

— Ce n'est pas votre faute. Il faut que nous le ramenions ici, les médecins de notre communauté l'aideront, et il se sentira plus à l'aise avec les siens. Nous sommes juifs, ajouta-t-elle, un éclair de défi dans ses yeux noirs.

— Et moi, je suis anglaise, répondit Penny qui, avec un sourire, lui tendit de nouveau la main.

— Alors, nous sommes tous des étrangers dans cette ville. Des étrangers qui en aident d'autres. Nous vous remercierons de votre gentillesse mais, pour l'instant, il faut que nous partions.

— Je vais vous montrer le chemin, offrit Penny qui ne savait pas trop si elle devait leur parler de sa montre, un cadeau de son père au moment du départ qu'elle ne voulait pas perdre. Ce n'est pas le meilleur dispensaire qui soit mais c'était le plus proche de l'endroit où il est tombé. Ils vont lui soigner sa jambe, rassurez-vous. J'ai fait une attelle...

— Vous êtes infirmière ? demanda Yolanda.

Penny rougit.

— Pas vraiment, non, j'ai pris des cours de secourisme à la Croix-Rouge en Angleterre mais c'était il y a longtemps.

— Quand nos affaires seront réglées, j'ai moi aussi l'intention de suivre une formation. Je crains qu'on ait bientôt besoin d'infirmières. Pourquoi ne repartez-vous pas en Angleterre ?

Dans le bus en direction du Pirée, Penny essaya d'expliquer comment elle était arrivée à Athènes et pourquoi elle n'avait plus envie maintenant de quitter le pays. Elle ne cessait de regarder Yolanda. Sa peau n'avait pas le plein éclat de la jeunesse ; mince, les traits tirés, comme si elle ne mangeait pas correctement, elle était malgré tout belle, d'une beauté gracieuse et sérieuse. Spectacle charmant que celui de cette mère et de sa fille si proches, qui se tenaient la main et bavardaient. Une relation aux antipodes de celle qu'elle avait avec sa propre mère. Elles avaient perdu leur rang social, cela se voyait. Leurs projets d'émigration étaient désormais contrariés par la cruauté, la cupidité et la violence. Penny se rappela les vues extrémistes qu'avait Steven sur le nationalisme. Et elle y réfléchit à la lumière de ce qu'avait subi le vieil homme, battu et trompé, et de ce dont elle avait déjà été témoin. Ce fut la première fois qu'elle songea vraiment aux dangers que cela représentait d'être juif, et elle eut honte de ne jamais avoir auparavant accordé beaucoup d'attention à leur détresse.

Elle savait qu'en Angleterre des hommes prétendaient que tous les malheurs du monde étaient la faute des juifs, des hommes en chemise brune comme ceux qui avaient défilé sur Cable Street, dans l'East End de Londres, avant d'être repoussés et vaincus. On en avait parlé aux informations Pathé et dans les journaux, mais de tels drames politiques, à mille lieues de sa vie confortable dans les Cotswolds, avaient été vite oubliés. Aujourd'hui, elle percevait toute la vulnérabilité de gens comme Yolanda et sa famille, même dans une ville aussi cosmopolite qu'Athènes.

Elle conduisit Sara Markos et Yolanda au dispensaire. Solomon avait été anesthésié et sa jambe plâtrée. Il ne serait pas valide avant des semaines.

À la vue de son mari, Sara se mit à pleurer.

— Nous devons le ramener à la maison, nous ne pouvons nous permettre d'autres soins ici. Qui a payé pour cela ?

Le docteur désigna du doigt la montre en or, haussa les épaules et, les yeux dans ceux de Penny, il la lui fourra dans la main.

— Elle l'a laissée en garantie.

— Je vois.

Yolanda hocha la tête, plongea la main dans sa chemise et en extirpa une épaisse chaîne en or avec une étoile à six branches.

— Prenez ça, proposa-t-elle au médecin.

Penny, consciente de la valeur symbolique de cet objet, protesta.

— Je peux attendre pour récupérer ma montre, gardez-la.

Mais Yolanda insista pour payer elle-même.

— Laissez-moi au moins vous offrir le taxi, dit Penny. Votre père n'est pas en condition de voyager autrement. S'il vous plaît, donnez-lui des béquilles, demanda-t-elle au médecin.

— Faites ce qu'elle vous dit, ordonna-t-il à l'infirmière, et il regarda Penny avec un respect accru.

Tandis qu'ils étaient en route, l'esprit las, vers l'appartement miteux, Penny pensa qu'elle ne pouvait pas maintenant abandonner la famille Markos... Elle eut alors une idée.

— Avenue Kifissia ! cria-t-elle au chauffeur de taxi. Vous allez venir avec moi !

Elle avait encore les clés de la villa de Walter et d'Évadné. Cela ne gênerait personne s'ils l'utilisaient pendant quelques jours. La maison était meublée et propre, dotée de nombreuses chambres. Elle pourrait expliquer à *Kyria* Kaliope qu'elle y séjournait brièvement avec des amis. Personne n'avait besoin de savoir ce qu'il en était. Ces dernières heures, depuis qu'elle avait quitté le port, elle avait été impliquée dans un drame et, pour une fois, elle avait su exactement comment réagir. Aider la famille Markos lui procura soudain un sentiment d'utilité et de détermination retrouvées.

L'important était de rendre la vie de cette famille plus confortable. Elle pourrait aussi passer plus de temps avec Yolanda, dont elle avait admiré l'attitude calme et aimante avec ses parents et la détermination affichée de payer le trajet. Quelque chose en elle méritait d'être connu.

2001

Comme nos vies sont transformées en l'espace de quelques minutes par une chaîne d'incidents dont nous sommes les témoins innocents ! Les rencontres que j'ai faites cet après-midi-là m'ont transportée dans un monde nouveau et offert d'autres perspectives ; ma vie à Athènes a pris un cours totalement différent. Découvrir que je pouvais tenir sur mes deux jambes, m'occuper d'une urgence, et ce, sans céder à la panique, a été pour moi une étrange révélation. Puis, durant la convalescence de Solomon que j'ai prise en charge, j'ai forgé l'une des amitiés les plus fortes de ma vie. Yolanda et moi venions de milieux si différents, avec des religions si différentes ; et pourtant, à maints égards, nous nous complétions, avec chez Yolanda des caractéristiques qui ne pourraient jamais être miennes.

Par sa dévotion et son obéissance à ses parents, elle m'a obligée à m'analyser et à revoir mes préjugés et mes principes. Comme j'ai envié leur petit cercle si uni lorsqu'elles dorlotaient Solomon jusqu'à ce qu'il finisse par remarcher !

J'ai appris énormément sur la religion juive durant ces semaines passées dans la villa d'Évadné. C'était une chance qu'ils n'aient pas été de confession orthodoxe ; ainsi, nous avons pu adapter certaines de leurs coutumes et traditions à une maison de gentils. Ils m'ont fait aimer à jamais la cuisine juive : la pastilla, délicieuse tourte à l'agneau qui venait des ancêtres italiens de Sara, des croissants aux amandes qu'ils appelaient *boskochs*. Chaque fête avait ses mets particuliers. J'ai essayé de leur expliquer ce que nous mangions à Noël, mais comme à Stokencourt notre cuisinière préparait tous nos repas, je n'avais aucune idée de la façon de concocter même le plat le plus simple.

Sara y a très vite remédié, me faisant hacher, tourner, doser et observer comment, à partir des ingrédients les plus ordinaires et les moins chers, on pouvait créer des mets parfumés. Ce que pensait *Kyria* Kaliope de cette nouvelle organisation, je n'en avais cure – jusqu'au jour où j'ai reçu un appel abrupt de l'ambassade qui m'informait qu'ils avaient besoin de la villa pour un autre diplomate et que nous devions vider les lieux sur-le-champ.

Quand mes invités sont rentrés chez eux, leur mode de vie bruyant, coloré et aimant m'a manqué et je suis repartie vivre chez Margery McDade, bien décidée à changer de vie.

Tout ce dont était capable Yolanda, avais-je décidé, je le ferais et le ferais mieux. Oh oui, sous la surface de notre amitié grandissante, il y a toujours eu de la rivalité. Nous faisions toutes deux un duo incongru dans nos uniformes de la

Croix-Rouge, moi grande et blonde, elle si menue et si noiraude... Mais, de nouveau, je brûle les étapes.

Une formation d'infirmière avant l'époque de la pénicilline et des techniques chirurgicales n'était pas chose facile. La discipline, les tâches subalternes ont été pour quelqu'un comme moi des pilules difficiles à avaler. À la fin d'une journée éreintante, s'écrouler de rire en compagnie d'une amie rend tout supportable. Les années qui suivirent, notre amitié a été le roc auquel nous nous sommes accrochées pour survivre. Il est rare qu'un jour se passe sans que je repense à ces moments où nous récurions les sols à genoux, où nous trouvions un coin tranquille loin du regard de l'infirmière en chef pour fumer en cachette. Pourquoi le passé me paraît-il aujourd'hui si proche que j'ai le sentiment de pouvoir tendre le bras et le toucher ? Comment pourrais-je retourner à Athènes sans penser à Yolanda ?

Athènes, 1940

Les deux filles, assises dans la salle de conférences obscure, suivirent le diaporama dans un silence abattu. Les nouvelles recrues de la Croix-Rouge s'entassaient en rangs derrière les infirmières de l'année précédente. Chacune se forçait à soutenir l'insoutenable. La conférencière était une robuste infirmière irlandaise, du nom de Teresa McGrath, qui avait soigné les troupes britanniques durant la Grande Guerre. Elle leur expliqua que sa mission consistait à les préparer à s'occuper de blessures auxquelles elles seraient peut-être confrontées, au cas où le conflit actuel avec l'Italie sur les questions de frontières s'envenimerait.

L'interprète avait du mal à la suivre à cause de son fort accent.

— La guerre, c'est sale. Les fusils ne font pas de prisonniers, ils mutilent les tissus mous, les os, décapitent, éviscèrent tout ce qui est sur leur passage. Je ne veux pas que vous flanchiez devant de telles blessures. Mieux vaut les voir maintenant et vous tenir prêtes, plutôt que de faillir à votre mission. Ce n'est pas une conférence agréable : certaines, je le sais, la condamneront, mais il faut en passer par là. Je ne peux vous préparer à l'odeur du champ de bataille ni à celle, écœurante, de la mort dans vos narines. Vous ferez de votre mieux pour la surmonter. Un masque imprégné d'essence de lavande aide parfois. Seules l'expérience et la discipline vous donneront la force de supporter ce que je vais vous montrer.

Elle poursuivit par une illustration de la façon dont les blessures non traitées devenaient des ballons gangreneux de chair pourrissante. Penny se réjouit que les diapositives ne fussent pas en couleurs. Puis suivirent des images d'amputations, certaines nettes, d'autres mal faites ; de moignons, certains sains, d'autres infectés ; de blessures au ventre et d'entrailles qui pendaient des uniformes. Pour finir, des photos de personnes aux gueules cassées, sans nez, sans yeux, ou complètement défigurées par les brûlures. D'abord, personne ne posa de questions. À la pensée que son frère Zan puisse avoir d'aussi atroces blessures, Penny frissonna. Heureusement que les lettres d'Angleterre lui parvenaient encore et qu'elle le savait en sécurité.

— Chacun de ces jeunes hommes a donné sa vie pour défendre sa patrie. Britanniques, Allemands, Français. Les fusils ne font aucune distinction, et nous non plus. C'est le principe qui guide le travail de la Croix-Rouge. Nous traitons tous ceux qui ont besoin de nos soins sans tenir compte de la nationalité, de la race ou de la religion. Nous nourrissons les affamés, nous ne jugeons pas ni ne prenons fait et cause pour notre propre pays, seule compte l'humanité qui souffre.

Quand l'infirmière McGrath eut terminé, les stores une fois relevés, Penny et Yolanda sortirent à la lumière d'un pas chancelant, avides de respirer de l'air frais.

Durant ces six mois de formation, Penny s'était rendu compte qu'aucune cachette n'échappait au regard d'aigle de l'infirmière en chef. Deux fois par jour, une inspection des salles permettait de repérer tout signe de relâchement de la part des nouvelles stagiaires. La fondatrice de l'hôpital n'était rien de moins que feu la reine Olga de Grèce. Au fil des années, on avait augmenté le nombre des lits, qui était de vingt-cinq au départ, et les gens considéraient l'hôpital comme l'un des meilleurs d'Athènes.

Les deux amies avaient commencé au plus bas de l'échelle, récurant les sols, vidant les bassins, et nettoyant le vomi et le sang. Pourtant Penny s'acquittait de chaque tâche avec plaisir, consciente d'accomplir un pas de plus vers une véritable formation médicale.

À la fin de son service, elle avait mal au dos et ses jambes la lançaient ; pourtant elle regagnait sa chambre chez Margery McDade heureuse : personne ne pourrait plus jamais la taxer de papillon mondain. L'uniforme sévère, avec son épaisse cape bleu foncé et sa coiffe blanche et raide, lui donnait un peu l'impression de porter un habit de nonne, mais quelle fierté d'épingler l'emblème de la Croix-Rouge à sa poitrine !

C'était Yolanda qui l'avait défiée de s'inscrire à cette formation. À Salonique, elle avait vu un film sur Florence Nightingale et avait d'abord eu l'intention de devenir médecin, mais aujourd'hui, comme Penny, elle se plaignait après une rude journée, et toutes deux auraient préféré qu'elle ait vu un autre film...

Quand la famille Markos quitta Othos Dimitris pour s'installer dans le quartier juif chez un ami rabbin, Penny fut soulagée. Les parents comptaient prendre bientôt un bateau pour la Crète, mais Yolanda fit des pieds et des mains pour finir sa formation. Elle logeait chez un autre rabbin qui habitait près de l'hôpital, et elle aidait son épouse à s'occuper d'une poignée d'enfants turbulents en échange du vivre et du couvert.

Le moment arriva enfin où elles apprirent à panser les blessures, empêcher le sang de couler, faire des piqûres et s'initier aux dernières techniques. Penny avait très envie de s'atteler pour de bon aux soins médicaux mais elle avait compris, après le diaporama, qu'il lui faudrait commencer par se familiariser avec les tâches les plus humbles avant d'avoir l'autorisation de pratiquer quoi que ce soit de sophistiqué.

Elles assistaient à des conférences sur l'hygiène, l'anatomie, le suivi des enfants, des personnes âgées et infirmes chroniques et, malgré ses études, Penny trouvait le temps de lire dans les journaux tout ce qui concernait la guerre en Europe. L'avancée de l'Italie vers la frontière albanaise causait de l'inquiétude dans tous les Balkans, et de nouveau elle reçut des lettres de chez elle exigeant son retour.

Pourtant, elle se sentait plus en sécurité ici, dans la capitale, à faire un travail qu'elle aimait. Rien ne parvenait à entacher la gloire de ce printemps et de ces premiers jours d'été avant que la chaleur ne devienne oppressante. Ce n'était partout que floraison, et ce spectacle réconforta nos deux infirmières alors que, par un chaud après-midi, elles sortaient de leurs cours et se dirigeaient vers le jardin national, essayant de digérer toutes les horreurs auxquelles on venait de les exposer.

— Crois-tu que nous ferons face si nous sommes confrontées à des trucs comme ça ? demanda Yolanda. J'en ai la nausée, comment ai-je jamais pu croire que je pouvais être médecin…

— Tu pourrais toujours te former, dit Penny, mais son amie rejeta l'idée d'un geste de la main.

— Tu plaisantes ! Je suis femme, et juive… Qui me formera désormais ? Tu connais notre situation. Ce n'est pas une option, juste un rêve idiot.

— Et puis ce n'est pas *si* nous sommes confrontées à de pareils trucs, mais *quand*, constata Penny qui avait perçu la déception de Yolanda. On sent la tension dans l'air. À la légation, c'est un flot incessant de gens, comme à Piccadilly Circus. Ils ont pris du personnel en plus pour aider aux tâches administratives et aux bureaux d'enregistrement. Margery y travaille désormais. J'ai vu John Pendlebury en uniforme devant l'hôtel de Grande-Bretagne. Il n'a qu'un œil, je me demande comment il a passé le conseil de révision… Tu sais, quand j'ai regardé ces diapositives, je n'ai

130

cessé de me dire : et si une de ces photos était celle de mon frère ? Il est dans l'armée en France maintenant. En sécurité, j'espère.

Yolanda la scruta avec sérieux.

— Tu devrais rentrer dans ta famille. Je ne sais pas comment tu fais pour rester loin d'eux…

— Nous ne sommes pas comme vous, nous suivons chacun notre chemin.

Comment lui expliquer l'éloignement qu'elle ressentait désormais envers les siens ? Dans ses lettres, Effy donnait tout un tas de nouvelles : qui était marié mais s'enrôlait, quelles soirées elle avait loupées à Londres et comment la saison mondaine allait être annulée. Un monde aujourd'hui aux antipodes du sien.

— Je ne supporterais pas qu'il arrive quelque chose aux miens. Je suis heureuse qu'ils aient pu aller en Crète. Oncle Joseph s'occupera bien d'eux. Mon père craint pour l'avenir de notre peuple au cas où les nazis débarqueraient ici, et je lui ai promis de les rejoindre si les choses se gâtent.

— Je suppose que tu as plus à craindre que moi, lâcha Penny sans réfléchir. Désolée ! Enfin, tu me comprends.

Yolanda lui sourit et lui tapota le bras.

— Ils disent que les juifs n'appartiennent à aucune nation, sinon la leur, mais c'est faux. Je suis grecque, je fais partie de ce peuple. (Elle montra du doigt les passants.) Je dois faire ce que je peux pour mon pays. Rien ne nous arrivera ici.

— Je pense comme toi, je suis d'ici dorénavant. C'est chez moi et je ne vais pas tout abandonner.

Penny intégra très vite le fait qu'en cas d'urgence à l'hôpital, quelle qu'en soit la gravité, une infirmière devait toujours marcher, et non courir, rester calme pour le bien du patient, peu importaient ses sentiments ; et qu'elle ne devait pas avoir de mouvement de recul ni effrayer un blessé en montrant ses émotions, même lorsque la mort était proche. Elle avait appris à laver les corps et à les préparer selon le rite religieux du défunt, à respecter chaque patient et l'ordre des protocoles hospitaliers. Elle ne devait pas parler avant qu'on s'adresse à elle, devait faire passer le confort des malades avant tout, écouter leurs lamentations et leurs peurs...

Il arrivait aux infirmières de s'amuser après leur service. Il y avait des fêtes pour les saints patrons avec des gâteaux et du vin, des flirts avec certains jeunes docteurs qui essayaient de ramener de jolies infirmières dans leurs filets grâce à leurs belles paroles. Mais Penny n'avait nulle envie de s'attacher à qui que ce soit et comprenait, maintenant qu'elle avait trouvé sa propre vocation, pourquoi Bruce avait reculé devant toute intimité avec elle. Il valait mieux qu'il en courtise plus d'une et se contente de badinage. Il fallait qu'il pense à son avenir. Elle rougissait chaque fois qu'elle se rappelait combien elle avait dû lui paraître mordue. Où était-il dorénavant et se reverraient-ils un jour ? se demandait-elle.

Yolanda, la tête toujours fourrée dans le journal à glaner des informations sur la situation internationale, avec sa propre vision de la politique, avait une bonne influence ; Penny, du coup, se sentait paresseuse et un peu détachée des affaires actuelles. Cela faisait des mois qu'elle n'avait pas ouvert un livre : un coup d'œil à une page, et elle s'endormait.

Yolanda insistait pour que, lors de leurs précieuses journées de congé, elles aillent visiter musées et galeries.

— Quand viendra la guerre, tout cela disparaîtra, la mettait-elle en garde.

Penny aurait bien aimé que l'influence de Yolanda puisse s'étendre à ses révisions. Avant de commencer cette formation d'infirmière, elle n'avait jamais passé d'examens de sa vie et trouvait les épreuves difficiles. Il y avait tant de choses à avaler : points d'anatomie, utilisation des médicaments et chimie. Yolanda se contentait, semblait-il, de parcourir rapidement ses notes et, dotée d'une excellente mémoire, elle réussissait tout sans effort. Ce n'était pas juste. Penny, en revanche, avait plus d'énergie pour sillonner la ville ; et, pour marcher en montagne, Yolanda était un cas désespéré : elle se plaignait sans cesse des sentiers escarpés, voulait s'asseoir et se reposer toutes les cinq minutes. Elle n'avait jamais fait de randonnée, ni monté à cheval, ni nagé dans la mer. Ses parents préféraient la garder sous la main et hors de vue.

Les deux jeunes filles avaient pris l'habitude de se retrouver en ville, jamais chez le rabbin Israel.

— Je suis désolée, mais ils respectent les règles de façon plus stricte que mes parents, avait expliqué Yolanda. Ils n'aiment pas que les femmes non mariées travaillent à l'extérieur, encore moins

133

avec des gentils. Ils sont aimables mais vieux jeu. Je m'attends très bientôt à ce qu'ils me sortent un gentil juif à épouser… sauf que je ne suis pas encore prête pour la *chuppah*.

Elle rit devant la perplexité de Penny.

— C'est le dais sous lequel on se marie à la synagogue. Un jour peut-être, mais pas tout de suite…

Penny avait encore beaucoup à apprendre sur la vie de Yolanda. L'une des choses qu'elle aimait à Athènes, c'était, dans les rues et les marchés animés, ce creuset de peuples, de religions, de coutumes et de langues tous si différents.

Ce fut un été magnifique et chaud, avec des nuits langoureuses passées, assises sous les étoiles, à regarder les martinets tournoyer au-dessus des toits. Selon Margery, les nouvelles en provenance d'Angleterre étaient horribles. La France était tombée et l'armée avait été évacuée de Dunkerque. De plus, la poste n'était plus très fiable maintenant que la guerre avait gagné la Méditerranée ; Penny ignorait si Zan allait bien.

Les expatriés durent notifier leur présence à l'ambassade, on leur donna des papiers et des instructions à suivre en cas d'évacuation, mais Penny, qui s'y présenta en uniforme, ne trouva personne que sa présence troublât vraiment. Les nouvelles d'Effy, quand elles arrivèrent, furent elles aussi inquiétantes.

Zan est de retour à Stokencourt, blessé. Il est revenu à la maison traînant la jambe, dans un uniforme en lambeaux tel un clochard, et sous le

choc après Dunkerque. Le pauvre, il a été aba-
sourdi de la rapidité de la défaite et du nombre
d'hommes et de matériel perdus en route. Il a
dormi pendant trois jours de suite. Il n'y a plus
que la Manche et la R.A.F. qui nous séparent de
la défaite, ne cesse-t-il de nous répéter. Je ne l'ai
jamais vu si ébranlé. Donc, reste où tu es. L'un
de nous au moins est en sécurité. Tu nous avais
promis que tu reviendrais, mais personne ne s'at-
tend désormais à ce que tu le fasses, même si tu
me manques. Walter a été envoyé en Égypte pour
la durée de la guerre, et Diana me demande tou-
jours de tes nouvelles. Elle a rejoint les FANY,
le corps des infirmières. Inutile de rentrer, donc,
à moins que tu ne souhaites t'engager, toi aussi.

Précisément, Penny savait qu'elle s'était engagée pour la justice et la solidarité : elle suivait déjà une formation complémentaire. Des troupes de toutes les nations étaient désormais stationnées autour d'Athènes, le port regorgeait de bateaux, et des soldats grecs étaient en manœuvre en dehors de la ville, rassemblés comme en attente de quelque chose. On ne tarderait pas à avoir besoin d'elle.

2001

J'ai senti que je frissonnais et je me suis réveillée, assise dans mon fauteuil, les yeux fixés sur les photographies dans leur cadre d'argent. Depuis combien de temps suis-je en train de rêver ?

L'espace d'une seconde, j'ai paniqué. *Où suis-je ? Ai-je fait mes valises ? Ai-je raté l'avion ? Tout ça, est-ce encore un rêve ?*

Trojan s'agite à mes pieds et me donne un coup de patte pour que je lui ouvre la porte-fenêtre et le laisse sortir, alors je me redresse et tends le bras ; je sens l'air frais de la nuit sur mes joues, hume le parfum nocturne du bétail, capiteux et grisant. Un renard glapit dans le bosquet.

Maintenant que le départ approche, je n'ai pas envie de quitter le confort de ma cheminée. Ici, je suis en sécurité, on me connaît et je suis détendue. Qu'est-ce qui m'attend là-bas sur l'île ? Quels fantômes descendront du sommet embrumé des montagnes pour me hanter ?

Avec soulagement, je vois que mes valises sont faites, tout est en ordre. Je me prépare un whisky pur malt et m'éloigne sur le sentier pour rappeler le chien. Le paysage est si paisible, si anglais ;

des fleurs, fantômes argentés sous la lune, me frôlent les bras. Comment ai-je jamais pu songer à quitter ce lieu pour me lancer dans une quête vaine ? Mais promettre, c'est promettre, et je ne peux pas laisser tomber Loïs maintenant.

Je m'assois sous le cèdre et sirote mon whisky, avec un soupir. La dernière fois que j'ai vu Athènes, la ville était en ruines, un lieu brisé et sale où seuls les rats et les cafards pouvaient vivre.

Ce sera intéressant de constater comment elle a pu renaître de ses cendres. De plus, ce que j'ai engrangé là-bas a fait de moi la personne que je suis aujourd'hui, m'a appris à survivre et m'a révélé ma propre solidité. Et plus encore, cette expérience-là m'a donné les meilleurs amis de ma vie.

Je repars lentement vers la porte ouverte et reprends ma place dans le fauteuil. Demain, je dormirai loin d'ici mais, tandis que le jour se lève, je vais veiller, revivre les souvenirs de ces jours sous les oliviers, me les remémorer.

Décembre 1940

Penny frissonna sous sa cape, essayant d'oublier ses doigts gourds tandis que, avec bien du mal, elle tentait de découper et de dégager la manche gelée de l'uniforme du soldat. L'infection était l'ennemi qui le guettait maintenant. Les balles avaient accompli le pire mais le voyage dans la neige, depuis le centre de tri à l'arrière du champ de bataille jusqu'au train, à transporter les blessés dans des wagonnets de fortune pleins de brancards, avait duré si longtemps qu'il suffirait de quelques heures pour que la gangrène fasse son œuvre.

Elle baissa les yeux vers le visage terreux de l'homme ; sa vie était entre ses mains. Elle soupira, se rappelant avec quelle fierté l'armée grecque avait traversé Athènes pour aller au nord défendre le pays. Cet homme était-il l'un de ces jeunes dieux qui avaient paradé dans les rues, entourés de filles qui jetaient des fleurs sur leurs camions, les saluaient de la main et leur envoyaient des baisers, tout comme d'autres filles avaient acclamé les troupes que commandait papa en chemin vers la Somme, il y avait des années de cela ? Aujourd'hui, ce jeune soldat était allongé là, abîmé par les engelures et en état de choc, tandis qu'ils s'occupaient de lui, spectacle pitoyable avec ses doigts noircis, le mince tissu de son uniforme bien peu approprié au climat et au relief traître du massif du Pinde, alors que cet hiver était l'un des pires depuis des années.

Tous ces Athéniens qui avaient dansé jusqu'à l'aube et tiré joyeusement des coups de fusil en l'air quand, en octobre, le Premier ministre Metaxas avait décidé de résister à Mussolini et dit *óhi* à ses exigences, allaient maintenant verser des larmes. La mort leur enlevait la fleur de leur jeunesse. Les cloches avaient beau sonner pour fêter une série de victoires sur l'ennemi – un ennemi, Dieu merci, aussi mal équipé qu'eux –, le coût humain était élevé.

Quel choc de voir ce que la boue et la glace pouvaient faire au corps humain, en plus des blessures ! Lorsque l'on parvenait à trouver assez d'eau à faire fondre et assez de combustible pour alimenter les poêles, on réanimait des hommes gelés et hébétés avec une soupe chaude et des breuvages brûlants. On soulageait les gelures avec de la térébenthine, une blessure en l'entourant de coton et un membre en le chauffant légèrement. On trempait les plaies infectées dans du Lysol et de la paraffine liquide, et les médecins amputaient du mieux qu'ils le pouvaient.

Et malgré tout ce qu'ils subissaient, les hommes adressaient des sourires aux infirmières, les appelaient « anges de miséricorde » et leur étaient reconnaissants de la moindre attention. Parfois Penny avait envie de pleurer de frustration quand elle voyait la vie s'éteindre dans les yeux d'un jeune garçon. Des semaines durant, les équipes médicales se démenèrent dans des conditions de lumière et de chaleur aléatoires, essayant de garder leurs patients en vie assez longtemps pour pouvoir les envoyer vers l'un des grands hôpitaux. Bon nombre de soldats ne survécurent même pas au transport du front aux centres de tri des blessés.

Attachée désormais à l'aile militaire de la Croix-Rouge, Penny se réjouissait d'avoir suivi des mois auparavant les conférences de l'infirmière chef McGrath, même si rien n'aurait pu la préparer à la réalité et à ces sentiments d'impuissance et de rage lorsqu'ils manquaient de pansements, d'éther et de tous les produits de base pour les soins médicaux. Apprendre à marcher entre les rangées de brancards, marquer d'une croix ceux qui seraient traités en priorité et auraient une chance de s'en tirer, et ceux que l'on pouvait seulement soulager et laisser mourir en paix, n'était pas chose facile. Les chanceux seraient raccommodés, auraient une permission peut-être, et puis seraient renvoyés dans cet enfer de vents aigres, de terres stériles et impitoyables.

Pourtant l'intensité des défis qu'apportait chaque jour – laver les hommes, les épouiller et leur préparer à manger – galvanisait Penny et l'emplissait d'une satisfaction qu'elle n'avait jamais connue au cours de sa jeune vie. *On a besoin de moi, ici*, songeait-elle, *je sauve des gens*. Elle se sentait vivante, d'une manière qu'elle n'avait jamais éprouvée auparavant : affairée, épuisée, mais heureuse que son existence soit soudain devenue utile.

Yolanda était quelque part sur le terrain et faisait le même travail. Quel atout précieux d'avoir une amie proche qui savait exactement les difficultés endurées ! Il y avait une telle camaraderie dans l'équipe : médecins, infirmières, aides-soignantes et aides-infirmiers qui n'avaient pas de temps à perdre en jalousies mesquines. Tout ce monde essayait de grappiller quelques heures de sommeil quand ils le pouvaient, se nourrissaient des repas les plus basiques, et menaient une lutte incessante contre les puces en bassinant leur lit avec des bouillottes. Une bataille perdue d'avance. Mais le froid qui par ailleurs régnait décourageait au moins les plus gros insectes. Une vraie bénédiction !

Là où ils s'installaient, des villageois venaient leur offrir des manteaux, des chaussettes et des écharpes pour les soldats au front ; les couvertures épaisses et la nourriture, ils ne pouvaient guère s'en passer. Dans cette guerre, tout le monde faisait des sacrifices. Parfois, ils étaient bloqués par des tempêtes de neige, ou par du verglas sur les chemins, mais ils continuaient de soigner, de nettoyer, de nourrir, et ce jusqu'en février 1941.

Point positif : de nouvelles troupes en provenance des îles vinrent soulager la pauvre armée grecque qui continuait de se battre, écrasant les Italiens, les repoussant toujours plus vers le cœur de l'Albanie. Mais le prix fut élevé ; s'il y eut une victoire à Ioaninna, elle fut suivie par l'afflux de prisonniers de guerre qui avaient grand besoin de soins – de pathétiques amas de haillons, affamés, la défaite gravée sur le visage. Certains se montraient reconnaissants d'être nourris et abrités dans des tentes, d'autres devaient être gardés. Il y avait tellement peu d'aliments frais à distribuer que les hommes commencèrent à souffrir de carence en vitamines lorsqu'on les expédia dans des camps vers le sud.

Il n'y avait pas d'ennemi dans un hôpital de la Croix-Rouge, uniquement des hommes épuisés et effrayés, n'ayant plus d'espoir, heureux de n'importe quel geste aimable. Penny apprit que ce conflit ne générait aucun vainqueur. Seulement des perdants.

Ce fut avec soulagement qu'elle accueillit sa permission. La jeune fille partie au nord en toute innocence revint à Athènes en femme mûrie d'avoir côtoyé la mort. À l'arrivée, elle n'avait qu'une pensée en tête : trouver le bain parfumé le plus profond et le plus chaud où elle pourrait se tremper et essayer de se laver de toutes les horreurs dont elle avait été témoin.

En ville, l'effervescence régnait : des troupes britanniques se préparaient à être envoyées en renfort dans le Nord pour sécuriser les nouvelles frontières et montrer aux puissances de l'Axe que la Grèce n'était pas seule. Il y avait des hommes en uniforme bleu stationnés sur des bases de la Royal Air Force, à Tatoi et à Éleusis. Une fois de plus, la confiance était de mise : l'ennemi avait été repoussé pour de bon. Penny, elle, se sentait étrangère à toutes ces célébrations, consciente que les Athéniens n'avaient pas idée des tensions qui agitaient le Nord. Si l'Italie n'avait pas réussi à conquérir ses voisins, l'Allemagne viendrait-elle à son aide ?

Il y avait un cours pour devenir infirmière-assistante en salle d'opération auquel elle devait assister. Lors d'urgences, quand l'hôpital manquait de personnel, elle avait été amenée à prêter main-forte, mais ses connaissances étaient incomplètes. Maintenant qu'elle se savait l'estomac bien accroché pour ce travail, elle trouvait intéressant d'acquérir des compétences avancées en chirurgie.

Elle demanda plusieurs fois autour d'elle si quelqu'un avait vu Yolanda, mais personne ne lui fournit le moindre renseignement jusqu'à ce qu'elle rencontre un jeune médecin qui lui indiqua une salle d'hôpital.

— Ils l'ont mise là.

— Elle est blessée ? Oh, non !

Paniquée, Penny s'engagea dans le couloir pour finalement voir Yolanda arriver dans la direction opposée, un bras bandé en écharpe.

— Je te cherche partout. Dieu soit loué, tu es là, mais on m'a dit que tu étais blessée. Qu'est-ce qui s'est passé ?

— Rien qu'une égratignure, seulement ça s'est infecté.

Yolanda ne fit aucun cas de sa sollicitude. Penny remarqua qu'elle avait l'air plus fatiguée et les traits plus tirés que d'ordinaire.

— J'ai une semaine d'arrêt.

— Alors, c'est plus qu'une égratignure. (Penny la regarda avec attention.) Allons tout de même fêter ce congé.

— Impossible… Je suis fauchée…

Yolanda hésita. Penny se doutait que la majeure partie de sa paie allait à ses parents en Crète.

— C'est moi qui régale ! J'ai eu une rentrée d'argent, mentit-elle.

En fait, il lui restait encore quelques drachmes dans la cagnotte qu'elle s'était constituée grâce à son père. Avant de partir, il avait fourré dans son sac un portefeuille garni de billets. Elle avait gardé cette petite réserve, de plus en plus mince, pour des imprévus.

— Allez, viens, pâtisseries chez Zonar d'abord, puis l'Argentina. J'ai envie de danser toute la nuit. Il est temps qu'on s'amuse.

— Mais je n'ai rien à me mettre, et en plus que vais-je dire au rabbin Israel ? Je viens juste de rentrer.

— Ce qu'on ignore ne peut faire de mal ! Offrons-nous un peu de plaisir. Nous devrions nous mettre sur notre trente-et-un, oublier nos habits de nonne et nous amuser comme des folles. Si quelqu'un le mérite, c'est bien nous.

Penny sentait qu'il fallait qu'elle décide pour deux. Ces derniers temps, elles avaient vu beaucoup de souffrances ; durant ces précieuses courtes journées, Penny voulait simplement tout oublier.

— Avoir vu les diapositives de Mme McGrath était une bonne chose, finalement…, commença Yolanda.

— On ne parle pas boutique, je l'interdis ! s'écria Penny. On danse jusqu'à l'aube.

— Tu as changé, se moqua Yolanda.

— Nous avons vécu avec la mort pendant tous ces mois, intéressons-nous un peu à la vie. Qui sait où l'on nous enverra la prochaine fois ? Allez viens, les magasins m'appellent...

Elles rentrèrent chez Margery chargées de paquets : une robe pour Yolanda et de jolies chaussures pour Penny, des savons parfumés à la rose, des affaires de toilette et du parfum. Au déjeuner, elles mangèrent des *tiropita*, feuilletés au fromage, et un gâteau au chocolat, le *Sacher-torte*, la mine rieuse et détendue pour la première fois depuis des mois.

— Essayons tout à nouveau. C'est si décadent, dit Yolanda qui inspectait sa nouvelle tenue avec plaisir. Que pensera momma d'une robe si courte ?

Celle-ci était en soie mouchetée bleu marine et blanc avec de longues manches, et froncée à la taille.

— Tu as déjà meilleure mine, déclara Penny, constatant que les couleurs revenaient aux joues de son amie. Laisse-moi d'abord changer ton pansement.

Quand elle enleva la bande, elle vit combien la blessure était à vif et cloquée.

— Qu'est-ce que c'est ?

— Ce n'est rien, juste une brûlure. En phase de guérison maintenant.

— Il y a une histoire là-dessous ? demanda Penny avec curiosité.

— Eh bien, simplement un soldat délirant de fièvre qui a brandi un tisonnier très chaud et s'en est pris à nous. Il ne l'a pas fait exprès, ce pauvre gars, il est mort après. On pense que c'était la rage.

Cette blessure profonde et vilaine laisserait une cicatrice. Penny sentit la colère la gagner : Yolanda serait marquée à vie par ce fou.

— Nous sortons en ville ce soir, Margery. Ne nous attends pas avant que les talons de nos chaussures soient usés à force d'avoir dansé. J'ai ma clé.

Margery émit un reniflement en guise de réponse et s'installa pour la soirée avec un de ses chers Agatha Christie.

Il y avait foule à l'Argentina, des officiers et leurs petites amies occupaient les tables, mais Penny, une habituée à l'époque où elle étudiait, fut placée près du bar. Elle reconnut les visages familiers de la légation, de vieux amis qui d'un geste convièrent les jeunes infirmières à leur table et leur trouvèrent des chaises. L'orchestre était en forme et les officiers se levèrent bien vite pour danser, faisant tournoyer les jeunes femmes sur la piste. On leur commanda à boire, en particulier quand les soldats découvrirent qu'elles avaient été au front. Tout le monde voulait connaître la gravité de la situation. Penny, dont les préoccupations ce soir-là étaient tout autres, leur suggéra alors, s'ils voulaient parler boutique, de changer de table. D'où lui venait soudain cette nouvelle assurance en société ? Des mois plus tôt, elle n'aurait même pas osé entrer seule dans un pareil lieu sans un homme pour la guider, mais les choses changeaient et en mieux. Elle avait un peu plus conscience de sa propre valeur après avoir survécu aux rigueurs de la vie au front. Yolanda et elle méritaient ce temps libre afin de se détendre, sans se sentir coupable. Yolanda, elle, s'inquiétait.

— Si quelqu'un me reconnaît, je vais avoir des ennuis, chuchota-t-elle. Les jeunes filles célibataires ne font pas ça dans ma communauté. J'espère que personne n'ira le raconter aux Israel, pour qu'ensuite ils écrivent à momma. On ne sort pas sans chaperon. Je pense que je devrais y aller.

— Non. Pourquoi tu n'aurais pas ta propre vie ? Si quelqu'un mérite une pause, c'est toi.

Une procession de fringants officiers de l'armée de terre et de l'air les escortèrent de nouveau bien vite sur la piste. Personne ne les harcela mais comme les hommes devenaient plus ivres, les bras se firent plus serrés, les questions plus pressantes. Il fut bientôt l'heure de rentrer chez Margery, fatiguées mais détendues. Yolanda devait rester dormir afin de ne pas déranger les Israel.

À la surprise de Penny, Margery avait veillé et les attendait, la mine affligée.

— Vous avez eu de la visite, annonça-t-elle à Penny, qui avec soulagement envoyait valser ses chaussures neuves. Un de ces gars avec leur moto BSA... Un certain capitaine Jardine.

— Bruce ? Bruce Jardine ? Il est ici, à Athènes ?

L'espace d'une seconde, Penny fut abasourdie. Cela faisait des semaines qu'elle n'avait pas pensé à lui, elle avait été si occupée.

— Il a appris que vous logiez toujours ici et voulait prendre des nouvelles... Il a apporté des lettres de votre sœur, ajouta Margaret, posant bruyamment une pile d'enveloppes sur la table.

— Il reste combien de temps ? Dans quel régiment est-il ?

Penny était à la fois excitée de penser qu'après tout ce temps il avait cherché à la voir et un peu déçue aussi de l'avoir raté.

— Du calme, ce jeune monsieur avait un sacré coup dans le nez mais ils sont tous comme ça ces temps-ci. Il a tout de même laissé un numéro de téléphone. Vous pouvez l'appeler demain ; maintenant, il est une heure et j'ai besoin d'un bon sommeil réparateur.

— Désolée de vous avoir fait veiller, vous êtes très aimable, dit Penny, les joues rosies d'excitation.

— Je n'arrivais pas à dormir. Les nouvelles à la radio sont perturbantes. Hitler rassemble des troupes en Roumanie. On dirait qu'il va finir ce que les ritals n'ont pas pu faire... Il sera à Athènes pour Pâques, croyez-moi. L'heure a sonné pour nous de plier bagage.

— J'ai l'impression qu'on va devoir repartir, constata Yolanda en jetant un regard inquiet à Penny.

— Nos troupes sont là pour ça. Si Hitler pense que les Britanniques vont s'en laisser compter, il se trompe, répliqua Penny avec une assurance qu'elle ne ressentait pas totalement.

— Alors, qui est ce Bruce Jardine ? demanda Yolanda en changeant de sujet. Son nom a fait monter le rouge à tes joues.

— Oh, quelqu'un que j'ai connu quand j'étais étudiante, répondit Penny qui ne souhaitait pas s'étendre sur sa toquade de jeunesse.

Des mois s'étaient écoulés. Celle que Bruce imaginait retrouver ici chez Margery n'était plus.

Yolanda dormit sur un lit de camp dans la chambre de Penny, qui n'arrêtait pas de se tourner et de se retourner. Bruce lui avait rendu visite. Ah, pourquoi était-elle sortie ! Le rater ainsi... Mais elle allait appeler et ferait en sorte de le rencontrer, d'une façon ou d'une autre.

Ai-je pourtant vraiment envie de le revoir ? s'interrogeait-elle. *Envie de me donner encore de faux espoirs ?* Elle devait le remercier d'avoir apporté ces lettres, c'était la moindre des politesses, mais était-ce seulement pour ça qu'elle ressentait cette joie ? Inutile de ressasser ces pensées, elle y verrait plus clair le lendemain. Une chose était certaine : Penny Georgiou avait maintenant d'autres priorités. Les troupes d'élite de Hitler avançaient vers le sud dans leur direction et ça n'avait rien de rassurant. Elle entendit le hululement de la chouette fort tard dans la nuit, puis le chant du coq dans la cour, avant de finir par s'endormir.

Au numéro qu'avait laissé Bruce, le téléphone sonna interminablement jusqu'à ce qu'une voix de femme endormie réponde. Dépitée, Penny eut envie de balancer le combiné par terre.

— Tu veux parler à Brucie ? Chérie, tout le monde veut Brucie...

La voix au fort accent se tut, puis cria :

— Il est parti où ?

Autres voix étouffées, dont celle d'un homme.

— Désolée, peux pas vous renseigner, reprit la voix. On les a tous conduits dans un lieu top secret. Votre nom, c'est quoi ?

Penny raccrocha sans donner de réponse, elle n'était pas d'humeur à écouter la voix traînante de la maîtresse saoule de Bruce. Un Bruce égal à lui-même : toujours des histoires avec les femmes. Elle sortit de la pièce d'un pas lourd, furieuse d'avoir cru que sa visite pouvait être autre chose que celle d'un messager poli, désireux d'aider Évadné.

Yolanda partit de bonne heure chez les Israel sans emporter sa jolie nouvelle robe, preuve de son escapade de la veille.

Chez le boulanger, Penny apprit que le général grec Papagos voulait que ses meilleures troupes restent en Albanie, tandis que les Britanniques se dirigeaient vers le nord pour venir en renfort à la frontière avec la Bulgarie. Mais ensuite, chez l'épicier, elle entendit la rumeur contraire. Elle connaissait l'état des soldats à l'ouest, leur courage, et les savait épuisés à force d'essayer de défendre la moindre parcelle de terre grecque, malgré de piètres équipements et la pénurie de balles. À Athènes, les gens n'avaient pas idée de la gravité croissante de ce conflit.

Margery revint de son bureau de l'ambassade et laissa entendre que d'importantes réunions se tenaient à l'hôtel de Grande-Bretagne. On avait même vu le roi traverser l'entrée avec sa suite. L'atmosphère y était plutôt tendue, ajouta-t-elle, et l'on organisait l'évacuation des troupes et des résidents britanniques depuis les ports du Sud au cas où les Alliés échoueraient.

Le cœur lourd, Penny se prépara à être rappelée.

Ce devait être une perspective peu réjouissante d'affronter la meilleure armée du monde. Comme ils allaient vers le nord, elle savait cette fois ce qui les attendait. Elle prit le temps de bien regarder la beauté sauvage des montagnes, les tapis de fleurs sauvages, rouges, jaunes, blanches. Des villageois lançaient des biscuits et du pain aux soldats dans les camions, et des bouteilles de vin, comme pour célébrer quelque victoire. Leur joie fut de courte durée.

Des commandos commencèrent à sérieusement bombarder la ville et le port du Pirée. Le *Clan Fraser*, un bateau de transport de munitions, explosa et détruisit tous les navires voisins et la majeure partie du port, causant de graves pertes humaines. Puis de nouvelles troupes allemandes des divisions d'infanterie de montagne entrèrent par un col et brisèrent les lignes grecques. En l'espace de quelques jours, Salonique tomba et la 2e armée grecque capitula. Ne restèrent que des troupes néo-zélandaises et britanniques pour tenir la ligne de défense.

Une nouvelle fois, Penny s'occupa des blessés que les camions embarquaient de nouveau vers le sud tandis que chaque jour les nouvelles devenaient plus inquiétantes. Les Britanniques flanchaient. Il n'y aurait nul secours, que ce soit en provenance de l'est ou de l'ouest, et le moral des régiments forcés d'abandonner une terre gagnée à un tel prix était en berne. La 5e division crétoise combattit avec courage à Aliakmon, mais les forces qui s'abattaient sur elle étaient écrasantes du fait de leur puissance de feu, de leur importance numérique et de leur équipement.

Tout à coup, le cauchemar de la retraite commença pour de bon : des hommes dépenaillés partirent vers le sud, constamment mitraillés et bombardés par des avions. Des camions étaient arrêtés par d'énormes cratères sur les routes et il fallait des heures pour les combler avec des décombres. Parcourir quelques kilomètres se comptait en jours et non en heures. Avancée horriblement lente, soldats ensanglantés, uniformes en lambeaux, visages défaits et épuisés. On cachait les blessés les plus graves dans des villages ou bien on les laissait mourir, là où ils s'écroulaient, par manque de bras pour les porter.

L'équipe de Penny embarqua autant de blessés que possible. Yolanda, qui travaillait tout près, s'occupait avec un médecin des blessés capables de marcher ; parfois, ils portaient des hommes sur leur dos pour les ramener à l'abri.

Un soldat supplia Penny de ne pas lui prendre sa température car il voulait se lever et s'en aller à moitié guéri de son infection.

— Ça va maintenant, laissez-moi repartir. Ce sont mes amis, les gars là-bas. Comment pourrais-je regarder leurs mères dans les yeux si je n'essaie pas de les retrouver ?

L'habitude avait été prise de monter des infirmeries provisoires pour aider les hommes en chemin. Tout était facile à replier. Lits, chaises, boîtes de matériel médical, poêles et casseroles, on chargeait ces affaires sur des mules qui les transportaient dans des centres d'accueil temporaires.

Quand ils arrivaient à une rivière, il fallait, à l'aide de cordes et de poulies, pousser les animaux à traverser ; Penny menait les bêtes à la tête de son convoi, certaine de pouvoir manœuvrer les mules aussi bien que n'importe quel homme. Elle se disait qu'elle était de nouveau dans les montagnes en Écosse au milieu des fougères et des vallons. Comme cette époque révolue lui paraissait simple et exubérante ! Ici, les avions allemands qui repéraient leurs stations représentaient une menace constante. Au début, elle avait cru que personne n'ignorerait les grands insignes de la Croix-Rouge sur leurs uniformes et sur le toit des tentes mais certains n'en avaient cure. Tout le monde se précipitait alors dans les fossés pour se mettre à l'abri. Ils soignaient tous les blessés, amis ou ennemis mais, après de tels raids, les gardes trouvaient cela difficile à encaisser.

La nuit, assises le visage impassible, les infirmières parlaient peu. Comment la Grèce pouvait-elle tomber si vite ?

Un soir, un médecin sourit et soupira.

— Je m'attendais à savourer mon repas de Noël à Athènes, et ç'a été le cas, mais où vais-je manger mes œufs de Pâques ? Dieu seul le sait !

Quand la rumeur selon laquelle on raflait les juifs de l'autre côté des frontières s'étendit, Yolanda s'assombrit. Le bruit courait qu'on les prenait en otage, on disait même qu'on les exécutait.

Mais si elle avait plus de raisons de s'inquiéter que les autres, l'important pour tous, quand leur camion tombait en panne, était de continuer à mettre un pied devant l'autre. Penny se demandait si elle pourrait de nouveau s'asseoir. Elle n'avait jamais été aussi sale, sa tête la démangeait et elle avait la peau couverte de piqûres de puces. Le moment n'était pourtant pas à l'apitoiement alors que les blessés s'entassaient et réclamaient de l'aide. Ce voyage s'arrêterait-il un jour ?

Une par une, les lignes de défense s'émiettèrent : celle du fleuve Aliakmon, celles du mont Olympe, et puis le défilé célèbre des Thermopyles où le roi Léonidas et ses Spartiates avaient résisté à Xerxès et ses hordes perses. Les troupes britanniques et les corps d'armée australien et néozélandais battirent en retraite vers le sud, et la Croix-Rouge recula aussi avec les blessés. Une par une, les bases médicales furent occupées ou détruites.

Penny alla dans le Sud, à Kifissia, où régnait un chaos total. Elle essaya de trouver à loger les blessés : hôtels, tentes, tout était bon pour pouvoir les mettre à l'abri et les soigner. Il fallut sept jours aux soldats pour se replier depuis le Nord, et la situation des cas les plus graves était désespérée. Dans l'enceinte de l'hôpital, les salles de fortune n'étaient rien de plus que des tentes à l'air libre les protégeant à peine du soleil et de la pluie. Les troupes grecques se montraient reconnaissantes mais Penny s'inquiétait. Avoir de l'eau chaude réclamait une lutte constante et, sans salles de soins ni bassins hygiéniques, la puanteur régnait partout. Le grondement constant des fusils au loin rappelait que des soldats menaient un combat d'arrière-garde et s'efforçaient avec l'énergie du désespoir de repousser l'attaque.

Les prisonniers allemands s'agitaient, tenaillés par la peur d'être exécutés avant que leur armée ne les libère. Des pots-de-vin circulaient, crainte et malaise entachaient les soins.

Les infirmières essayaient bien de respecter les règles quotidiennes d'hygiène, mais les soldats grecs gisaient partout dans leur uniforme sale, non rasés, envahis de poux et de puces – le moral si bas que certains se tirèrent une balle dans la tête. Les médecins avaient toujours un revolver sur eux au cas où la discipline serait enfreinte. Ce n'était plus qu'une question de jours avant que les infirmières britanniques et les autres ne soient évacuées vers l'Égypte avec les blessés graves en état de voyager, mais les raids aériens constants rendaient le trajet jusqu'aux ports dangereux.

Ce fut un dimanche de Pâques bien sombre. Chacun essayait de profiter au mieux de ce jour saint, mais de bals en ville, il n'y en eut point : tant de femmes étaient devenues veuves et tant d'enfants orphelins. Pourtant, les armées en retraite ne recevaient que des marques de courtoisie et d'inquiétude. « *Niké ! Niké !* Victoire ! » Des jeunes filles lançaient des fleurs et des « Bonne chance. Revenez bientôt… Prenez soin de vous. Que Dieu vous aide ! ». La vue de tous ces gens bordant les rues de noir rendait humble. Ils n'étaient pas sans savoir que cette retraite était plutôt une débâcle.

En plein travail, Penny reçut la visite d'un officiel de l'ambassade, en costume de lin, un certain

M. Howard qui avait travaillé avec Walter avant qu'il ne s'en aille.

— Il est grand temps de rentrer en Angleterre, mademoiselle George, lui dit-il. Walter a organisé votre départ sur le prochain bateau. J'espère que vous avez une valise toute prête. Votre situation est extrêmement irrégulière, nous avons des documents de transit à vous faire signer.

Penny prit une pause et s'alluma une cigarette bien méritée.

— Vous m'apprenez la nouvelle. Vous voyez l'état des choses, ici ? Je suis infirmière. Comment pourrais-je m'en aller ?

— Les blessés britanniques sont évacués et leurs infirmières les accompagnent. Les nonnes et infirmières grecques garderont la boutique. Vous devez vous tenir prête à partir dès qu'on vous préviendra.

Après tous les efforts de la Croix-Rouge pour venir en aide à autant de victimes que possible, c'était incroyable ! Penny sentit tout à coup la colère monter en elle.

— Donc, mes patients grecs doivent être abandonnés ici ?

— C'est la responsabilité de *leur* gouvernement. La nôtre est d'évacuer nos soldats, le personnel essentiel et les civils dès que possible.

Penny secoua la tête, elle en avait entendu assez.

— Merci de votre proposition, j'ai des patients à voir maintenant. J'ai l'intention de rester ici.

— Ne faites pas l'enfant, vous voulez être internée comme étrangère ? Vous avez un passeport britannique.

— Et un nom grec. Je peux passer pour une infirmière grecque, insista-t-elle.

— Qui cherchez-vous à tromper, mademoiselle George ? Il est écrit que vous êtes mineure.

— Mlle « Georgiou », en fait. Bien, je dois vraiment retourner à mes occupations. Je m'en irai quand mes supérieurs m'en donneront l'ordre, et pas avant.

M. Howard partit en colère, marmonnant qu'elle avait de la chance d'être prioritaire, mais Penny ne voulait pas de traitement de faveur. Ce fut seulement alors qu'elle se rendit compte qu'il s'était trompé sur son âge. Son vingt et unième anniversaire était en fait passé, sans qu'elle s'en aperçoive, sans même un bouquet de fleurs ou un gâteau. Elle avait eu tant à faire, loin de la ville, des semaines durant, et la poste était devenue très capricieuse. Comment avait-elle pu oublier ce jalon si important ? Elle avait désormais toute liberté de choisir pour elle-même et, en renvoyant M. Howard, elle venait de prendre une autre importante décision d'adulte. Mais comme elle avait changé ces derniers mois ! Elle ne se reconnaissait plus, elle, la rescapée du bal des débutantes, l'adolescente éperdument amoureuse… mais tout de même, avoir vingt et un ans et oublier un tel repère ? À coup sûr, elle allait trouver un moyen de célébrer l'événement à la manière grecque, avec des chocolats et du gâteau. Enfin, c'était plus facile à dire qu'à faire, dans ce chaos.

Un aide-infirmier accepta de partir à la recherche d'une boulangerie, il revint avec des pâtisseries au miel et du vin à partager dans le service. Une gâterie bienvenue dans cette endroit de fous. « *Chronia Polla*, longue vie ! » chantèrent en chœur le personnel et les patients.

Plus tard, tandis que Yolanda et elle, les mains serrées autour de leurs tasses de chocolat, regardaient le ciel nocturne s'illuminer d'une myriade d'étoiles, l'oreille attentive au lointain feulement des bombes, Penny se décida à parler à son amie de sa rencontre avec l'employé de l'ambassade.

— J'ai promis à mon père de rentrer s'il y avait du danger mais comment puis-je m'en aller aujourd'hui, après tout ce que nous avons traversé ?

Yolanda, les yeux au loin sur la ville assombrie, soupira.

— Je pense la même chose que toi. J'ai promis à mes parents de les rejoindre en Crète. Quand l'ennemi arrivera, je suis sûre d'avoir mon nom inscrit sur quelque liste, si les rumeurs sont fondées, et j'en ai entendu de terribles... Dois-je fuir maintenant ?

Penny hocha la tête.

— Tu dois faire ce qui est le mieux pour toi, mais tu vas me manquer. Moi, je vais m'accrocher jusqu'au bout. Il faudra qu'ils m'arrachent d'ici avec un pied-de-biche... Tout le monde est si découragé. Aujourd'hui, un garçon a refusé de manger et de boire, il a dit qu'il voulait mourir. D'autres souhaitent simplement rentrer au pays. Qui les aidera si nous ne le faisons pas ? Je ne peux m'empêcher de penser qu'on les abandonne à leur triste sort. Je me sentirais honteuse de vouloir sauter dans le premier bateau pour être en sécurité… En tout cas, promets-moi que nous garderons le contact quoi qu'il arrive.

Yolanda sourit, et tapota le bras de Penny pour la rassurer.

— Heureux anniversaire ! Je suis désolée car ce n'est pas grand-chose mais je tenais à ce que tu aies un cadeau.

Elle sortit un petit paquet de sous sa cape.

Penny déplia le papier de soie et vit un mouchoir blanc magnifiquement brodé avec ses initiales, un Y violet et une fleur délicate entrelacés.

— C'est toi qui l'as fait ? C'est beau, si fin ! Je ne savais pas que tu savais broder comme ça, et cette bordure en dentelle… (Penny sentit ses yeux s'embuer.) Nous pouvons échouer n'importe où mais nous serons toujours amies. Je regrette de ne rien avoir à te donner.

— Ce n'est pas encore mon anniversaire, attends octobre. (Yolanda désigna la violette.) Désormais, quand au cours de tes pérégrinations tu verras ces petites fleurs, tu pourras penser à mon prénom, à nous, amies à jamais, ajouta-t-elle.

— Merci, merci, murmura Penny tout en l'étreignant. Je le conserverai toujours précieusement.

Deux nuits plus tard, on donna l'ordre à toutes les infirmières d'aider les Britanniques à rassembler leurs blessés et à les évacuer dans des camions, des ambulances, et avec tout ce qui pouvait tirer une charrette. Les larmes coulèrent quand les infirmières britanniques firent leurs adieux à leurs fidèles aides-soignants et au personnel grec, les sachant livrés à la merci de l'ennemi tout proche, déjà à quelques kilomètres de la ville. Enveloppées dans leurs capes, Penny et Yolanda, assises aux côtés des malades sur les civières, vérifièrent les pansements et la tension tandis que le convoi progressait avec lenteur dans le noir vers les plages.

La retraite avait dû d'abord se faire de manière ordonnée mais le temps que les évacués quittent l'hôpital, il y avait eu des bombardements et, comme d'habitude, les cratères, les camions et les fourgons abandonnés ralentissaient encore leur avancée. Les restes de ce repli hâtif parlaient d'eux-mêmes : chevaux achevés, valises ouvertes et pillées, matériel éparpillé, fusils cassés. Partout, une cohue indescriptible, tout le monde allait dans la même direction ; au loin, on distinguait les tristes silhouettes des vaisseaux marchands, bateaux de guerre et caïques détruits ; d'autres navires attendaient, dans les eaux de Nauplie.

On ne reconnaissait pas les quais tant ils avaient été bombardés, l'odeur âcre de la poudre et la puanteur des corps en décomposition régnaient partout. Comment embarquer sur les bateaux avant l'aube ? Ce serait un miracle dans ce capharnaüm d'hommes et de machines, et pourtant on aboyait des ordres, organisait des files, descendait avec soin les blessés des civières. Par bonheur, cette nuit-là il n'y eut pas de raids aériens et la lune n'était pas très pleine.

Penny regarda les navires dans la baie, le cœur lourd. Combien arriveraient à destination sans encombre ? Qu'allait-il advenir d'eux une fois les troupes parties ? Tout à coup, un des soldats qu'elle soignait fut pris de panique et fit une crise. Il fallut l'aide de deux de ses collègues pour le maîtriser et pour que Penny puisse lui injecter un calmant. Le temps qu'il retrouve son calme, la file pour l'embarquement avait un peu avancé et l'évacuation semblait enfin se dérouler sans heurt.

Yolanda était loin en avant, occupée avec les blessés légers qu'elle guidait vers les ferrys en attente dans la zone d'embarquement. Penny continua à remplir des papiers, rassurant des hommes hagards et attendant que Yolanda les rejoigne. « Où est Mlle Markos ? » s'enquit-elle après une demi-heure. Il était presque temps de repartir à la base pour ramener en ambulance un autre lot de blessés, si nécessaire. Elle fit le tour d'une multitude d'hommes, à la recherche de son amie, mais personne, semblait-il, ne savait rien ni ne s'en souciait, chacun était pris par ses propres tâches. Une infirmière parmi tant d'autres comptait-elle ?

Ce fut seulement lorsqu'ils prirent le chemin du retour que Penny conclut avec soulagement que Yolanda avait dû rentrer à l'hôpital à bord d'un autre camion. Elle grimpa l'escalier à toute vitesse et la chercha dans la salle de détente, la laverie, les couloirs des salles et les baraquements extérieurs, mais, après l'aube, toujours aucun signe de Yolanda ; elle commença à s'affoler. Pourquoi n'était-elle pas revenue ? Elle n'avait sûrement pas pu partir sans prévenir personne ?

Yolanda n'abandonnerait jamais ses patients. Est-il arrivé quelque chose dans la bousculade ? Il y avait sur la plage des hommes désespérés, certains étaient ivres et auraient pu abuser de Yolanda, si menue et si attirante… Avait-elle glissé, fait une chute sur le sable, puis dans l'eau ? Toutes sortes d'explications traversaient l'esprit de Penny tandis qu'elle passait et repassait au peigne fin les salles communes dans l'espoir de voir la silhouette familière de son amie.

Au petit matin, elle sut au plus profond d'elle-même que Yolanda était partie, et un sentiment d'abandon et de grande solitude l'étreignit. Quelque chose d'horrible avait dû se produire. Elle serra dans sa main le mouchoir que lui avait offert Yolanda ; ce serait bientôt son tour d'embarquer avec les blessés. Où allait-on les envoyer ? Reverrait-elle jamais son amie ?

Les jours qui suivirent, cette disparition dérouta et inquiéta Penny qui se sentit perdue, soudain endeuillée ; sa ferme décision de ne pas quitter le pays faiblissait d'heure en heure. *À quoi bon risquer l'internement dans un camp ?* songeait-elle. *Au moins, si je rentre en Angleterre par la mer, je pourrai continuer mon travail d'infirmière.* Mais alors les raids aériens reprirent de plus belle et les navires en route pour sortir de la mer Égée furent coulés. Les courageux pilotes de la R.A.F. qui avaient essayé de couvrir l'évacuation et les derniers combats d'arrière-garde étaient en trop petit nombre. *Si Yolanda a embarqué sur l'Ulster Prince, où est-elle maintenant ?* Cette pensée plongea Penny dans l'angoisse.

Puis on apprit que le vapeur *Hellas* avait sombré dans le port du Pirée avec de nombreux civils brûlés vifs à bord.

— Nous nous débrouillerons, nous pouvons nous occuper de nos soldats. Va soigner ces pauvres jeunes de ton pays, lui répétaient ses amies infirmières.

Elle ne dormit pas de la nuit : et si elles avaient raison ? se demandait-elle. Elle avait promis à son père de partir, elle n'avait plus qu'à faire taire son orgueil têtu et demander à être évacuée. Elle s'en irait, le cœur vraiment très lourd.

Lorsqu'elle arriva à l'ambassade, le chaos régnait. Comme elle avait refusé de s'en aller avant, elle ne fut pas particulièrement bienvenue.

— Trop tard, ma petite demoiselle. Ils sont tous partis, lui dit l'employé d'une voix cassante. Il fallait venir hier.

Howard, passant près d'elle tandis qu'elle faisait la queue, parut extrêmement satisfait de l'y voir. La vue de cet homme content de lui fut plus que Penny ne pouvait supporter. S'enfuir était une attitude de lâche. Ne venait-elle pas de fêter son passage à l'âge adulte et sa liberté de choisir son propre chemin ? Elle se reprit, redressa les épaules, tourna les talons et sortit.

Mais, aveuglée par la lumière de l'après-midi, elle rata une marche de l'ambassade et vacilla. Heureusement, un bras apparut qui l'agrippa et retint sa chute. « Attention ! » s'exclama un homme en uniforme. Puis : « Mon Dieu ! Qu'est-ce que vous faites encore ici ? »

Elle releva les yeux et vit le visage hâlé de Bruce Jardine. L'espace d'une seconde, revoir une figure connue la remplit de joie et elle eut un sourire rayonnant. Ensuite, à l'idée qu'elle allait

163

peut-être se faire de nouveau sermonner, elle rougit d'agacement.

— On dirait que je suis coincée ici pour un bout de temps, répondit-elle, peu encline à faire la conversation.

— Il y a belle lurette que j'ai dit à Walter qu'on vous en sortirait. Où étiez-vous ?

Penny lui jeta un regard de mépris total.

— Sur le front albanais depuis janvier, avec la Croix-Rouge. Je me disais que cela suffisait et que j'allais rentrer mais, comme d'habitude, j'arrive un peu en retard.

— Foutaises ! Je vais vous faire partir. Il faudra que vous soyez rapide, mais... (Il murmura soudain :) Les Fritz ne sont plus qu'à quelques kilomètres de la capitale... J'étais passé vous voir...

— Je sais, j'ai appelé mais votre amie ne savait pas où vous étiez.

— C'était Sadie, la petite copine de Dennis. J'ai moi aussi bourlingué, mais je ne peux pas dire où... Venez, je vous offre à boire, vous en avez besoin, on dirait. Vous êtes terriblement mince, mais vous avez toujours été un peu une grande asperge. Horrible là-bas, n'est-ce pas ?

Il était assez poli pour paraître inquiet.

— On peut dire ça comme ça.

Elle se montrait ombrageuse, troublée par cette rencontre imprévue et la vision de ce jeune libertin. Comme toujours, Bruce reprenait la conversation comme si leur dernière fâcheuse rencontre avait eu lieu la veille.

Une fois assis à la terrasse d'un café, à siroter un cocktail avec un mezze de fruits secs et de noix, Penny eut du mal à croire que la guerre faisait rage autour d'eux. Tout, en surface, semblait si normal : le cliquetis des trams, les cris des vendeurs des rues qui faisaient le tour des tables et proposaient des marchandises rivalisant avec celles des charrettes tirées par des ânes, les passagers en file d'attente ordonnée comme des taxis sous le soleil, l'accalmie avant la tempête. Ce soir, une fois embarquée, elle serait en sécurité, tout cela parce qu'elle avait quitté l'ambassade au bon moment. Tout était tellement irréel.

— Je devrais rester, ils ont besoin de moi, déclara-t-elle avec un soupir.

— Les Grecs régleront leurs problèmes, mais il faut que nous continuions le combat et que nous puissions revenir un jour. Vous avez dû les entendre, ces pauvres bougres vaincus, crier *Niké*... « Victoire », alors qu'ils essayaient de rentrer dans la ville en défilant. Cela dit, ils ne vont pas leur rendre la vie facile, à ces salauds.

— Où partez-vous ?

Il haussa les épaules.

— Qui sait ? Où l'on a le plus besoin de nous. Là où le bateau nous débarque. Cela ne vous concerne pas. Je vais trouver un taxi et nous irons chercher vos affaires. Je ne vous laisse plus hors de ma vue désormais. Évadné va me tuer si je ne lui ramène pas intacte sa petite sœur.

Le visage de Bruce, tanné par trop de soleil, se plissa en un large sourire.

Pourquoi eut-elle soudain un sentiment de gêne et de culpabilité ? À une époque, elle l'aurait accueilli comme un chevalier venu la sauver sur

165

son blanc destrier, mais il lui facilitait à présent trop les choses. En même temps, cette rencontre inattendue signifiait-elle que l'heure de quitter le pays avait sonné ? Étrange que leurs chemins ne cessent de se croiser, rien n'était jamais terne quand Bruce prenait les choses en main. Et elle, désirait-elle s'embarquer dans une autre aventure avec lui aux commandes ou valait-il mieux qu'elle s'en aille et suive sa propre route ? Où cela la conduirait-il et survivrait-elle ? L'ambassade s'était lavé les mains de son sort, alors peut-être s'agissait-il de la meilleure solution, pensa-t-elle, s'efforçant de montrer à Bruce sa reconnaissance pour l'aide apportée. Si seulement Yolanda avait été là aussi ! Oh, pourquoi la présence de Bruce Jardine lui donnait-elle toujours l'impression d'avoir les idées confuses ?

Le convoi de diplomates et leurs familles, sous escorte militaire, roula toute la soirée jusqu'au port de Monemvasia. Les officiels prenaient le vapeur *Iolanthe* tandis que le départ plus discret de Penny devait s'effectuer en compagnie d'évacués politiques et du personnel d'ambassade grecs, avec femmes et enfants, à bord d'un caïque loué à quelque marin grec qui connaissait les îles éloignées de la mer Égée.

— Nous devons voyager uniquement à la faveur de l'obscurité, lui expliqua Bruce.

Penny frissonna, heureuse de porter sa cape de la Croix-Rouge et un treillis kaki emprunté à l'une des infirmières militaires qui, éplorée, lui avait dit adieu et lui avait offert une médaille de saint Christophe pour bénir son voyage. Comment pouvait-elle les délaisser ? Elle savait aussi que sa présence, celle d'une étrangère en leur sein, pouvait les mettre en danger.

Tandis qu'ils faisaient route en cahotant sur les pistes défoncées, elle regarda au loin cette plaque gris acier qu'était la mer. Elle semblait a priori calme, mais avec les sous-marins et la présence constante des bombardiers en piqué, le danger était là. Penny craignait d'occuper l'espace précieux d'une autre personne, mais Bruce lui affirma qu'il y avait encore beaucoup de place pour les retardataires et les égarés. L'*Amalia* paraissait en état de naviguer, mais on ne pouvait guère en penser autant de son capitaine. On aurait dit un pirate avec sa barbe noire, il chancelait sur le pont, tellement ivre qu'il en était hébété. Bruce et ses amis le jetèrent dans la cale avec dégoût.

— Quelqu'un sait diriger ce bateau ? hurla-t-il.

Deux soldats de l'Anzac, le corps d'armée australien et néo-zélandais, basanés et vêtus de short en loques, attendaient sur la plage d'être évacués. Ils se proposèrent pour les aider à appareiller avec les marins grecs. Jusqu'à ce que le capitaine soit tiré de son ivresse, ce serait une équipe bien hétéroclite qui serait à la manœuvre.

Lentement, en silence, ils avancèrent dans l'eau. Le *Iolanthe* en tête n'était plus qu'un point à l'horizon. Les vibrations des moteurs dans les oreilles, Penny se recroquevilla sous sa cape et essaya de dormir un peu. Le danger rôdait sous l'eau et tout le monde voyait les épaves fumantes des navires qui s'inclinaient et s'enfonçaient dans la mer. Penny porta son regard au loin sur l'eau noire, tandis que les vapeurs révélatrices de gazole et de caoutchouc emplissaient ses narines.

Tout était arrivé si vite : tomber sur Bruce, récupérer sa valise, son uniforme et ses papiers, et dire au revoir, tout cela en un après-midi. Tandis qu'elle laissait la terre ferme derrière elle, elle songea à Yolanda, se demandant où elle se trouvait et si elle était toujours en vie. L'engourdissement et l'hébétude causés par l'épuisement, ajoutés à une bonne rasade d'un vin rouge corsé, eurent tôt fait de calmer son estomac barbouillé.

Elle se réveilla dès les premières lueurs du jour, les membres raides, tenaillée par la faim. Bruce avait donné l'ordre qu'aucun homme, fusil, casque et uniforme ne soit visible car on pouvait les repérer du ciel. Il y avait une grande bâche sous laquelle les hommes se cacheraient si le pire venait à se produire. Penny retenait son souffle, elle avait le regard constamment en alerte et cherchait à voir l'ennemi, dans le ciel ou sous l'eau. Personne ne dit mot quand, seulement quelques minutes plus tard, ils entendirent un ronronnement de moteur. Le sort était contre eux. Personne ne perdit son sang-froid. Ils devaient désormais mettre en place la stratégie imaginée par Bruce.

— Ça va, Pen ? Tu sais ce qu'il faut faire ? lui demanda-t-il alors qu'il disparaissait sous la bâche.

Penny fit oui de la tête, essayant de ne pas trembler. Elle quitta d'un geste rapide sa cape et son pantalon puis enfila un short kaki qu'elle releva pour montrer ses longues jambes. Les épouses grecques, en robe, avaient étalé une nappe, et elles s'allongèrent comme si elles prenaient un bain de soleil. Penny vit le Messerschmitt descendre en piqué, puis il s'inclina, vira, prêt à mitrailler le pont. La gorge serrée, Penny secoua sa chevelure et remua ses jambes bronzées.

— Allez, montrez-les, vos jambes, mesdames, ordonna-t-elle, dans l'espoir qu'elles jouent correctement cette scène désespérée afin de tromper le pilote. Agitez les bras ! Faites comme si vous étiez en vacances !

Penny avait l'impression que son cœur allait bondir hors de sa poitrine tandis qu'elle agitait un livre en l'air et essayait de sourire malgré ses dents serrées.

Alors, à leur immense soulagement, le pilote piqua de nouveau, leur rendit leur salut depuis le cockpit et mit les gaz à la recherche d'une autre proie. Les filles continuaient de fixer le ciel, encore tremblantes après avoir frôlé le danger de si près.

— Bravo, Pen ! Je savais que je pouvais compter sur toi.

Bruce la tutoyait désormais. Il adressa un sourire aux femmes prostrées.

— À vos postes, mesdames, nous ne sommes pas encore sortis d'affaire. Nous nous dirigeons vers l'île déserte la plus proche.

Penny aperçut une masse rocheuse émerger lentement de la brume à l'horizon. Ils firent route vers une baie aux eaux peu profondes où mouillait déjà le *Iolanthe*. On aurait dit une île paradisiaque avec son sable blanc et ses eaux bleu turquoise. Beaucoup d'arbres sur le rivage et de l'ombre. Que c'était bon de sentir à nouveau la terre ferme !

songea Penny. Si elle pouvait escalader n'importe quelle montagne, la mer la mettait mal à l'aise.

Elle sauta sur le rivage et rejoignit le groupe qui déjà étalait des nappes et ouvrait les paniers du pique-nique. Les enfants se défoulaient, jouant au loup et à cache-cache avec la consigne stricte de bien se dissimuler si des avions apparaissaient.

Le *Iolanthe* avait à son bord une mitrailleuse Lewis, et des munitions, mais l'arme avait subi quelques dommages en sortant du port ; l'équipage et certains des officiers s'activaient pour tenter de la réparer.

Penny retrouva Judy Harrington, rencontrée un jour avec Évadné à l'une des fêtes de l'ambassade. Allongée à l'ombre des arbres massifs avec les autres épouses, un verre de gin au citron vert à la main, elle se demanda si elle n'était pas en train de faire quelque rêve bizarre. Puis un signal d'alarme émis depuis le yacht tinta à leurs oreilles. Les femmes bondirent sur leurs pieds, rassemblèrent les enfants et coururent se mettre à couvert. Pas de mise en scène cette fois : trois lourds bombardiers passèrent dans un grondement au-dessus de leurs têtes. Horrifiée, Penny vit le *Iolanthe* soufflé hors de l'eau en une boule de feu et l'*Amalia* secoué par la déflagration. Bruce et les soldats de l'Anzac partirent immédiatement à la rame vers l'épave en flammes bien que des munitions fussent encore en train d'exploser. Dans le chaos de la fumée et des cris, les femmes terrorisées hurlaient aux enfants de se mettre à l'abri. La mer calme était maintenant agitée par les débris et une odeur de chair brûlée se mêlait à celle du pétrole.

On sortit les survivants de l'eau. Vision terrible dans cet endroit si beau. Il n'y avait pas de temps à perdre et on éloigna à la hâte les enfants du rivage ; les femmes criaient, horrifiées, ne sachant pas qui avait été tué.

Penny songea que le gin pouvait servir de désinfectant. Que pouvait-elle utiliser pour faire un poste de premiers soins ? De l'alcool pour les plaies, de l'eau salée, des pansements, des brancards, du bois comme combustible.

— Je vais avoir besoin de chemises propres, de jupons, tout ce qui est approprié, du coton, de la soie. Vous feriez mieux de les déchirer pour en faire des bandelettes, ordonna-t-elle aux femmes.

Leur confier une tâche pourrait maintenir un moment à distance la panique et l'état de choc.

Pour les premiers sortis de l'eau, elle ne pouvait plus rien faire. Elle examina alors les autres et se souvint d'avoir lu quelque part que l'eau de mer hâtait la guérison des brûlures. Pourvu que cela soit vrai, se dit-elle tandis que, délicatement, elle essayait de décoller le tissu de la peau.

Il y avait neuf morts : membres de l'équipage, officiels et deux soldats ; six victimes avaient des brûlures au troisième degré et deux étaient choquées. Un état qui occasionnait des ravages dans le corps si on ne le diagnostiquait pas ; elle confia ces hommes aux soins de Marisa et Elpi, les deux servantes grecques qui étaient à bord de l'*Iolanthe*.

Bruce avait des brûlures superficielles sur les bras mais aucune liée à l'explosion. Il était impatient de réparer leur caïque, de faire quitter l'île à tout le monde et de trouver à se cacher quelque part, au cas où les Stukas reviendraient les achever. Dégrisé par les événements tragiques du matin, le capitaine savait comment naviguer vers un port plus sûr où ils pourraient trouver de l'aide pour les blessés.

À la tombée de la nuit, ils se rassemblèrent pour enterrer les morts. Ce fut une troupe bien triste qui boitilla jusqu'à Kimolos. Bruce se tenait sur le pont, le visage sombre, les bras bandés avec la chemise de Penny.

— Désolé, Pen, je n'avais pas l'intention de t'embarquer dans tout ça, mais c'est une chance que nous t'ayons eue à bord...

Il la regarda avec admiration et Penny se sentit rougir. Que la vie était étrange ! Ils s'étaient rencontrés autrefois dans leurs plus beaux atours à un bal dans les Highlands, et aujourd'hui ils se retrouvaient là, dépenaillés, brûlés et épuisés dans cet univers de guerre.

— Peut-être que mon destin est d'être ici... Que va-t-il se passer maintenant ?

— On va nous récupérer. Je ne sais pas quand, mais il y a trop de types importants à bord pour qu'on nous oublie... Je n'imagine vraiment pas ce qu'on aurait fait sans toi.

— Où allions-nous avant que ça n'arrive ?

— Par la mer lie-de-vin jusqu'au lieu de naissance de Zeus, vers l'île où Thésée a vaincu le Minotaure, chuchota-t-il.

Elle était trop fatiguée pour saisir ses allusions et eut un regard vide.

— En Crète, le dernier avant-poste du roi de Grèce désormais, poursuivit-il. La fête doit continuer et ils se préparent à la prochaine attaque. Tu partiras avec le premier convoi, avec les épouses et enfants de diplomates, bien sûr.

C'est ce que tu crois, songea Penny, les yeux fixés sur l'étendue des eaux bleues. Elle s'était rendue utile, avait sauvé des vies grâce à sa formation. De nouveau, le destin conspirait à lui indiquer le chemin. N'avait-elle pas plus que jamais un rôle à jouer ici ? Avec une immense certitude ancrée en elle, Penny sut qu'elle ne reverrait pas l'Angleterre de sitôt.

2001

Eh oui, ma vieille, voilà où tu étais, en rade avec un groupe d'inconnus, mais pas pour longtemps. À ce souvenir, je souris puis, alors que l'aube se lève, je finis mon whisky. Je me perds dans le verre en cristal ; le whisky, comme le vin, sait consoler les personnes seules.

Comme les rayons de la lumière matinale entrent dans ma chambre, j'entends sonner le réveil et je sais que je dois faire un effort pour me secouer de cette torpeur. Il sera temps plus tard de se souvenir ; pourtant je me cale de nouveau dans le fauteuil, sans grand désir de quitter cette époque grisante où j'étais jeune et pleine d'espoir même si les bombes pleuvaient sur nous. Comment peut-on expliquer aux jeunes comme il était bon alors simplement d'être en vie ?

Doucement, ma vieille, arrête de rêvasser. Allez, debout, il est l'heure. Tu as encore une flopée de choses à régler avant de t'envoler en vacances, et tu ne veux pas faire attendre Loïs...

Deuxième partie

CRÈTE

« Rouge brille le soleil, préparez-vous
Qui sait s'il nous sourira demain ?
Point de retour possible. Camarades, point de retour !
Nuages sombres devant nous, loin à l'ouest… »

Rot scheint die Sonne
(hymne des parachutistes), 1941

Mai 2001

Un vieil homme se tient sur le pont. Il a une vue d'ensemble sur le port du Pirée et observe les préparatifs avant le départ du ferry : bruit métallique des camions qui s'engouffrent dans la cale, routards qui à la dernière minute se dirigent vers la passerelle. Étranger parmi les étrangers, il a préféré à l'avion ce moyen plus lent d'arriver jusqu'à l'île, pour un retour qui aurait dû avoir lieu il y a longtemps. Sa cabine est correcte, sans luxe. À cet âge de la vie, il a des désirs simples : un lit bien ferme, des toilettes proches, un espace privé où se retirer avec un bon livre quand l'affairement à bord devient gênant et que sa jambe lui joue des tours.

Se familiariser de nouveau avec Athènes lui a plu. Les bâtiments célèbres n'ont pas tellement changé : connus et pourtant étrangers. La Grèce a vu sa propre histoire se faire depuis l'Occupation : guerre civile, coup d'État ; se relever lentement des cendres de la guerre, puis parvenir à une autre appréhension de soi comme cela a été le cas pour l'Europe depuis la chute du mur de Berlin.

Après quelques jours passés à déambuler dans les rues de la ville, il a senti des strates de sa propre vie se désagréger – sa carrière universitaire, sa retraite, ses mariages – pour revenir au noyau de cette jeunesse glorieuse, cette époque où il avait adhéré si totalement aux missions qu'on leur avait confiées : assurer et défendre les côtes méditerranéennes, l'approvisionnement en pétrole et les routes maritimes. Comme on les avait trompés ! Et qu'il avait été naïf de croire en un commandement si défaillant ! *Ah, soupire-t-il, la sagesse du recul et l'arrogance de la jeunesse, tant d'excuses trouvées au fil des années sans que rien, de toute façon, ne puisse changer les choses. Il faut vivre avec ses actions, vivre avec le succès et l'échec,* pense-t-il, distrait par la vue d'un avion qui a amorcé sa descente au-dessus de lui.

Tout n'était pas négatif ; ces premiers jours grisants de la victoire, la camaraderie de ces hommes qui au nom du devoir et de l'honneur ont fait l'ultime sacrifice. Comment pourrais-je jamais nier la bravoure de mes amis ?

Il regarde les lumières du Pirée s'évanouir lentement dans le lointain, l'Acropole majestueuse et les montagnes. Longue nuit de traversée devant lui. Comment oublier celle qu'il fit durant la guerre, la vision de la mer Égée pour la première fois, et la mission qui suivit ? Il soupire à nouveau. Cette mission est une autre histoire. *Qui a dit que les jeunes recrues avaient le courage de l'ignorance, ne se doutant guère des terreurs qui les attendaient lorsqu'ils sauteraient dans le ciel ?*

Mai 1941

Rainer Brecht, assis en compagnie des autres officiers dans la salle de bal de l'hôtel de Grande-Bretagne, ajusta sa vue à l'obscurité comme il fixait l'écran et son immense carte de la Crète. Il sourit car il reconnaissait cette forme allongée, devenue familière lors de ses séjours d'étudiant. Personne ne parlait tandis que le général Student indiquait les trois aéroports ciblés pour leur parachutage sur la côte nord.

Son régiment devait prendre Maleme, proche de Chania, l'ancienne capitale vénitienne. Il aurait préféré Héraklion, qu'il avait visitée, et un voyage à Knossos pour voir les fouilles. L'île était coupée en deux par une chaîne de montagnes, les ports étaient encore protégés par les vieux forts et arsenaux turcs ; pour le reste ce n'était qu'oliveraies, maquis et superbes plages de sable blanc.

— Les Britanniques s'y sont repliés, leur nombre est faible, tout au plus cinq mille hommes. La plupart sont partis en Égypte. Ils sont épuisés, vaincus et mal équipés. Le moral est bas. Quant aux Crétois, on nous assure qu'ils seront passifs,

179

accueillants même par endroits. Leur hospitalité est légendaire.

Rainer était étonné. Parlait-on de la même nation, celle qui avait lutté pour sa liberté contre les Turcs et dont les brigades avaient combattu avec tant de mérite lors de la campagne d'Albanie ? Mais ce n'était pas à lui de discuter avec les services de renseignements sur place, il resta donc assis en silence.

Lors de ses précédents voyages, il avait rencontré des Crétois : des hommes basanés, gros buveurs, prompts à s'emporter, dont les rancunes subsistaient d'une génération à l'autre et dont l'idée du mariage était d'enlever leur épouse. Des études classiques lui avaient appris énormément sur les peuples grecs, mais les Crétois étaient une race à part.

Une fois le briefing terminé, Rainer sortit et fut aveuglé par le soleil de l'après-midi. L'opération Mercure, c'était son nom, devait rester ignorée de ses hommes aussi longtemps que possible. Les jeunes, avec un verre en trop, pouvaient se montrer imprudents et se vanter par surcroît d'enthousiasme. Ils étaient excités, impatients de se lancer dans l'action après tant de mois de préparation. Les progrès de ces volontaires triés sur le volet pour leur courage, leur forme physique et leurs qualités de meneur l'emplissaient de fierté.

Après une promenade au Jardin national, dans toute sa gloire printanière – fleurs violettes encore aux branches des arbres de l'avenue, roses, lys sauvages, touffes d'herbe qui jaillissaient même dans les décombres calcinés, lui rappelant que la nature est plus forte que l'homme –, il s'assit et sirota un ouzo, conscient du regard méfiant des passants dès qu'ils remarquaient son uniforme.

Les gamins des rues lui tournaient autour, main tendue. Il aimait leur jeter des pièces et les regarder s'agiter et tâtonner, comme des singes, ayant à peine de quoi vivre. La vie serait dure pour eux désormais ; seuls les plus forts survivraient. Cette pensée lui rappela qu'il devait rentrer au camp de tentes de Topolia et vérifier que tout leur approvisionnement avait été comptabilisé. Ils devaient être prêts en l'espace de quelques heures.

Tandis qu'il roulait vers sa base, apercevant au loin la mer, il se dit que moins de trois cents kilomètres les séparaient de leurs cibles. Cousue à sa manche, l'aigle qui plongeait, svastika dans ses serres, était un emblème durement gagné, grâce à l'endurance physique, au courage que représentait le fait de sauter d'un avion et d'atterrir avec précision sur une cible définie. Nombreux étaient ceux qui se portaient candidats mais il y avait peu d'élus, et ceux qui se plaignaient étaient vite renvoyés. Il avait quitté un régiment de cavalerie, s'était porté volontaire pour le service, dressant son courage contre ses peurs. Prendre des risques lui donnait le sentiment d'être vivant. Il recherchait les mêmes caractéristiques chez ses hommes. Certains étaient endurcis par les années passées dans les Jeunesses hitlériennes – des têtes brûlées promptes à s'enflammer. Il privilégiait les excentriques, les aventuriers qui aimaient prendre des risques, qui menaient en première ligne. Malgré ses vingt-cinq ans, il se sentait vieux comparé à ces jeunes gars d'à peine dix-huit : étudiants, fils de fermiers auxquels se mêlaient quelques fils de l'aristocratie.

Qui ne serait fier de cette unité, avec son uniforme spécifique, un piège à jolies filles ? Non que cela lui ait rapporté gros. Il se montrait timide avec les filles. Il recherchait son égal, et non une *Hausfrau*, il voulait quelqu'un aux yeux intelligents, à l'esprit vif. Jusqu'à présent le sort ne l'avait pas comblé. C'était tout aussi bien étant donné les dangers de cette mission. Mieux valait attendre et voir qui se présenterait une fois la guerre gagnée, quand il pourrait reprendre ses études universitaires.

Plus de rêveries, plus de bains de soleil ; désormais, leurs brèves vacances s'achevaient. Il faisait quarante degrés, l'après-midi tirait à sa fin et ses hommes se prélassaient à l'ombre des oliviers, intrigués par les préparatifs qui commençaient pour de bon.

Le moment était venu de vérifier les caisses en bois qui seraient parachutées avec eux. Ils avaient essayé de penser à tout : pain frais, saucisses, chocolat, comprimés de caféine, cigarettes, comprimés de soufre, glucose, lot de médicaments dans leur propre emballage, un mouchoir en soie avec la carte de l'île imprimée dessus. Sur chaque boîte, une couleur différente pour en indiquer le contenu. Sans oublier les parachutes empaquetés en ballots rebondis, deux par homme, dans l'espoir que le second accélérerait leur chemin vers Chypre une fois que la question de la Crète serait réglée.

— *Mein Herr*, est-ce la Crète ? lui demanda son sergent. On a fait des paris : c'est Chypre ou la Crète.

Rainer eut un sourire, mais il était trop tôt pour leur dire ce qu'il avait appris au Q.G.

— Faites en sorte que votre parachute soit fixé et prêt, et appelez les chefs de section.

Il rassembla ses cartes et photographies de reconnaissance aérienne, et les plaça sur une caisse en bois.

Les chefs en qui il avait le plus confiance s'accroupirent à ses côtés et fixèrent les photos. Ils regardèrent la carte, puis Rainer. Alors, c'était vrai ?

La veille de la mission, l'intendant militaire fit distribuer des rations supplémentaires de bière et de cognac et tandis que les gars se détendaient autour des feux de camp, Rainer entendit qu'ils jouaient leur hymne de bataille à l'harmonica : *Rot scheint die Sonne*. Sachant qu'ils décolleraient le lendemain, il eut du mal à trouver le sommeil.

Au matin, il ordonna à chacun de démonter son fusil. Un parachutiste n'était bon à rien sans ses armes.

Sur les visages se peignaient l'envie de bien faire, l'excitation et l'espoir et, l'espace d'une seconde, son cœur se serra. Personne ne savait ce qui les attendait une fois qu'ils seraient au sol. Si seulement ils avaient pu être certains d'un bon accueil de la part des Crétois !

Puis, avant le départ, il leur resta une dernière tâche. Chacun mit dans une caisse ses biens et ses effets personnels, avec un testament et une dernière lettre à la famille. Rainer remplit la sienne de livres : Platon, Thoreau, les pièces de Shakespeare et des poèmes de Goethe. Il y avait des souvenirs qu'il avait achetés ici et là pour les enfants de son frère, de la dentelle pour sa mère et sa sœur Katherina, des cigares pour son père et cette dernière lettre. Au cas où il ne reviendrait pas, tout cela leur serait envoyé en réconfort.

Il pensa alors aux consignes du régiment : faites preuve de calme, de prudence, de force et de détermination dans la bravoure et l'enthousiasme. Soyez offensifs et cela vous aidera à l'emporter dans la bataille. Serait-ce si facile ? Ils partaient vers une île forteresse, et Dieu seul savait combien d'entre eux reviendraient. Il était de son devoir d'assurer autant que possible la sécurité de ses hommes, de les mener du mieux qu'il le pouvait. Il pria pour être à la hauteur de la tâche.

Il en avait déjà vu assez pour savoir que la devise *Gott mit uns* était une blague. Dieu n'avait rien à voir avec cette guerre, mais il devait garder cela pour lui.

Tôt le matin, il regarda les premiers Junkers décoller sur la piste poussiéreuse, aveuglant les avions qui suivaient par les nuages de sable qu'ils soulevaient. La vue des planeurs en bois remorqués derrière l'emplit de malaise, il savait qu'une dizaine d'hommes étaient sanglés dans ces boîtes fragiles chargées d'équipement, de parachutes et de gilets de sauvetage.

Puis un coursier apporta un billet qu'il lut, incrédule.

Contrairement à de précédentes prévisions, les forces

184

de l'ennemi estimées à environ 12 000 hommes ont été revues à la hausse et s'élèveraient à 48 000.

Rainer sentit un froid glacial lui parcourir le corps. Ils lançaient quatre mille de leurs meilleurs soldats, légèrement armés, à l'assaut d'une armée établie et renforcée, avec une artillerie pointée sur eux. Il fut pris de nausée à l'idée que, si cette information était vraie, alors il envoyait la moitié de ses hommes et lui-même à une mort certaine.

Mai 2001

Le vol depuis Londres était direct et nous avons passé une nuit à l'hôtel de Grande-Bretagne sur la place de la Constitution. Quelle agitation partout ! La dernière fois que je me suis trouvée là, il y avait un emplacement pour les fusils dehors, et des files d'attente où des Britanniques braillaient pour obtenir leurs papiers et des conseils sur les lieux par où transiter, impatients de fuir cette ville qui leur avait donné une vie si merveilleuse.

Je ne peux détacher mon regard des avions en route vers Athènes, oiseaux argentés pleins de touristes heureux. Comment ne pas penser aux faucons noirs qui piquaient sur nous, crachant du feu sur nos têtes ces derniers jours de 1940 où je prodiguais encore des soins ? Comment avais-je survécu à un tel danger ?

Puis je me rappelle la toute dernière fois où j'ai vu Athènes. Une cité en ruines, brisée, comme moi ; une ville réduite à un tas de décombres, sale, uniquement bonne pour les rats et les cafards. Je ne veux pas songer à cette époque. Quelle joie de la voir aujourd'hui relevée de ses cendres ! Mais on ne peut ignorer le passé. Ce que j'y ai enduré a fait de moi ce que je suis désormais, une rescapée. Notre ferry nous attend au Pirée, rempli à la fois de touristes et d'autochtones : étudiants en short branchés sur leur téléphone et leur baladeur, familles crétoises qui s'en retournent après être venues faire des achats. Comment ne pas remarquer ces yeux en amande, noirs et intenses, ces bébés gardés par leur *yiayia* – grand-mère aux cheveux courts avec différentes nuances d'ébène et d'aubergine –, ces veuves aux tailleurs en crêpe à pois noirs qui jouent aux cartes et bavardent avec leur accent guttural prononcé dont je me souviens en partie ?

Il y a aussi un groupe de vétérans britanniques en blazer avec les badges de leur régiment, qui se remémorent le passé et vont sans doute assister à la cérémonie prévue. Leurs souvenirs sont-ils les mêmes que les miens, instantanés sépia, passés et brunis par l'âge ? Déjà d'anciennes images commencent à naître dans mon esprit.

J'ai du mal à trouver le sommeil, sur le bateau, avec tous ces sons inhabituels : vibration des moteurs, bruits dans la tuyauterie, enfants qui courent dans les couloirs. Mieux vaut me lever de bonne heure avant que le ferry n'accoste dans la baie de Souda.

Je me tiens sur le pont, bien emmitouflée, tandis que les eaux noires de la mer sous le ciel nocturne virent lentement au turquoise des hauts-fonds. Le soleil se lève sur les contours enneigés des montagnes Blanches, les colore telles des mèches dorées dans une chevelure grisonnante. Oh, oui, je sens que mes poumons s'ouvrent à l'air parfumé et, à la vue de ces petites maisons cubiques sur le rivage, je souris. Les couleurs de la Crète qui depuis des années ombrent mes rêves me reviennent en masse.

Chania,
mai 1941

Aux premières lueurs du jour, l'île prit lentement forme : elle sortit de la brume et se dressa entre ciel et mer, chaîne de montagnes aux sommets couronnés de neige, tandis que l'*Amalia* traçait péniblement sa route au-dessous des batteries haut perchées d'un fort qui s'avançait dans la mer. Le soleil se leva, recouvrant la cime des montagnes d'une lumière jaune citron. Devant, un port et une jetée où de chaque côté se serraient tant bien que mal des bateaux de guerre et des yachts : triste flottille de vaisseaux meurtris qui venaient du nord avec, à leur bord, le reste des troupes britanniques – les hommes penchés au bastingage avaient le regard perdu et le visage fatigué. Une odeur de fumée, de caoutchouc brûlé et de cordite, preuve de bombardements récents, régnait partout.

Sur le caïque, les enfants se taisaient, encore sous le choc de l'épreuve qu'ils venaient de traverser. Les femmes, serrées les unes contre les autres, se demandaient ce qui les attendait. La mer était calme mais grise et boueuse, renvoyant cette image de repli et de défaite.

— Tu vas rester avec nous à Chania, insista Judy Harrington. Tu as besoin de repos et les enfants ont un bon contact avec toi. Gordon a pris des dispositions pour que nous résidions dans une villa. Dieu soit loué, il a pu partir avant. Pauvre Angela, avoir perdu Edmund comme cela et ne pas pouvoir ramener son corps, elle est dévastée...

— Je dois rester avec les patients, veiller sur eux.

Penny ne voulait pas s'engager avant de savoir à quoi s'en tenir. Elle était dans un entre-deux, ni officiellement infirmière militaire ni aide-soignante, mais on pourrait avoir besoin de ses services.

— Y a-t-il un hôpital ? demanda-t-elle à Bruce tandis qu'ils buvaient à petites gorgées la tasse de thé bienvenue qu'on leur avait distribuée au moment de débarquer.

Troupes, dockers, gars du coin, ambulance, charrettes, camions : c'était une vraie mêlée. Judy tomba dans les bras de Gordon, son mari, soulagée et heureuse que leur épreuve soit finalement terminée. Angela, le visage livide, resta en retrait, regroupant ses enfants. Son épreuve ne faisait que commencer, Penny le redoutait.

— L'hôpital militaire est à l'ouest, en dehors de la ville, en bord de mer. Une vraie ruche, là-bas. Pas un endroit pour une jeune femme, déclara Gordon en regardant Penny de la tête aux pieds.

— Chéri, elle a été une vraie Florence Nightingale, la moitié des hommes seraient morts sans elle, dit Judy en soutien à Penny.

— Je peux être utile là-bas. Ces hommes ont besoin de soins suivis, répliqua Penny.

— Vous n'êtes pas infirmière militaire, poursuivit Gordon. Et on va bientôt toutes les renvoyer.

— J'en suis devenue une maintenant, Gordon. Pensez-vous qu'une autre paire de mains, ça se refuse ?

— Nous pose-t-elle encore des problèmes ? intervint Bruce qui venait vers eux. Évadné sera très en colère si on ne la sort pas d'ici entière.

— Je ne suis pas une enfant. Ne me donnez pas d'ordres comme si j'étais un de vos sous-fifres. Je vais conduire ces hommes pour qu'ils soient soignés, dit Penny avec colère.

— Mais tu ne sais pas où nous serons... J'irai te prendre plus tard, et ça, c'est un ordre ! lui hurla Bruce mais elle n'écoutait pas.

Ils avaient été bien contents de la trouver sur le bateau ! Elle n'allait pas se prélasser dans quelque villa à siroter des cocktails et attendre qu'un navire quelconque les conduise en Égypte, quand il y avait tant à faire.

Elle sauta dans le camion ambulance et, depuis l'arrière, regarda le port et son chaos organisé. Des hommes épuisés déchargeaient des caisses, pieds et torse nus sous le soleil. Elle se sentait sale, pleine de sueur, et avait tellement envie d'un bain. Auparavant, il y avait des pansements à vérifier et des températures à prendre ; deux de ses patients, elle en était certaine, avaient une infection. La crasse faisait partie des risques du métier. Un bain quotidien et se changer de vêtements au moins deux fois par jour étaient un luxe qui appartenait au passé. En de tels moments, elle pouvait encore en rêver.

L'infirmière qui conduisait le camion était une Australienne en treillis qui connaissait bien les rues étroites et tortueuses de Chania. Penny vérifia ses affaires dans son sac en toile et étreignit sa cape avec affection. Une cape qui lui avait servi tour à tour d'écran, de couverture, de linceul de fortune, d'uniforme ou de bouclier : pas question de s'en séparer !

Ce trajet dans cette ville inconnue, si différente d'Athènes, lui procura un étrange sentiment de liberté. Elle s'étendait depuis Souda vers l'est en une ligne droite qui suivait la côte. Les maisons cubiques et trapues, au toit plat, plantées le long de pistes poussiéreuses, se protégeaient de la chaleur avec leurs volets fermés ; de luxuriants bosquets d'orangers, citronniers et oliviers interrompaient les rangées de bâtiments. De hauts platanes, et d'autres arbres qu'elle ne reconnaissait pas, ombrageaient les rues.

Ils avancèrent en un lent convoi derrière des charrettes tirées par des ânes et des mules chargées. Partout des visages enjoués leur souriaient, femmes au fichu noir, enfants pieds nus courant à leurs côtés, tandis que des chiens hargneux grondaient après leurs roues. Alors qu'ils approchaient du centre-ville se dressèrent de plus grandes maisons, murs couverts de stuc, balcons, volets peints, et des résidences de style classique, plus chics avec leurs élégantes fenêtres et portes en fer forgé. Puis ils tournèrent à gauche et quittèrent les rues principales pour grimper vers un promontoire et redescendre vers une côte rocheuse où des cabanes, des tentes et le drapeau de l'Union Jack hissé à un mât indiquaient leur proche destination.

La plage de Galatas paraissait immaculée, les toiles des tentes frémissaient dans la brise ; le camp s'organisait entre la route et la mer, et des affleurements rocheux le protégeaient des vents marins. Des cyprès et des oliviers lui apportaient de l'ombre. Il débordait de nouveaux arrivants mais des aides-infirmiers donnaient déjà des instructions. Penny n'avait que son passeport, son uniforme avec ses badges, sa montre en or et le précieux mouchoir offert par Yolanda, désormais taché de sang. Elle n'hésiterait pas à mentionner quelques noms importants et, si besoin était, toutes les relations de Walter à l'ambassade, au cas où on lui refuserait l'entrée.

Rien à craindre. On les dirigea vers un centre d'aiguillage où des infirmières de l'Anzac prenaient les noms, les grades, et envoyaient les blessés se faire soigner.

En temps ordinaire, ce lieu eût été parfait pour la baignade, avec sa pente douce, sa plage de sable et la vue sur toute la baie de Chania. Penny avait envie d'enlever son short kaki déchiré, son semblant d'uniforme, de courir dans la mer de jade et sentir l'eau fraîche et salée sur sa peau. Mais il y avait tant à faire. Elle devait notifier sa présence et se mettre au travail là où on avait besoin d'elle.

L'infirmière chef nota les renseignements la concernant, et sitôt qu'elle l'entendit prononcer les mots « Arta, hôpital de Kifissia » et fut informée de l'expérience de Penny, elle lui ordonna de chercher un uniforme propre et un cantonnement, pensant que Penny resterait là jusqu'à l'évacuation de Crète.

— Nous célébrons une action de grâces cet après-midi. Rejoignez-nous.

— De grâces, pourquoi ? demanda Penny en toute innocence, n'imaginant pas de quoi on pouvait être reconnaissant, étant donné ce qu'elle avait vu ces derniers mois.

L'infirmière eut l'air choquée.

— Nous devons exprimer notre reconnaissance d'avoir pu évacuer et sauver tant d'hommes courageux. Nous sommes encore tous en vie. Une amie chère était à bord du navire-hôpital *Hellas*, qui emportait des blessés et des civils. Ils ne sont jamais sortis du port ; brûlés vifs.

Penny frissonna, pensant à Yolanda qui avait presque certainement trouvé la mort désormais.

Pour la messe, un rocher fut drapé de l'Union Jack. Placés devant, deux bouquets de fleurs des champs dans leur pot de confiture lui donnèrent envie de pleurer. Ils évoquaient les vasques naturelles, la liberté, les prairies, et non les tentes, le désinfectant et la mort.

Au coucher du soleil, elle rejoignit Sally et ses amies. Elles trouvèrent un coin à l'écart sur la plage, se déshabillèrent et coururent se jeter dans l'eau fraîche, s'éclaboussant et nageant. Un vrai soulagement d'échapper au service l'espace de quelques heures.

— Profitons-en tant que c'est possible, dit Sally. Nous ferons du stop pour aller en ville. Il faut que tu voies le port, ou ce qu'il en reste. Il y a un magasin qui vend les meilleures glaces du monde tout près de la place de la Cathédrale.

Penny n'avait quasiment plus rien dans son sac qui n'ait été découpé pour en faire des pansements. La ville fourmillait d'étroites ruelles qui partaient depuis le port. Les bombes avaient causé d'importants dégâts mais des gens se promenaient et s'activaient, tâtonnant dans les décombres, et certains magasins étaient encore ouverts et achalandés. Penny s'acheta un joli chemisier en dentelle pour remplacer la chemise qu'elle avait déchirée. Elles flânèrent sous les arcades de l'agora, faisant des emplettes – amandes, noix, huile et savon –, puis Sally et ses amies l'emmenèrent à la ruelle du cuir, près de Halidon Street, aux senteurs de peaux et de cire. Dans cet étroit passage, des cordonniers et des bourreliers suspendaient leurs marchandises. C'était l'endroit où les soldats crétois achetaient leurs bottes montantes, des bottes que Penny avait souvent dû scier pour dégager les blessures de ses patients. Elle marchanda une mince pochette attachée à un ceinturon, assez grande pour qu'elle puisse y glisser ses papiers, quelques souverains qu'elle avait cachés dans ses chaussures, une petite fiole de cognac, sa montre en or et son précieux mouchoir. C'était une astuce apprise à Athènes d'une infirmière plus âgée, au cas où elle aurait besoin d'argent, de secours et de courage.

Les infirmières trouvèrent le marchand de glaces non loin de la place et savourèrent le moment présent à mesure que le ciel s'obscurcissait. Pendant au moins une heure, elles purent se détendre dans la chaleur d'un soir d'été et partager leurs expériences tout en observant dans le ciel les martinets aux cris aigus qui tournoyaient au-dessus de leurs têtes. Penny leur parla de sa formation par la Croix-Rouge grecque et de son périple depuis le continent.

— On t'aurait prise pour un officier, déclara Sally qui fit passer ses cigarettes à la ronde et en offrit une à Penny. Et tu parles si bien grec.

Penny refusa d'un signe de tête, elle n'avait pas envie de fumer.

— Je suis juste volontaire... mais c'est vrai que, sur le front albanais, on a vu des combats, ajouta-t-elle, désireuse de leur laisser entendre qu'elle n'était pas une tire-au-flanc.

Les infirmières hochèrent la tête en signe de compassion. Elles s'étaient repliées avec les Néo-Zélandais et connaissaient les épreuves subies là-bas.

— Le bruit court que tous les combattants crétois sont encore coincés au nord. Dieu vienne en aide aux pauvres civils quand les raids reprendront ! Ils n'ont aucune idée de ce qui les attend. Tu as vu l'état de nos troupes : c'est tout juste s'ils ont chacun un fusil et une paire de bottes. C'est la pagaille. Heureuse d'en sortir, soupira Sally. Et on a besoin de nous en Égypte. Ça n'est pas du gâteau là-bas non plus.

— Alors qui va rester ici ? demanda Penny.

— Uniquement le personnel masculin et les aides-infirmiers. Toutes les femmes partent. Les ordres sont les ordres, répliqua Sally.

Mais je viens juste d'arriver, songea Penny. *Pourquoi donc est-ce que je m'en irais ? Je ne suis pas sous leurs ordres. Je n'ai rien vu de l'île, de son peuple, ni aucun de ses célèbres sites archéologiques.* Elle pensa avec nostalgie à l'École d'archéologie et se demanda où se trouvaient désormais tous les étudiants. Mais elle ne dit rien. Ici, le protocole était strict et la discipline militaire de fer. Pas de mélange des genres. Elle comprenait pourquoi les infirmières seraient vite emmenées loin du front.

— Je viens de me souvenir que j'ai promis une visite à quelqu'un, une femme rencontrée sur le bateau, dit-elle en se levant. Bonne chance ! On se revoit au camp.

Il valait mieux qu'elle ne s'attarde pas trop avec les infirmières, pour ne pas risquer de se faire entraîner avec elles dans ce départ imminent pour l'Égypte. Elle avait besoin de temps pour réfléchir. Peut-être devrait-elle aller en ville chez Judy Harrington dans le quartier des diplomates ? Il valait mieux se faire oublier, attendre le bon moment et rafraîchir son uniforme de la Croix-Rouge grecque, ou ce qu'il en restait, juste au cas où. Qui sait quand il pourrait à nouveau se révéler utile ?

Elle récupéra ses affaires, trouva une voiture à cheval qui l'emmena à Halepa, le quartier où habitaient les Harrington. Elle régla la course au conducteur et chercha à pied une villa du nom de Stella Vista. C'était une grande et élégante maison de ville située au sommet d'une falaise, avec une vue superbe sur la péninsule d'Akrotiri et toute la baie de Chania.

Juste au moment où elle ouvrait le portail en fer, Gordon en sortait en courant.

— Ah, magnifique ! vous êtes là. Allez aider Judy... Angela est dans un tel état. Faut que je me dépêche... Des choses à faire, des choses à faire...

Assise un verre de whisky à la main, Angela avait le regard vide et le visage blafard.

— Les enfants ne cessent de me demander ce qui est arrivé à leur père. Comment le leur dire ? Qu'est-ce qui nous attend maintenant ?

Elle se balançait d'avant en arrière sur sa chaise, le corps parcouru de tremblements.

— J'espère que tu lui en as servi un bien serré, dit Penny à Judy, désignant le verre. Elle est toujours en état de choc. Où est-elle cantonnée ?

— Ici, avec Nounou. Nous sommes tous ici... Il y a dix chambres, répondit Judy. Autant ne pas en bouger. Nous serons bientôt évacués, alors, j'espère que tu as fait ta valise et que tu es prête à partir.

Penny souleva son vieux sac en toile usé et sourit.

— Je crains que ce ne soit là mon entière garde-robe. Comment va l'équipage ?

— À la clinique. Bruce s'en est occupé. Un type bien en situation de crise, n'est-ce pas ? Vous vous connaissez, je crois.

Penny comprit que Judy s'interrogeait.

— Oui, c'est un ami de Walter et d'Évadné, ma sœur et son mari, précisa-t-elle, mais je ne sais pas à quel régiment il appartient. Il apparaît toujours sans crier gare.

Judy eut un sourire, en se tapotant le nez.

— On ne sait rien, donc on ne dit rien... Il fait partie d'un groupe de l'étranger, mais top secret, œuvrant en coulisse. Son grec est utile ici – même s'il n'est pas aussi bon que le tien, bien sûr. En plus, toi, tu es tellement bronzée que tu pourrais passer pour une fille du coin. Comment ça va à l'hôpital ?

— Ils se préparent à évacuer les infirmières et les cas les plus graves. Le sable ne fait pas bon ménage avec les plaies, il y a des mouches en quantités effroyables et la poussière pénètre partout. L'équipe sera squelettique après ça.

Plus tard, dans la chambre que lui avait attribuée Judy, Penny contempla la baie. Une beauté à couper le souffle, et avec le luxe d'un bain et d'un lit aux draps de coton repassés de frais sous une moustiquaire, la guerre lui parut plus lointaine qu'elle ne l'était depuis des semaines. Allongée, Penny écouta les bruits de la nuit : le vent, le hululement d'une chouette dans l'arbre, le gémissement d'un enfant dans une chambre à l'étage. Tout à coup, ses membres devinrent du plomb et elle sombra dans le sommeil sans rêves de l'épuisement.

Ce fut le grondement des moteurs et le sifflement des bombes et des détonations qui la réveillèrent. Lorsqu'elle ouvrit les volets, à son immense surprise, elle vit une ligne de Stukas qui, volant au niveau de la fenêtre, traversaient la baie en direction de Souda où des fusils antiaériens ripostaient déjà.

— Ah ! voici notre réveil, à l'heure comme d'habitude. Descendez les enfants au sous-sol et faites-les jouer au ping-pong, ordonna Gordon qui traitait le raid à la légère.

Penny s'inquiéta pour Sally et les autres infirmières sur la plage de Galatas. Les Allemands n'iraient tout de même pas jusqu'à bombarder un hôpital ? Mais personne ne voulut la laisser partir avant la fin du raid.

Puis la matinée fut occupée par diverses tâches : préparer les repas, s'occuper des enfants, et pendant tout ce temps il y eut des allées et venues au Q.G. britannique, dans l'ancienne résidence du Premier ministre.

Judy décida d'organiser une distribution de thé pour des troupes qui s'abritaient sous les oliviers près des docks.

— Ils sont en train de nous ramollir pour l'assaut final, ils démoralisent les locaux et les troupes, rendent la vie difficile et coupent notre approvisionnement, expliqua-t-elle. Nous devrions collecter quelques boîtes de conserve et les garder en réserve, au cas où nous serions bloqués ici.

Judy, toujours pratique, essayait de donner à tous une tâche, afin de ne pas penser au danger. Même Angela se montrait à la hauteur. Le moment était venu pour Penny de retrouver son chemin jusqu'à la plage de Galatas et de reprendre son service.

Elle avait pris sa cape et s'apprêtait à partir quand Gordon revint avec Bruce, les habits imprégnés de fumée et couverts de cendres.

— Je viens de brûler des documents au Q.G., par précaution, c'est tout. Pas envie que les Fritz ou des collabos lisent nos rapports. Ah, Bruce a de bonnes nouvelles. Il y a un bateau pour nous demain, donc il est l'heure de faire les bagages pour une longue traversée.

— Mais, chéri, il n'y a rien à préparer, s'étonna Judy ; en revanche, on aurait peut-être le temps de faire un saut en ville et d'acheter quelques bricoles pour les enfants pendant que les magasins sont encore ouverts.

— Bon, alors, il faut y aller, dit Penny en s'avançant discrètement vers la porte, mais Gordon lui barra le chemin.

— Pas si vite, ma petite dame, le départ vous concerne aussi.

— Désolée, je reçois mes ordres de l'hôpital. Je dois y remplir mon rôle.

— Vous ferez ce que l'on vous dit, vous êtes sous les ordres du consul.

Elle le poussa, bien décidée à s'échapper, mais en quelques enjambées Bruce fut sur elle et la prit pas le bras.

— On n'est pas en train de jouer, ici, Pénélope. Les choses s'accélèrent, ce ne sera pas un endroit pour une femme une fois que l'affrontement aura commencé.

— Va dire ça aux Crétoises. Elles se cachent où, *elles* ?

— Leurs familles s'occuperont d'elles dans les collines. Elles ne sont pas ta priorité.

Rebelle, Penny tint bon.

201

— Je fais partie de la Croix-Rouge, et je m'occupe aussi des civils.

— Ne cherche pas le martyre, ce combat n'est pas le tien, répliqua-t-il, les yeux embrasés de colère.

— Ah bon ? Je suis à moitié grecque, infirmière de formation, expérimentée de surcroît. La Croix-Rouge ne prend pas parti, je te rappelle.

— Tu crois que tout ça compte, Pen, une fois que la bataille est engagée ? Tu seras un boulet. Les femmes sont des boulets...

— Mais écoute-toi parler, espèce d'imbécile prétentieux ! Nous n'avons pas été des boulets sur l'*Amalia* ou sur l'île, ou as-tu déjà oublié qui t'a fait tes pansements ? Je ne pars pas encore, pas avant d'en avoir reçu l'ordre. Il y a à faire et j'en ai assez de m'enfuir, je m'en irai quand il n'y aura plus de mission pour moi. Tu peux dire à Gordon qu'il donne mon billet à quelqu'un d'autre. Et toi, ne me donne plus d'ordres !

Bruce lui sourit.

— Tu es magnifique quand tu es en colère. Allez, viens, laisse-moi au moins t'offrir à déjeuner. Tu as besoin de réfléchir à tout cela, un verre à la main.

— Je devrais déjà être repartie, je suis en retard.

Penny hésitait, consciente que le devoir passait en premier, mais quand le reverrait-elle ? Si toutefois elle le revoyait un jour. En sa compagnie, elle éviterait de penser à ce qui l'attendait, et elle avait une dette envers lui qui l'avait fait sortir d'Athènes.

202

— En retard, et pour quoi ? Tu n'es pas vraiment fonctionnaire, n'est-ce pas ? Allez, je connais un endroit où nous pourrons manger du bon poisson frais. Puis je te raccompagnerai, les routes ne sont pas parfaites. Je serai bientôt parti, je pense ; une heure ou deux de plus, ça revient au même.

Pas moyen de résister : quand Bruce tissait sa toile soyeuse, Penny était prise au piège. Il aurait toujours cet effet-là sur elle. De plus, une petite pause serait bienvenue. Il la conduisit jusqu'à un camion décapotable à deux places, et elle se retrouva à rouler en bringuebalant le long de la côte sur des pistes défoncées, les cheveux dénoués autour de son visage telle une écharpe.

Ils se dirigèrent vers la presqu'île d'Akrotiri, descendirent le long de pistes étroites, passèrent devant des postes de garde et des postes de tir, traversèrent des oliveraies par des pistes sinueuses et dépassèrent des monastères en pierre dorée, d'anciennes tourelles luisant sous le féroce soleil de mai. Ils atteignirent enfin un carrefour où s'avançaient de petites maisons. Un modeste *kafenion* avait disposé quelques chaises sur la rue.

Là, Bruce présenta à Penny *Kyria* Chrystoulaa, et celle-ci leur montra le poisson que son mari avait pêché le matin même avant que son bateau ne soit quasiment projeté hors de l'eau par des tirs.

Elle fit cuire le petit poisson dans une croûte de sel et le servit avec de l'huile, du citron, et une assiette de fines herbes cueillies du jour dans la campagne. Tandis que Bruce et Penny accompagnaient ce plat simple mais délicieux d'une carafe de vin du village, la jeune femme se sentit, pour la première fois depuis des semaines, détendue, comme si la guerre n'existait plus. Elle regarda Bruce et lui sourit.

— Merci, mais cela ne change rien. Je ne pars pas. Personne ne me donne d'ordres désormais.

— Ne sois pas revêche, Pen, ça ne te va pas.

— De quel droit me dis-tu ce que je dois faire ?

— Je tiens à toi. Je me sens responsable de t'avoir embringuée là-dedans, répliqua-t-il, le sourcil levé en signe de défi.

— Ne prends pas tes désirs pour la réalité ! Quand j'ai refusé de quitter Athènes et de partir avec Effy et les amis de Walter, je savais que je prenais la bonne décision, pour me construire. Je ne vais pas renoncer maintenant. Je n'ai pas peur.

— C'est bien ce qui m'effraie. Tu devrais avoir peur. C'est l'enfer qui s'annonce ici et personne ne sait comment ça va se terminer. Je détesterais te savoir prisonnière dans quelque camp derrière des grilles, ou pire. Ça ne va pas être beau à voir.

— Parce que ça l'était à Arta ? Non ! As-tu déjà oublié l'horreur de l'hiver dernier ? Crois-moi, j'en ai vu des choses, là-bas… Je ferai face. Je le sens, là, au plus profond de moi. (Elle se donna de petits coups sur la poitrine.) Je suis née pour cela, aider les malades. Je ne sais comment l'expliquer, mais le fait de venir à Athènes, juste pour me libérer de ma famille, s'est transformé en autre chose à partir du moment où je suis devenue infirmière. Tout à coup, c'est une question de vie ou de mort, et plus encore ici, en Crète. C'est mon parcours, ma vocation et mon destin, et je n'ai pas de regrets... Cette bataille est autant la mienne que la tienne.

Ils se turent, comme si son emportement les avait tous deux ébranlés. Soudain, Bruce lui saisit la main.

— Alors, bonne chance ! Tu en auras besoin.

— À toi aussi, lui dit-elle, posant sa main sur la sienne. On a parcouru un sacré chemin depuis le bal des Highlands.

— Je te revois encore assise dans la bibliothèque avec cette horrible robe.

— Plutôt moche, avec tous ces volants... Où iras-tu maintenant ? demanda Penny qui sentait la familiarité grandir entre eux.

— Partout où on m'enverra... Je ne peux pas raconter grand-chose : un jour là, un jour ailleurs. Qui sait où je serai demain ? Sois prudente, Penny ; si le pire se produit et que nous sommes vaincus, ne fais confiance à aucun inconnu. On connaît déjà ta présence ici, c'est certain. Ils observent les ports, les cafés, pour voir qui est nouveau venu en ville. Tu es facile à repérer. Fais semblant d'être d'ici, perfectionne ton accent et tu t'en sortiras. Mêle-toi aux autres, ne te fais pas remarquer, teins tes cheveux, déguise-toi, joue à la Grecque. Tu es plus grande que la plupart des femmes d'ici mais...

— Que veux-tu me dire, Bruce ?

— Simplement que si les choses se passent mal, on aura besoin d'infirmières dans les montagnes, avec les francs-tireurs, les résistants, murmura-t-il. Porte tes regards vers l'intérieur. Tu es une vraie chèvre des montagnes, utilise tes jambes et, si ça tourne au pire, va dans les montagnes.

— Tu ne crois donc pas qu'on puisse la gagner, cette bataille ? demanda-t-elle avec surprise.

Il ne répondit pas tout de suite, jetant d'abord un regard alentour pour être sûr qu'aucun autre convive ne pouvait l'entendre.

— Je ne sais pas. Honnêtement, je ne pense pas que nos hommes aient assez d'endurance, d'armes et de fusils pour mener les choses à bien, mais nous ne laisserons pas tomber l'île. C'est tout ce que je peux dire. (Il regarda sa montre et soupira.) L'heure de te ramener à la base.

Le retour se fit en silence, chacun perdu dans ses pensées. Le pessimisme de Bruce avait étouffé toute idée de romance entre eux. Il fonçait vers le danger ; son action, quelle qu'elle fût, se menait dans la clandestinité – mission secrète dont il ne devait pas parler. Il lui en avait dit assez pour qu'elle sache qu'elle aussi devait avoir ses propres projets, et elle se demanda si après tout elle ne serait pas plus utile avec les autres infirmières sur un navire-hôpital. Se montrer courageux, audacieux, désireux de servir, c'était une chose, mais mettre la vie des autres en danger au cas où, de nouveau, elle devrait fuir, c'en était une autre. Si on la capturait en tant qu'étrangère parmi les gens du pays, ceux-ci pourraient être fusillés.

Bruce la déposa au poste de garde sur la plage. Elle resta un instant à lui faire des signes de la main, écoutant le grincement des pneus tandis qu'un jet de sable lui piquait les yeux, et se demandant quand il réapparaîtrait. Elle ressentait toujours un tel plaisir en sa compagnie, soupira-t-elle. Était-ce enfin le début d'une nouvelle relation entre eux ?

L'endroit avait quelque chose de différent désormais : plus calme, avec beaucoup moins d'hommes prostrés sur le rivage. Elle se dirigea vers le baraquement de l'hôpital et tomba sur Douglas Forsyth, le médecin chef.

— Mon Dieu ! Qu'est-ce que vous faites ici ? s'écria-t-il.

— Je viens prendre mon service, *sir*. Désolée, je suis en retard. Il y a eu un raid…

— Ça n'est pas important… Pourquoi n'êtes-vous pas sur le bateau ?

Une expression étonnée se peignit sur le visage de Penny.

— Quel bateau ?

— Ils sont partis sans vous, infirmière. Ils ont tous embarqué à couvert pour l'Égypte, les cas les plus graves et tout le personnel féminin. Dieu tout-puissant, vous n'étiez pas à la base, n'est-ce pas ? Vous avez raté ce foutu bateau.

La nouvelle ébranla la détermination de Penny. Fuir l'île n'était plus une option. Elle était en rade. Eh oui, choisir de rester et se retrouver privée de la possibilité de choisir, ce n'était pas la même chose. Elle réalisa tout à coup ce que son absence délibérée signifiait. *Voilà, ça y est*, pensat-elle, le cœur battant, et un instant le courage lui manqua, mais elle ravala son sentiment de panique et prit une profonde inspiration.

— Je suis cantonnée chez une famille de l'ambassade, je fais partie de la Croix-Rouge.

— Vous feriez mieux de partir avec eux. Je ne peux pas vous garder ici : une femme, des centaines de soldats, ce ne serait pas convenable.

— Mais, *sir*, je peux aider, j'ai de l'expérience.

Les infirmières ne discutaient pas avec les médecins mais Penny ne se souciait plus de telles formalités. Deux bras de plus, c'est toujours deux bras.

— Ce sont les autres qui posent problème. Et c'est contre le règlement. Où logerez-vous ? Pas avec les aides-soignants… Vous avez un statut d'adjudant. Je ne peux pas vous privilégier.

À ce moment, le Dr Ellis, le major en second, arriva.

— Deux imbéciles de plus avec une insolation… Infirmière George, vous pouvez vous en occuper ? J'ai cinq cas de plus de diarrhée violente qu'il faut isoler, sinon tout le camp va l'attraper. Doug, vous avez un instant ? Il y a un soldat qu'il faut examiner, je n'aime pas l'allure qu'a son dos.

Penny fila avant que Douglas Forsyth ne puisse la rappeler. Ils régleraient la question de la logistique plus tard. Elle partit chercher le matériel pour administrer aux patients des lavements froids et des transfusions de sel et de glucose, et elle demanda qu'on puise beaucoup d'eau froide. Ces soldats à la peau claire ne pouvaient pas résister au soleil, et se prélassaient sans avoir la moindre idée du danger que cela représentait sur un tel terrain sans ombre.

Penny se dépêcha, consciente que, dès le lendemain, elle devrait régulariser sa position auprès des autorités, si irrégulière soit-elle. Ils protesteraient peut-être, mais elle appartenait à la Croix-Rouge et, si nécessaire, ils pourraient la transférer dans le coin. Le départ du bateau était un signe. La décision avait été prise pour elle. Elle était destinée à rester là et elle n'en démordrait pas.

2001

— Je sais, cela paraît invraisemblable, n'est-ce pas Loïs ? Moi, la seule infirmière britannique sur l'île. *Et voilà, c'est arrivé*, me suis-je dit. Une part de moi-même a toujours su quel risque j'encourais, mais une autre, au début, n'y a pas cru et j'ai continué à chercher Sally et les autres filles. Quelqu'un avait sûrement dû se cacher, oublier l'heure, ou n'avait pas entendu l'appel, mais non. Et je me suis retrouvée là, la folle, qui n'avait pas grand-chose à quoi se raccrocher, sinon ses principes, et j'ai senti mes boyaux se tordre.

Je leur raconte tout cela tandis que nous roulons sur la nouvelle route nationale en direction de l'est, dans une voiture louée au port à Souda, et nous suivons les indications sur la feuille pour trouver notre villa.

— Je suis simplement restée à mon poste et j'ai continué mon travail jusqu'à ce que la situation change.

— Une femme et des milliers d'hommes, comment t'es-tu débrouillée ? me demande Loïs, tout en se concentrant car ici on conduit à droite.

— Ils m'ont apporté ma nourriture, j'ai eu ma propre chambre et je ne suis sortie que pour faire mes visites. Puis, une fois que la situation s'est envenimée, eh bien, tout cela est passé à la trappe, mais c'est une autre histoire.

Nous quittons la route principale et descendons vers la côte et les villages qui dominent la baie ; ensuite, par une route sinueuse, nous arrivons à un village avec en son centre une église aux couleurs vives. Enfin, nous tournons dans une allée qui serpente jusqu'à une belle maison en pierre de deux étages avec un balcon au premier. Une oliveraie sur le côté, une cour ombragée, et ce chemin de gravier pour la voiture. Et aussi une piscine étincelante qui tout de suite attire le regard d'Alex. Je ne reconnais pas le lieu même si le nom du village, Kalyves, éveille un écho en moi.

— Tu aimes ? (Loïs semble anxieuse d'avoir une réponse positive.) J'ai pensé que tu apprécierais un lieu avec du caractère.

— Je trouve l'endroit charmant. On peut aller faire les commissions au village à pied.

— Tu le connais, alors.

— Je n'en suis pas sûre, je sens que la mer n'est pas très loin et il y aura des magasins. Nous serons bien ici, mais je ne veux pas qu'Alex et toi restiez enfermés à cause de moi. Emmène-le se promener. Je peux louer les services de quelqu'un pour me conduire quand j'en aurai besoin, mais pour le moment une chambre bien fraîche et un verre, ça me dirait bien.

Après la chaleur du dehors, il fait presque froid à l'intérieur. Dans le hall, le sol est en marbre à motifs et un ventilateur tourne bruyamment au plafond. L'ameublement est propre et simple, lourdes tables et chaises en bois sombre, rideaux et nappes en dentelle, tentures et vieilles reproductions.

— Tu dois choisir ta propre chambre, tante Pen, j'y tiens.

— La plus proche de la salle de bains, ça m'ira, lui dis-je en riant.

— J'ai compté douze sanctuaires sur la route pour venir ici, intervient Alex. Pourquoi y a-t-il des lampes et des photos ?

— Pour nous rappeler que la vie est brève et parfois brutale, mais que les souvenirs durent longtemps. La lampe qui brûle, c'est une prière pour les morts afin qu'on ne les oublie pas, et la photo aide à les garder en vie. Je trouve que c'est une belle coutume.

— Quand tu mourras, on en mettra une dans le jardin pour toi ?

— Alex !

Loïs a un hoquet de surprise.

— J'en serais très honorée, mais je crains que les gens qui achèteront ma maison n'aient guère envie de voir ma vilaine tête dans leur parterre de fleurs.

— Je peux aller nager ?

— Uniquement si l'une de nous te surveille, l'avertit Loïs. Je t'emmènerai en exploration plus tard et on va s'organiser. J'ai lu qu'il y a une école de voile tout près, on pourrait prendre des leçons ?

— Super !

Et le voici parti à l'assaut de l'escalier pour commencer son exploration.

Je monte à l'étage, moi aussi, et très vite je choisis ma chambre. De sa fenêtre, c'est la plus belle vue sur les montagnes Blanches de l'Apokoronas, encore couvertes de neige et contrastant avec la chaleur de cette fin d'après-midi.

Je me sens fatiguée mais excitée aussi. Après toutes ces années d'absence, pourquoi ai-je le sentiment de revenir chez moi, de retrouver ces semaines dangereuses mais grisantes du mois de mai, il y a de cela soixante ans ? À vrai dire, j'ai ressenti une étrange connexion dès le moment où nous sommes entrés dans la baie et où j'ai vu le port, senti les vapeurs de gazole et d'huile sur l'eau, entendu cet accent prononcé et guttural. J'ai eu également une impression étrange : mon arrivée marque le début de quelque chose. Difficile d'expliquer vraiment ce que je ressens au plus profond de moi.

Je jette un coup d'œil depuis la fenêtre en façade. Au loin, des habitants vaquent à leurs occupations en veste en jean ou chemise noire, à scooter ou à mobylette, et des touristes circulent en robe d'été ou en short. Je m'attendais à voir tout le monde en costume traditionnel : culottes, capes, bandanas en dentelle et bottes blanches, mais les coutumes ont changé, l'Europe s'est rapprochée maintenant. Puis entre dans mon champ de vision une vieille femme courbée en deux, appuyée sur une canne, couverte de la tête aux pieds d'habits de veuve, avec ce long foulard noir qui lui passe sous le menton, et je suis

213

alors immédiatement transportée vers ces jours lointains, avant que l'attaque ne commence pour de bon, le 20 mai. Une date qu'aucun d'entre nous n'oubliera jamais.

Je lève le nez vers ce ciel d'un bleu d'encre et m'attends presque à voir ce que nous avons vu alors, et je frissonne ; j'entends encore la petite fille qui me crie : « *Kyria*, regarde ! Viens voir ! Des hommes avec des parapluies qui tombent du ciel ! »

Rainer Brecht est assis sur le balcon de son hôtel à Platanias, il contemple la vue et boit lentement une bouteille de bière Mythos qu'il a prise au minibar.

Le taxi, venu le chercher au port, a roulé dans un bruit de ferraille le long de la rocade vers l'ouest, en direction de Chania jusqu'à un complexe hôtelier encore en construction, à en juger par les bétonnières qui bloquaient la rue principale. Le chauffeur, après avoir vérifié que son passager ne parlait pas grec, a pratiqué un anglais et un allemand excellents.

Quand le vieux monsieur lui en a fait compliment, le jeune homme a souri et expliqué que sa famille avait vécu quelque temps en Amérique. Maintenant, ils sont de retour au pays. Rainer a été soulagé que le garçon ne lui pose pas l'habituelle question : « Étiez-vous ici durant la guerre ? » Mais, même non formulée, cette question a plané entre eux. Logique, il a l'âge d'être un vétéran.

Le trajet l'a conduit par de nombreux itinéraires connus, bien que les oliveraies aient rétréci, remplacées par de sévères bâtiments en béton. Chania s'étend toujours vers les montagnes, lignes à l'horizon qu'il espère ne jamais voir changer, mais les charrettes tirées par des mules et les ânes ont été remplacés par des voitures cabossées, des motos et des bus élégants. Des rénovations sont visibles mais, ici et là, il a repéré les cabanes trapues d'autrefois, de vieilles demeures écrasées par des tours d'habitation et des maisons avec les tiges de fer qui dépassent du toit plat dans l'attente d'un autre étage. Un monde à mille lieues de celui sur lequel ils ont sauté en 1941.

Au loin dans la baie, une île se dresse au-dessus de l'eau bleu-vert scintillante. La mer a le même charme, elle n'a pas rendu son butin secret d'ossements. Il a choisi cet hôtel pour sa neutralité fade. Un endroit encore mal dégrossi, trois étoiles, propre, sans âme. Odeur de peinture fraîche avant la saison qui s'annonce, sentiers nouvellement dessinés qui mènent à la plage de galets. Un lieu calme qui convient assez bien au but de son voyage. Pèlerinage personnel, temps de la réflexion. Il sent la fumée d'un barbecue et entend de la musique qui beugle quelque part. Il espère que cela ne sera pas trop gênant, sinon il ira ailleurs. Il n'a pas loué de voiture car il ne fait plus confiance à sa vue ; il prendra le taxi pour ses trajets dans l'intérieur.

Les photos collectionnées au fil des ans ne rendent pas justice aux couleurs de la Crète. Il arrive trop tard pour les célèbres fleurs des champs du printemps, la chaleur les a desséchées. Son portefeuille est rempli de photos sépia de ses anciens frères d'armes et il les étale sur le lit. Comme ils avaient tous l'air détendu, souriant au soleil. Des instantanés pris sur quelque plage oubliée avant de commencer la campagne. Aucun d'entre eux ne sachant vraiment ce qui les attendait. Il n'a rien d'autre pour les honorer que ces soudains accès de souvenirs et les photos de ces visages éternellement jeunes, fantômes silencieux qui hantent ses rêves, jeunes gars courageux qui n'ont jamais vu se lever une autre aube. Il est venu leur présenter ses hommages et se remémorer chacun d'eux.

Comment auraient-ils d'ailleurs pu savoir ce qui les attendait ici même, dans la mer, les collines, les oliveraies et les fossés juste le long de la route ?

Personne ne savait qu'ils allaient se précipiter tête la première dans les mâchoires dévorantes de l'enfer, ni que leur sacrifice changerait le cours de l'histoire militaire.

20 mai 1941

Les avions de transport partirent dès l'aube pour la Crète, en vol groupé, d'abord en rase-mottes au-dessus de la mer ; puis ils prirent de l'altitude pour franchir les montagnes et piquer à l'ouest vers leur cible proche de la piste d'atterrissage, à l'ouest de Maleme. Comme les sièges se faisaient face dans l'avion, Rainer eut le temps d'examiner les visages impatients de ses hommes, vêtus de combinaisons de saut en laine, avec des poches partout, la tête protégée par de nouveaux casques sans visière. Certains, confiants, avaient de larges sourires, d'autres, la mine sévère, vérifiaient et revérifiaient leur harnais et leur paquetage ; ils ne disaient rien, absorbés par l'inconfort du vol. Comme ils avaient l'air jeunes avec leurs visages bronzés ! Il ressentit une peur fulgurante pour eux tous.

Puis, à leur approche, les canons grondèrent et il vit des éclairs de tension passer entre ses soldats tandis que les Junkers viraient sur leur trajectoire dans un bruit de tonnerre. L'opérateur radio hurla : « Préparez-vous, Crète ! »

Rainer aperçut l'île et ses contours, familiers après leur briefing, qui se rapprochaient dans la lumière du matin. L'avion descendit bas en trépidant, puis remonta nettement afin d'éviter d'être touché. Il sentit son estomac se serrer quand apparut leur objectif.

Certains soldats se mirent à chanter leur hymne pour se détendre les nerfs. « *Point de retour...* », ces mots résonnèrent à ses oreilles. Ensuite, un instinct primitif et des mois de préparation les stimulèrent tandis qu'ils se levaient, prêts à se harnacher, et vérifiaient leur parachute. Rainer devait y aller le premier, et montrer l'exemple alors qu'ils effectuaient le saut de l'ange, plongeant d'abord en chute libre.

Drôle de sensation de puissance et montée d'adrénaline que ce saut dans le ciel. Après, il y eut quelques secondes de panique en attendant que s'ouvre le premier parachute. Il sentit la secousse, et le soulagement le rendit plus léger, mais il se retourna et vit avec horreur qu'un de ses gars s'était accroché à la queue de l'avion puis, son harnais déchiré, tombait comme une pierre au sol.

Tout à coup s'ouvrit devant eux la vallée verte et luxuriante, et il repéra le lac. Ils étaient près des bâtiments de la prison qu'ils devaient prendre et sécuriser pour en faire leur base. Les caisses de munitions flottaient à la surface de l'eau, et des vivres suspendus à des parachutes de couleurs différentes devaient être récupérés avant que l'ennemi ne s'en empare. Car celui-ci était là, à les observer, attendant le bon moment pour sauter sur eux. Il devait mener ses troupes à couvert et les armer aussi vite que possible.

Rainer atterrit sans difficulté, mais il vit certains de ses hommes tomber dans des arbres et il entendit le cliquetis d'armes de petit calibre et le rugissement de voix en colère. Et soudain, ce fut l'enfer et il dut regarder avec horreur ses hommes se faire canarder dans le ciel. Leurs parachutes en feu, déchirés, ils s'agitaient désespérément comme des pantins désarticulés ; tous ses braves parachutistes mis en pièces par le feu ennemi avant même d'avoir atteint le sol ! Un instant, une telle sauvagerie le mit en rage mais il comprit que ce n'était pas une bataille ordinaire où l'on définit les lignes et l'on avance. Une fois lâchés, ils n'étaient rien d'autre que des cibles d'entraînement pour les troupes au sol.

Il hurla à ses hommes de se cacher dans les oliveraies et les lits de rivière asséchés. Tous se dispersèrent hors de portée des tireurs isolés, seuls, pris dans un jeu du chat et de la souris avec l'ennemi. Il faisait chaud, les combinaisons étaient lourdes. Il avait perdu sa bouteille d'eau dans un accrochage avec un tommy qui tirait depuis un arbre. Il l'avait fait tomber d'une balle en pleine tête. Il ne ressentait aucune pitié. Tuer ou être tué, c'était tout. Il rampa pour sortir de la zone dangereuse hors des tirs rapprochés. Un vacarme terrible retentissait quelque part vers l'ouest. Le ciel était noir d'avions et d'hommes mais rien ne fonctionnait comme prévu, et pour les accueillir nul indigène chaleureux, comme on leur avait annoncé, seulement une grêle de balles. Point de retour, en vérité, point de retour.

— C'est l'attaque ! Le ciel est noir de ces salauds ! hurla l'aide-infirmier écossais qui aidait Penny à déplacer les blessés sur les civières pour mieux les mettre à couvert.

Les canons tiraient sur cette peste de frelons noirs depuis l'aube. Vague après vague, ils arrivaient au-dessus de leurs têtes. On leur avait donné l'ordre de mener les blessés valides dans des tranchées.

— Vos casques ! hurla Douglas Forsyth. Ils ne voient pas les croix rouges dessinées sur cette foutue plage ? Infirmière, sortez-vous de cette ligne de tir !

Penny fit celle qui n'entendait pas tandis qu'elle guidait des hommes de la tente jusqu'à l'une des tranchées défensives récemment creusées. Ils avançaient lentement et le bruit était terrifiant.

Rien que la veille, elle avait fait le tour de ce site très exposé, se demandant où trouver un abri. La personne qui avait choisi ce lieu pour en faire un hôpital, qui que ce fût, devrait être fusillée ! Elle n'avait vu que des grottes mais elle avait fait remarquer aux médecins que, si la situation empirait, celles-ci pourraient s'avérer utiles.

Le Dr Ellis avait rejeté sa proposition d'un geste de la main.

— Vous avez vu l'état de ces cavités immondes ? Pleines de crottes de chèvre ou pire. Je n'y mettrais même pas un cheval.

— Mais elles sont sombres et fraîches. Nous pourrions les nettoyer, et au moins nous serions hors de portée des tirs, avait-elle plaidé, en vain – qui écoutait les infirmières ? Il y en a quatre de correctes, elles sont assez profondes pour qu'on puisse y stocker des provisions. C'est mieux que ces tentes légères ouvertes à tous les vents.

— Seigneur ! Regardez vers l'ouest. Vous voyez ce que je vois ?

Du doigt, Ellis lui montrait des centaines de parachutes jaunes, rouges et verts qui descendaient et s'ouvraient, avec au bout des pantins qui semblaient pendre inertes, mais qui soudain s'animèrent.

— Il pleut des schleus ! s'exclama Forsyth en s'arrêtant une seconde avant de retourner à son patient.

Penny observa les planeurs voler au-dessus de l'eau puis piquer et disparaître dans les vagues. Sur le rivage, les baraquements qui venaient d'être bombardés étaient en feu, un feu qui faisait rage et aspirait certains des parachutistes allemands dans ses flammes. En arrière arrivait une autre vague de planeurs, secoués au bout de cordes comme des cavaliers fantômes ; ils déchargeaient leur cargaison d'hommes dans la mer et sur les rochers avant d'aller eux-mêmes s'écraser plus loin et de se briser en mille éclats. Vision terrible et obsédante d'une mort assurée pour ces hommes piégés par le feu des canons Bofors.

En réaction, les balles envoyées depuis les avions qui volaient à basse altitude déchiraient les toiles de tente et pénétraient dans l'hôpital.

Tous ceux qui avaient un fusil tiraient sur les envahisseurs mais les vagues se succédaient.

— Qu'est-ce qui va se passer s'ils arrivent ici ? demanda Penny, mais personne n'était là pour lui répondre.

Des avions en flammes s'écrasaient, des hommes luttaient pour nager jusqu'au rivage. Et si l'un d'eux avait été son frère Zan ? Impuissante, elle les regarda se noyer. Deux ou trois, épuisés, parvinrent à se hisser jusqu'à la plage. Ils seraient vite faits prisonniers. Alors, horrifiée, elle vit des silhouettes armées sortir en flèche du village et sauter sur les envahisseurs pour les tuer comme des phoques lors d'une campagne d'abattage. Elle leur hurla de les faire plutôt prisonniers mais personne ne l'écoutait. Ces gars étaient tous l'enfant ou le mari de quelqu'un ; ils ne faisaient que leur devoir. Elle s'était engagée en tant qu'infirmière de la Croix-Rouge à aider tous les blessés, mais maintenant elle était en tenue de combat sous les couleurs et les ordres britanniques. Elle se sentait déchirée entre l'envie de les aider et son devoir envers les blessés qui, à l'hôpital, imploraient son aide à grands cris. Il fallait qu'elle porte ses regards ailleurs, elle ne pouvait supporter ce massacre.

Les blessés commencèrent à s'entasser sur la plage, certains parachutistes furent transportés avec des blessures épouvantables, et tabassés par des villageois que les bombardements et l'invasion avaient rendus enragés. D'autres arrivaient brûlés, aveuglés, traumatisés. Des jeunes gars qui redoutaient des exécutions sommaires, faisaient sous eux de terreur et hurlaient de douleur. Ellis et Forsyth se donnaient à fond pour sauver qui ils pouvaient.

— Emmenez-les hors de vue dans les grottes, ordonna Ellis, désignant les cavités. Ça ne va pas s'arrêter aujourd'hui, hein ?

L'hôpital commençait à ressembler à un abattoir, et le chaos régnait.

Soudain, des coups de feu retentirent tout près, puis des cris en allemand leur parvinrent : un groupe de parachutistes traversait en courant la zone de l'hôpital, exigeant que ceux qui le pouvaient se lèvent et marchent devant eux sur la route. Penny, le souffle coupé par la peur, s'éloigna sans qu'on la remarque et se cacha avec les prisonniers dans une grotte tandis qu'on embarquait de force les médecins vers un abri de fortune. Les prisonniers allemands crièrent à leurs camarades qu'ils étaient en sécurité dans les grottes. Penny, toujours cachée au milieu d'eux, ne fut pas découverte.

Pendant plusieurs heures, Penny travailla seule, terrifiée par ce qui se passait à l'extérieur, n'osant regarder dehors ni même imaginer comment les choses pourraient se terminer. *Reste à ton poste, occupe-toi de ces hommes quoi qu'il arrive. Fais de ton mieux, il n'y a pas d'autre solution. Courage, mon brave*, se dit-elle, priant pour avoir la force de garder son calme et, s'il le fallait, d'affronter la mort. Si ce devait être la fin, eh bien, qu'il en soit ainsi !

Ce fut le plus long après-midi de sa vie, à ravaler la peur et la panique qui lui montaient dans la gorge comme de la bile, mais il y avait tant de blessés à soigner qu'elle ne pouvait s'offrir le luxe de s'angoisser pour elle-même. *Quand j'aurai le temps, alors, je m'inquiéterai,* songea-t-elle. Puis des tirs grondèrent de nouveau et, quand le silence se fit, elle vit les deux médecins revenir en compagnie de soldats néo-zélandais, reconnaissables à leurs chapeaux mous. Penny fut tellement soulagée de les voir apparaître qu'elle eut envie de se jeter dans leurs bras à tous deux. Elle se retint cependant : une infirmière devait, en toute circonstance, se comporter avec dignité, elle le savait.

— Dieu merci, vous êtes entière, lui dit Forsyth qui agitait son stéthoscope sous son nez. Nous leur avons administré le même remède !

Le Dr Ellis lui expliqua que les parachutistes avaient été pris en embuscade par l'arrière et que l'hôpital était, pour le moment du moins, sécurisé. Aussitôt, le travail reprit son cours normal même si les rumeurs de nouveaux débarquements ennemis à Maleme se répandaient.

— C'est fini, déclara un aide-soignant avec un sourire, plus par espoir que par réalisme.

— Pas de là où je me tiens, répondit Forsyth en s'essuyant le visage couvert de cendres. Ces hommes sont bien armés et ils ne rigolent pas. Quelle merde ! On se retrouve ici coincés dans un no man's land entre l'aéroport et Chania, pile dans leur ligne de mire : des cibles faciles à canarder !

Il se tourna vers Penny avec un haussement d'épaules et un sourire.

— Je crois que pour nous, infirmière, ces grottes c'est le grand luxe. Vous avez eu bien raison d'y emmener ces prisonniers. Maintenant, ma petite dame, à vous de déguerpir. Vous ne devriez pas être ici, dit-il en levant la main comme pour la congédier, mais je suis sacrément content que vous soyez là !

À la faveur de l'obscurité, ils examinèrent chaque grotte l'une après l'autre, un masque chirurgical sur le visage pour atténuer la puanteur, réellement insupportable.

— Tout port est bon à prendre dans la tempête, hein ? Qu'en pensez-vous, Ellis ? demanda le Dr Forsyth.

— Mlle George a raison : pas de vent, de soleil, ni de pluie, et on peut dissimuler l'entrée avec des bâches. On prend celle-ci pour nous et la table d'opération, les autres pour les patients ; quant aux provisions, ou ce qu'il en reste, autant les laisser ici. On commence à manquer de produits de base, et comment diable fait-on pour rendre tout ça stérile ?

— Et si on demandait aux troupes de nous aider à récurer, laver à l'eau de mer et mettre des caillebotis par terre ? suggéra Penny qui réfléchissait à toute vitesse. À peu près ce qu'on a fait près d'Arta quand la tempête a déchiré toutes nos tentes.

— Vingt dieux ! Un hôpital dans des grottes ! J'ai déjà entendu parler de projets bizarres… mais, de toute façon, quelle autre solution ? Se replier plus dans les terres et recommencer ? Je vais en informer le Q.G., conclut Forsyth.

— Espérons simplement que les nôtres vont pouvoir les contenir, tenir l'aérodrome et les renvoyer à Athènes, dit un jeune aide-infirmier écossais, les yeux emplis de peur. Venez, *nurse*, il est grand temps de rameuter tout le monde, même les gars à béquille, pour nous aider à déblayer autant de crottes que possible avant que les frisés ne reviennent pour leur petit déjeuner.

Penny se retroussa les manches pour travailler avec lui ; elle avait le dos douloureux et les oreilles qui résonnaient du vacarme des bombes et des canons. Hélas, le ciel était toujours constellé d'avions noirs et non d'étoiles ! Ils se trouvaient là sur cette plage, exposés, dépassés en nombre, avec la peur au ventre pour leur vie, mais l'heure n'était pas aux regrets. Il y avait un boulot à faire, un sale boulot pourri, mais qui peut-être sauverait ses patients d'une mort annoncée. Elle pouvait bien être la seule femme sur cette plage, elle savait manier une pelle et charrier de la merde comme les meilleurs d'entre eux. Elle faisait ça depuis qu'elle était gamine. Elle sourit en pensant à Hector, son poney, et aux écuries de Stokencourt. Elle ne s'était guère doutée alors de la façon dont elle échouerait ici. Elle eut soudain le cœur plus léger. Rien de tel que la sueur et un but pour garder le moral. Ils formaient tous une équipe désormais, se démenant contre le sort, et ce sentiment était doux.

Une jeune femme vêtue d'une épaisse cape se frayait un chemin dans les décombres ; elle avançait lentement dans la fumée, le verre brisé et les vestiges de maisons, à la recherche de survivants, levant les yeux vers le ciel toutes les cinq secondes de peur que le raid ne reprenne. Il fallait qu'elle remonte à Halepa. Elle était déjà en retard pour reprendre son service, comme bon nombre d'autres personnes ayant subi le bombardement. Elle entendait les pleurs des femmes qui cherchaient leurs proches sous les pierres. Les cadavres commençaient déjà à pourrir dans la chaleur. L'odeur de la bataille était arrivée à Chania ce matin-là. Elle devait se hâter, il y aurait tellement de blessures à panser ; mais qui panserait les cœurs brisés, le chagrin, la peur de ce qui devait arriver ? Elle fut soulagée de voir que cette partie de la ville avait été épargnée, déjà les gens faisaient la queue devant la clinique de la Croix-Rouge.

— Infirmière, infirmière, cria une vieille femme qui la tirait par la manche, venez m'aider à chercher mon mari, venez m'aider à retrouver mes petits oiseaux.

La femme était à moitié folle de chagrin.

— Infirmière, il faut que vous aidiez ma femme, le travail a commencé, elle saigne…

Un jeune homme en chemise en lambeaux soutenait son épouse qui défaillait.

Elle aida l'homme à redresser son épouse, et ensemble ils repoussèrent la foule. « Laissez-la passer », ordonna-t-elle. Par chance, la clinique était proche. La porte s'ouvrit et ils entrèrent en trébuchant dans le vestibule.

— Dieu merci, vous avez réussi à venir, nous manquons tellement de personnel, dit le médecin

227

tout en s'essuyant les mains tachées de sang sur sa blouse blanche. Qui avons-nous ici ?

Yolanda lui donna les renseignements sur la patiente tandis qu'ils la transportaient en salle de soins, puis ils fermèrent la porte, mais quand ils l'allongèrent, elle comprit que la jeune femme était déjà morte.

Yolanda eut envie de hurler devant un sort aussi injuste et cruel, mais elle n'en eut pas le temps. Alors même qu'ils couvraient le visage de la défunte et escortaient le jeune homme en larmes vers la porte, ils entendirent le sifflement des bombardiers au-dessus de leurs têtes. Il était temps de conduire de nouveau les patients à l'abri souterrain.

Elle resta accroupie avec eux dans le sous-sol jusqu'à ce que le plus fort du raid sur Chania soit passé. Toutefois, elle n'avait pas l'esprit à son travail, elle se demandait si ses parents étaient en sécurité dans la cave sous l'imprimerie de l'oncle Joseph. Il y avait eu assez d'alertes pour que bon nombre de familles locales fuient dans les villages de leurs parents ou aillent chercher ailleurs un abri sûr. La rue Kondilaki, dans le quartier juif, n'était qu'à quelques rues en arrière du vieux port, le *limani* vénitien, avec ses entrepôts, et un vaste arsenal d'armes et de magasins où les fils de l'oncle Joseph étaient allés en vain supplier qu'on leur donne des fusils pour se défendre en cas d'invasion depuis la mer.

Depuis son arrivée inattendue, Yolanda n'avait guère quitté le quartier. Ses parents étaient tellement soulagés de l'avoir à leurs côtés ! Ils avaient insisté pour qu'elle ait un chaperon et l'avaient présentée aux autres familles de leur communauté séfarade. L'imprimerie n'avait pas manqué de travail, s'occupant de l'impression des journaux pour les troupes britanniques. Papa aidait à traduire le *Crete News* de l'anglais au grec, de sorte que les typographes puissent composer le texte correctement.

Quand Yolande était arrivée, son uniforme était resté longtemps accroché, inutile, à un clou derrière la porte de sa chambre. Chaque fois qu'elle voulait le revêtir, sa mère pleurait.

— Tu en as fait assez pour la Grèce, on a besoin de toi ici, nous pouvons de nouveau être une vraie famille, et puis j'ai des projets.

Comment leur dire qu'elle était là par accident ? Alors qu'elle aidait un soldat blessé à avancer sur la passerelle de l'*Ulster Prince*, l'homme s'était en effet effondré et cramponné à elle de toutes ses forces ; elle n'avait eu d'autre choix que de lui tenir la main et de l'escorter jusque dans les entrailles du navire-hôpital. Il fallait qu'elle transmette le dossier du blessé et vérifie certaines choses. C'est seulement quand elle avait entendu les moteurs s'animer et senti les mouvements du bateau qu'elle avait compris qu'ils sortaient du port à la faveur de l'obscurité. Trop tard ! Trop tard pour remonter tant bien que mal sur le pont et plaider sa cause.

À mesure que passaient les heures, la panique s'était transformée en une résignation lasse. Personne ne ferait machine arrière pour une infirmière, en outre on avait besoin d'elle à bord.

Elle avait été soulagée d'apprendre qu'ils faisaient route pour la Crète. La décision de rester ou non à Athènes venait de lui être ôtée, mais elle s'était fait du souci pour ses amies infirmières et en particulier pour Penny. Que devait-elle penser ? Attendait-on qu'elle se présente pour son service ? Et si Penny était montée à bord d'un autre bateau ? Les traversées avaient été si dangereuses, était-elle encore en vie ? Yolanda s'était sentie coupable, mais soulagée aussi, en apprenant que d'autres navires avaient été coulés. Elle avait eu cette impression horrible qu'elle ne reverrait jamais plus son amie. Athènes lui paraissait déjà à mille lieues de sa vie actuelle. Elle n'avait d'autres documents que ses titres de la Croix-Rouge, et le réconfort de savoir que momma et papa n'étaient pas loin et confirmeraient son identité.

Une fois dans les bras de sa mère, celle-ci l'avait étreinte, en pleurs ; son amour, telle une couverture douce et chaude, l'avait enveloppée, étouffant toutes les bonnes intentions qu'elle avait eues de se présenter immédiatement au travail. Comme cette couverture s'était vite transformée en un cocon étouffant ! Dans cette étroite communauté de trois cents âmes, Yolanda était la bienvenue mais on attendait aussi d'elle qu'elle redevienne la petite fille chérie et obéissante qui avait besoin d'une marieuse pour lui trouver un bon époux.

Au début des raids aériens sur Chania, certains Grecs orthodoxes avaient quitté les villages pour les montagnes et laissé leurs magasins fermés. Les gens du quartier juif, eux, étaient restés et s'étaient claquemurés à l'abri des bombes et des incendies. Mais lorsque des familles épouvantées étaient sorties en rampant des décombres, avec des plaies à panser, avec leurs morts à enterrer rapidement, il n'y avait plus eu ni juifs ni gentils. Yolanda avait alors revêtu son uniforme, et sa cape sur les épaules elle s'était précipitée à la clinique, refusant de se cacher quand on avait si cruellement besoin d'elle.

— Comment peux-tu encore nous quitter ? avait sangloté sa mère.

— Je dois aller aider. Tu veux tout de même que je sauve des vies ?

À cela, il n'y avait point eu de réponse, mais Solomon, lui, s'était contenté de lui tapoter le bras et de lui dire simplement : « Sois prudente et reviens bientôt. »

Maintenant, alors qu'ils s'abritaient dans le sous-sol de la clinique à l'affût des sifflements et des bruits sourds retentissant tout autour d'eux, alors qu'elle serrait dans ses bras des enfants terrifiés et que des parents blessés tentaient un sourire malgré leur douleur, Yolanda savait qu'elle faisait ce qui était juste. Elle s'était aventurée dehors brièvement, pendant une accalmie, poussée par un homme qui recherchait sa femme. Elle avait regardé, choquée, les scènes de dévastation autour d'elle : toits éventrés, mules et ânes gisant morts et gonflés, puanteur terrible de la mort qu'elle connaissait dorénavant si bien. Recherche vaine. Elle était rentrée après avoir rassemblé des traînards blessés qui erraient étourdis, en état de choc.

Puis ils avaient fait déchirer des tissus pour des pansements improvisés par tous ceux qui, soldats ou civils, avaient des mains en état de servir. Avec chaque nouvelle fournée de blessés, toujours plus de rumeurs couraient : « Les tommies les ont repoussés... Non, les tommies sont vaincus. Il y a de nouvelles troupes à l'aéroport... Ils viennent de la mer. Demain, ils seront à Chania. »

Yolanda était trop épuisée pour se soucier de savoir si elles étaient vraies. Elle avait l'impression d'être à des postes de combat depuis des années et non des mois, mais elle savait que tout le monde sur l'île était uni pour contrer l'assaut venu du ciel.

— S'ils entrent en ville, fuis avec nous dans les montagnes, lui conseilla Andreas Androulakis, l'un des jeunes médecins qui, avec son bandeau noir, ressemblait à un pirate de livres de contes. S'ils pensent que les Crétois vont leur ouvrir leur porte et leur offrir du raki et des biscuits, ils se préparent à une sacrée surprise... Que vas-tu faire ? lui demanda-t-il, mi-sévère mi-inquiet.

Ils travaillaient ensemble depuis trois nuits. S'il n'avait été aveugle d'un œil, il aurait été envoyé avec la division crétoise sur le continent.

Yolanda haussa les épaules.

— Mes parents habitent près de la rue Kondilaki, ils vivent chez mon oncle. Je ne suis pas sûre qu'ils veuillent bouger.

— Sors-les d'ici et emmène-les dans un des villages de montagne. Ta communauté sera surveillée, insista-t-il. J'ai entendu des choses inquiétantes au sujet de rafles.

232

Il n'avait pas besoin de lui faire un dessin.

— Je vais rester ici avec la Croix-Rouge, répondit-elle avec un sourire.

— Tu es une bonne infirmière mais je t'en conjure, change ton nom, trouve-toi de nouveaux papiers. Mieux vaut prendre ses précautions...

Andreas était bien intentionné et sa sollicitude flatta Yolanda, mais comment pouvait-elle abandonner son nom de famille ? Cela signifierait renoncer à sa religion, à ses origines. Elle ne pourrait jamais s'y résigner. Ou bien si ? L'oncle Joseph avait assuré à ses parents que la Crète était un bon refuge pour les juifs, leur communauté y était établie depuis des milliers d'années. Mais personne n'avait imaginé une attaque si soudaine. Quelle que soit la suite des événements, elle n'abandonnerait jamais ses parents, pas maintenant, et on avait besoin de ses compétences et de son expérience. Elle n'allait pas déserter son poste juste pour sauver sa peau ; si ses parents étaient en danger, alors elle reconsidérerait les choses.

Galatas,
23 mai 1941

La vie dans une grotte était éprouvante. Penny était si fatiguée qu'elle pouvait à peine manger. Il y faisait frais et humide, et elle appréciait la chaleur de sa fidèle cape – qui lui servait aussi de camouflage la nuit quand elle se faufilait au-dehors et, dans l'obscurité, allait en trébuchant d'une grotte à l'autre.

— Il faut trouver un moyen de faire cesser ces bombardements. Cela fait belle lurette que les pierres alignées en croix sur le sable sont effacées. Une idée, Penny ? demanda Doug qui essayait de s'allonger sur le caillebotis.

Dans l'intimité de ces grottes, toute formalité s'était évanouie : elle était désormais Penny, et les deux médecins Doug et Pete.

— Avons-nous quoi que ce soit de rouge ? Nous devrions nous fabriquer un énorme drapeau et signaler notre position, suggéra-t-elle.

Ils se procurèrent une bâche blanche et prirent une nappe crétoise rayée que Doug avait achetée en souvenir pour sa fiancée, Madeleine. L'un des villageois leur donna une couverture tissée rouge sang, du fil et des aiguilles. Ils découpèrent le tout en forme de croix et se mirent à coudre le drapeau à la lumière de lampes à huile. L'occasion de donner aux patients effrayés et las de quoi s'occuper ; ils savaient qu'un drapeau avec une énorme croix rouge les protégerait davantage.

Penny scruta l'obscurité, le cœur lourd à la vue du ciel illuminé par les incendies qui faisaient rage à Chania. Dire que la veille seulement, elle était assise sur le port et y avait mangé une glace, admirant les hautes bâtisses vénitiennes avec leurs linteaux sculptés et les balcons de toit en bois des vieilles maisons turques ! Combien, aujourd'hui, étaient réduites en cendres ?

Une fois le drapeau terminé, ils le hissèrent sur le promontoire herbu au-dessus des grottes, le calant avec des pierres. Personne ne pouvait rater cet emblème, du rivage ou du ciel. Ils admirèrent leur œuvre. « Ça devrait aller », estima Pete. Penny espérait qu'il avait raison car la situation était désormais désespérée. Les nouvelles étaient sombres : Maleme serait tombée.

— Ce n'est qu'un bruit parasite, la rassura Pete Ellis devant les patients.

Ils avaient isolé les prisonniers allemands pour leur propre sécurité, la plupart de toute façon étaient trop malades pour représenter un quelconque danger. Certains s'étaient même proposés pour coudre le drapeau, reconnaissants d'être en vie. La Luftwaffe respecterait la Croix-Rouge, expliqua un officier blessé à Penny dans un anglais parfait.

Doug gardait jalousement les provisions, qui diminuaient constamment, il apporta quelques énormes pithos remplis de tsikoudia, une sorte de raki fait avec le moût du raisin fermenté, breuvage puissant à utiliser pour désinfecter et laver.

— Si les pansements sont trop pleins de pus et que la puanteur te donne des haut-le-cœur, je te suggère deux petits coups avant que tu ne les défasses et traites la pourriture. Oh, et deux petits coups après aussi, conclut-il, la mine sévère.

— Sur la plaie ? demanda Penny en toute innocence.

— Dans ton foutu gosier, rugit-il, et comme il vit qu'elle sursautait, il ajouta : Et ne fais pas la prude, je t'ai entendue jurer dans un grec très fleuri... Où as-tu appris à jurer comme ça ?

— À la frontière albanaise d'abord, répondit-elle avec un sourire. Et plus tard. On ne vit pas dans les petites rues d'Athènes sans apprendre quoi dire pour repousser les avances, éviter de se faire voler ou piquer sa place dans la file par quelque vieille mégère !

Dieu merci, sa mère n'était pas dans les parages pour constater combien sa peau et son langage s'étaient durcis. Ses manières et son accent anglais pouvaient parfois encore demeurer ceux d'une débutante mais cela ne la gênait pas de circuler dans le camp en short quand elle avait le temps, sans prêter attention aux sifflements admiratifs. Si ses patients remarquaient ses longues jambes, c'est qu'ils allaient mieux.

Le lendemain, il n'y eut plus de mitraillage, ce qui leur laissa le temps d'enterrer les morts et de récupérer tout ce qui pouvait être utile dans les décombres de l'hôpital. Ils envoyèrent le linge à nettoyer dans les villages voisins et se firent apporter un nouveau lot d'oranges. Chacun essayait de faire comme si tout allait normalement, mais le grondement des canons n'était jamais loin. Une bataille faisait rage pour le contrôle de l'aéroport, et ils devaient en attendre la fin, quoi qu'il advienne. Les blessés ne pourraient pas faire grand-chose pour se sauver eux-mêmes si le camp subissait une nouvelle attaque.

Penny se sentait extrêmement protectrice envers ses patients, comme une tigresse avec ses petits. Peut-être était-ce ce que sa mère avait ressenti pour ses filles, enfin, du moins pour Effy ?

Des civils blessés se glissaient dans le camp et demandaient de l'aide ; ils apportaient des oranges, des citrons, des légumes pour payer les soins qu'elle leur prodiguait. Il y avait des centaines d'hommes à nourrir maintenant, or l'armoire à provisions était quasiment vide.

— Dommage que nous ne sachions pas vraiment ce qui se passe sur le terrain, chuchota-t-elle à Doug à la fin de son service, tandis qu'assis sous un ciel étoilé ils sirotaient tous deux un jus d'oranges frais mélangé avec du raki, meilleur que n'importe quel champagne.

— Si ça va mal, nous le saurons assez tôt. Nous serons débordés en quelques minutes mais nous n'opposerons aucune résistance. Tu mets tout le monde à couvert, pas de fusils ni de casques en vue. Nous devons rester neutres.

L'un des aides-infirmiers, qui avait entendu la conversation, s'écria :

— On ne peut pas subir ça, couchés à ne rien faire. On est encore un petit nombre à pouvoir en buter quelques-uns.

— Tu fais ça, Barnes, et c'est moi qui te dégomme le premier. Laisse à ces pauvres types une chance de vivre, même si c'est dans un camp de prisonniers boches. Tu tires et on est tous foutus. Ce ne sont pas des barbares. La convention de Genève nous protégera.

Une autre voix se fit entendre depuis le sable.

— Dis ça à mon copain Corky : ils l'ont retiré en sang d'un fossé et l'ont tué.

— On les a canardés dans le ciel, ils ont vu leurs potes mis en pièces dès qu'ils ont posé le pied par terre, et dit-on, par de vieilles femmes armées de hachettes, répliqua Doug. La guerre, c'est une sale affaire ; la peur te fait faire des choses cruelles. Allez, rentrez dans vos grottes.

Il se leva et fit en sorte qu'il n'y ait plus d'oreilles indiscrètes.

— Il suffit d'une tête brûlée pour créer des ennuis, déclara-t-il à Penny. La peur, c'est comme un virus qui infecte toute la bande. On raconte que des horreurs ont été commises des deux côtés. Nous, on raccommode ceux qu'on nous apporte, amis ou ennemis. Si les avions reviennent, j'ai une idée sous le coude, une couverture, tu pourrais dire, pour nous protéger d'autres bombardements.

— Quelle idée ? demanda Penny avec curiosité.

Doug disparut et revint portant un drapeau plié, avec un svastika au milieu.

— Un truc que j'ai appris de mon père pendant la Grande Guerre. Si on hisse ça, ils nous lais-

238

seront tranquilles et pourraient même nous lancer quelques provisions, ajouta-t-il avec un clin d'œil. Mais garde-le sous des chiffons. Je prie le ciel qu'on n'en arrive pas là. Si l'ami Fritz découvrait ça, on serait dans de beaux draps !

Penny leva les yeux vers le ciel de minuit constellé d'étoiles à l'infini. Le bruit des tirs antiaériens lui fit penser à d'autres choses. Où se trouvait Bruce ? Avait-il été évacué avec les Harrington ? Comment allaient Angela et ses filles ? La maison des Harrington, ou la villa Artemisa, la résidence d'Évadné et de Walter à Athènes... étaient-elles toujours debout ou étaient-elles toutes réduites à un tas de cendres et de décombres fumants ? Qui s'occupait des blessés parmi la population civile dans la cité en flammes ?

On eût dit qu'elle vivait quelque rêve étrange. Elle était totalement épuisée, le raki faisait son effet, et elle se demandait ce qu'elle fabriquait sur cette île. Mais pourquoi dans le même temps se sentait-elle plus en vie que jamais ? La suite des événements, elle ne la contrôlait absolument pas, et pourtant savoir qu'elle était dans les mains du destin l'excitait. Tout ce qu'elle pouvait faire, c'était observer, attendre et prier.

2001

— Eh, tante Pen, c'est de plus en plus fascinant ! déclare Loïs.

Assise près de la piscine, elle surveille Alex qui ne cesse de sauter dans l'eau.

— Je me souviens d'avoir entendu mummy dire un jour qu'elle avait lu quelque chose dans les journaux, un article au sujet d'une « infirmière des grottes », c'est comme ça qu'ils l'appelaient. Il y avait une coupure de presse dans le bureau de granny. Elle disait aussi que ça avait quasiment poussé ta mère à te pardonner de t'être enfuie toutes ces années auparavant. Qu'est-il arrivé aux médecins, Doug et Peter ?

Je suis sur le point de répondre quand nous entendons une voiture freiner dans l'allée, puis, très vite, quelqu'un sonne à la porte. Loïs enfile sa sortie de bain alors qu'un homme de grande taille, tenant une écritoire à pinces, passe la tête par la porte et regarde vers la piscine.

— Bonjour, désolé de vous déranger, s'excuse-t-il.

Il porte un élégant pantalon de toile couleur crème, une chemise au col ouvert, et des sandales qui révèlent des pieds bronzés.

— Je suis Mack, de Island Retreat, votre guide et accompagnateur ici. Je passe simplement pour me présenter et m'assurer que tout va bien.

La quarantaine bien sonnée, il a un visage accueillant, plissé par le soleil ; cheveux blonds saupoudrés de blanc, encore mince, allure athlétique et port militaire. Il semble un peu vieux pour un accompagnateur mais il a une bonne tête et je l'invite à entrer.

— Venez prendre un verre avec nous.

Je sais être encore très sociable quand je suis d'humeur.

— Je ne peux pas m'arrêter très longtemps, dit-il avec un sourire tout en étudiant Loïs du regard, avec un intérêt à peine dissimulé.

Elle se lève et lui tend la main.

— Bonjour, je m'appelle Loïs Pennington ; voici ma grand-tante, Pénélope George, et mon fils Alex. Asseyez-vous, je vous en prie.

Je remarque qu'il ne se fait pas prier, mais auparavant nous tirons les chaises sous le parasol.

Il vérifie que nous sommes satisfaits du logement et nous donne une liste de numéros d'urgence et d'informations sur les hôpitaux.

— Nous pouvons vous réserver n'importe quel tour ou excursion, rien de plus facile, assure-t-il ensuite.

Je m'étais demandé quand l'étape de la vente forcée allait venir.

— Nous pouvons aussi vous donner la liste des tavernes mais nous n'en sélectionnons aucune. Demandez autour de vous, et puis vous verrez celles qui sont remplies, ajoute-t-il avec un

241

sourire. Si vous voulez vous promener dans la vieille ville de Chania, il y a un tour qui part le samedi matin. À la vérité, je l'ai fait un jour en touriste et me voici ici à travailler sur l'île ; la vie réserve des surprises. Vous devez visiter le palais de Knossos, et les gorges de Samaria dans le Sud – enfin, à condition d'avoir la forme physique.

Il me jette un regard, et j'ai bien envie de lui dire qu'à une époque j'étais capable de faire la longue descente jusqu'ici, un soldat blessé sur le dos si nécessaire, et que bon nombre de mes patients avaient dû en faire autant pendant la guerre, mais je me tais.

— Vous devriez assister à des danses crétoises, un soir ; ça plaît à tout le monde…

— Nous sommes ici pour une raison spéciale, l'interrompt Loïs, pour assister à la commémoration de la bataille de Crète.

— Vous vous intéressez à l'histoire de l'île, alors ?

— Je fais partie de son histoire, ne puis-je m'empêcher de répliquer. J'étais infirmière ici pendant la guerre.

— Ah, vraiment ? Mais c'est très intéressant. Les organisateurs savent-ils que vous serez présente ?

Il me scrute comme si j'étais quelque relique dans une vitrine.

— Non, c'est une visite à titre privé. Je ne souhaite pas participer.

Il y a un silence et il se lève pour prendre congé, comme si nos paroles l'avaient troublé.

— Eh bien, parfait. J'espère que vous allez passer de merveilleuses vacances. Si vous avez besoin de quoi que ce soit, voici ma carte et mon téléphone. Je vous verrai dans les parages, sans doute. L'île est petite. Bon, je me dépêche…

Loïs et Alex lui font au revoir de la main.

— Vendeur d'excursions ! Voilà tout ce qu'il est, soupire Loïs tout en ramassant la paperasse. Quel magnifique job d'été pour un célibataire… Allons préparer le déjeuner, puis direction la plage ! Je suis sûre que tante Pen aimerait faire une sieste.

— Il y a un endroit que j'aimerais bien revoir plus tard, dis-je, une autre plage plus à l'ouest, si ça ne t'ennuie pas.

— Pas de problème, surtout si tu nous régales de la suite des aventures de « l'infirmière des grottes ».

Ce surnom que la presse m'a donné des années plus tard m'a toujours embarrassée. Ce n'est qu'un petit épisode du temps que j'ai passé ici. Personne n'a jamais compris combien ce surnom m'a compliqué la vie. Ne jamais expliquer, ne jamais justifier, dit-on, mais si mon retour ici doit m'apporter quelque paix, je dois revivre ces jours périlleux d'avant et après la chute de la Crète. En outre, il est des secrets de cette époque que je n'ai jamais partagés avec quiconque, des secrets qui me pèsent depuis des années. Peut-être le temps est-il venu de m'en libérer une fois pour toutes ?

Dans la rue du village, Rainer Brecht regarde le Mémorial près de l'église de Galatas. Les souvenirs lui reviennent en masse tandis qu'il grimpe la colline escarpée en s'appuyant sur sa canne. Les vieilles maisons en ruine ont été transformées, repeintes, et ont retrouvé leur état originel, le *kafenion* est exactement comme dans son souvenir. Comment ce hameau si paisible a-t-il pu être le lieu d'une bataille d'une telle férocité ?

Les rues ont été prises, perdues et reprises, sans cesse. Des hommes courageux des deux camps sont morts dans ces ruelles, sacrifiant leur vie pour quelques canons et positions stratégiques. La vague de cette charge épique a déferlé et reflué pour finir par s'écraser sur la tête des soldats comme sur celle des civils, mais quand la victoire est arrivée, il n'en a eu aucun mérite. Il était ailleurs. Le moment est venu de reconstituer ce terrible voyage.

25 mai 1941

Les jours qui suivirent le débarquement, les hommes de son bataillon, ou ce qu'il en restait, patrouillèrent en dehors des murs épais de l'enceinte, relativement sûre, de la prison d'Agia. Ils firent des incursions dans les champs d'oliviers et d'agrumes avoisinants, rassemblèrent les éléments épars de bataillons brisés qui continuaient à se cacher, ramenèrent les blessés et enterrèrent les morts. Tandis qu'ils calaient les casques sur les pierres tombales, leur moral était bas. Autour d'eux, ce n'était que désolation : arbres couchés, cadavres d'animaux, planeurs en miettes, tous témoins épars d'une opération ratée. Même les hommes les plus endurcis blêmissaient à la vue de ce carnage.

Pour certains, alors, le chagrin se transforma en colère. Rainer ne fut pas toujours là pour empêcher certaines représailles contre les villageois qui les avaient défiés et avaient pris les armes. Des villages entiers furent rasés ; des hommes, des femmes et des enfants furent rassemblés et tués. Pas de procès, pas de pitié. Il n'aimait pas cette justice si sommaire mais il en connaissait l'origine. La résistance avait été brutale, les représailles devaient l'être tout autant.

Cette façon hostile de les éviter qu'avaient les habitants, leurs tireurs isolés embusqués dans les oliviers, le fait d'accueillir des troupes britanniques chez eux et de déchirer les tracts qui les avertissaient des conséquences de leurs actes, tout cela n'augurait rien de bon. Et puis, dans le regard de ces hommes, face à l'éternité, alors qu'ils se tenaient devant le peloton d'exécution et chantaient leurs hymnes de liberté et de mort, il y avait cet air de mépris si total. Rainer n'avait jamais vu autant de bravoure. Cela le perturbait de comprendre que plus ils en fusilleraient, plus d'autres viendraient prendre leur place. Il redoutait les conséquences pour ses hommes au cas où ils perdraient la guerre.

Quel qu'il soit, celui qui, au service de renseignements, leur avait assuré une chaleureuse réception ici aurait dû être fusillé ! Il n'y aurait pas de fleurs jetées à leurs pieds pour les accueillir en héros conquérants, seulement des balles, des coups de couteau dans le dos ou des pierres. Mais les ordres étant les ordres, il fallait leur obéir. Les résistants ne seraient pas protégés par la convention de Genève. Avec des représailles instantanées, on envoyait un message clair aux gens : si un village résistait, il serait détruit.

De nouveaux ordres arrivèrent : il fallait sécuriser la route qui allait de l'aéroport à Chania et au village de Galatas sur les hauteurs. Les Dornier qui les survolaient constamment les couvraient, et la première attaque s'était bien passée. Ils avaient neutralisé des maisons, mais une tentative pour reprendre le village eut lieu ; deux tanks sortis de nulle part furent vite frappés et dévastés ; des Néo-Zélandais en short et casqués essayèrent de se mettre à couvert du mieux qu'ils purent.

Puis arriva le moment de finir la bataille par l'assaut de la colline. Rainer se sentit étrangement calme, il savait pourtant que seuls les plus forts seraient en vie à la fin de la journée. Il eut le sentiment de pénétrer dans un étrange tunnel de conscience suraiguë : tuer, ou être tué, son seul but étant de remplir les objectifs de son commandement.

Il vit des hommes se lever et tomber, se lever et mourir, et l'ennemi ne cessait d'arriver. Il se pencha en avant, à l'affût de l'imprévu ; pourtant, la grenade qui vola vers lui le prit par surprise. Au début, il ne ressentit pas la douleur tandis qu'une main le traînait à l'abri, hors de danger. Il observa ensuite ce qui se passait autour de lui comme s'il s'agissait d'un film au ralenti.

Il vit les Maoris à la peau sombre qui hurlaient dans une langue étrange, et leurs rugissements firent hésiter et reculer ses hommes, le laissant à la merci des troupes ennemies. Il sentit que sa vie coulait comme du sable entre ses doigts. Il n'y avait plus d'espoir, un étrange calme l'envahit, et il attendit la fin...

Quand il se réveilla, il avait une bouteille d'eau aux lèvres et un garrot à sa jambe abîmée. On le descendait de la colline, secoué sur une planche qui tenait lieu de civière. Était-il prisonnier ou les médecins de son camp l'avaient-ils dégagé ? Il était trop hébété pour s'en soucier.

Les mains qui tenaient la civière étaient tannées comme du cuir. Il n'avait pas peur, il était seulement étonné de ne pas avoir été achevé dans la rue. Il avait vu assez de soldats à qui on avait donné le coup de grâce. Allait-il à Maleme, pour être envoyé en avion à Athènes ou sur un navire-hôpital à l'ancre dans la baie ? Cette guerre ne pouvait tout de même pas être terminée avant d'avoir commencé ? La douleur causée par sa jambe commença à se propager dans tout son corps et il ne cessa de perdre conscience. Il s'entendit crier : « *Wasser, Wasser* », avec l'envie furieuse de vider la bouteille d'un trait.

Où étaient ses hommes ? La bataille faisait-elle toujours rage ? Fermant les yeux, il revit son officier supérieur et d'autres soldats abattus d'un coup, leurs corps accrochés à un arbre comme des grappes de raisin. C'était un désastre, un désastre total. Tous ces garçons triés sur le volet pour tenter de prendre l'île ne méritaient pas de mourir comme des chiens. Opération Mercure, quel nom de code maudit ! Il n'avait plus désormais qu'à supporter la douleur.

Quand une main aux doigts effilés lui agrippa le poignet pour lui prendre le pouls, il sut qu'il rêvait. Il ouvrit les yeux et vit une jeune femme en tenue kaki qui le fixait. Elle avait des cheveux décolorés par le soleil et des yeux très noirs, les plus noirs qu'il ait jamais vus.

Il s'allongea, soulagé : il pouvait dormir cent ans si un tel visage présidait à son réveil.

Impossible, songea Penny qui essuyait le front de Doug Forsyth alors qu'il tentait de finir une amputation complexe au niveau de la cuisse. Ils avaient poussé la table d'opération près de l'entrée de la grotte afin d'avoir le plus de lumière possible. Par terre, le sol était une horreur : des liquides organiques et de la boue le rendaient glissant ; une odeur pestilentielle d'éther et de pus qu'aucune rasade de raki ne pourrait jamais atténuer flottait partout, et partout des mouches volaient autour des blessés.

Certains aides-infirmiers aidaient ceux qui ne pouvaient se lever à se soulager dans des boîtes de conserve ; d'autres distribuaient du thé, sucré avec du lait condensé puisé dans leurs toutes dernières réserves.

— Je crois que l'heure du plan B est peut-être arrivée, murmura Penny à l'oreille de Doug tandis que, plus tard, ils terminaient à petites gorgées leur ration de thé.

Elle se sentait sale, pleine de sueur dans son treillis et son pantalon bouffant, mais au moins cette tenue la protégeait des piqûres d'insectes et du soleil qui dardait ses rayons féroces sur leur camp en piteux état, et de plus on la repérait moins ainsi parmi les infirmiers.

— J'espérais qu'on n'en arriverait jamais là, soupira Doug, mais pour nos patients, il faut tout essayer.

— Je vais le faire, proposa Penny qui connaissait sa réticence à prendre ce risque.

— Non, c'était mon idée, dit-il d'un ton sec, le visage gris de tension et de lassitude.

Son idée ? Hisser le drapeau ennemi. Un stratagème dangereux, mais le travail les appelait et l'heure n'était plus à la réflexion sur les conséquences possibles.

— Nous attendrons le soir et ferons ça ensemble, suggéra-t-elle.

Il acquiesça d'un signe de tête.

À côté du drapeau de la Croix-Rouge qui, jusqu'à présent, avait éloigné de l'hôpital certains des avions commandos, ils déplièrent deux svastikas pris à l'ennemi. Quelques heures après l'aube, un Dornier leur jeta obligeamment des caisses de fournitures médicales et de la nourriture : des vies seraient sauvées.

Pendant tout ce temps arrivaient des blessés des deux camps pour recevoir les premiers soins. Ils devaient attendre leur tour, allongés au soleil, gémissant et appelant à l'aide. Ceux qui étaient conscients étaient surpris, et soulagés, de voir une femme juger la gravité de leurs blessures. Un jeune soldat, à moitié en proie au délire, cria : « *Mutter, Mutter !* » Il lui tendit la main comme si elle était vraiment sa mère, venue le soigner.

Penny s'agenouilla. Elle lui saisit la main, prit son pouls qui s'affaiblissait et attendit, observant ce poignet où elle finit par ne plus rien sentir. Elle lui couvrit le visage, se redressa et resta un instant silencieuse, quand lui parvint dans un anglais hésitant la voix rauque d'un officier allemand : « Vous avez fait preuve d'une grande bienveillance, infirmière. »

Elle examina la jambe balafrée de l'officier sans un mot, avec juste un brusque signe de tête,

250

puis inspecta le pansement sale qu'elle remplaça par un propre, consciente qu'il voyait bien que ces compresses provenaient de fournitures allemandes. Il ne fit aucun commentaire.

Il ne la quitta jamais des yeux, comme s'il cherchait les raisons qu'elle avait d'aider ses hommes, se demandant sans doute ce que faisait ici une femme, à huit cents mètres à peine de la ligne de front.

Sans bien savoir pourquoi, elle eut le sentiment qu'il était vital qu'elle ne s'adresse pas à lui, alors elle demanda à un aide-soignant de finir le pansement et, lentement, elle remonta la rangée, toujours plus longue, afin d'examiner les nouveaux cas et de repérer ceux qui avaient le besoin le plus urgent de soins. L'officier serait conduit avec les autres prisonniers de guerre dans la grotte du fond et gardé. Avait-il remarqué les drapeaux allemands ? C'était dans l'intérêt de tous de ne pas se faire mitrailler. Il ne pouvait tout de même rien trouver à redire à cela… mais dans le cas contraire, ils seraient peut-être tous fusillés s'ils venaient à être capturés. Elle chassa de son esprit cette horrible pensée.

Ce soir-là, Penny admira un de ces magnifiques couchers de soleil jaune safran, véritable baume pour l'âme après une journée aussi sanglante. Allongée, elle essayait de rassembler ce qui lui restait d'énergie pour les actions à venir quand un véhicule militaire entra dans l'enceinte. Elle leva les yeux, et vit le visage familier d'un homme qui la regardait fixement alors qu'il s'avançait vers elle à grandes enjambées. Son regard brûlant de fureur était éloquent.

— Je savais que ce devait être toi mais je voulais voir par moi-même qui était cette folle qui, dit-on, jure comme un terrassier grec. Mais bon sang, tu joues à quoi ? hurla Bruce Jardine.

— Quel plaisir de te revoir également, lui répondit-elle, trop fatiguée pour trouver une repartie plus spirituelle. Mais tu ne vois pas qu'on est occupés ?

Elle fit mine de s'en aller avec colère.

— Pas si vite ! aboya-t-il, qu'est-ce que tu fous ici sur un champ de bataille ?

— Ce pour quoi on m'a formée. Laisse-moi poursuivre mon travail.

— Nous avons ordre de déplacer cet hôpital avec le personnel et le matériel loin de Chania et de tout transférer à l'intérieur des terres à Neo Chorio. Les camions viendront prendre les blessés à onze heures sous escorte. J'espère que tu seras assez sensée pour obéir aux ordres. Honnêtement, Penny, c'est de la folie... N'as-tu pas conscience du danger ?

— Qu'est-ce qui se passe là-bas ?

— Ne me pose pas de questions, j'obéis aux ordres, mais ça ne sent pas bon. Je veux que tu partes d'ici dans le premier camion.

Bruce regarda le chaos tout autour de lui. Il fit venir le reste de l'équipe et répéta la nouvelle.

— On aura besoin de temps pour embarquer les cas les plus graves, objecta Doug, et on a des prisonniers.

— Il faudra qu'ils se débrouillent tout seuls. D'après ce que je peux comprendre, ils n'attendront plus longtemps avant que leurs propres médecins ne se pointent. L'aéroport de Maleme est tombé et de nouvelles troupes débarquent désormais toutes les heures. Nos gars ne vont plus pouvoir tenir bien longtemps, même s'ils résistent avec bravoure. L'infirmière doit être évacuée en premier.

— Je prends le risque, répliqua Penny.

— Tu feras ce qu'on te dit, lui ordonna Pete tout en chassant les mouches de son visage, ne m'oblige pas à jouer du galon avec toi.

— Je vais finir ma tournée, nous avons encore quelques heures devant nous. Pourquoi sommes-nous tous là comme des statues ? (Penny s'adressa sèchement aux aides-infirmiers.) Il faut que nous décidions qui est en état de voyager et qui ne l'est pas. Certains ne survivront pas à un voyage. Je refuse d'être responsable de morts inutiles.

Comme ses collègues se précipitaient pour annoncer la nouvelle, Bruce l'attrapa par le bras.

— Promets-moi de monter dans le premier camion. Tu as amplement fait ta part, tu as été merveilleuse, un vrai remontant. Tes parents seront tellement fiers de toi, mais encore faut-il que tu restes en vie ! Fini l'héroïsme ! (Bruce l'attira vers lui.) C'est dangereux là-bas, maintenant… Je t'en prie, Penny.

Elle reçut toute la force de son regard qui plongeait dans le sien et sentit sa détermination faiblir. Il tenait à elle, et la façon dont il la regardait fit battre son cœur. Elle fit oui de la tête.

— Je m'en irai quand le Dr Forsyth et le Dr Ellis s'en iront mais on a besoin de moi maintenant.

Soudain, ce fut le branle-bas de combat au camp pour regrouper les blessés légers, panser ceux qui pouvaient se tenir debout, rassembler leur matériel et leurs affaires. Aucune minute pour réfléchir, seulement un grand soulagement à l'idée de bientôt quitter cette carrière de sable infestée de puces.

Les camions arrivèrent à l'heure sous escorte et l'évacuation commença pour de bon.

— Uniquement les blessés légers, ordonna l'officier chargé de l'opération. On ne peut pas emmener les civières. Allez, faites-les grimper. Et s'ils peuvent tenir un fusil...

— S'ils portent un fusil ou un casque, on tirera sur le convoi. La croix rouge sur le côté ne voudra plus rien dire, protesta Barnes, l'aide-infirmier, auprès d'un sergent qui le toisa avec dédain.

— Et on doit prendre vos bonnes fées avec nous aussi, j'imagine ?

Barnes était prêt à lui envoyer son poing dans la figure mais Penny s'interposa.

— Et les blessés graves ? Qui vient les chercher ?

— Un autre camion sera envoyé plus tard. Allez, infirmière, en voiture. Le capitaine Jardine a dit qu'il y avait une femme...

Il lorgna Penny avec intérêt.

— Je partirai avec la fournée suivante, je dois préparer les autres, répliqua-t-elle sans lui prêter attention, puis d'un geste de la main elle se débarrassa d'eux.

L'équipe médicale travailla toute la nuit à étiqueter les patients. Penny s'inquiétait car certains étaient à peine conscients, encore sonnés après une opération tandis que d'autres avaient de la fièvre et des infections.

Elle ne fut pas mécontente, à l'heure prévue, que le convoi attendu ait du retard, mais quand l'aube pointa sans qu'aucun camion soit en vue, elle comprit que quelque chose clochait.

— Tu crois qu'ils nous ont oubliés ? demanda-t-elle à Doug qui emballait une boîte d'instruments chirurgicaux.

Il haussa les épaules.

— Qui sait ce qui se passe là-bas ?

Juste au moment où ils n'avaient plus d'espoir, un camion solitaire arriva. Bruce en sortit d'un bond, l'air content de lui.

— On vous évacue sur la côte sud, on a de la place pour les médecins, des aides-soignants et l'infirmière George.

— Mais il y a ces centaines d'hommes en attente ici. Où est le convoi ? demanda Penny.

Bruce, les yeux fixés au loin sur le camp, évitait de croiser son regard.

— Désolé, on les laisse là. Les Allemands connaissent la chanson, ils les traiteront correctement. Et maintenant, tu viens avec moi.

C'est à ce moment qu'autour d'eux tout le monde comprit que la partie était perdue : l'armée battait en retraite, évacuant l'île et laissant les blessés devenir prisonniers. Choix déchirant pour Penny : partir ou rester et tomber aux mains de l'ennemi ?

— Je dois récupérer mes affaires.

Et sur ces paroles, elle fila vers le coin de la grotte qu'elle occupait. Elle avait besoin de temps pour se décider, mais du temps, *il n'y en avait pas.* Bruce la protégerait, lui le preux chevalier venu la délivrer, mais était-ce vraiment ce qu'elle désirait ? Pourquoi cette pensée ne lui apportait-elle aucun réconfort ? Pourquoi ce dont elle rêvait depuis des années avait-il soudain perdu toute importance ? Et pourquoi rien ne fonctionnait-il comme prévu ? Tout à coup, les sentiments qu'elle nourrissait pour Bruce se brouillèrent totalement. Or ce n'était ni le moment ni le lieu pour les analyser.

Il ne lui restait plus qu'une chose à faire. Elle se défit très vite de son treillis, fourragea dans son sac et en retira son habit blanc, cape, coiffe et insignes. Puis elle sortit de la grotte vêtue de son uniforme complet. Les aides-infirmiers eurent un mouvement de recul, frappés par ce passage de la tenue de combat à celle, formelle et pourtant tachée de sang, de la Croix-Rouge.

— Je ne peux pas abandonner ces hommes, je fais partie de la Croix-Rouge hellénique, non de l'armée britannique, et je reçois les ordres de sa branche militaire, donc cela vous dédouane et vous pouvez me laisser, déclara-t-elle, droite et résolue.

— Ben voyons, c'est ça ! Tu viens avec moi...

Bruce fit mine de l'agripper. Doug s'avança.

— Vous avez entendu ce qu'a dit l'infirmière Georgiou. Elle a pris sa décision. C'est un membre précieux de l'équipe et si elle choisit de rester en tant que personnel de la Croix-Rouge, nous ne lui donnerons pas l'ordre de partir. Elle connaît, je pense, les conséquences de ses actes.

Elle aurait voulu embrasser Doug sur-le-champ, mais son sens des convenances la retint et elle joua de son mieux à la mère supérieure.

Bruce, écœuré, hocha la tête.

— Quelqu'un d'autre peut bien prendre sa place. Un médecin ?

Un air de rage se peignit sur son visage tandis que chacun à tour de rôle reculait, poussant l'un de leurs aides-soignants vers le camion.

Bruce entraîna Penny loin des oreilles indiscrètes.

— Tu me déçois mais tu ne m'étonnes pas. Tu as toujours été une bourrique entêtée. Rappelle-toi ce que je t'ai déjà dit : si tu veux soigner les Allemands, libre à toi, mais d'autres patients auront besoin de ton aide. Des patients *britanniques*. Des choses terribles sont arrivées à ceux qui, dans les villages, ont résisté aux envahisseurs. J'espère que tu sais ce que tu fais.

Il partit avec colère, sauta sur le siège du conducteur et s'éloigna sans un regard en arrière.

Après toute l'aide qu'il lui avait apportée, ce n'était guère une façon de terminer ainsi leur amitié. Pour venir la sauver, il s'était exposé et elle refusait son soutien. Mais bon sang, qu'était-elle en train de faire ? Un bref instant, la résolution de Penny faiblit. Une partie d'elle-même

avait envie de lui courir après et de lui crier :
« Arrête-toi, emmène-moi en lieu sûr », mais ses
pieds se refusaient à bouger. Elle avait pris position, trop tard désormais pour changer d'avis. Il
lui fallait aller jusqu'au bout ; cette décision s'accompagna d'un étrange calme. *Je dois devenir folle*,
se dit-elle, *pourtant, ma place est ici*.

— Vous auriez dû partir avec lui, vous savez,
murmura Pete.

— Ah, ne commencez pas…, répondit-elle d'un
ton cinglant.

Elle s'éloigna d'un pas saccadé, parfaitement
consciente d'avoir torpillé ses arrières par cette
action impulsive. Que personne n'aille dire qu'elle
n'achevait pas ce qu'elle avait commencé. Bruce
avait raison : elle avait un côté têtu qui refusait
de céder à la faiblesse. Est-ce que ça lui coûte-
rait sa liberté ? Ou même sa vie ?

Grimper dans ce camion avec lui, c'eût été céder
à l'envie de se retrouver de nouveau en sa compagnie, donner à l'amour une chance de s'épanouir.

Oh, mais pourquoi n'es-tu pas partie ? se lamenta-
t-elle. *Parce que c'est ce que Bruce voulait. Évacuer,
c'était la solution de facilité ; rester, un devoir. Veiller
à ce que tes hommes soient traités avec respect importe
infiniment plus qu'une balade en voiture avec quelqu'un
qui ne t'aimera peut-être même pas en retour*, se disait-
elle. Elle avait toujours eu des doutes quant aux
sentiments réels de Bruce à son égard, et ce n'était
vraiment pas le moment de le sonder.

Elle resta assise, les bras serrés autour de ses
genoux, avec pour seul réconfort l'idée qu'en

temps de guerre le devoir devait passer avant les désirs personnels.

Rainer, allongé dans la grotte sale, regardait les autres hommes fixer en silence les rochers et la paroi supérieure. Un autre parachutiste était mort dans la nuit, son corps avait été emporté au-dehors et aligné à côté des cadavres en attente d'être enterrés. Ici, dans cet hôpital, Rainer observait la fragilité du corps humain, le lent combat pour respirer, les suées, les confessions. C'était fou de voir ces soldats, tous égaux dans la mort, les uns à côté des autres. De simples coquilles vides. Les uniformes ne comptaient plus.

Il ne pouvait critiquer la façon dont on les traitait. Ils mangeaient les mêmes rations de base que les tommies, buvaient le même thé horrible. À en juger par l'air méfiant sur le visage des aides-infirmiers, il imaginait que ce n'était plus qu'une question de jours avant que le pouvoir ne passe des Britanniques à ses propres troupes ; ils seraient alors libres. Il y avait eu des mouvements durant la nuit et certains blessés britanniques avaient été évacués. Seuls restaient les cas graves.

Sa blessure à la jambe n'était pas aussi vilaine qu'ils l'avaient d'abord pensé. Maintenant qu'on avait enlevé les éclats d'obus et nettoyé la plaie, sa jambe était raide et douloureuse, mais on l'autorisa à sortir en s'aidant de béquilles de fortune pour respirer l'air frais et salé. Il voulait voir où en étaient ses hommes.

Il chercha du regard l'infirmière mais il n'y avait qu'une femme vêtue d'un uniforme blanc et raide de la Croix-Rouge. Grande, droite, efficace et toujours silencieuse. Difficile de savoir ce qu'elle pensait tandis qu'elle passait au milieu des civières, vérifiait l'état des blessés avec attention, hochant ou secouant la tête. Elle parut satisfaite de ses progrès. Il essaya de lui parler mais ses yeux noirs demeurèrent impénétrables. Pourtant, il était désormais certain qu'il s'agissait bien de la fille qu'il avait vue en uniforme militaire.

Il l'entendit crier après des soldats grecs qui faisaient les imbéciles au soleil. Il se dit qu'elle ne parlait pas allemand mais devait avoir des rudiments d'anglais car il l'avait vue bavarder avec les médecins britanniques comme s'ils étaient tous amis. Et lorsqu'il la surprenait à sourire, il voyait son visage s'illuminer et sentait en lui une étonnante étincelle de désir.

Durant la journée, ce fut un ballet constant d'avions au-dessus de leurs têtes. Pour atteindre chaque grotte sans danger, l'infirmière devait s'aplatir contre la roche afin d'éviter ainsi tout risque de balle perdue, malgré l'étalage bien visible de drapeaux allemands. Il aurait aimé connaître son nom. George, avait dit quelqu'un, mais ce n'était certainement pas vrai. Comment se faisait-il qu'une femme soit là, seule avec des centaines d'hommes ? Elle ne ressemblait pas à ces filles qui traînent dans les camps militaires. Ses propres soldats avaient même du respect pour elle, il le voyait bien : aucune main sur sa jupe, aucun sifflet admiratif. Elle avait dans son dévouement quelque chose de la nonne, un personnage sévère qui décourageait toute tentative d'intimité. Pourtant, sa fougue attirait aussi le regard. À l'idée romantique et sotte qu'il était épris d'une belle infirmière, il avait honte. Néanmoins ce côté inaccessible l'intriguait. Voilà le danger quand on a du temps à revendre et rien d'autre à faire que se rétablir !

Pourquoi d'ailleurs le remarquerait-elle, lui, l'ennemi, un prisonnier sans importance hormis pour ses soldats ? Lui, l'envahisseur indésirable, tueur parmi d'autres tueurs. Il se maudissait d'avoir laissé tomber ses hommes à cause de cette blessure ; il n'avait aucune idée maintenant de leur sort, de l'avancée de la bataille. Pas étonnant qu'elle n'ait aucun mot pour lui. Pourtant, il ne parvenait pas à oublier la façon dont elle avait tenu la main de ce parachutiste à l'agonie. Il avait discerné de la compassion sur ses traits, une chaleur alors qu'elle tirait tristement la couverture sur le visage de l'homme.

Dans une autre vie, ils se seraient peut-être croisés dans une rue d'Athènes, en parfaits étrangers, mais leur destin était lié désormais : tous deux vivaient au bord de l'abîme et regardaient cet insondable puits d'incertitude. Il avait juste envie de connaître son nom...

Tout arriva très vite. Alors qu'elle empaquetait du matériel médical pour leur retraite précipitée, les tirs se rapprochèrent, trop désormais pour se concentrer. Puis une salve de tirs et des hurlements annoncèrent l'attaque, des balles furieuses ricochèrent bruyamment sur la paroi de la grotte. Rien d'autre à faire que se jeter au sol, face contre terre, tandis que des hommes passaient d'un pas lourd, hurlant « *Raus...* dehors ! », et prenaient d'assaut l'endroit comme seuls des conquérants peuvent le faire.

Elle s'aplatit au sol et tenta de dissimuler sa présence. Pourvu qu'il y ait des officiers pour contrôler cette meute de loups ! Les soldats tiraient brutalement les aides-infirmiers au-dehors et les alignaient contre les rochers.

Chaque seconde lui sembla durer une heure, allongée là dans l'obscurité, un goût de sable salé, de terre, et celui plus fort de sang séché sur les lèvres. Elle essayait de ne pas trembler. Dans quelques minutes à peine, ils allaient la découvrir, alors ce n'était pas le moment de flancher. *Sois courageuse, digne d'une Britannique... Oh, et puis assez de toutes ces bêtises*, songea-t-elle. Elle ressentait avant tout une rage froide jusque dans ses tripes. Comment pouvait-elle partir alors qu'il y avait encore tant à faire ? Ce n'était pas la fin qu'elle avait espérée.

Tout à coup, une paire de bottes couvertes de boue apparut dans son champ de vision, une main basanée la força à se relever avec violence. Le moment de vérité était arrivé, vérité et défi. Si elle affrontait l'ennemi sans crainte, son coup de bluff marcherait peut-être...

Ils rassemblèrent le personnel médical, brandissant des fusils contre leur poitrine, et lorsque quelqu'un revint en agitant les svastikas, elle sut que les choses allaient se gâter.

Soudain, les bottes cirées recouvertes de sable furent sur elle. « Mon Dieu ! Qu'est-ce que je vois là ? » Une main puissante la releva et un homme l'examina, étonné. Elle vit Doug et Pete qui se débattaient, au cas où on lui voudrait du mal, mais elle brossa avec calme son uniforme, serra étroitement sa cape autour d'elle et se redressa de toute sa taille, fixant l'homme droit dans les yeux. Elle débita à toute allure son nom et ses références de la Croix-Rouge en grec, et vit l'air éberlué sur le visage de Douglas. D'un regard noir, elle leur fit comprendre qu'il ne fallait pas intervenir.

L'officier se tint là, déconcerté. Il ne comprenait pas ce qu'elle disait. L'officier blessé qui était dans la grotte s'avança en boitant et se proposa comme interprète. Il l'interrogea dans un grec hésitant, et expliqua qu'elle avait dû rester en arrière pour s'occuper des blessés graves et qu'elle avait soigné les prisonniers allemands avec une grande bonté.

Il la regardait avec admiration et elle se sentit rougir. Un instant, elle se demanda s'il la reconnaissait. Il l'avait vue en uniforme britannique, et pourtant il semblait accepter qu'elle soit ressortissante grecque. L'autre officier ne fit plus attention à elle et se tourna vers Doug.

— Qu'est-ce que c'est que cette histoire de drapeaux ? tempêta-t-il, agitant les drapeaux allemands sous son nez.

Penny de nouveau s'avança et, se tournant vers le grand parachutiste pour qu'il continue à traduire, elle expliqua en grec que c'était son idée.

— Nous n'avions quasiment plus d'approvisionnement et vos bombes nous empêchaient de soigner les patients, des patients de toutes nationalités, y compris la vôtre. Il est important de sauver des vies, ne croyez-vous pas ?

Elle leva les yeux vers lui, se demandant s'il traduirait cela avec précision.

— J'ai prêté serment de soigner tous les malades, quel que soit leur pays, ou leur religion, ajouta-t-elle.

L'officier blessé traduisit tant bien que mal, cherchant du regard le sien pour qu'elle confirme. L'autre officier claqua des talons et lui fit un salut.

— Le capitaine dit qu'ils ont eu de la chance de croiser le chemin d'une femme aussi exemplaire, constata-t-il. Elle doit être rapatriée avec les blessés pour servir dans un autre hôpital.

Son anglais était suffisamment bon pour que les amis de Penny affichent un air soulagé.

— Êtes-vous sœur dans un ordre infirmier ? demanda le capitaine, surpris, à Penny, qui ne répondit pas. N'ayez pas peur, votre uniforme vous protégera. La Croix-Rouge est honorée partout où ses symboles ne sont pas détournés pour servir de camouflage.

Il se retourna vers les soldats, qui s'écartèrent et la laissèrent passer.

Ce n'est que lorsqu'elle fut hors de portée de voix que Penny sentit ses jambes trembler. Dieu merci, elle avait parlé le moins possible, et ils la prenaient pour une Grecque et non une Britannique. Une fois évacuée sur le continent, la guerre serait finie pour elle. L'uniforme l'avait sauvée, et aussi sa maîtrise du grec.

Le soulagement qu'elle ressentait se transforma en inquiétude pour tous ces braves soldats néozélandais et australiens à la merci désormais de leur ennemi. Qu'adviendrait-il d'eux ?

— Tu les as bernés, Penny. Bravo !

Doug se pencha vers elle pour parler à voix basse.

— Pas tous, répondit-elle. Ce capitaine blessé, ramassé à Galatas, je ne lui ai jamais adressé un mot, mais il m'a vue en tenue de combat.

— Eh bien, il n'a rien dit. Il a chanté tes louanges auprès de son supérieur pour la façon dont tu as aidé ses hommes à l'agonie et il a dit que tu lui avais sauvé la vie. Je sais assez d'allemand pour avoir compris le sens de leur conversation, conclut Doug.

— Je ne l'ai pas sauvé. Il n'a jamais été en danger. Il exagère...

— Ils vont t'expédier à Athènes avec les cas graves et tu pourras reprendre ton métier là-bas.

— Je m'en irai quand vous partirez tous, et pas avant. Je m'occuperai d'eux jusqu'à ce qu'ils soient embarqués dans l'avion, insista Penny qui ramassait déjà des affaires disséminées par les soldats.

À nouveau, elle avait besoin de temps pour réfléchir. Que venait-elle de faire ? S'en sortir à peu de frais ? Elle se rappela l'air furibond de Bruce au départ du camion. D'autres solutions existaient. « Va dans la montagne », lui avait-il suggéré il y avait juste une semaine. Comment la situation avait-elle pu changer si vite ? Y avait-il vraiment des résistants prêts à continuer le combat si les Britanniques battaient en retraite ? Si elle réussissait à passer pour grecque et à s'échapper d'ici, où irait-elle ? Elle avait vu les tracts déchirés qui menaçaient de mort immédiate tout citoyen entré en résistance. Elle subirait le même sort si elle prenait le chemin des montagnes et la voie des armes.

Pourquoi l'officier blessé avait-il parlé en sa faveur ? N'avait-il pas reconnu son déguisement ? Si, certainement, et elle n'avait pas envie de devoir quoi que ce soit à l'ennemi, même dans la défaite. Le combat devait se poursuivre, mais comment ?

J'ai trois options : rester ici et être évacuée ; m'échapper, retrouver Bruce et rejoindre la résistance dans la montagne ; ou bien lutter ici d'une manière ou d'une autre. Oh, Seigneur ! et maintenant, qu'est-ce que je fais ?

Chania,
28 mai 1941

Des jours durant, sous des bombardements incessants, Yolanda Markos resta claquemurée dans le sous-sol de la clinique de la Croix-Rouge. Le district de Chania était peu à peu réduit à l'état de ruines. Les infirmières vivaient dans un monde souterrain, à la lumière des lampes à huile et des bougies, et essayaient de calmer les civils terrifiés qui s'entassaient avec des soldats des deux camps, trop malades pour se plaindre de leur sort.

Enfin vint le jour où le ciel, Dieu merci, se tut. Osant à peine espérer qu'on leur épargnait un raid aérien, le personnel médical ouvrit la porte du sous-sol avec prudence. Y avait-il encore quelque bâtiment debout dans leur monde ?

Yolanda ne désirait qu'une chose : retourner en ville et revoir ses parents dans le quartier juif. Pendant tous ces raids, elle avait prié pour qu'ils soient encore en vie.

Le Dr Androulakis alla à l'étage constater les dégâts. Des dégâts, au grand étonnement de tous, mineurs : fenêtres cassées, poussière, verre. Et déjà une file d'attente se formait : patients au visage noirci, qui avaient quitté leur cave et amenaient leurs blessés. Par bonheur, le district d'Halepa n'avait quasiment pas été touché.

Yolanda sortit en pleine lumière derrière le médecin, presque aveuglée par la luminosité.

« Plus d'oiseaux en acier », disait en pleurant une femme qui se signait, les larmes roulant le long de ses joues. « Dieu se vengera d'eux ! » criait-elle à qui voulait l'entendre mais la plupart des gens étaient sous le choc, abasourdis, regardant le ciel vide avec soulagement. Halepa avait peut-être été épargné, mais au loin des langues de feu s'élevaient en spirales et l'odeur étouffante de la destruction flottait à l'intérieur des remparts.

— Il faut que je retrouve mes parents, dit Yolanda à Andreas Androulakis. Ils doivent me croire morte.

Il sourit et fit oui de la tête.

— Bien sûr, il faut que tu y ailles, mais sois prudente. On aura à nouveau besoin de toi.

Lui-même avait travaillé toute la nuit.

Au cours de ces quatre dernières journées, quelque chose de plus fort que le travail et le respect les avait rapprochés. Au milieu de l'obscurité, du danger et de la destruction, œuvrant à son côté, Yolanda s'était sentie attirée vers lui comme elle ne l'avait jamais été auparavant par un autre homme. Lorsqu'il parlait à ses patients, il y avait sur son visage un air de tendresse, et dans sa façon d'être une assurance tranquille qui insufflait de l'espoir.

— Souviens-toi, on aura plus que jamais besoin de toi ici, lui répéta-t-il. Tu ne recules pas devant les blessures atroces ni ne sursautes quand tombent les bombes. Les jeunes infirmières prennent modèle sur toi lorsqu'elles sont paniquées et débordées. Ton calme leur donne confiance.

Yolanda se sentit rayonner de fierté à l'écoute de ses louanges.

— Je vais vérifier que momma et papa sont sains et saufs et je reviens.

Elle se couvrit la tête d'un foulard et descendit la rue pavée. Plus elle s'approchait des vieux murs de la ville, du quartier Kastelli, et plus les ravages étaient terribles. Des barriques de vin se répandaient dans la rue, des rats se repaissaient en pleine lumière. De l'huile d'olive en train de brûler dans des jarres cassées empuantissait l'air et, partout, des corps qu'on n'avait pu enterrer pourrissaient en pleine chaleur. Des enfants erraient dans les décombres à la recherche de quelque chose, appelant leur animal domestique, tandis qu'une femme se lamentait à la vue d'une telle désolation. Là où se dressaient autrefois d'élégantes maisons de ville, il n'y avait plus que des poutres en train de se consumer et des gravats.

Yolanda hâta le pas, elle ne voulait pas s'arrêter. C'était une matinée splendide. La mer étincelait dans la baie, d'un bleu saphir profond qui se fondait en un émeraude et un bleu nacré. Comment une telle dévastation pouvait-elle exister par une si belle journée ?

Personne ne savait trop quoi faire de Pénélope Georgiou. Voilà finalement qu'elle était citoyenne grecque, et non infirmière de l'armée britannique, qu'elle avait été formée à Athènes et fournissait une adresse authentique dans cette ville. Elle entretenait ce subterfuge, soutenant que tous ses papiers avaient été perdus en mer, et jusqu'à présent cela marchait. Seul un vrai Grec aurait perçu des failles dans son accent. Elle expliqua qu'elle avait reçu une éducation privée avec une gouvernante anglaise, ce qui justifiait sa bonne maîtrise de l'anglais. Elle dit qu'elle avait coupé les ponts avec sa famille aisée lorsqu'elle était devenue infirmière. Et personne ne mit en doute ces demi-vérités. Les médecins du camp confirmèrent qu'elle était arrivée tard, envoyée par la Croix-Rouge pour former des femmes de la région.

C'était le capitaine blessé qui traduisait pour elle et l'accompagnait autour du camp tandis qu'elle cherchait des aides-soignants pour aider les prisonniers. Lorsqu'elle exprima son intérêt pour l'histoire crétoise, il lui confia que lui aussi avait eu une passion pour l'archéologie, apparemment content de trouver un terrain d'entente. Baissant parfois la garde, elle lui parla des conférences de l'École britannique d'archéologie, des conférences ouvertes, ajouta-t-elle, et il lui demanda si elle avait lu des choses sur le palais de Knossos. Il lui conseilla des livres qu'elle aimerait peut-être consulter sur les fouilles de Schliemann à Mycènes, mais elle refusa de se laisser entraîner dans une relation plus intime.

La notoriété de son statut, seule femme dans ces grottes, soignant des hommes des deux camps, provoquait de la curiosité, surtout chez les officiers supérieurs. Ils voulaient qu'on l'interviewe, cherchant un surcroît de publicité : elle serait un exemple de la coopération entre la Grèce et le Troisième Reich. Mais attirer l'attention était la dernière chose dont elle avait besoin si elle ne voulait pas être démasquée. On lui avait offert de rentrer à Athènes dans le même avion que les soldats blessés et ses amis médecins, avec la promesse d'un article sur ses expériences et la possibilité de continuer son travail en ville. C'était tentant mais son cœur était en Crète et elle avait décidé de rester sur l'île. Les brefs moments où elle put être seule avec Pete et Doug avant leur départ, elle les supplia de ne pas révéler où elle se trouvait et de ne parler à personne de ses origines anglaises.

Il y avait toujours la possibilité que Bruce soit encore en Crète, et elle pourrait trouver à se rendre utile à l'hôpital du coin. À moins qu'il n'ait déjà été exfiltré avec d'autres officiers importants, ainsi que le laissait entendre la rumeur. Des milliers de soldats britanniques en fuite avaient atteint Sphakia, dans le Sud, pour y être évacués par la Royal Navy ; mais tous n'y étaient pas parvenus, comme le prouvait chaque jour l'arrivée de nouveaux prisonniers qui devaient retraverser péniblement les hautes montagnes, pieds nus, affamés et démoralisés, pour finir enfermés dans l'hôpital devenu prison.

Puis, immanquablement, Penny fut invitée à se rendre au Q.G. pour y rencontrer certains des gradés, responsables médicaux qui décideraient de son sort, et elle n'eut d'autre choix que d'accepter poliment. À sa grande stupeur, ils lui envoyèrent

une voiture de l'armée, et le capitaine se proposa de l'escorter en ville. Elle sentait qu'il l'observait comme s'il doutait de ses mobiles. Il l'avait
vue travailler en tant qu'infirmière de l'armée :
pourquoi ne l'avait-il pas mise au pied du mur ?
Croyait-il vraiment tous les mensonges qu'elle lui
avait racontés ? Il savait que l'infirmière en tenue
de combat, c'était elle et pourtant il ne disait rien.
Attitude troublante !

Il y avait eu ce moment terrible où l'un de
ses patients de retour au camp l'avait reconnue ;
mal en point à cause des piqûres d'insectes et
du soleil, il l'avait saluée d'un geste de la main.

— Ah, je savais qu'elle serait toujours là. Bonjour, m'zelle l'infirmière, comme je suis content
de revoir votre joli minois anglais !

— Mon visage n'a rien d'anglais, avait-elle répliqué sèchement dans un anglais bancal. Beaucoup
de filles grecques sont blondes.

Et elle s'était vite éloignée, ne voulant pas voir
son air étonné, inquiète que son escorte allemande
ait pu entendre leurs paroles.

Tandis qu'ils roulaient à travers la ville fumante
en ce matin ensoleillé, elle eut envie de détourner
le regard pour ne rien voir de tout ce qui l'entourait : les enfants aux yeux tristes, les portes
et les arches brisées, les femmes en noir fouillant
dans les décombres à la recherche de casseroles.
Elle se tint droite et raide dans son uniforme fraîchement empesé, sans l'habituelle croûte de sang
et de saleté. Comment allait-elle convaincre les
Allemands de la laisser rester avec quelque fonc-
tion utile ?

L'officier ne cessait de lui jeter des coups d'œil et elle se crispa. Il lui posait toujours des questions, curieux d'en savoir plus sur sa vie privée.

— Vous êtes courageuse de rester seule dans de telles conditions, je m'étonne que les autorités médicales aient permis cela.

— Ils n'ont pas eu le choix, on m'a envoyée. Mon bateau a été coulé, répondit-elle lentement en grec.

— Qu'est-ce que vos parents ont pensé de votre carrière ? Ce n'est pas le métier de prédilection d'une fille de bon milieu, pas dans mon pays en tout cas.

— C'est la vocation la plus noble qui soit pour toute femme d'aider les malades, déclara-t-elle d'un ton sec, détournant son visage du sien. La reine en personne a soutenu notre hôpital à Athènes.

Elle avait envie de hurler, de lui crier : « Fermez-la, laissez-moi descendre, fichez-moi la paix ! » Mais son instinct lui suggérait de ne pas se le mettre à dos. Il lui fournirait peut-être une porte de sortie.

Reste polie, mais sans trop de chaleur. Laisse-le juste espérer que tu le trouves sympathique et, de temps à autre, fais-lui comprendre que tu as fait vœu de dévotion à ton métier et que toute pensée d'une vie de famille normale ou d'un attachement romantique n'est pas de mise pour toi.

Leur route traversait le district d'Halepa, non loin de Stella Vista et du quartier des diplomates. Elle passa devant l'école des sœurs françaises, très peu touchée par les bombardements, et

273

elle pria pour que toutes les petites filles qu'elle y avait vues avant l'invasion, s'élançant dans la cour, légères comme des papillons, soient saines et sauves.

Ce fut un choc de voir le drapeau allemand flotter au-dessus du palais Venezelos. Le Q.G. britannique était désormais entre d'autres mains. Elle sentit son cœur battre la chamade au moment de pénétrer dans l'élégant bâtiment, avec son hall solennel où s'affairaient des adjudants allemands, occupés à déplacer des meubles et décorer les murs d'affiches à la gloire du Troisième Reich.

On la fit entrer dans un bureau où un médecin-chef se mit avec raideur au garde-à-vous.

— Mademoiselle Georgiou, nous avons tous entendu parler de vos exploits. Vous faites honneur à votre profession. Asseyez-vous, je vous en prie.

Ils échangèrent des civilités et, avec l'aide du capitaine, Penny expliqua pourquoi elle s'estimait adaptée au travail avec le personnel de la Croix-Rouge crétoise.

— Vous ne souhaitez pas repartir à Athènes ? lui demanda-t-il, l'air étonné. Une femme de votre envergure ne trouvera ici que des paysans et des brigands mal dégrossis.

— J'avais songé à rentrer jusqu'à ce trajet en voiture. Je suis passée devant cette école dans la rue – l'école Saint-Joseph, c'est son nom, je crois –, et je me suis souvenue que j'avais des compétences à transmettre. La Croix-Rouge a besoin que l'on forme des jeunes filles, car bon nombre de femmes plus âgées repartiront dans leur foyer maintenant que les hostilités ont cessé. (Elle regarda en direction de son chaperon qui traduisait.) J'aimerais travailler avec les miens.

— Mais vous n'êtes pas crétoise, rétorqua le médecin, crachant ce mot comme s'il avait un goût répugnant.

— La Crète fait partie de la Grèce depuis de nombreuses années, sourit Penny qui les regarda à tour de rôle, mais je dois avouer que j'ai une autre raison, plus égoïste, car je m'intéresse à l'archéologie minoenne. Peut-être me donnera-t-on un jour la permission de visiter ces célèbres sites, sous escorte bien sûr ?

Elle en rajoutait, afin de donner le change à son interprète. Le médecin parut impressionné.

— Vous êtes certainement une femme aux talents multiples, mais, où vous loger ?

— J'ai pensé à cet aspect des choses, docteur. Il y a, accolée au couvent, une auberge. Après tout, j'appartiens à la Croix-Rouge et un couvent serait un lieu idéal pour quelqu'un qui se consacre à cette profession.

— C'est une solution sensée. Vous serez cloîtrée sous leur toit, entourée et hors de danger en cas de troubles. Nous pouvons faire en sorte qu'il en soit ainsi mais à une condition : que vous ne fassiez rien ici qui soutienne tout acte de résistance, britannique ou locale, à notre gestion des affaires. Nous comptons sur votre loyauté à tout instant.

— La Croix-Rouge est toujours neutre, répliqua-t-elle sans vraiment répondre à la question, mais cela sembla le satisfaire.

Lorsqu'elle sortit du bureau du médecin, le capitaine ne la quitta pas.

— Est-ce que je vous dépose à cette école ? Quand la situation sera réglée et sécurisée, laissez-moi vous emmener à Knossos pour la journée. Vous ne pouvez pas être en Crète et ne pas voir cette merveille.

— C'est une merveille, j'en suis sûre, mais je dois d'abord aller chercher mes affaires, et j'espère que votre commandant tiendra parole.

Pour l'instant, tout allait dans son sens mais Penny avait du mal à croire que son stratagème avait réussi. Elle devait être réaliste : combien de temps s'écoulerait-il avant que la chance ne l'abandonne ?

Ils regagnèrent la ville en silence jusqu'à ce qu'ils se retrouvent coincés derrière une bande de soldats qui défilaient et agitaient des drapeaux allemands.

— Ce sont les hommes de Von der Heydte, constata le capitaine. Ils se dirigent vers la place... Chauffeur, suivez-les !

C'était la dernière chose que Penny souhaitait : passer au côté d'un officier allemand dans des rues bordées de badauds silencieux. Partout flottait le drapeau rouge, noir et blanc, et voilà qu'ils suivaient le défilé comme s'ils en faisaient partie.

Elle aurait voulu se recroqueviller sur le siège, se couvrir le visage et se rendre invisible, mais elle ne put que baisser sa coiffe sur son front aussi bas que possible. Comme elle regrettait de ne pas avoir sa cape bien-aimée pour s'y cacher !

Le martèlement des pas sur le sol s'intensifia alors que Yolanda atteignait la place. Une foule de soldats blessés en uniforme gris-vert se détendaient, adossés aux murs des cafés, emplissant la rue de leurs acclamations. Impossible de traverser la place sans se faire remarquer. Leur nombre, leur arrogance et tout ce qu'ils représentaient lui parurent menaçants. Le drapeau allemand flottait partout au vent, aux fenêtres des bâtisses et même au sommet du minaret de l'antique mosquée.

Elle s'aplatit contre le mur d'un magasin en ruine, contourna ensuite sur la frange les groupes de badauds curieux qui s'agglutinaient. Puis un bataillon de parachutistes, dépenaillés au possible, entra au pas sur la place, avec ces enjambées confiantes que seuls possèdent les vainqueurs. À sa tête, un homme grand, en short, un mouchoir sur la tête en guise de casquette, les jambes couleur pain grillé d'avoir été brûlées par le soleil ; il ne ressemblait guère à un chef militaire.

Des officiels grecs, en costume, s'avancèrent comme en signe de reddition, mais ils eurent un air éberlué en voyant ce commandant. Si jamais on avait voulu leur faire passer un message insultant, c'était réussi : l'officier claqua des talons, il ne s'était vraiment pas fatigué à soigner sa mise pour l'occasion. La ville était tombée, et même les prêtres qui tentaient de faire une cérémonie de la défaite ne parvinrent pas à racheter cette humiliation. Yolanda ne put supporter de regarder les prisonniers britanniques dont la cohorte se profilait lentement, l'œil éteint, de fatigue et d'abattement. Derrière eux, des camions transportant

277

des blessés étaient suivis par d'autres officiers allemands en voiture découverte, parodie de défilé de la victoire à travers les ruines d'une cité autrefois orgueilleuse.

Le regard de Yolanda fut attiré par une de ces voitures où une femme, vêtue d'un uniforme d'infirmière connu, regardait droit devant elle. C'était sa coiffe blanche qui ressortait de tout ce camouflage et de ces uniformes vert olive. L'espace d'une seconde, la femme tourna la tête et la fixa. Yolanda faillit s'avancer sur la rue pour mieux voir. *Non, assurément… impossible !* Elle se mit à courir afin de rester à la hauteur de la voiture, juste pour en être certaine. Tandis qu'elle tendait le cou, espérant contre tout espoir qu'elle avait des visions, elle sentit le ciel tournoyer au-dessus d'elle. Cette femme avec le nazi dans la voiture ne pouvait être Pénélope, son amie Penny, pas après tout ce qu'elles avaient vu sur le continent ? Une erreur, c'était une erreur, elle devait avoir un sosie. Mais alors elle vit l'infirmière tourner une nouvelle fois la tête. Et leurs regards se croisèrent, se rivèrent l'un à l'autre au moment terrible où elles se reconnurent.

La voiture militaire avançait lentement dans les rues. Des visages les fixaient avec froideur et Penny aurait voulu pouvoir en sortir, courir au loin et se cacher. Ce n'était pas ce qui était attendu. Honteuse, elle détourna le regard une seconde et vit dans la foule un visage, un visage ô combien familier. Un visage qu'elle aurait reconnu n'importe où : ces joues hâves, ce nez fort, ces cheveux noirs recouverts d'un fichu à fleurs. Leurs regards se plantèrent l'un dans l'autre pendant quelques secondes. C'était Yolanda, nul doute. Yolanda était en vie, ici, à Chania, et elle l'avait regardée droit dans les yeux comme si elle avait vu un fantôme, sans la lueur de joie de l'avoir reconnue mais avec un air de complète incrédulité et de mépris. À la pensée de ce que son amie, autrefois si chère, allait sans doute s'imaginer, le froid saisit Penny, mais elle ne pouvait rien faire : elle ne devait surtout pas se trahir.

Yolanda tenta d'avancer au rythme de la voiture pour être bien certaine de la réalité de ce qu'elle venait de voir. Il devait y avoir une erreur. Aucune infirmière britannique ne fraterniserait avec un officier allemand lors d'un tel étalage public d'unité. Ce devait être la chaleur et la confusion de cette horrible journée qui lui causaient des visions. Pourtant, au fond d'elle-même, elle savait qu'il n'y avait pas de méprise. C'était Pénélope, son amie Pénélope. Après tout ce qu'elles avaient traversé ensemble, comment aurait-elle pu oublier un visage ami ? Son amie était-elle passée à l'ennemi ?

Penny avait saisi cette seconde de reconnaissance et de stupeur, et avait dû arracher ses yeux de la scène au cas où un cri lui échapperait, attirant l'attention sur elles deux. Elle se força à regarder en avant, sans montrer d'émotion. Le visage fermé, elle essaya de ne pas trembler et lutta contre la tentation de jeter un regard en arrière. Son esprit s'emballait. Bien sûr, c'était logique :

les parents de Yolanda étaient venus en Crète dans leur famille, pourquoi leur fille unique ne les aurait-elle pas suivis ? Et aujourd'hui, au lieu de joyeuses retrouvailles, Yolanda l'avait regardée comme si elle, Penny, avait retourné sa veste. Quel méprise, quelle horrible méprise !

Yolanda s'échappa du bruit et de la confusion par les ruelles qui menaient vers le quartier juif, au pied du vieux mur d'enceinte de la ville. En haut de la rue Kondilaki, elle évita les trous fumants et les décombres, priant pour que les maisons autour de Portou soient encore debout. Avec horreur, elle découvrit qu'une bombe était tombée droit sur Beit Shalom, la synagogue, et tout ce qui l'entourait.

Malgré la fumée et la poussière qui l'aveuglaient, elle continua son chemin, prête à affronter le pire. D'abord, elle ne vit personne, puis elle discerna des visages qui regardaient au-dehors par des fenêtres cassées. La rue pavée était déserte, seuls des chiens reniflaient ici et là, à la recherche de restes de nourriture. Quand elle aperçut la maison de l'oncle Joseph toujours debout, grêlée d'éclats d'obus et endommagée, certes, mais droite, elle poussa un énorme soupir de soulagement et de joie. Elle tapa à la porte, et des yeux la scrutèrent par la grille.

— Yolanda ! Dieu soit loué, elle est vivante !

On l'entraîna dans la maison remplie de parents et d'enfants qui, tous, voulaient la serrer dans leurs bras comme pour s'assurer qu'il ne s'agissait pas d'une apparition, la dévisageant comme s'ils n'en croyaient pas leurs yeux. Momma pleurait et riait en même temps.

— Tu nous es revenue ; mon enfant a été épargnée !

Puis les questions fusèrent.

— C'est vrai, l'ennemi est à la porte ?

— Ils sont sur la place avec le maire. J'ai entendu dire qu'il s'était rendu pour nous sauver d'autres bombardements, expliqua-t-elle, attentive à l'inquiétude qui marquait les visages.

— Tu es venue sans escorte ? Dieu nous préserve, quatre jours sans chaperon ! dit la tante Miriam qui, empressée, venait aux nouvelles. Qui va l'épouser maintenant ? Je vais apporter à manger, elle a l'air si maigrichonne.

— Je vais bien, dit Yolanda, mais personne ne l'écoutait. Vous devez économiser vos réserves, la moitié des magasins ont complètement brûlé, et il en va de même partout.

Momma s'accrochait à elle, et Yolanda ressentit une fois encore ce souci étouffant de satisfaire le moindre de ses caprices. Et bien qu'il y eût très peu d'eau, ses vêtements furent blanchis. Les heures qui suivirent, des visiteurs vinrent voir par eux-mêmes le retour miraculeux de la fille des Markos.

Cinq jours plus tard, autour de la table du sabbat, Yolanda prit conscience que, pendant tout ce temps, elle avait été incapable de mettre un pied dehors, au cas où sa mère, de nouveau, s'effondrerait en larmes.

Et constamment dans un coin de son cerveau, il y avait l'image de Penny dans la voiture de cet officier allemand. C'*était* Penny. En ville depuis des semaines sans jamais la contacter ? *Mais comment sauraît-elle que je suis ici ?* réfléchit-elle. *À moins qu'elle ne croie que j'aie déserté, que j'aie saisi l'occasion d'un bateau en partance pour la Crète et fui pour retrouver mes parents ? Et voilà pourquoi elle a fait exprès de ne pas me reconnaître.*

Yolanda se remémorait sans cesse cet étrange regard. Penny avait-elle eu honte de la revoir, pensant qu'elle avait déserté, tout comme elle aussi avait eu honte, pensant qu'elle avait trahi ? Comment pouvait-elle s'imaginer de telles choses d'une amie ? Toutefois, que faisait-elle dans une voiture militaire allemande ? Pour trouver un soulagement à cette torture, il fallait simplement qu'elle connaisse la vérité, se dit Yolanda. Elle devait mener son enquête. Si seulement on la laissait sortir seule de la maison...

Six jours après la reddition de la ville, Yolanda reçut de la visite. Le Dr Androulakis, après avoir cherché où elle logeait, se tenait dans la rue. Méfiante, Miriam ne l'avait pas fait entrer, mais Yolanda se précipita dehors pour l'accueillir et l'entraîna dans la maison où tous fixèrent son cache-œil.

— Comme vous n'êtes pas revenue, j'ai cru que le pire s'était produit, expliqua-t-il, serrant son panama cabossé.

— Vous le voyez, je vais très bien. La famille a eu de la chance mais ma mère a eu besoin de moi. Mère, voici le Dr Androulakis, l'un de nos médecins à la clinique. C'est lui qui m'a donné la permission de rentrer mais j'ai trop fait durer mon congé.

Elle lui jeta un regard implorant auquel il répondit avec noblesse.

— Nous manquons de personnel et Mlle Markos est notre aide la plus expérimentée. Je ne sais comment nous nous serions débrouillés sans elle. C'est un modèle pour les volontaires plus jeunes, certes pleines d'enthousiasme mais sans grande formation.

Le père de Yolanda, qui le regardait d'un air soupçonneux, l'interrompit alors :

— On a besoin de Yolanda ici.

— Mais, papa, je dois obéir aux ordres, je ne peux pas tout abandonner comme ça.

— Tu as fait ton devoir. Mais ta place est ici à la maison, au sein de cette communauté.

Yolanda se sentit rougir de gêne. Comment pouvait-elle se disputer avec son père devant un étranger, de surcroît un gentil ? Andreas remarqua son désarroi et vint à son aide.

— Je comprends, monsieur, combien en cette époque si terrible il est important pour vous de savoir votre fille à proximité, mais il y a encore des combats qui font rage en dehors de la ville. Les Britanniques tiennent un front près de Souda tandis que leurs troupes franchissent les montagnes pour fuir vers la côte sud.

— Yolanda n'est pas la seule infirmière.

— S'ils s'en vont, qui va s'occuper de nos concitoyens ici ? L'hôpital général est envahi par les blessés. Nous avons besoin de tout le personnel soignant que nous pouvons trouver. Mlle Markos formera d'autres infirmières qui pourront la remplacer.

— Il faut que je retourne là-bas, papa, s'il te plaît.

Lorsque le père de Yolanda secoua la tête, Andreas prit de nouveau la parole.

— Une fois que les routes seront dégagées et que l'ordre sera rétabli, les bombes ne tomberont plus sur vos têtes, monsieur. Et votre fille sera libre de revenir ici.

Solomon leva la main en signe de protestation.

— Mais il est important que nous restions tous ensemble. Le rabbin craint que nous ne soyons tous inscrits comme israélites et que nos adresses ne soient communiquées aux Allemands. Qui sait ce qui se produira alors ? Je croyais que la Crète serait un refuge sûr mais nous sommes désormais doublement prisonniers, en tant que juifs d'abord puis en tant qu'habitants d'une île.

— Ne t'inquiète pas, dit Miriam, nous avons de bons voisins chrétiens, ils s'occuperont de nous.

Yolanda lisait la peur et l'inquiétude sur les visages. Pauvre papa, lui qui avait cru les mettre en sécurité ! Comme le destin était cruel !

— Je suis certain que nous n'en arriverons pas là, dit Andreas pour tenter de tous les rassurer. Les Crétois ont toujours vécu aux côtés de peuples de toutes origines. Votre communauté est l'une des plus anciennes sur l'île, plus ancienne que la communauté turque. Au moins, l'ordre va régner maintenant, même si le régime est draconien. Mlle Markos ne sera pas mise en danger, je m'y engage personnellement.

— Vos intentions sont louables, jeune homme, mais vous ne connaissez rien de notre sort. Nous avons vécu à Salonique, puis à Athènes. Ma fille doit rester dans sa communauté pour sa sécurité et le respect des convenances.

— Papa ! s'écria Yolanda, furieuse de voir son père la traiter comme une enfant. Nous parlerons de tout cela plus tard, je vais reconduire le Dr Androulakis.

Elle tremblait de déception. Que devait penser Andreas d'eux tous ? Son père se montrait sec et discourtois, il n'avait même pas proposé quelque chose à boire. Elle avait honte.

— Je suis désolée, Andreas, lui dit-elle tandis qu'elle le raccompagnait, ils craignent pour ma réputation. Mon oncle est très traditionnel. Il n'aime pas voir une jeune femme célibataire travailler en dehors de la maison.

— Je comprends, mais nous avons vraiment besoin de vous. J'ai besoin de vous, murmura-t-il.

Son honnêteté la remplit d'un élan d'amour et la fit frissonner.

— J'ai des projets, et j'espérais pouvoir compter sur vous pour les réaliser.

— Vous allez nous quitter ? demanda-t-elle, son cœur se mettant à battre plus fort à l'annonce de cette hypothèse.

— Non, pas vraiment mais, de temps en temps, il se peut que je sois obligé de partir dans la montagne. Des groupes de soldats fugitifs sont prêts, dit-on, à prendre le maquis. Nombre de ces hommes ont parcouru près de cent kilomètres sur des chemins pierreux sans chaussures, d'autres sont morts en route. On leur a tiré dessus, on les a assoiffés et affamés, débusqués dans des oliveraies. Une armée en déroute n'est pas un beau spectacle. Des centaines d'hommes n'ont pu atteindre les plages et ont dû se débrouiller, seuls. Ils ont besoin de notre aide.

— Cela semble dangereux, chuchota Yolanda, consciente de la présence de sa mère qui rôdait dans le couloir.

— Je serai rassuré si je sais que vous êtes là à la clinique et que vous encadrez les volontaires. Il se peut que je disparaisse à un moment sans prévenir, avec du matériel médical. Je ne peux pas en dire plus. Vous, et vous en particulier, ne devez en aucun cas être compromise.

— Yolanda ! Est-ce que le docteur est parti ?
Mère criait maintenant.

— Un instant, hurla Yolanda en retour, puis elle ajouta en se tournant vers Andreas : Donnez-moi quelques jours de plus pour les convaincre.

Andreas serra sa main dans les siennes et sourit. Les mots n'étaient pas nécessaires. Dans cet au revoir qui se prolongeait, quelque chose de précieux passa entre eux. Rien ni personne désormais ne l'empêcherait de retourner à la clinique, se dit Yolanda.

Plage de Galatas, 2001

Le soleil se couche dans toute sa gloire sur la plage de Galatas, il glisse dans la mer comme une boule de feu. Nous avons garé la voiture sur la grande route animée menant à Chania, puis descendu quelques marches devant une taverne pour arriver jusqu'au sable. Le tournant situé juste avant le vieil hôpital me revient en mémoire ; il y a dorénavant un camping au milieu des arbres, et au loin une petite chapelle blanche. Peut-être était-elle déjà là autrefois mais je l'ai oubliée. Les grottes sont exactement où je m'attends à les voir et elles ont l'air tout aussi peu engageantes.

Loïs veut qu'Alex prenne des photos mais je n'ai guère envie de jouer à la touriste. Comment leur expliquer qu'on ne prend pas d'instantanés dans un cimetière ? Je veux me rappeler la plage telle qu'elle était autrefois. Aujourd'hui, ce n'est qu'une étendue de sable ensoleillée comme tant d'autres. La vue sur l'île Théodori n'a pas changé mais il ne reste aucun élément, hormis le paysage, qui puisse rappeler ce lieu.

J'ai redouté ce retour et je veux aller vite en besogne afin de pouvoir jouir du reste des vacances sans évocations mélancoliques. Des images et des scènes affluent, que toute ma vie j'ai essayé d'ensevelir.

Les derniers jours, ce fut une vision d'enfer. Cette terrible rencontre inattendue dans la rue… Je sens mon pouls s'accélérer.

— J'ai besoin de boire quelque chose de fort, dis-je, mais Loïs me prend par la main sans tenir compte de ma demande.

— Viens donc voir ici le tapis de fleurs qui s'accrochent aux rochers, elles sont de toutes les couleurs de l'arc-en-ciel. Tu sauras leurs noms ; moi, je suis nulle.

Il y a des coquelicots aux nuances multiples, des mauves, des épiaires argentés, des euphorbes jaunes, du houx de mer bleu et de petits cistes. Comme c'est étrange qu'un si grand nombre des vivaces de mon jardin de Stokencourt poussent ici, sauvages et libres, sans que j'en aie jamais eu conscience ! Mais qui a le temps de remarquer de telles choses pendant un raid aérien ?

La mer a la couleur d'un jade précieux ; les montagnes, même en cette fin de mai, ont encore leurs coiffes de neige.

— Laisse-moi juste un instant, dis-je en m'éloignant pour être un peu seule.

Alex s'ennuie. Il n'y a rien à faire pour lui sur cette plage déserte. Comment pourrait-il voir ce que je suis en train d'y voir ? Des troupes allemandes qui posent des poteaux et réparent des barbelés, transformant mon hôpital en une vaste cage pour les captifs amenés après la reddition de Chania. Il y avait des miradors comme ceux que l'on voit dans les films de guerre. Un camp avec peu d'installations encore debout, quelques tentes, grandes et petites, en lambeaux, de misérables latrines, des tranchées-abris, des chaises et des ustensiles cabossés éparpillés sur le sable. Combien de blessés ont perdu la volonté de vivre, parqués dans cet espace infesté de vermine, crasseux et grouillant de maladies ?

Abandonner mes patients a été l'une des heures les plus sombres de ma vie. D'autres choses, bien pires, se sont produites plus tard mais, à ce moment-là, je ne me suis jamais sentie aussi seule. Je revis maintenant l'angoisse que j'ai éprouvée en devant quitter mon poste et laisser ces hommes affaiblis à la merci d'une armée insensible, bien décidée à se venger de ses propres pertes. Et j'avais moi aussi mes problèmes. Il y a eu des décisions à prendre qui ont engagé mon avenir, avec des pressions venues d'une source improbable.

Je songe à nouveau à l'officier, mon patient allemand, mon sauveur. Comme cette époque me hante, telle une vieille ritournelle ! C'est ici que j'ai cru pouvoir lui filer entre les doigts mais il avait d'autres idées en tête.

Le port de Chania, 2001

Le Limani Ouzeria est l'endroit rêvé pour observer le monde. Ce vendredi, en début de soirée, les familles sont sorties et goûtent à une balade autour du port. Une par une, les lumières se mettent à clignoter aux terrasses des cafés et des restaurants, et sur le trottoir, menu à la main, les rabatteurs tentent d'attirer les touristes à l'intérieur avec leur boniment sirupeux.

L'endroit convient bien à Rainer ; mais il donne sur la vieille forteresse turque Firkas, aujourd'hui Musée maritime. Un lieu qu'il n'a nulle envie de visiter de nouveau.

La plupart des vieilles maisons du port ont été reconstruites au fil des ans. On y trouve des bars, des boutiques de souvenirs. Une ou deux bâtisses sont encore à l'état de ruines avancées et nécessitent de sacrés travaux, telles de vilaines dents cariées qu'il faut plomber. D'une certaine manière, cela ajoute au charme et au caractère du lieu. Rainer vient de flâner dans la librairie du port, qui offre une bonne sélection de romans et de cartes en anglais, allemand et français, et il a acheté celle du nord-ouest de l'île pour rafraîchir ses souvenirs et préparer sa prochaine excursion dans les montagnes. Sa mémoire des noms de lieux lui fait souvent défaut ces temps-ci mais il y en a quelques-uns ici qui sont gravés dans son esprit : Kondomari, Kandanos, Alikianos. Qui pourrait jamais oublier ce qui s'y est passé ?

Il boit son verre d'ouzo à petites gorgées, après avoir regardé l'eau se mélanger à l'alcool et se troubler, et goûte à une assiette de mezze : du calamar, des *tiropita*, feuilletés à la feta, des saucisses et des boulettes au fromage.

Chania est devenue une destination touristique animée, une ville qui bouge, pleine de vie. Les familles du coin qui passent devant lui sont bien habillées, elles poussent des landaus ; de vieilles *yiayias* serrées autour des tables, vêtues de leurs habits de veuve, les cheveux teints de toutes sortes de couleur, rient et crient comme seuls les Grecs savent le faire.

Il a choisi cet endroit en souvenir du passé et, comme il se retourne pour regarder dans les coins sombres de la taverne, il voit des hommes très âgés occupés à jouer au trictrac, à fumer et à discuter, sans nullement prêter attention à sa présence. Combien d'entre eux ont combattu et souffert autrefois ? Combien accepteraient de lui serrer la main aujourd'hui, s'ils savaient ?

Le ciel bruit des cris des martinets tandis que le soir descend et que des jeunes de toutes nationalités sortent dans leurs beaux atours : étudiants africains, aux membres déliés, qui vendent des C.D. de contrefaçon ; jeunes filles asiatiques avec des plateaux de colifichets ; enfants de Roms qui essaient de fourguer des roses à ceux qui ne se méfient pas ; soldats américains basés au camp de l'O.T.A.N., de sortie en ville, vêtus de shorts amples, une casquette de base-ball vissée sur la tête. Il y a aussi de superbes Scandinaves aux cheveux presque blancs, tout en jambes dans leurs robes d'été, et puis des concitoyens de Rainer avec des appareils photo, accompagnés de leurs épouses corpulentes. Combien le spectacle de cette masse humaine palpitante qui sent la lotion après-soleil est différent de celui d'autrefois !

Assurément, aucun de ces fêtards ne se remémore les jours si sombres du passé. Rainer est grave, silencieux et solitaire, il a besoin de compagnie mais il n'y a personne de son âge ou de sa nationalité assis dans les parages. Les souvenirs de cette première fois où, installé quasiment au même endroit, il ne ressentait rien que le malaise d'être jeune et accablé de responsabilités ne cessent d'affluer à sa conscience. Pourquoi, en temps de guerre, le devoir doit-il toujours entrer en conflit avec le désir personnel ?

Juin 1941

— T'as pas perdu de temps, Rainer, ricana Helmut entre deux lampées de bière. Belle plante, cette infirmière que tu t'es dégotée sans même qu'on ait pu jeter un œil au parterre ! De la classe en plus, et puis une vraie petite héroïne...

— La ferme ! cria Rainer, sentant qu'il avait les joues en feu d'avoir bu trop de *krassi*.

— Te bile pas, c'est pas mon genre. Trop petit cul et puis, c'est un peu un glaçon, non ? J'aime les fruits bien mûris au soleil.

Rainer, ulcéré par une telle grossièreté, avait envie de lui faire avaler son dentier, mais ils étaient tous deux si saouls que ça ne valait pas le coup de se battre.

Les soldats avaient colonisé une taverne près de la place de la cathédrale et débordaient sur le trottoir ; ils chantaient, criaient et lorgnaient les femmes qui déambulaient ; détournant le regard, celles-ci essayaient courageusement de faire comme si leur présence bruyante ne gâchait pas leur promenade vespérale sur le port. Les Allemands n'étaient pas les bienvenus mais leurs drachmes, si !

Ils avaient passé la journée à faire en sorte que les corps épars de leurs morts aient été enterrés avec tous les honneurs militaires, que toutes les informations aient été consignées. Tâche horrible ; il n'était guère étonnant que chacun s'appliquât à effacer de sa mémoire le souvenir des corps de ses camarades pourrissant sous les terribles rayons de soleil. Rainer n'était pas d'humeur à ce qu'on le charrie sur sa vie privée, même pas ses amis.

Il regarda ses hommes, ou ce qui en restait, autrefois si présomptueux, si confiants. Se lisait désormais sur leur figure de la lassitude ; ils avaient le regard vide d'épuisement, cet air qu'il avait déjà vu sur le visage des prisonniers britanniques du camp à leur arrivée dans le vieil hôpital.

Malgré les apparences, les soldats se ressemblaient tous. Il songea à toutes ces boîtes d'effets personnels en partance pour l'Allemagne, aux familles qui ne comprendraient pas quel enfer cet endroit avait finalement été.

Quant à l'infirmière Georgiou, elle demeurait un mystère. Tellement sérieuse ! Toujours sur ses gardes en sa présence, sans aucune intention de répondre à ses avances. Pourtant, plus elle faisait semblant de ne pas voir l'intérêt qu'il lui portait, plus il était mordu. Elle devenait un défi, un dérivatif à la fatigue qu'il ressentait à anéantir les dernières poches de résistance. Maintenant qu'elle logeait à l'École catholique française, il était à court de prétextes pour lui rendre visite mais, étant lui-même catholique, il espérait l'apercevoir à l'église.

Il sentait que, malgré sa politesse constante, elle était soulagée de ne plus être en sa compagnie.

« Merci », avait-elle dit lorsqu'il l'avait déposée, prenant son sac de voyage et saluant son chauffeur d'un brusque signe de tête.

— Et cette excursion à Knossos dont je vous ai parlé ? lui avait-il rappelé, le corps penché en avant.

Elle avait reculé, ne lui avait pas tendu la main.

— Désolée. Merci. À partir de maintenant, je travaille ici, avait-elle répliqué sans le regarder, puis elle s'était engouffrée dans le couvent sans se retourner.

Les bruits couraient que les parachutistes seraient déployés en Afrique du Nord dans le désert, mais Rainer avait reçu l'ordre de rester là jusqu'à ce qu'il soit totalement remis, avec pour tâche de calmer tout trouble et de débusquer les Britanniques qui se cachaient encore dans les montagnes.

Il avait détesté sa première mission : détruire deux villages dont les hommes avaient combattu les parachutistes aux côtés de quelques soldats grecs. S'il en était réduit à cela, il n'en voulait absolument pas, mais c'étaient les ordres. En direct de Berlin. Il fallait punir, et infliger ces punitions sans procès ni jurés, rien que des exécutions et le feu mis aux villages. De dix à quarante Crétois pour chaque parachutiste tué – et pas de pitié.

Comment pouvait-il expliquer à des paysans ignares qu'ils étaient collectivement responsables de tout acte de résistance dans leur village et que les représailles toucheraient des familles entières, enfants inclus ? Il avait aussi dû lire à haute voix les avis de réquisition d'une main-d'œuvre des deux sexes pour réparer sans délai les routes et les terrains d'atterrissage, et faire la liste détaillée des jeunes comme des vieux embarqués pour un travail éreintant afin de soulager les soldats dans la chaleur.

Il ne trouvait pas le sommeil, se remémorant les visages effarés des enfants tandis que les soldats alignaient les pères de ceux-ci et les fusillaient sous les oliviers, interdisant à quiconque de venir chercher les corps pendant des jours. Certains soldats, endurcis et enragés, prenaient plaisir à exécuter ces ordres : ils comptaient les têtes, plaisantaient, pillaient les maisons à la recherche d'armes, mettaient le feu aux draps et aux vêtements pour le seul plaisir de le faire, retournaient les plantations et abattaient les oliviers simplement parce qu'ils en avaient le pouvoir.

Rainer savait que c'était nécessaire pour imposer leur autorité sur l'île mais, dans son cœur, cette cruauté lui pesait. Il n'avait pas lui-même appuyé sur la détente et tué femmes et enfants mais il n'en avait pas moins donné l'ordre. Depuis, il dormait mal.

Rencontrer les officiels crétois ne servait à rien. Il ne leur faisait aucune confiance. Ils buvaient trop de raki : que valaient leurs incessantes promesses qu'il n'y aurait plus de conflits ? Leur acquiescement maussade et leurs regards sournois le mettaient mal à l'aise.

En attendant, ils étaient là, coincés sur cette île ; une ouverture clé en Méditerranée sur le Moyen-Orient, un point d'approvisionnement stratégique pour l'Afrika Korps de Rommel.

La vengeance qu'ils avaient assouvie sur les villages se payait déjà en attaques surprises, embuscades et disparitions de soldats lors des tours de garde. Dans le camp de prisonniers sur la plage, ç'avait été la pagaille jusqu'à ce que les Jeunesses hitlériennes en prennent le contrôle et commencent à y semer la terreur ; pourtant, ceux qui étaient assez en forme s'échappaient à la faveur de la nuit, et certains même en plein jour. Leur autorité n'était pas respectée, même lorsqu'ils imposaient des punitions sévères et diminuaient les rations.

On avait donné à Rainer quelques idées utiles sur la façon de débusquer des soldats ennemis dans les montagnes, mais il ressentait de la compassion pour leur souffrance. Si les rôles avaient été inversés, n'aurait-il pas fait la même chose ?

L'armée recrutait de nouveaux interprètes et des agents, des gens du pays capables de flairer des collaborateurs, mais même ces employés étaient surveillés de près. Et s'il s'agissait en fait d'indics ? En qui, hormis leurs propres hommes, pouvaient-ils avoir toute confiance ?

Alors, pourquoi perdait-il du temps à s'extasier devant cette infirmière ? Était-ce sa jolie silhouette, ses longues jambes, ses cheveux décolorés par le soleil et ses yeux chocolat ? Ou quelque chose de plus puissant qui agissait sur ses sens ? Elle ne ressemblait à aucune des femmes qu'il avait rencontrées jusqu'alors, elle le valait en tous points et il y avait en elle quelque chose d'inaccessible qui le fascinait. On eût presque dit que c'était elle le vainqueur, et lui le vaincu :

fantasme ridicule. Il ne pouvait y avoir ni frater-nisation sérieuse ni idylle. Les soldats qui le dési-raient étaient libres, quel que soit leur rang, de fréquenter des maisons closes. Bordels derrière le port pour la piétaille, clubs plus discrets pour les officiers. De tout temps, ç'avait été comme ça.

Rien, toutefois, ne parvenait à modérer l'admi-ration qu'il éprouvait pour elle. Elle avait sauvé des vies, subi des épreuves. Peut-être avait-elle du mal à se départir de sa peur et de sa méfiance après ce qu'elle avait vu. *Dieu ! Si j'étais crétois, je ne nous aimerais guère*, songea-t-il, conscient que ces pensées frôlaient la trahison. Comment pou-vait-il mettre en doute ces politiques qui affir-maient leur droit à gouverner le monde pendant mille ans ?

Ses hommes, jusqu'à présent, n'avaient récolté que mort et souffrance ! Et pourtant, il lui fallait se convaincre que ses chefs savaient où ils allaient, croire en l'importance stratégique de leur pré-sence ici. Leurs sacrifices serviraient le but ultime.

Rainer avala son verre et sortit en titubant sur la place qu'il traversa en direction du port, les yeux fixés sur l'ancien phare vénitien au loin. Il savait qu'il était temps d'oublier cette toquade avant de se ridiculiser. Il devait s'endurcir, calmer cette ardeur adolescente et débusquer tous ceux qui résistaient au pouvoir nazi. Il n'y avait pas de place dans sa vie pour des niaiseries amoureuses. L'infirmière Georgiou était l'ennemi.

Chania, 2001

— On vient de faire un super tour de la ville,
tante Pen. Je n'avais pas idée d'une telle richesse
historique, annonce Loïs qui arrive dans la rue à
ma rencontre.

Elle porte un nouveau chapeau de soleil en
paille, des lunettes noires, et une jolie robe qui
révèle des épaules déjà bronzées.

— Nous avons croisé M. Fennimore au monument de la Main, il nous a montré la rue où est
né le Gréco et nous a fait passer devant l'échoppe
du tisserand. Michaelis était là. Il faut que tu
voies certaines de ses œuvres… Oh, et puis nous
nous sommes promenés dans les ruelles à admirer
les palais vénitiens et l'architecture. Nous avons
même aperçu la petite synagogue, la seule qui
existe encore en Crète. Comme c'est samedi, elle
était fermée, pour le sabbat j'imagine. Il y a tant
à voir et Alex a bien apprécié, n'est-ce pas, Alex ?

Mais ce dernier est trop occupé à regarder la
vitrine d'un coutelier pour répondre.

— Il nous a fait prendre l'allée des tanneurs,
puis remonter vers la Halle. Et devine sur qui nous
sommes tombés là-bas ? Sur Mack, notre délégué

local qui nous a parlé du marché en plein air. Il dit qu'au bout de cette rue il y a une taverne qui vend de délicieux souvlakis. On l'y rejoint ?

Que faire d'autre, sinon sourire et les accompagner comme si je n'avais jamais parcouru ces rues auparavant ? Nous avons tôt fait de chanceler sous le poids de sacs d'oranges, de tomates et de cerises mûres. Alex porte le miel de thym, le fromage mizithra et des melons primeurs.

Mack est là qui nous attend l'air serein, en bermuda et tee-shirt ; il s'occupe de nous trouver un coin à l'ombre puis commande des bouteilles bien fraîches de Mythos dorée et des souvlakis de porc pour Alex. Comme si nous étions une grande et joyeuse famille en vacances ! Il regarde de nouveau Loïs avec intérêt, celle-ci semble plus détendue.

Je suis montée depuis le port par Halidon Street vers une librairie qui, je l'aurais juré, était là il y a soixante ans. Je me suis déjà abritée du soleil derrière la cathédrale. Si je vais à mon rythme, je me sens bien, et j'ai traversé l'immense agora d'un pas tranquille en savourant les odeurs familières et puissantes de poisson et de poulet grillés, de tabac et de fromage.

Il est midi et le marché va bientôt fermer pour la sieste. La chaleur et la lourdeur m'emplissent de nostalgie. Que d'histoires pourraient raconter ces rues ! Des récits de désespoir et de courage, de ruse et de défi. Chaque ville en Méditerranée a son marché, qui est le cœur même de sa communauté.

Toutes ces couleurs, ces odeurs, la variété des produits et leur abondance m'enchantent. Sur certains éventaires, rien que des légumes verts : de grosses bottes de persil frais, de menthe et d'herbes sauvages, des épinards, des artichauts. Des lapins et des poulets en cage n'attendent plus que la casserole. Sacs en filet pleins d'escargots, étals de poissons argentés sur de la glace en train de fondre, tomates comme des boules de billard, bacs avec tous les fromages locaux, pots de miel et bouteilles de raki.

Les épouses des fermiers et les *yiayias* sont assises sous des parasols, observant leur descendance qui hèle le chaland. Dans les rues passent les matrones affairées qui tirent leur sac à roulettes ; des veuves courbées en deux qui avancent lentement et s'inclinent devant des prêtres aux longs cheveux, leurs enfants dans des poussettes ; et des beautés aux cheveux rouge feu qui se pavanent dans la ruelle, attirant le regard des garçons de ferme.

Cela me réchauffe le cœur de voir que la vie est revenue. Tout à coup, je suis transportée des années auparavant dans cette même rue pavée et j'aperçois de façon fugitive mon reflet dans une devanture, avec ma robe grise, terne, et mon tablier, comme une nonne. Comment ai-je pu être aussi intrépide et déterminée au milieu de tant de dangers ? Comment ai-je pu faire ce que j'ai fait ?

Juillet 1941

Penny s'adapta à la vie de Saint-Joseph avec soulagement : être loin de la tourmente de ces derniers jours désespérés sur Galatas, ne plus voir les prisonniers de guerre et ne plus se méfier constamment du capitaine allemand. Soulagement aussi de se retrouver en compagnie de femmes et de pouvoir se changer l'esprit en s'occupant de petits orphelins à la garderie de fortune.

Dans ces murs régnait un grand calme. Lorsque les portes se refermaient, on pouvait oublier le monde extérieur pendant quelques heures. Elle ne s'était pas rendu compte de son épuisement et, s'il n'y avait eu la discipline de la vie religieuse, elle aurait pu dormir des heures.

Les sœurs connaissaient sa situation. Penny avait avoué à la mère supérieure qu'elle lui demandait asile en tant que protestante et étrangère, sans les documents voulus, et aussi qu'elle fuyait les attentions d'un officier allemand, ce qui était exagéré mais plaidait en sa faveur.

Si la responsabilité d'accepter une fugitive épouvantait mère Véronique, elle ne le laissa pas paraître et ne révéla rien à personne. Elle écouta avec patience le récit de Penny et, quand cette dernière eut fini, elle se cala dans son siège et lui sourit.

— Ce n'est pas pour rien que vous avez été envoyée ici, mon enfant, et je peux vous employer utilement. Une partie de notre personnel est à Héraklion et je crains que personne ne revienne. Vous arrivez donc à point nommé. Nous avons une maternité ici pour les mères en difficulté. Depuis les bombardements, nous avons vu de bien tristes cas, beaucoup d'enfants mort-nés et de fausses couches.

— Je ne suis pas sage-femme, lui répondit Penny, épouvantée, repensant à Effy et à tout ce qu'elle avait subi.

Elle n'avait jamais mis un enfant au monde.

— Regardez et apprenez, ma chère. D'habitude, la nature fait bien son travail ; il y a parfois des complications, des fièvres. Mais je suis sûre que vous êtes entraînée à traiter de telles urgences.

De nouveau, Penny se souvint de ces heures terribles à Athènes lorsque Effy avait fait cette fausse couche. Avait-elle, aujourd'hui enfin, réussi à réaliser son rêve ? Y avait-il une nounou à demeure désormais à Stokencourt ? S'étaient-ils tous réfugiés à la campagne, loin de ces terribles bombardements sur Londres dont certains soldats allemands se vantaient dans les cafés, assez fort pour que tout le monde entende ?

Tout de suite mise à l'épreuve, Penny apprit avec rapidité. Stokencourt Place, l'Angleterre et sa famille lui parurent loin ! Comme ce style de vie lui était totalement étranger aujourd'hui.

Ferait-elle un jour elle-même l'expérience si impudique de l'accouchement ?

Les sœurs lui donnèrent à porter une longue jupe grise toute simple, un tablier de service et une coiffe de novice ; elles la traitaient avec gentillesse lorsqu'elle peinait à s'exprimer avec son français hésitant. Elle n'était pas des leurs et ne le serait jamais. Elle avait beau respecter leur vie d'observance et de dévotion religieuses, aucune de leurs cérémonies ne faisait vibrer son cœur. Lors des services, elle se surprenait à penser au monde extérieur. Où se trouvaient Bruce et Zander ? Et était-ce vraiment Yolanda qu'elle avait vue dans la foule ? Elle ne se fiait plus à ses pensées d'alors. À présent, elle espérait seulement que le capitaine était parti de Chania et que les autorités l'avaient oubliée.

Le meilleur moment de la journée était celui où on l'autorisait à jouer avec les orphelins venus à la garderie pour la journée. Ces petits restaient assis comme de dociles animaux de compagnie, les yeux écarquillés, silencieux – trop silencieux pour leur âge. Elle aurait aimé les emmener jouer à la plage, mais il était impossible de se rendre sur le rivage sans permis et même la pêche désormais était difficile sans un garde.

Le couvent possédait un parc, et un jardin potager les approvisionnait en vivres. Comme ceux-ci se faisaient plus rares, mère Véronique demanda un matin à un groupe d'aller chercher des fruits frais au marché. Penny devait accompagner sœur Clotilde et une autre novice. C'était sa première sortie depuis des semaines et elle se sentit comme une petite fille qu'on libère de l'école. Elles se levèrent tôt et se dirigèrent vers la ville pour arriver dès l'ouverture du marché.

Parmi les sœurs, Clotilde n'était pas l'une de celles que Penny préférait. Elle avait un visage pâle sans âge, un air pincé, et, derrière des lunettes aux montures métalliques, de petits yeux perçants auxquels rien n'échappait. Elle jetait habituellement des regards soupçonneux à Penny, épouvantée de ne jamais la voir communier et curieuse de savoir pourquoi. Elle rectifiait chacune de ses intonations incorrectes, jalouse de ses talents d'infirmière qui lui valaient l'admiration des autres sœurs.

Le marché était décevant, il n'y avait que quelques stands.

— Où est le poisson frais ? s'enquit Clotilde, à qui l'on répondit qu'il avait été vendu aux occupants.

— Et où sont les fruits ? exigea-t-elle de savoir alors qu'elle allait d'un pas furieux d'un étal à moitié vide à un autre.

Rien, il n'y avait rien. Arbres détruits par les avions et le feu, récoltes volées durant la nuit ou saccagées pour se venger des villages qui avaient résisté à l'invasion. Nombre de fermiers avaient bien trop peur pour venir à la ville et beaucoup avaient trouvé la mort.

— C'est une honte que si peu de gens n'aient pas fait plus d'efforts pour nous ravitailler, dit Clotilde avec mépris à un vendeur.

— Oui, ma sœur, et ça ne fera qu'empirer. Tout le monde met de côté et cache ce qu'il peut pour

305

l'hiver. Nous avons des escargots dans ce seau. Vous en voulez ?

— Ils ne me paraissent pas de la première fraîcheur, dit-elle en les sentant.

Gênée, Penny s'éloigna pour voir s'il y avait d'autres étals au coin, mais elle ne vit que quelques tables avec des vêtements d'occasion. Des gens fourrageaient dans les tas comme s'il s'agissait d'objets précieux.

Une jeune femme se retourna et faillit la percuter. Penny leva le nez brièvement puis jeta encore un regard rapide comme si elle ne pouvait en croire ses yeux. Toutes deux, se reconnaissant, firent un bond en arrière. L'estomac de Penny se convulsa et elle s'avança, toute tremblante d'émotion sous le choc de cette rencontre si inattendue.

— Yolanda ? Oh, Dieu merci, c'est toi ! Tu es en vie…, s'écria-t-elle, mais Yolanda recula et trébucha sur un cageot dans sa hâte de fuir.

Penny courut vers elle pour la relever.

— Ne t'en va pas, je ne suis pas un fantôme… S'il te plaît, il faut que nous parlions.

Yolanda se releva toute seule, les yeux furibonds.

— Je n'ai *rien* à te dire.

Elle se retourna et fit mine de s'en aller, mais Penny se plaça rapidement devant elle et lui barra la route tandis que les passants s'arrêtaient pour les dévisager, dans l'espoir de les voir se battre.

— Eh bien, moi, j'ai quelque chose à te demander. Où étais-tu pendant tout ce temps ? Je t'ai cherchée. Pourquoi nous as-tu abandonnés sans même un mot, pourquoi as-tu déserté ton poste et nous as-tu laissés en plan ? hurla Penny au visage de Yolanda.

— Comment as-tu pu croire ça ? répliqua cette dernière, les yeux étincelants de colère. Je pourrais te demander ce qu'une infirmière britannique fait dans une voiture de l'armée allemande. Je t'ai vue... Tu n'as pas perdu de temps !

Penny sentit la moutarde lui monter au nez.

— Comment oses-tu insinuer une chose pareille ? On m'escortait au camp de prisonniers, c'était notre hôpital militaire avant qu'il ne soit occupé. Je n'avais pas le choix.

— Et moi, j'étais trop occupée à soigner sur le navire-hôpital pour remarquer qu'il avait appareillé. Une chance encore pour moi qu'il ait fait route vers la Crète. Je vous ai envoyé une carte postale pour expliquer la situation. (Yolanda marqua une pause et sa voix s'adoucit.) Vous ne l'avez jamais reçue ? Je suis ici avec la Croix-Rouge.

Elle se tint les bras croisés, attendant que Penny s'explique. Toutes deux restèrent là à se dévisager. Penny fit non de la tête.

— J'ai quitté Athènes dans un caïque, une bombe l'a soufflé et on a été bloqués sur une île. Voilà, je me suis retrouvée aussi en Crète... Aucune de nous, me semble-t-il, n'a eu de choix dans cette histoire.

La foule, constatant qu'elles n'en viendraient pas aux mains, se dissipa.

Soudain leurs regards se croisèrent, leurs lèvres sous le coup de l'émotion tremblèrent. Penny jeta les bras en l'air, d'incrédulité.

— Oh, et puis zut !... Dire que tout ce temps nous avons été ici en Crète, à travailler toutes les deux comme des folles... Yolanda, je suis désolée.

Penny sourit et elles tombèrent dans les bras l'une de l'autre, s'étreignant de soulagement, de joie, et pleurant d'excitation.

— Et moi qui ai cru que *tu* nous avais délaissés, ou que tu étais morte, et toi qui as cru que j'étais passée à l'ennemi ! Comment as-tu pu penser une chose pareille après tout ce que nous avons traversé ? (Penny rit encore.) Oh, comme c'est bon de te revoir, saine et sauve !

— Alors tu es où maintenant ? lui demanda Yolanda, des larmes de joie roulant sur ses joues.

— Dans un couvent. Tu ne vois pas, avec ce bel uniforme ? murmura Penny.

— Tu es entrée dans les ordres ?

— J'ai l'air d'une fille à faire cela ?

Elles éclatèrent de rire, et ce ne fut qu'une fois remises qu'elles remarquèrent sœur Clotilde qui, debout proche d'elles, les regardait d'un air méfiant, les bras croisés pour manifester sa désapprobation devant de telles effusions en public.

— Infirmière, il est l'heure, lança-t-elle à Penny. Nous sommes sorties pour rien, ne perdons pas davantage de temps ici.

Elle se retourna et se dirigea vers l'endroit où l'attendait la novice, les paniers vides aux bras.

— Si tu veux des légumes, je connais quelqu'un qui peut t'en trouver, mais à la faveur de la nuit, chuchota Yolanda à Penny.

— Marché noir ?

— Pas exactement. Il soulage, dirons-nous, les Allemands de leur surplus. Des provisions qu'ils nous ont volées. Appelons ça de la récupération.

— Oh, sois prudente. Si tu te faisais prendre...

— Moi ? Non, je suis trop occupée à former les aides-soignants. Viens nous rejoindre. Je suis tellement contente de te revoir. Momma et papa seront heureux de te savoir saine et sauve. Viens dîner chez nous vendredi... Le repas de sabbat. Nous avons un logement rue Portou, la rue sous la muraille derrière Kondilaki, et la maison a une porte verte ; c'est un peu le chaos là-bas mais nous avons encore un toit.

Penny s'accrocha à son bras.

— Je n'en reviens toujours pas, je te croyais... (Elle hésitait à dire ce qu'elle avait vraiment pensé.) Je te croyais morte. J'ai tant de choses à te raconter.

— Et moi aussi.

Yolanda lui fit un geste de la main en guise d'au revoir ; son collier en or brilla dans le soleil, tandis qu'elle dépassait Clotilde et la novice en courant dans la rue.

— C'est bien l'étoile de David que je viens de voir au cou de cette fille ? lança Clotilde d'un ton cassant.

— Je n'ai jamais remarqué, répliqua Penny. C'est mon amie d'Athènes, infirmière à la Croix-Rouge. Oh, je suis tellement contente qu'elle ait réussi à venir ici ! Il y a eu un si grand nombre d'infirmières qui ont péri noyées...

— Infirmière ou pas, elle est juive. Nous ne fréquentons pas ces gens.

Eh bien, moi, je les fréquente avec joie, songea Penny avec défi mais sans rien rétorquer. Elle reprit sa place derrière les sœurs pour le chemin du retour. Ça lui ferait plaisir de revoir la famille Markos, mais il fallait d'abord qu'elle ait la permission de quitter le couvent. Pour la première fois depuis des semaines, elle ressentit les contraintes que ce refuge lui imposait. *Tout choix a un prix*, soupira-t-elle.

Vendredi matin, mère Véronique la fit chercher dans la cour où elle apprenait à des filles une ronde écossaise. Les enfants passaient et repassaient en dansant sous les bras levés de leurs camarades, et Penny battait la mesure sur un vieux bidon d'huile vide ; tout le monde essayait de chanter en anglais, en français et en grec, avec force cris de joie. Dans son bureau, la mère supérieure lui annonça qu'elle aurait l'autorisation de se rendre chez les Markos, sous escorte jusqu'au quartier juif et avec un impératif strict : être de retour avant la nuit. Penny essaya d'expliquer que le sabbat commencerait au coucher du soleil et que cela ne lui laisserait pas beaucoup de temps pour le repas.

— Je crains que vous n'abusiez de notre hospitalité ici, la sermonna mère Véronique, peut-être devriez-vous aller loger chez votre amie.

— Je suis désolée de vous causer du désagrément car vous avez été plus que généreuse avec moi. J'ai pris l'habitude, j'en ai peur, d'être libre de mes mouvements.

Penny songea que rien dans son éducation, ni dans sa vie actuelle, n'aurait pu la préparer à entrer dans les ordres.

Mère Véronique secoua la tête.

— Vous avez une influence dérangeante sur les plus jeunes de nos filles. Sœur Clotilde…

Penny n'écouta pas la suite. Cette pauvre Clotilde, quelconque et ronchon, était jalouse, méfiante et intolérante. Il était temps que Penny quitte le couvent pour rejoindre Yolanda à sa clinique ou à l'hôpital.

Mais Saint-Joseph l'avait accueillie. Le couvent avait été pour elle un refuge à un moment où elle se sentait épuisée et perdue. On l'avait nourrie, on lui avait redonné confiance en ses compétences et elle en avait même gagné quelques autres. Que valait la méchanceté d'une religieuse dans un tel contexte de générosité aimante ?

Elle se laissa tomber à genoux pour recevoir la bénédiction de Véronique.

— Ma mère, vous m'avez insufflé de nouveau force, courage et dignité. Votre couvent a été pour moi un roc auquel m'accrocher et je n'oublierai jamais un tel amour, mais vous avez raison, il est temps que je regagne le monde, que j'utilise mon savoir-faire au lieu de le cacher. Je connais la Bible.

Penny sourit et ajouta :

— J'espère que vous accepterez ma plus profonde reconnaissance et que vous me pardonnerez mes façons impulsives.

Mère Véronique lui donna de petites tapes sur la tête.

— Relevez-vous, jeune femme. Vous avez été une bouffée d'air frais qui a soufflé parmi nous, à toujours courir partout, à emprunter des raccourcis et à danser avec les enfants. Un jour, vous ferez une excellente mère. Vous avez beaucoup de cœur, Pénélope. Il y a énormément de choses à faire pour vous dans ce monde. Allez voir votre amie et je prierai pour que votre voie devienne claire. Vous pouvez rester chez nous le temps de décider du chemin que vous prendrez.

Les oreilles bourdonnantes d'une telle bénédiction, Penny descendit d'un pas élastique la colline vers la ville en ruines ; sœur Irini, qui apportait de la nourriture à un vieux couple d'Algériens confinés par la maladie dans leur logement, l'accompagnait.

Au coin des rues, débordant des tavernes encore debout, les soldats allemands étaient facilement reconnaissables dans leur uniforme vert-de-gris ; ils encombraient les rues, marchant à trois de front et poussant les gens du pays sur la route, tout en gueule et fanfarons. Ils profitaient du soleil et reluquaient les filles.

Penny se réjouissait de porter cet habit simple et cette coiffe qui n'attiraient pas les regards même si elle avait une tête de plus que son escorte. Personne ne se souciait de lui jeter un coup d'œil et cela fit germer en elle l'idée de la façon dont elle pourrait voyager sans être ennuyée, avec des papiers en règle. L'appel des montagnes se faisait sentir, elle en avait tout à fait conscience. Chaque matin, elle les avait considérées avec envie. Elles lui rappelaient l'Écosse et ce sentiment de liberté lorsqu'elle traquait le gibier. Quelle vue magnifique il devait y avoir depuis ces sommets !

Elle n'avait pas oublié les mots de Bruce la mettant au défi d'adopter le mode de vie indigène et de se fondre dans la population. Il lui semblait important de pouvoir justifier la raison pour laquelle elle l'avait bravé et avait refusé de partir. Ce fut lors d'un de ces moments où, dans l'affairement des rues, elle leva le nez et vit les cimes enneigées des montagnes Blanches, même dans la chaleur de l'été, qu'elle sut que ce serait sa prochaine destination. Comment, et quand ? Elle n'avait pas la réponse mais elle ressentait dans ses tripes ce battement de certitude. Le moment était venu de passer à autre chose.

On se bousculait autour de la table du dîner, le soleil venait de se coucher, et la maison de l'oncle de Yolanda était remplie par les locataires qui avaient perdu leur logement dans les bombardements. La synagogue n'avait plus d'étage mais encore assez de murs pour qu'on puisse y venir prier. Maintenant que les bougies avaient été allumées, les prières pouvaient commencer autour de la table ; Penny était assise en silence, invitée d'honneur à cette humble fête. Il avait fallu se cacher pour tuer le poulet selon la tradition, car abattre les animaux à la façon casher était devenu illégal. L'ordre avait été transmis de donner tous les couteaux rituels, tous les couteaux des résidents juifs, mais comme toujours quelqu'un avait réussi à cacher ou à « perdre » le sien ; et dans une ville célèbre pour sa coutellerie, on pouvait toujours en trouver d'autres prêts à être purifiés et bénis.

Que ce repas était différent de leurs dîners partagés à Kifissia ! Sara avait les traits fatigués, tirés, le visage comme vidé de toute émotion. Solomon avait vieilli, les cheveux entièrement blancs désormais, et il portait une longue barbe. Penny écoutait les chants en hébreu classique qui sortaient des lèvres de tous, même des petits enfants.

Ils commentèrent ces nouvelles instructions que leur avait lues le rabbin : bientôt, tous les commerçants devraient placer une grosse pancarte au-dessus de leur vitrine avec ces mots : « MAGASIN JUIF… INTERDICTION AUX ALLEMANDS D'Y ENTRER ».

— Ils vont nous transformer en mendiants, car qui d'autre que les soldats a des drachmes ? déclara tante Miriam, l'air méfiant, promenant son regard autour de la table à la recherche de quelqu'un qui pense comme elle.

Des convives haussèrent les épaules.

— Que pouvons-nous faire d'autre sinon obéir ? interrogea une autre. On a entendu dire que le rabbin doit donner à la mairie la liste de tous les juifs de Chania avec leur adresse et leur âge. Qu'est-ce que cela signifie ?

— Que nous sommes recensés, c'est tout, alors du calme, mère, intervint Joseph. Un écriteau sur la devanture, un nom sur une liste, ça ne veut rien dire. S'il y avait danger, Giorgos me tiendrait informé. On garde la tête baissée, on ne fait rien qui attire l'attention. Les enfants sont à l'école, ils ont de bons amis, et tant que nous nous serrons les coudes…

— Tu te trompes, Joe. Nous devrions filer dans la montagne, fuir les endroits où nous sommes

314

connus, trouver un bateau et embarquer, rétorqua un jeune homme aux épaisses lunettes. N'oublie pas le vieux dicton : « Goutte à goutte, l'eau use le marbre »... Une à une, leurs lois vont nous détruire.

— Mordechai, c'est un discours défaitiste, je n'en veux pas à cette table. Le Tout-Puissant nous a épargnés, nous sommes en vie et nous devons vivre comme Il nous l'ordonne. Les juifs vivent ici en paix depuis plus de mille ans. Il ne permettra pas la destruction de notre congrégation.

Une fois le rituel du repas achevé, alors que Mordechai s'apprêtait à parler à Yolanda, celle-ci prit Penny par le bras et se dirigea vers la porte.

— Sortons d'ici pour que nous puissions bavarder. Je ne veux pas que Mordo se fasse des idées. J'ai bien vu comment sa mère et la mienne font des projets.

— Il a l'air d'un gentil garçon, chuchota Penny.

— C'est le bon mot, « gentil », mais sans ardeur, dit Yolanda en lui donnant un petit coup de coude. Tu vois ce que je veux dire... Il ne se passe rien quand je regarde Mordo. (Elle se tapota le bas-ventre.) Rien, là.

— Yolanda Markos, qu'est-ce qui te prend ? Tu n'étais pas comme ça à Athènes.

Penny lui rendit son coup de coude et toutes deux gloussèrent.

— Je n'avais pas encore rencontré Andreas Androulakis.

Yolanda raconta tout à Penny au sujet de son ami médecin. Il travaillait pour les combattants de la liberté, elle en était certaine, et approvisionnait les soldats cachés qui avaient réussi à s'échapper des camps. Une extrême tendresse imprégnait son regard quand elle parlait de lui.

— La semaine dernière, il est arrivé en retard pour prendre son service. Il a expliqué qu'il s'était rendu auprès d'un patient malade. Je ne sais pas où il est allé, mais en général quand il revient ses bottes sont sales et ses habits tachés de sang. On dit qu'il va dans la montagne soigner les fugitifs blessés... Pendant son service, ses paupières tombent d'épuisement. Il est si courageux. J'aimerais qu'il m'emmène avec lui.

— Que pensent tes parents de ton amoureux ?

— Rien, ils ne doivent rien savoir. Père me traite comme une enfant. Il a changé depuis qu'il est arrivé ici. Il a retrouvé sa foi et se montre bien plus strict. Il a peur que je les quitte. S'il savait que je fréquente un gentil... il ne comprendrait pas.

— Tu es leur seule fille, ils ont besoin de toi, répliqua Penny, consciente que ce n'était pas ce que voulait entendre Yolanda.

— Je sais, mais nous vivons une époque si étrange. Je dois mener ma vie. Qui sait ce qui va se passer ?

Penny envia cette passion qu'elle voyait brûler dans ces yeux noirs, si dangereuse qu'elle pût être. Quand elle pensait à Bruce, elle ne ressentait que frustration et anxiété ; l'excitation, la passion l'avaient quittée. Cette partie-là de sa vie était derrière elle. Il ne lui restait plus d'énergie pour une idylle. Elle annonça à Yolanda que son séjour au couvent touchait à sa fin, que les

316

risques encourus dans un hôpital de campagne lui manquaient, même dans les conditions terribles qu'elle avait connues.

— Je dois être folle pour regretter ces grottes et cette cohorte d'hôpitaux, ajouta-t-elle, mais l'action te rentre dans le sang et maintenant je me sens engourdie et inutile.

Elle lui reparla du couvent et mentionna aussi l'intérêt que ce capitaine allemand lui portait.

— Il a deviné que je ne suis pas grecque mais il n'a rien dit. J'espère qu'il a quitté la Crète.

— C'était l'homme dans la voiture militaire ? Il avait l'air terrifiant, tous les nazis sont comme ça, murmura Yolanda.

— Il m'effraie moi aussi… Je ne veux pas penser à lui. Je suis tellement heureuse que nous soyons de nouveau amies. Te savoir en sécurité, avec ta famille, c'est tout ce qui compte. Bon, il est l'heure que je m'en aille.

— Tu peux rester avec moi, ne t'en va pas tout de suite.

— Il le faut. Mon escorte, sœur Irini, m'attend sur la place. Elles ont peur que je ne sois convertie du jour au lendemain, ajouta Penny en riant. Je rentre juste pour remercier tes parents de leur hospitalité.

Elle prit congé et Yolanda la raccompagna dans la rue pleine de décombres.

— Tu me donnes à réfléchir, avoua Penny. J'ai promis à Bruce d'adopter le mode de vie local et d'aller dans la montagne. Je pourrais y être utile, je pense, mais j'ai besoin d'un déguisement, de papiers d'identité et de quelqu'un qui m'y conduise. Qu'un étranger arrive dans un village, et les nouvelles vont vite. Je n'ai même pas de carte.

— Je demanderai à Andreas à son retour. Il saura quoi faire.

— Bruce m'a recommandé de me teindre les cheveux. Comment je m'y prends ?

— Laisse-moi régler ça, on s'en occupera un soir.

Elles s'arrêtèrent au bout du port et s'embrassèrent.

— Je t'envie, Penny. Tu as le luxe de la liberté et des choix, je n'ai que ça, soupira Yolanda, montrant du doigt les bâtiments en ruine.

Penny secoua la tête.

— Tu as une famille aimante, de vraies racines, une vocation, et dans le cœur un amoureux. De mon point de vue, tu es de loin la plus riche de nous deux.

Et elle s'éloigna en agitant la main.

2001

Le marché se vide. Des chiens cherchent dans les poubelles quelque chose à manger. L'odeur du souvlaki au porc me tente, alors que, sur ma chaise, je rêve à cette chère Yolanda et à ce dernier repas tous ensemble à Chania. Grâce à nos retrouvailles, j'ai pu garder toute ma raison au cours de ce premier été très chaud. La guerre a coutume de séparer les gens, de diviser familles et amis, d'arracher les amants des bras l'un de l'autre.

Ceux qui l'ont pu se sont enfuis dans les montagnes, et réfugiés dans des grottes et des cabanes en pierre tels des animaux qui cherchent à s'abriter de la chaleur ou de la neige. D'autres, comme la famille Markos, se sont regroupés et cachés dans des sous-sols. L'union fait la force, c'est du moins ce qu'ils croyaient.

— N'es-tu pas heureuse d'être revenue ? dit Loïs, interrompant le cours de mes pensées. L'école que tu nous as montrée du doigt, c'est celle où tu étais, à Halepa ?

— Oui, mais c'est une université aujourd'hui. Je suis contente qu'elle existe encore.

— Tu as vraiment été nonne ?

Alex me fixe avec intensité.

— Tiens, Yolanda m'a posé la même question, dis-je, encore perdue dans mes souvenirs.

— On va la rencontrer, elle aussi ?

— Non.

— Et pourquoi ?

Comme Alex peut être insistant !

Je secoue la tête.

— Ne parlons pas de tout cela par une si belle journée. Ramenez-moi à la maison.

Troisième partie

RÉSISTANCE

« Toutes les bonnes choses de ce monde sont écrites à l'encre.
Mais la liberté exige que son texte soit écrit avec le sang de notre cœur. »

Mantinade, chant crétois
tiré du livre de Kimon FARANTAKIS
*Les Années de plomb
de la Seconde Guerre mondiale*, 2004, non traduit

2001

Le taxi conduit Rainer vers l'est, le long de l'ancienne route d'Héraklion et de Réthymnon. Il s'engage dans les montagnes, monte à l'assaut des cols et pique sur la plaine d'Askifou sur de sinueux chemins asphaltés qui ont été percés dans la roche. Rien ne ressemble aux sentiers muletiers, aux lits de ruisseaux et gorges poussiéreux empruntés jadis péniblement par ce vétéran. Il faut aller visiter le Kriegsmuseum dans la montagne, lui a-t-on conseillé à l'hôtel. Georgos réserve un bon accueil à tous, rien dans toute la Crète ne vaut cet endroit.

Au village de Kares, comme le taxi s'engage dans une étroite ruelle, Rainer se demande ce qu'il est venu voir. À en juger par les machines rouillées qui encombrent l'entrée de cette vieille maison, c'est effectivement un musée de la guerre, unique. Un homme en chemise noire et jodhpurs se présente : Georgos Hatzidakis, propriétaire de cette collection hétéroclite d'armes et de matériel.

Rainer se retrouve dans un petit espace totalement occupé par les objets exposés : affiches et matériel de terrain qu'il revoit pour la première fois depuis soixante ans, radios, instruments médicaux, jumelles, casques de toutes nationalités, casquettes, fusils, toute une collection rassemblée par Georgos et sa famille depuis 1941, l'année de ses dix ans, quand la bataille de Crète est passée devant sa porte.

Georgos et sa famille ont vu la retraite britannique, la traque menée par les Allemands, la capture d'une armée en lambeaux, et les prisonniers de guerre qui traversaient de nouveau péniblement les montagnes.

— Moi, avoir tout vu, explique-t-il dans un anglais approximatif à un couple de touristes britanniques.

Tout le monde se promène parmi ces souvenirs de guerre, étonnés de l'exhaustivité de cette collection : motocyclettes, croix en fer, et même un ensemble d'instruments dentaires ; toutes sortes d'outils ont fini ici.

— C'est à ma famille et pas nos préférés, précise le conservateur avec un sourire tout en offrant des verres de raki de la taille d'un dé à coudre et des biscuits. Et toi, mon ami, demande-t-il à Rainer, tu étais ici ?

— Oui, mais pas lors de l'évacuation. J'ai été blessé. (Il tapote sa hanche comme pour se dédouaner de tout ce que l'homme pourrait raconter sur cette époque.) Plus tard, oui. Il n'y avait alors pas de route, que des pistes pour rejoindre le port de Sphakia et la côte sud.

— Il nous fallait autrefois deux jours pour voyager d'ici à Chania ; aujourd'hui, juste une heure. Le progrès a rapetissé l'île mais pas les souvenirs.

— Il s'est passé de sales choses ici, déclare Rainer, qui pense : *mieux vaut être le premier à le dire.*

Georgos hausse les épaules d'une façon toute grecque.

— Ici, on ne prend pas parti. Il n'y a que des témoins et je suis un élément vivant de cette histoire. (Il remonte son *sariki* pour montrer une grosse cicatrice.) Des éclats de bombe. La bombe qui a tué mon oncle et mon frère... Boum, boum, tombée du ciel. Viens, mon ami, encore du raki et un biscuit. *Siga, siga...* Va doucement dans la chaleur. Beaucoup de soldats viennent ici pour se souvenir.

Rainer s'éloigne et laisse aux visiteurs le loisir de parcourir les témoignages épinglés aux murs, les journaux, de regarder les photographies et tous les débris tragiques de cette lutte impétueuse pour la liberté. Il y a trop à voir en une seule visite.

Il sent les effets du raki et éprouve le besoin de s'asseoir à l'ombre. Le chauffeur doit être au *kafenion* à l'attendre pour le retour. Assis sur un banc, avec vue sur la plaine et les collines, les souvenirs lui reviennent en masse.

Kares a l'air si paisible : champs cultivés, maisons joliment peintes, jardins pleins de géraniums et de roses. Il a dû passer près de cet endroit aux tout premiers mois de la guerre, tendu, incertain, encore choqué par leurs combats pour le contrôle de l'île. Époque dérangeante ; tant de mauvais souvenirs à régler. Il regarde la pile d'armes rouillées, jadis luisantes de menace. *Pourquoi en arrive-t-on toujours à cela ?*

1941

La campagne de cette fin d'été dans les montagnes avait pour but de débusquer les fuyards, sachant que bon nombre d'entre eux avaient trouvé refuge dans les villages plus en altitude des montagnes Blanches. Quel choc ce fut pour Rainer de découvrir les conditions primitives dans lesquelles vivaient ces fiers Crétois : une pièce unique, le plus souvent, au sol de terre battue, avec un foyer ouvert pour la cuisine et de profonds puits en pierre.

Ses hommes s'imaginaient que les villageois n'étaient que des paysans ignorants et les traitaient avec mépris. Pourtant ces gens étaient beaux, forts et travailleurs, riches de leurs traditions et très superstitieux. Les groupes d'hommes et de femmes réquisitionnés pour les travaux sur les routes courbaient l'échine dans la chaleur sèche du jour sans se plaindre, du moins ouvertement. Leurs regards étaient fiers, ils chantaient souvent en travaillant, des poèmes et des chants populaires qu'il ne connaissait pas ; des mantinades qui échappaient à son grec de base, avec des mots qui changeaient d'un jour à l'autre.

À en juger par les rires et les regards dans leur direction, ses hommes étaient la cible de ces paroles, même s'il ne pouvait rien prouver.

Plus ils avançaient au cœur des montagnes, et moins il se sentait en sécurité au milieu de ces roches en surplomb, de ces ravins étroits, avec le pied qui glissait sur des cailloux tranchants comme une lame de rasoir. La menace d'une embuscade était constante et rendait ses hommes, accablés par le soleil, irascibles, prêts à tirer sur tout ce qui bougeait.

Des avions de repérage passaient au-dessus des montagnes et des plaines tandis que des patrouilles armées ratissaient les sentiers à la recherche de fugitifs. Ils s'étaient assuré les services d'hommes aux motivations douteuses, qui connaissaient les meilleures cachettes et les ruses pour mettre de côté des provisions quand l'ordre était de ne pas faire de réserves, mais il devait y avoir des endroits connus des seuls chevriers et bergers, qui se jouaient de quiconque cherchait à les découvrir. Rainer ne faisait pas confiance à ces renégats qui acceptaient de vendre leurs voisins pour quelques drachmes, mais en temps de guerre on n'était pas regardant.

Ce fut dans la plaine d'Askifou qu'ils repérèrent une piste menant vers un incroyable pierrier. La montée difficile des hommes et des chiens donna l'alerte, et ce fut une envolée d'hommes grossièrement déguisés qui tentèrent de courir se cacher. Au terme du combat âpre qui s'ensuivit, deux hommes de Rainer furent tués et quelques soldats blessés. Schiller, l'un des chefs de sa patrouille, sec et coléreux même dans son meilleur jour, était outré de cette résistance ; il conduisit ses hommes dans les grottes et, à la pointe du fusil, en fit sortir quelques débris pathétiques de l'armée britannique, habillés de loques, à moitié morts de faim, avec des blessures et des béquilles. Ils se rendirent sans plus d'énergie en eux pour livrer combat. À l'arrière, un soldat barbu, couvert de piqûres de moustiques, traînait une jambe blessée.

Rainer les examina. Certains avaient tenté des déguisements dérisoires pour se faire passer pour des locaux. Cette bande serait bien mieux dans un camp. Il ne leur restait quasiment pas de vivres, juste quelques bouteilles d'eau et un sac d'escargots. Ils n'auraient pas survécu longtemps dans de telles conditions. Comment ne pas éprouver de la tristesse à la vue de ces fiers soldats désormais dans un état si déplorable ?

Le soleil crétois n'eut de clémence pour personne alors qu'ils redescendaient en glissant jusqu'à la piste pour emmener leurs prises à la base et poursuivre l'interrogatoire.

La marche allait être longue et les prisonniers suppliaient qu'on leur accorde quelque repos. Schiller n'était pas content ; il voulait qu'ils continuent à avancer en tête, au cas où il y aurait des tireurs isolés cachés sous les oliviers ou les pins. Il voulait les faire souffrir et les punir de la mort de ses amis. Mais Rainer savait que les soldats sous pression explosent, et donc il insista pour que chacun se repose à l'ombre des oliviers là où même les moutons s'étaient nichés, sous un nuage de mouches. Les prisonniers reçurent à boire.

Rainer s'éloigna un peu pour se soulager et fumer une cigarette, se demandant ce qu'il faisait là sur un flanc de montagne alors qu'on avait besoin de ses compétences en Égypte ou sur le front de l'Est. Mais tout cela faisait partie de sa rééducation : étirer ses muscles affaiblis, retrouver sa force combative pour de longues marches.

Comme il se levait pour revenir, il entendit un coup de feu. Il se dirigea à la hâte vers les oliviers où les prisonniers se tenaient en cercle autour du corps d'un homme, tué d'une balle dans la tête. Il avait des contusions là où, à terre, on lui avait donné des coups de pied.

— Qui a fait ça ? explosa Rainer.

— Mon capitaine, il ne voulait pas se mettre debout. C'était le moment de repartir, il a refusé, répondit Schiller avec un air de mépris total dans le regard.

— Il était malade, espèce de salaud ! cria un des Britanniques, en fait un Australien à en juger par son accent. Il était malade !

Rainer regarda l'homme de plus près ; il vit que c'était le pauvre type de la grotte, le rouquin couvert de piqûres et blessé. Une colère incontrôlable monta en lui face à un acte de vengeance si cruel, commis sur un homme sans défense. Schiller avait attendu l'occasion de démolir son ennemi. L'air de triomphe peint sur son visage se transforma en un sourire satisfait puis en surprise quand Rainer l'entraîna sur le côté.

— Qu'est-ce qui vous a pris ? Il n'avait pas d'arme !

Rainer avait craché ces mots.

— Ces porcs ont tué mon camarade.

— Pas cet homme, vous le savez pertinemment.

— Ce sont tous des porcs ! s'entêta Schiller.

— Parlez quand on s'adresse à vous, caporal ! ordonna Rainer, mais Schiller ne voulait rien entendre.

— On devrait tous les buter, ces salopards de meurtriers.

Ce disant, Schiller sortit son pistolet.

— Et vous, caporal, vous avez tué de sang-froid un homme malade et sans arme ? répliqua Rainer. Je ne tolérerai pas ce genre de comportement sous mon commandement.

En un seul geste délié, il sortit son luger et tira une balle dans la tempe de Schiller. Le corps tomba sur le sol comme un arbre que l'on vient d'abattre ; il y eut un silence de stupeur.

— Et ça vaut pour tout le monde ! hurla Rainer, promenant lentement son regard sur ses hommes, conscient du choc qui se peignait sur les visages. Nous sommes des soldats allemands et pas de la racaille. Maintenant enterrez ces hommes, ordonna-t-il.

Une fois les deux emplacements marqués avec des pierres et les casques, la patrouille se remit en marche vers leur camp, avançant en silence aux côtés des prisonniers qui traînaient la jambe. Rainer comprit alors ce qu'il venait de faire en tuant l'un de ses hommes. Trop tard pour les regrets. Était-ce à cause de la peur, de la frustration, de la rage de savoir qu'il lui faudrait expliquer ce qui s'était passé qu'il avait infligé une telle punition ?

Il devait y avoir des exigences morales au sein d'une armée conquérante : de la correction, de l'humanité. Un médecin britannique ne l'avait-il pas sauvé au plus fort de la bataille, lui offrant, dans cette rue de Galatas, une chance de survie ? Au moins, il avait payé cette dette. Il ferait un rapport complet, tout en sachant que son geste serait mal accepté. Si étrange que cela puisse paraître, il ne regrettait rien.

2001

Mack passe désormais nous voir régulièrement à la villa et accompagne Alex et Loïs en balades à la plage ; il nous propose de faire une excursion d'une journée dans les montagnes pour voir le site romain du village de Lappa et déjeuner aux cascades d'Argyroupolis. Nous nous sommes habitués à la chaleur et souhaitons profiter au maximum du temps qui nous reste à passer ici, mais retourner dans les montagnes, même en tant que touriste, m'angoisse.

Je commence à apprécier Mack, je crains seulement que ses attentions évidentes à l'égard de Loïs ne soient que le stratagème habituel dont il use avec les femmes seules. Est-il juste en chasse ? J'espère que non, car Alex apprécie de plus en plus sa présence. Mack est divorcé, ses enfants sont en Grande-Bretagne ; des informations que j'ai vite glanées car il a eu hâte de me montrer leurs photos. Il a parlé aussi de son père, qui a servi en Méditerranée pendant la guerre dans la Royal Navy, à bord de sous-marins. Il est le cadet de quatre garçons et n'a guère connu son père, mort il y a longtemps. Il en a gardé une fascination pour son parcours, et la Crète lui offre une base idéale d'où rayonner.

Quand il a proposé de nous emmener à Lappa lors d'un de ses jours de congé, j'ai pensé que c'était le signe d'un intérêt sincère pour Loïs, qui, l'année passée, en a vu assez pour se méfier des avances de n'importe quel homme. Une petite idylle de vacances fera peut-être des merveilles pour rétablir sa confiance...

Les villas le long des rues pavées de Lappa sont une révélation, on dirait qu'on remonte le temps. Je ne cesse de me demander comment ça s'est passé ici pendant l'Occupation. Les bâtiments n'ont été ni bombardés ni brûlés. Combien de paires de rangers ont déambulé le long de ces rues comme nous le faisons, admirant les colonnes, l'architecture et la vue que l'on a sur la mer depuis les remparts ? *Le soldat cantonné là, quel qu'il fût, a dû s'y sentir vraiment en sécurité*, me dis-je, songeuse.

Comme nous roulons le long de routes sinueuses bordées de fleurs et d'ajoncs, qui montent toujours plus haut vers un autre village voisin, le paysage devient de plus en plus familier. Je pense au premier voyage que j'ai fait ici durant l'hiver 1941, à cette sortie fatidique de la ville, incognito.

Novembre 1941

À l'approche de l'hiver, les sœurs de Saint-Joseph et les couvents orthodoxes des districts voisins se préparèrent à stocker des vivres. Ils envoyèrent Penny et d'autres dans les villages alentour quémander légumes, fruits et céréales pour nourrir les élèves orphelins, toujours plus nombreux, qu'il fallait aussi vêtir et héberger. Ils recherchaient également des proches afin de placer ces enfants plus en sécurité dans les environs. Qui pouvait deviner que c'était une ruse et que cette jeune femme à l'air innocent avait d'autres motivations ? Elle résidait toujours au couvent, façade commode pour le monde extérieur.

À califourchon sur sa fidèle mule, Penny se familiarisa avec les sentiers muletiers et les pistes, le lit des rivières et les ponts, les oliveraies où se reposer, les *kafenion* à éviter et l'hospitalité de prêtres courageux. Elle et sa monture devinrent un couple reconnaissable sur les contreforts de l'Apokoronas. Penny se présentait aux postes de contrôle, montrait ses papiers d'identité aux gardes et agents de police, et circulait sans se faire remarquer. Qui pouvait savoir que la cape de Penny était garnie de produits médicaux ou qu'elle portait des lettres cruciales sanglées sur sa poitrine ? Andreas lui demanda même une fois de déposer un paquet d'instruments dentaires près de Vafes pour un usage futur.

Elle seule prenait le risque. Elle cachait des miches de pain, des cigarettes, tout ce qu'elle pouvait dissimuler dans ses bas et ses chaussures et qui était destiné aux fugitifs britanniques et aux combattants de la liberté de plus en plus nombreux.

Yolanda lui avait demandé d'aider son amoureux et une fois que Penny eut rencontré le jeune médecin plein d'entrain, elle lui promit qu'il pouvait compter sur elle pour livrer des marchandises à des endroits prévus à l'avance, et qui changeaient régulièrement afin d'éviter les vols.

Penny se rendit très vite compte que le bouche-à-oreille crétois était bien plus efficace que n'importe quel service d'imprimerie nationale. Comment se faisait-il que, le jour d'une livraison, il y ait toujours un gentil chef de police en faction au poste de contrôle pour lui signaler d'un geste de la main qu'elle pouvait passer sans être fouillée ; ou qu'une porte ne soit pas verrouillée, ou encore que des chiens qui logiquement aboient restent silencieux dans la cabane du berger ?

Une nuit, Yolanda s'était introduite dans la chambre de Penny par la fenêtre avec un flacon de brou de noix ; elle en avait enduit la chevelure de Penny avec un peigne et avait retenu les cheveux attachés sous un foulard jusqu'à ce qu'ils sèchent. Ce style anglais fantaisie avec le chignon en banane avait été remplacé par une natte sévère. Ses sourcils avaient été teints également et son reflet dans le miroir avait émerveillé Penny : elle avait bien l'apparence du rôle. Avec un gros foulard qui lui cachait les traits, une blouse noire, des bas épais et une démarche voûtée, difficile de reconnaître la grande infirmière blonde. Ce déguisement allait convaincre.

Le vent devenait froid, et Peggy passait de nombreuses soirées à apprendre à filer la laine et tricoter bas, moufles et écharpes avec ses élèves. Les sœurs se moquaient de ses doigts malhabiles et de ses erreurs répétées, et lui disaient d'un air moqueur qu'elle n'avait rien d'une femme d'intérieur accomplie. Penny se demandait ce que sa propre mère penserait aujourd'hui de son apparence, de ses mains rugueuses et de sa peau tannée. Cela faisait, lui semblait-il, une éternité qu'elle avait vécu en Angleterre, sur une autre planète, et elle ne regrettait pas d'avoir choisi de rester là.

Plus elle voyageait dans la campagne, plus elle aimait ses habitants. Ils acceptaient son identité : infirmière originaire d'Athènes, célibataire et religieuse. On la présentait aux mères, aux *yiayias* et aux jeunes filles qui, dans leurs conversations, mentionnaient leurs maux et en discutaient tout en buvant un thé de montagne, insistant pour qu'elle prenne une petite cuillerée de *glyka*, confiture puisée dans leurs réserves précieuses mais de plus en plus maigres. Tout le monde voulait avoir des nouvelles de parents à Chania. Qu'y avait-il dans les magasins, au marché ? Comment les soldats les traitaient-ils ? Qui était mort ou avait été tué par balles, et quand les Britanniques reviendraient-ils pour les libérer ?

Que pouvait-elle répondre d'autre, sinon qu'elle vivait dans un couvent et ne savait donc pas grand-chose ! Ce lieu était une couverture idéale pour ses activités secrètes. Partout, les gens se plaignaient des pénuries, des pillages, des sabotages et des représailles. Chaque village avait ses héros, ses scélérats, ses traîtres et ses rumeurs. Certains étaient des profiteurs mais, fondamentalement, il y avait beaucoup d'hommes comme le père Gregorio, dont la résistance passive à l'oppresseur donnait aux paroissiens le courage de braver l'interdiction d'héberger des troupes fugitives.

Souvent, les distances étaient trop longues pour un voyage d'une journée, et Penny, avec sœur Martine, une sœur âgée dont elle était devenue l'amie, passait la nuit chez le maître d'école, le médecin ou le prêtre du village avec sa famille. À leur entrée dans un village, elle savait qu'on observait tous leurs faits et gestes. Peut-être était-elle espionne ou agent allemand ? Mais la réputation du Dr Androulakis la précédait, et grâce au bouche-à-oreille on savait qu'on pouvait faire confiance à l'infirmière athénienne. Sur ses papiers, elle se nommait Athina Papadopouli. Elle ne demandait jamais les noms de famille des gens. Moins on en savait, moins on risquait de trahir, au cas où le pire viendrait à se produire.

Juste avant Noël 1941, elles firent une dernière expédition dans les montagnes déjà recouvertes de neige. Des chasseurs alpins allemands avaient écumé les montagnes Blanches à la recherche de fugitifs. Les abris en pierre coniques des bergers en regorgeaient, certains avaient besoin de traitements et le médecin du coin était à court de médicaments.

Andreas avait été repéré trop souvent pour prendre le risque d'assurer une nouvelle livraison ; on avait appris que des officiers britanniques se cachaient dans les montagnes avec pour mission d'établir une liaison radio avec Le Caire. Penny et sœur Martine s'étaient portées volontaires.

Chargée de sacoches emplies de ravitaillement, la vieille mule gravit péniblement la piste accidentée. Penny marchait derrière, contente d'avoir sa cape d'infirmière et des bottes, même rapiécées. Les fournitures médicales, attachées comme un corset sous sa chemise, lui donnaient des formes plus girondes et l'alourdissaient. La pauvre sœur Martine avait le vertige et de plus n'allait pas bien, mais toutes deux se frayèrent un chemin dans la neige et avancèrent sous les flocons vers le premier des villages – taillé, semblait-il, à même la roche. Cela faisait du bien à Penny d'être dehors, à l'air de la montagne, d'avancer d'un bon pas comme en Écosse toutes ces années auparavant, les poumons près d'exploser sous le coup de l'effort physique ; mais sa compagne n'avait rien d'une chèvre des montagnes et elle trébuchait sur le sol inégal. Il fallait qu'elles trouvent un abri, et vite. Les flocons glacés lui piquaient les joues à mesure que la tempête s'intensifiait. Dieu merci, la vieille mule connaissait son chemin, et elle les mena saines et sauves jusqu'aux abords du village, où elles s'abri-

338

tèrent sous les oliviers avant la dernière montée jusqu'à la place et au café proche de l'église. Là, *Kyria* Tassoula les fit entrer puis s'asseoir, et entreprit de laver leurs pieds gelés et de les masser avec de l'huile. Un tel accueil donna à Penny envie de pleurer de gratitude.

— *Po, po, po...* C'est trop dangereux de vous envoyer si loin, mais vous êtes les anges de la miséricorde de Dieu, s'écria Tassoula, leur mettant dans la main des tasses de lait de chèvre chaud.

Sœur Martine toussait et reniflait, les joues rougies de fatigue et de fièvre, soupçonna Penny.

— Je dois dire mes prières, dit-elle d'une voix rauque, puis elle se leva pour aussitôt s'évanouir sur le sol en terre battue.

Tassoula aida Penny à la transporter dans le lit familial où elle commença à gémir, à se tourner et se retourner. « Ce n'est pas un coup de froid, ma sœur », soupira-t-elle, et Penny comprit qu'elles ne feraient pas le retour alors que Martine allait aussi mal et que le temps se gâtait vraiment.

Maria et Eleni, les deux jeunes filles de Rassi, aidaient en cuisine à préparer le repas du soir pour la fête, le *glendi*.

— Vous rencontrerez nos hôtes plus tard, dit Tassi avec un sourire – il ne lui restait que trois dents de devant. Ils viendront, une fois la nuit tombée, pour chercher quelque chose de chaud, vous verrez.

Tandis que Martine luttait contre la fièvre, Penny aida les filles à préparer un maigre dîner de tubercules et de haricots séchés. Toute la cuisine se faisait sur le feu, le parfum de leurs derniers grains de café grillé embaumait l'air.

Yiannis, le mari de Tassi, était assis et les regardait en silence ; il égrenait les perles en ambre de son chapelet. Les hommes, dans les montagnes aussi bien que dans les villes, ne s'occupaient ni de la nourriture, ni du linge, de la laiterie, du ménage ou de l'éducation des enfants. C'était le travail des femmes, comme l'étaient celui du potager, le filage et le tissage, la couture et les prières. Penny l'avait observé ces derniers mois lors de ses pérégrinations. Les femmes mûrissaient jeunes sous le soleil et vieillissaient vite à cause de la dureté de leur vie. Cela semblait tellement injuste.

Tassi était quelqu'un d'énergique et d'aimant.

— Vous êtes l'invitée, vous ne faites rien, dit-elle avec insistance, montrant du doigt un tabouret, mais Penny avait préparé une réponse ferme.

— Quand la nuit viendra et que nous serons prisonnières de la neige, nous serons vos pensionnaires et un pensionnaire doit payer. Je n'ai pas d'argent, donc je dois travailler. C'est la règle de notre couvent. Vous ne voulez pas m'attirer d'ennuis ? sœur Martine dirait que je suis paresseuse.

— *Po, po, po...*

Tassi leva les mains en l'air en signe d'abandon. Penny avait gagné la première manche.

Plus tard, alors que les haricots cuisaient à gros bouillons dans la marmite, des hommes se faufilèrent dans le café, l'un après l'autre : hirsutes, sentant le bouc, leurs uniformes travestis en vieilles fripes de la campagne, les pieds entourés de linges ou glissés dans des sandales à semelles de bois.

De toute évidence, des Britanniques aux cheveux blonds et des gars des antipodes qui essayaient de se faire passer pour des locaux.

Penny, dans son coin, les observa. Personne ne devait reconnaître dans cette vieille fille brune, vêtue de noir et sans élégance, l'infirmière Pénélope George. Personne ne devait savoir qu'elle était là dans la montagne en mission, qu'elle aussi était une évadée britannique.

Les filles apportèrent la soupe et de gros morceaux de pain. Les hommes s'efforcèrent de ne pas engloutir leur part, la savourant au contraire le plus lentement possible. Comme ils avaient tous l'air hâves et fatigués, ces éléments d'une armée jadis fière, si redevables à ces montagnards charitables qui leur offraient chaleur et aide en cette nuit de neige et de froid !

Tandis que coulait le *krassi*, l'alcool local au goût de réglisse, les langues se délièrent et des chants de leurs pays furent entonnés : *Roll out the Barrel, Waltzing Mathilda, Good King Wenceslas*. Penny se sentit alors submergée par une vague de nostalgie pour Stokencourt, Évadné, et les veilles de Noël de son enfance, lorsque la chorale de l'église chantait dans le hall sous leur immense sapin. Ces hommes échoués là lui donnaient envie de pleurer. Ils étaient si loin de chez eux, dans un pays étranger, à la merci d'inconnus.

Le café s'emplit, on parlait de bateaux qui les attendaient pour leur faire quitter l'île et les emmener en Égypte ; si seulement ils pouvaient éviter les patrouilles ennemies et atteindre la côte sud !

Penny aurait voulu les avertir et leur dire de se taire au cas où il y aurait des collabos dans l'assistance. Andreas l'avait mise en garde : tous les Crétois ne voyaient pas d'un bon œil cette invasion de soldats loqueteux en maraude, en particulier ceux qui avaient vu leur maison dynamitée, leur village brûlé, et des membres de leur famille passés par les armes en représailles car ils avaient hébergé des soldats alliés.

Comme dans toutes les fêtes en Crète, quelqu'un avait apporté un luth et la musique commença. Les hommes âgés dansèrent le *syrtos*, une ronde continue, attirant des plus jeunes dans leur cercle ; un jeune berger bondit et tournoya en l'air comme une gazelle. Tout le monde frappait des mains et sifflait tandis que la musique s'intensifiait et s'accélérait follement.

Maria et Eleni étaient assises dans l'ombre sous l'œil vigilant de leur mère. Puis la porte du dehors s'ouvrit, et un grand courant d'air et un tourbillon de flocons rafraîchirent l'atmosphère. Un instant, tout le monde se figea tandis que le visiteur secouait la neige de sa *kapota* de berger.

— Panayotis ! Mon ami ! Viens t'asseoir et te réchauffer. Comment ça va, là-bas ? s'écria Yannis qui le serra très fort dans ses bras.

— Le pôle Nord, répondit l'homme dans un anglais parfait avant de poursuivre en grec.

Son accent avait quelque chose de familier, comme une trace de ce ton nasillard qu'ont les Néo-Zélandais. Penny observa cet homme, grand, vêtu d'un costume crétois, qui dénouait son écharpe, révélant sa barbe. Elle se sentit prise d'un frisson et se recroquevilla dans son coin pour reprendre ses esprits. Dieux du ciel ! Bruce Jardine en habits de berger ! Elle n'en revenait pas : après tout ce temps, il était donc encore sur l'île. Quel choc et quel soulagement de le savoir toujours libre ! Une vague de joie monta en elle, il était sain et sauf, mais une joie teintée d'exaspération : il avait toujours l'art de faire son apparition aux plus mauvais moments.

Sans remarquer sa présence, il s'assit auprès du feu pour se réchauffer et fit un clin d'œil aux deux jeunes filles assises dans le coin. « Maria, Eleni ! Mes beautés des montagnes ! » Elles se précipitèrent pour lui trouver de la nourriture et du vin. Il attaqua sa pitance avec plaisir. Puis il promena son regard autour de la pièce, repérant des visages, souriant et saluant chacun avant de concentrer son attention sur Penny, qu'il dévisagea avec intérêt tandis que deux hommes âgés se levaient et entonnaient une mantinada rebelle : ils prendraient leurs fusils et iraient en ville tuer l'ennemi. Un air triste, lugubre, et l'humeur était sombre. Mais alors, comme pour alléger l'atmosphère, Bruce bondit sur ses pieds et pressa tous ceux qui avaient des origines écossaises de faire une démonstration de danse des Highlands.

Des houlettes de berger furent disposées en croix sur le sol tandis qu'un homme cherchait son harmonica et se mettait à jouer un air enlevé, et Bruce tenta la traditionnelle *Highland Fling*. Il y eut des acclamations, les bavardages reprirent, vin et raki coulèrent de nouveau alors que le *glendi* battait son plein.

343

La fête durerait toute la nuit, car les évadés devaient se cacher durant le jour et, de retour dans leurs grottes ou leurs cabanes, y rester terrés, hors de la vue des villageois. Tout déplacement devait se faire à la lumière de la lune avec des bergers qui les guidaient d'un pas aussi sûr que celui des chèvres sur les éboulis.

Ce soir-là, personne n'irait nulle part sous un tel blizzard. Ils étaient immobilisés. Dans la neige, les traces menaient aux cachettes ; dans la neige, on avait des engelures, on subissait les privations, la faim, le danger et l'ennui ; mais, heureusement, la neige cantonnait aussi les Allemands dans leurs casernes !

Penny ne songeait qu'à s'esquiver avant d'être reconnue. Elle gravit l'échelle en silence jusqu'à l'endroit où dormait Martine. Sa fièvre avait empiré et la sœur ne serait pas capable de partir avant un bon moment. Leur alibi était qu'elles recherchaient des parents de l'orpheline Elefteria Mtaki qui, pensait-on, vivaient dans le coin. Il y avait peu de chances de les trouver maintenant que le mauvais temps les avait surprises. Mais leurs documents de voyage expireraient bientôt et on voudrait connaître la raison de leur présence ici.

— Qui est ce Panayotis ? demanda-t-elle à Tassi, curieuse de savoir ce que les gens du coin savaient de Bruce.

— Un officier britannique revenu du Caire avec des armes et des explosifs, nous a-t-on dit. Il va de village en village et recense les Britanniques. Mission dangereuse pour un homme sans uniforme… Bel homme pour un étranger, n'est-ce pas ? gloussa Tassi. Il fera de beaux fils.

Penny rougit et secoua la tête.

— Soyez prudente ! Si vous savez tout cela, d'autres le sauront. On jasera, la mit-elle en garde.

— Personne ne parlera ce soir. Ils dormiront près du feu sur des couvertures tissées et des peaux de mouton. Le temps qu'ils aient vidé tout le raki, ils ne seront plus bons à rien et oublieront ce qu'ils ont pu entendre ici. C'est Noël, le moment de danser et de chanter. Nulle *Germania* ne nous volera notre jour de fête.

Difficile de se trouver si près de Bruce sans être reconnue par tous ces jeunes anglophones, songea Penny qui se tournait et se retournait tandis que Martine ronflait. Bruce était vivant, sain et sauf sur l'île. Elle se souvenait de leur déjeuner à Chania, du moment où il avait suggéré qu'elle pourrait être utile dans les montagnes. Elle n'avait pas oublié non plus leur dernier et violent échange sur la plage. Serait-il fier de savoir qu'elle apportait sa contribution ? La bonne opinion qu'il avait d'elle comptait, mais mieux valait garder profil bas et ne pas attirer l'attention. Elle n'avait pas envie d'un autre sermon.

Bruce la reliait à sa vie chez elle et à sa vie à Athènes. Le revoir suscitait en elle une envie folle de retrouver ces jours où la vie était simple. Elle se sentait déchirée entre l'envie de savoir comment il allait et…

Martine s'agitait, elle avait besoin de boire encore de cette tisane des montagnes pour calmer sa fièvre. Penny descendit doucement du lit surélevé pour aller voir s'il restait de l'eau sur les braises. Le sol était jonché de corps endormis aux ronflements sonores, et il s'en dégageait une odeur animale faite de sueur, tabac, vin et ail mélangés.

Elle se dirigeait vers l'échelle pour remonter quand une voix lui chuchota :

— *Despinis, pos sas lene ?* Quel est votre nom, mademoiselle ?

— Athina, répondit-elle à voix basse sans se retourner, consciente de la présence de Bruce debout dans l'ombre.

— Pourquoi ne vous ai-je pas vue avant ?

Elle hocha la tête, regrettant de ne pas avoir couvert ses cheveux teints avec son foulard.

— Amie de la famille, en visite, répliqua-t-elle, priant pour qu'il s'en aille.

— À cette période de l'année et habillée comme une nonne ? (Elle entendit le soupçon dans sa voix.) Vous n'êtes pas du coin.

— Je suis de Chania, de l'École française, à la recherche des parents d'une orpheline, avec sœur Martine qui est malade. Je dois retourner auprès d'elle.

— Pas si vite.

Bruce s'était maintenant rapproché, elle sentait son souffle dans son cou.

— Les nonnes ne voyagent pas si loin de leur couvent et je n'en ai jamais croisé de Françaises ici auparavant.

— Elles vont là où on les envoie afin de trouver des foyers d'accueil pour les enfants.

Elle lui tournait toujours le dos, la tasse tremblait dans ses mains.

Il lui débita quelques mots en français et elle ne put rien répondre.

— Vous n'êtes même pas française, sinon vous m'auriez balancé un bon coup de pied après ce que je viens de dire sur les origines de votre mère... Qui êtes-vous et pourquoi êtes-vous ici au milieu de ces hommes ? (Sa voix se durcit.) Qui vous a envoyée nous espionner ?

Il la saisit brutalement par le bras et la tasse se brisa par terre.

— Regardez ce que vous venez de faire ! Ne me touchez pas ! dit-elle d'un ton abrupt mais il lui tordit le bras dans le dos et l'obligea à lui faire face.

— Bon sang ! Regardez-moi !

Elle ne put qu'obéir et il l'examina avec un sourire narquois.

— Ainsi donc, c'est *bien* toi, murmura-t-il. J'ai senti qu'il y avait quelque chose de louche dès l'instant où je suis entré, vu la façon dont tu te tapissais dans ton coin. Mon Dieu, Penny ! Dieu merci, tu es vivante. Nous avions entendu dire que tu avais été faite prisonnière et envoyée à Athènes, mais je savais que tu n'obéirais pas aux ordres et que, d'une façon ou d'une autre, tu t'enfuirais.

— Chut, je suis Athina, infirmière grecque, et je ne parle que grec.

Elle lui cracha ces mots, les accompagnant d'un regard empli de désarroi. Il lui reprit le bras.

— Comment vas-tu ?

C'est alors que Tassoula entra, affairée. Elle les vit tous deux et eut l'air choqué.

— Eh bien, sapristi, vous n'avez pas perdu de temps !

Penny recula vivement.

— Ce n'est pas ce que vous pensez. Je connais Panayotis. J'ai été infirmière à la clinique de la Croix-Rouge et l'ai eu comme patient.

Bruce fit oui de la tête.

— Elle était très stricte avec nous mais c'est une bonne infirmière. Athina, vous êtes toujours à la clinique ?

— Non, au couvent avec sœur Martine, je m'occupe des mères et des enfants et aussi de leur trouver des foyers, lui répondit-elle sans le regarder.

— Je n'aurais jamais pensé qu'Athina se ferait nonne, ils prennent tout le monde au couvent maintenant, conclut-il en riant.

Penny se dépêcha de regagner les combles où sœur Martine était à demi réveillée.

— Vous allez mieux ? Nous devons partir, ordonna-t-elle. Trop de monde ici, et c'est dangereux.

Martine se laissa retomber sur la couverture.

— Je suis trop malade pour aller où que ce soit.

— Et c'est Noël, ajouta Tassi qui l'avait suivie. Il y a beaucoup de choses à préparer et peu d'ingrédients, mais on va se débrouiller. Vous devez aller à l'église rencontrer le père Gregorio, et fini les yeux doux à Panayotis... Honte à vous, une sainte femme ! ajouta Tassi en donnant une tape sur le derrière de Penny. Il est pour l'une de mes filles.

2001

— Et c'est comme cela que j'ai passé mon premier Noël ici, enfin, près d'ici, dis-je en promenant mon regard sur la place et l'église peinte. C'est le début de toute une histoire. Bien, qu'est-ce qu'on commande ?

Loïs et Mack me fixent comme s'ils me voyaient pour la première fois.

— Ce Panayotis, tu n'en as jamais parlé avant.

— Oh si, mais tu n'as pas vraiment écouté. C'est en réalité mon ami, Bruce Jardine… L'ami de Walter et d'Effy : celui qui, il y a si longtemps en Écosse, m'avait appelée « la chèvre des montagnes ». Tout le monde avait des noms d'emprunt pour se protéger.

— A-t-il été ton amant ? demande Loïs avec un sourire en coin. Mon Dieu ! tante Pen, tu es quelqu'un de bien mystérieux.

— Ne sois pas si grossière, ma jolie ! (Je souris pour lui montrer que je blague.) Une dame ne pose pas ce genre de questions en s'attendant à avoir une réponse sincère. Je n'ai pas toujours eu un visage ridé comme une vieille pomme. J'ai connu de bons moments. Je ne suis pas sûre de vouloir tout révéler sur cette partie de mon histoire.

— Oh, continue, c'est fascinant, dit Loïs en se penchant vers moi.

— Ta tante n'a peut-être pas envie que des étrangers l'écoutent, remarque Mack.

— Délicat de votre part, Mack.

Ces derniers jours, ce garçon a grandi dans mon estime.

— Il est l'heure de déjeuner et j'ai envie d'un rosé frappé. Vous avez eu le début de mon histoire, le plat principal viendra plus tard, quand je serai prête, et pas avant.

Quelque temps après, fuyant la chaleur, nous sommes installés au frais près des cascades d'Argyropoulos. Le soleil scintille à travers les gouttelettes d'eau tels des diamants, l'eau court sur les rochers à l'ombre des pins comme les pensées qui se bousculent dans mon esprit.

Parfois, dans la vie, il y a des moments si beaux, si poignants qu'on ne peut les partager, et d'autres trop douloureux pour qu'on les raconte. Pourtant, certains souvenirs sont une source de paix dont on se nourrit en ces nuits sombres de l'âme où le sommeil vous fuit.

J'ai eu ce genre d'expériences ici, certaines heureuses, d'autres si tragiques que, toute ma vie, je les ai enfermées. Ces premiers mois de liberté et de paix au couvent se sont achevés quand je suis allée pour cette mission dans les montagnes. Soudain, tout a changé.

Décembre 1941

Sœur Martine avait assez récupéré pour venir la veille de Noël à l'église du village où se tenaient les fugitifs, serrés contre les villageois qui les regardaient avec intérêt tout en bavardant entre eux jusqu'au moment où le prêtre leur intima l'ordre de se taire. Pendant ces quelques jours festifs, la réalité de l'Occupation parut s'évanouir, on sortit des victuailles de leurs cachettes et on repoussa les chaises pour danser et chanter. Le vin coula à flots. Chacun semblait vouloir profiter au maximum de la fête, comme si la vie était normale. Chaque nuit, les soldats de l'Anzac se risquaient jusqu'au village pour participer aux réjouissances et se réchauffer.

Après cette brève conversation avec Bruce, Penny eut l'espoir qu'une occasion se présenterait pour qu'ils puissent parler plus librement, mais Tassi la regardait sans cesse, inquiète, méfiante : sa vertu était en danger ! Penny souriait tandis qu'elle servait à manger aux hommes affamés. Si seulement elle avait pu avoir assez confiance en eux pour leur dire le but réel de sa mission, mais le vin déliait les langues et elle avait appris que la plupart des Crétois avaient du mal à garder les nouvelles pour eux.

Finalement, le temps s'améliora assez pour que Penny et sœur Martine puissent regagner le couvent et expliquer les motifs d'une aussi longue absence. Penny n'avait plus aucune raison de rester là ; les fournitures secrètes avaient été prises dans leur cachette à la faveur de la nuit.

Comment pouvait-elle informer Bruce de leur départ, avec cette brochette de matrones qui les escortait ? Elles se rendaient à Chania, au marché, à bord de ce vieil autocar branlant qui faisait la navette sur le seul chemin goudronné, pompeusement qualifié de route nationale. Difficile de partir sans un au revoir mais Martine se montrait impatiente, elle avait hâte d'expliquer à mère Véronique la cause de leur retard.

Penny monta à bord de l'autobus, le cœur lourd. Bruce était si proche et pourtant si lointain. On vérifia les laissez-passer, la précieuse cargaison de noix et d'olives bien emballée dans des sacoches. Tassi avait fourré dans la poche de Penny les derniers biscuits de Noël et des biscottes pour le voyage, soulagée de les voir partir. Quels risques encourait ce couple courageux en cachant ainsi des fugitifs !

Tandis que le vieux moteur toussait et crachotait dans sa montée jusqu'au col, Penny, bercée par le balancement et le ronronnement du moteur, ne cessait de fermer les yeux. Tout à coup, un violent coup de frein la réveilla en sursaut, les passagers furent précipités en avant, cages, paniers et cageots dégringolèrent des porte-bagages.

Un berger leur faisait signe de s'arrêter avec sa houlette, la tête couverte de son épaisse cape.

— Qu'est-ce que c'est que ce bordel... ? hurla le chauffeur en lançant une bordée d'injures.

— Des bandits ! cria une passagère qui se signa furieusement. Nous allons tous être tués...

Penny soupira, soulagée que ce ne fût pas une patrouille allemande exigeant de fouiller le bus, avec le risque qu'elle n'embarque toutes les provisions. Et il n'y avait pas que des Crétois à bord. Comme elle-même, l'un des évadés, assis aux côtés d'une vieille *yiayia*, voyageait sous un déguisement, avec l'air d'un simple d'esprit et de faux papiers. Assez facile à repérer dès le début d'un interrogatoire.

Le berger bondit devant l'autocar.

— On a besoin de l'infirmière, l'infirmière d'Athènes. Il y a eu un accident. (Il désigna du doigt la paroi rocheuse.) L'infirmière de Chania, elle est là ?

Penny se leva aussitôt.

— Oui ? Qu'y a-t-il ?

— Un homme a fait une chute. Il a besoin de voir un médecin, mais vous ferez l'affaire, expliqua la voix rude.

— Où est-il ?

— Dans la grotte, venez vite, *kyria*.

Penny n'eut pas le temps de réfléchir. Elle s'avança rapidement dans l'allée centrale de l'autocar, mais Martine la tira en arrière.

— Je viens avec vous.

— Non, seulement l'infirmière, insista le berger.

— Mais vous ne pouvez pas partir sans chaperon, vous serez toute seule avec des hommes. (Sœur Martine s'accrochait à Penny.) Athina, s'il vous plaît, ce n'est pas bien. Que vais-je dire à mère Véronique ?

— Ne vous faites pas de souci, ça ira, je serai protégée. Je dois y aller.

— Mais mère Véronique sera mécontente si je dis que je vous ai laissée seule dans la montagne, dit Martine en pleurant. C'est ma faute si nous avons été retardées.

— Le Seigneur a voulu que nous venions ici, affirma Penny qui se démenait pour sortir. Il m'a trouvé une autre mission à accomplir dans ces montagnes, qui sommes-nous pour mettre en cause ou ignorer Sa volonté ? Il me protégera et je peux rentrer par le prochain bus.

— Il n'y en a pas avant la semaine prochaine, et si le temps se dégrade…

Penny n'écouta pas les protestations larmoyantes de Martine alors qu'elle parvenait à descendre du bus et saluait de la main les femmes ébahies qui regardaient, horrifiées, au-dehors. Elle se tourna vers le berger avec un sourire.

— Votre accent est tout à votre mérite, jeune homme.

Il lui adressa un sourire honteux.

— Désolé, mademoiselle, j'ai ordre de vous faire sortir de ce bus.

Elle avait immédiatement reconnu l'un des évadés australiens, ses cheveux blonds mal dissimulés par sa cape de berger.

— La nouvelle de mon enlèvement par des bandits va vite faire le tour de Chania. Bon sang, qu'est-ce qui se passe ? lâcha-t-elle en anglais à la grande surprise du garçon autant qu'à la sienne.

Lui, comme tous les autres, croyait qu'elle était grecque.

— Un de nos gars dans la grotte va vraiment mal, il a besoin de soins.

— Je vois, répondit-elle lentement, remise de ses émotions.

— Désolée, mademoiselle, les ordres sont les ordres, là-haut. On essaie de garder la bande soudée. Pas facile, et quand l'un de nous est malade…

Les ordres ? À qui obéissait-il en la tirant d'un autocar en plein jour ? Penny se tut tandis qu'il avançait devant elle à grands pas, gravissait une berge raide puis descendait dans un ravin plein de crottes de chèvre et de neige fondue. La piste se perdait dans des buissons d'ajoncs et un éboulis rocailleux derrière lesquels il y avait l'entrée d'une petite grotte, un trou dans la paroi rocheuse caché par un écran de fortune fait de branchages.

Penny entra en titubant dans la grotte, et ses yeux essayèrent de s'adapter à l'obscurité. Un petit groupe d'hommes l'attendait, ils la dévisagèrent en silence. Une lampe à huile vacillait, éclairant faiblement une paillasse sur laquelle un soldat qu'elle n'avait jamais vu auparavant était allongé. Il leva sur elle un regard étonné.

— C'est mon pote, Bluey, il est malade et vomit tout ce qu'il avale. Nous voulons aller vers le sud et trouver un bateau. On raconte qu'il y a des sous-marins qui envoient des embarcations. On veut juste se tirer de cette île paumée. Qu'est-ce qu'il a ? demanda le berger australien, inquiet.

— Je ne suis pas médecin et il faut qu'il voie un médecin, dit Penny tout en s'agenouillant pour l'examiner.

— Le toubib du coin est surveillé et Bluey ne peut pas marcher.

— Il me faut plus de lumière. Depuis combien de temps ses yeux sont-ils jaunes ?

Deux autres gars portèrent le malade à la lumière du jour, il cria de douleur.

Penny palpa son foie et regarda sa peau.

— Je crois qu'il a une jaunisse sévère, son foie est enflé. Qu'a-t-il mangé ?

— Rien que des escargots et des plantes, comme nous tous. Nous lui avons rapporté des trucs de la taverne, mais impossible pour lui de rien garder.

— Donnez-lui de l'eau très propre jusqu'à ce qu'il se remette, car il est très malade. Je peux vous préparer des tisanes. Les gens d'ici ne jurent que par ça. Je ne peux rien faire d'autre. Il lui faudra du temps... Comment avez-vous su que j'étais dans ce bus ?

D'un renfoncement dans la grotte retentit un rire profond.

— Tout ce qui se passe ici est colporté dans les montagnes à la vitesse de l'aigle en plein vol.

Bruce Jardine sortit de la pénombre. L'espace d'un instant, Penny fut surprise, et puis décidément contrariée.

— J'aimerais que tu cesses ce genre d'apparitions. Tu n'es pas l'Ombre rouge, dit-elle d'un ton coupant, pensant au héros de l'opérette *Le Chant du désert*. Je ne peux rien pour Bluey, comme tu t'en doutes.

— Bien sûr, mais il n'est pas le seul à avoir besoin de ton œil avisé. Le docteur de Chania est trop visible. De plus, je ne voulais pas te voir disparaître en ville quand tu es bien plus en sécurité ici. Il faut que nous parlions, loin des oreilles indiscrètes, affirma Bruce en désignant l'entrée de la grotte.

— Cet homme a besoin d'un hôpital. Il serait mieux dans un camp de prisonniers, ajouta Penny, faisant toujours semblant d'être grecque.

— De toute évidence, l'infirmière ne connaît pas l'état de ces camps, répliqua Bruce. Il ne tiendrait pas une semaine. Au moins, ici, il a l'air pur de la montagne et de l'eau propre.

— Peut-être est-ce l'eau qui est mauvaise ? Il faut la faire bouillir, et c'est valable pour vous tous. Je ne peux lui donner que des tisanes et des remèdes locaux ; n'importe quelle mère du village en ferait autant. Je dois repartir, maintenant.

— Pas si vite, Penny ! chuchota Bruce, en se rapprochant.

— Athina, je m'appelle Athina…, chuchota-t-elle.

— Ne pars pas. Ta présence galvanisera ces hommes, ils verront qu'on ne les oublie pas, et cela me donnera du courage de te savoir ici en sécurité, un temps. Toi et moi, nous avons beaucoup de choses à nous raconter… (Bruce lui adressait un de ses sourires carnassiers.) J'ai été un de ses patients, expliqua-t-il à la cantonade. Elle aboie mais ne mord pas.

Il eut un haussement d'épaules en direction des hommes qui attendaient et fit sortir Penny de la grotte.

Penny soupira. Retour à l'hôpital de campagne : une fois de plus, une femme au milieu d'hommes désespérés. Mais peut-être était-ce mieux comme ça. Bruce était venu à elle, l'avait fait venir, lui donnant un rôle dans cette armée invisible de soldats en fuite. Une partie d'elle-même se sentait flattée, surprise et soulagée de le revoir.

— Tu sais que je ne peux pas être la seule femme ici, on va jaser, bien sûr.

Ils avaient laissé les hommes dans la grotte et s'étaient éloignés hors de leur vue ; ils s'installèrent sur un banc de serpolet où la neige avait fondu et regardèrent la vallée en contrebas.

— Pas si on te nippe comme les autres, en pantalon, suggéra Bruce tandis qu'il se rapprochait, son souffle chatouillant l'oreille de Penny.

— Non, pas cette vieille ruse encore ! La tenue de combat à l'hôpital, ça m'a suffi.

Reporterait-elle un jour une tenue décente ? Tout à coup, elle eut une envie folle de retrouver sa robe en soie bleue et ses jolies sandales.

— Tu es grande, tu as minci… Tu fais assez garçon aujourd'hui, et si on te coupe les cheveux…

— Mes cheveux resteront comme ils sont. Tout ce que je porte est terne et sombre, personne ne me remarque. C'est désormais mon uniforme. Et ces vêtements, avec leurs poches et leurs couches superposées, conviennent parfaitement à ma mission, répliqua-t-elle sans le regarder.

Il lui empoigna le bras.

— Nous ne jouons pas aux devinettes, Penny. Il y a encore des centaines de pauvres soldats coincés ici. L'hiver va être infernal. Si tu peux veiller à leur santé, leur trouver un logement quand leur état empire, recueillir des nouvelles et aussi faire des livraisons pour le médecin, tu accompliras un travail remarquable pour nous. Tu es ma chèvre des montagnes, au pas intrépide…, déclara-t-il en riant.

— De bonnes raisons pour ressembler à n'importe quelle pauvre paysanne opprimée. Mais je ne suis pas une foutue chèvre, je suis une femme, au cas où tu ne l'aurais pas remarqué ! lâcha-t-elle, incapable de contenir davantage sa frustration. Je ne suis pas ton larbin !

— Comme si je ne le savais pas : tu es la femme la plus courageuse et la plus endurante qui soit. Qui d'autre aurait tenu bon dans une grotte et refusé de partir jusqu'à ce que les boches l'en chassent ? Tout le monde est au courant de tes exploits. J'étais si fier de toi ! On a retenu un bateau au cas où tu aurais pu t'échapper et aller à Sphakia, mais je me doutais bien que tu ne le ferais pas, pas toi, ma Penny. Quand tout cela sera fini, le monde entier saura ce que tu as accompli pour tes patients.

— Je n'ai fait que mon devoir, et tu dois m'appeler Athina. Penny George n'existe pas.

— Pour moi, si…

Bruce l'attira dans ses bras.

— Et elle doit rester saine et sauve, je l'ai promis à Évadné, et je ne supporterais pas l'idée de te voir bouclée dans un camp, pas toi, ma belle gazelle.

Il lui baisa le front tendrement ; elle tourna son visage vers lui, étonnée d'une telle tendresse, et ouvrit ses lèvres. S'allongeant sur le serpolet, ils s'embrassèrent lentement, langoureusement, comme s'ils avaient devant eux une vie entière remplie d'amour. Penny se coula contre le corps de Bruce comme si c'était la chose la plus naturelle au monde que de faire l'amour sur le flanc de cette montagne, avec le vent qui les fouettait, le cri de l'aigle noir qui s'élevait dans les airs au-dessus d'eux, et ce merveilleux mélange d'herbes aromatiques écrasées qui parfumait l'air froid. Depuis quand attendait-elle ce moment... ?

Mais tout à coup, Bruce se redressa.

— Je suis désolé, Penny, pardonne-moi, ce n'est vraiment pas professionnel. Je ne voulais pas...

— Mais moi si ! s'exclama-t-elle, étonnée de cette prudence soudaine. Nous sommes de chair et d'os, avec des sentiments, des désirs...

— Pas en temps de guerre, pas ici. J'ai une mission à accomplir. Je ne suis pas en situation de t'offrir quoi que ce soit... (Bruce se remit debout.) Je suis désolé.

Penny leva les yeux vers lui, choquée.

— Mais pourquoi ? Guerre ou tempête, feux ou inondations, on ne peut pas arrêter de tels sentiments quand ils surgissent.

— En temps de guerre, l'amour distrait de l'objectif. Si l'on s'attache, il empêche la prise de risque, éloigne du péril... Oh zut ! Peut-être n'aurais-je pas dû te faire venir...

— Assez ! dit-elle en se relevant avec colère. J'ai reçu le message cinq sur cinq mais je ne te comprends pas, Bruce, je ne t'ai jamais compris. Tu souffles le chaud et le froid. Quel mal y a-t-il à se faire plaisir en de tels moments ? Qui sait ce que l'avenir nous réserve ? Mieux vaut avoir des souvenirs que rien du tout. Rassure-toi, je sais être professionnelle moi aussi. Montre-moi le prochain patient sur ta liste.

Elle se tourna, épousseta la terre sur sa jupe, et évita de le regarder au cas où il verrait les larmes perler à ses yeux.

— En revanche, ne t'attends pas à ce que j'accepte des ordres de toi maintenant, trouve-moi simplement un endroit où loger.

— Il y a un réseau de maisons amies dans les montagnes. Et bientôt, je ne serai plus sur ton dos ; je dois retourner au Q.G. dans peu de temps. Viens, il vaut mieux rentrer, les autres vont s'interroger. Il ne faut pas compromettre notre mission, j'ai mes raisons pour vouloir être raisonnable.

« Raisonnable »… *Quel mot stupide*, songea Penny, déçue et désorientée alors qu'ils s'éloignaient de leur douillet nid trompeur. Que voulait dire Bruce par « compromettre » ? Pourquoi avait-il peur d'exprimer ses sentiments ? Au fil des années, elle lui avait donné de multiples signes d'encouragement. Son corps avait vibré tout autant que le sien lorsqu'ils s'étaient embrassés. Pourquoi cette peur, alors qu'elle avait bien plus à perdre que lui ?

Tandis qu'ils descendaient le sentier caillouteux, elle sentit monter en elle un agacement et une colère qui lui bloquèrent la gorge tel un reflux acide. Comment osait-il jouer avec ses sentiments, l'encourager, et la minute d'après reprendre ses distances ? Quoi de plus naturel que désirer une relation physique ? Qui savait quand et même s'ils se rencontreraient de nouveau ?

Ce rêve, elle le portait en elle depuis des années, mais voilà qu'elle était rejetée. Qu'avait-elle donc fait pour qu'il réagisse ainsi ?

Elle se retrouvait désormais échouée là dans les montagnes Blanches, à la merci du temps, du terrain accidenté et de l'hospitalité imprévisible d'étrangers. Elle ne s'était jamais sentie aussi perdue, aussi seule. Si seulement Yolanda avait été avec elle pour partager tout cela, elle aurait eu le sentiment de pouvoir mieux y faire face.

Mais il n'y avait là que les vents de la Crète qui tourbillonnaient autour d'elle, à l'instar de toutes ces frustrations qui lui déchiraient le cœur. Elle fit une pause pour respirer à fond l'air frais et se calmer les nerfs.

Tu as choisi ce chemin difficile quand tu es restée dans la grotte au milieu des soldats. Un nouveau voyage périlleux a commencé, et qui sait où il te mènera ?

Printemps 1942

Pendant des semaines, Yolanda n'eut aucune nouvelle de Penny. Le mauvais temps l'avait peut-être piégée dans les montagnes, que des chutes de neige isolaient de la côte ? Andreas lui avait dit que, selon les rumeurs entendues à la clinique, elle avait été enlevée par des bandits alors qu'elle était dans un bus en route pour Chania, mais il avait l'intuition qu'elle soignait maintenant les derniers soldats alliés. Il craignait que des espions ne les attirent et ne les amènent par la ruse à se rendre.

La rigueur de leur premier hiver d'occupation s'atténuait. Il n'y avait pas eu d'autres mesures restrictives à l'encontre de la petite communauté juive, hormis les lois affectant le commerce : comme aucun juif ne pouvait vendre aux forces d'occupation, leurs seuls clients étaient les locaux, qui avaient peu d'argent. L'hiver avait apporté la famine, même sur la côte. La demande pour du savon, des bijoux, des livres était faible, mais tout le monde savait où l'on pouvait trouver des vivres au marché noir dans le secret des ruelles. Comment les gens pouvaient-ils manger à leur faim quand l'ennemi accaparait le meilleur des récoltes et la viande ? Comme toujours, leur communauté se portait bien grâce à son ingéniosité.

Le cordonnier troquait ses services contre de la nourriture ou des informations. Le rabbin et sa femme passaient dans les maisons et collectaient de la nourriture pour les enfants affamés errant sur le port. Les riches marchands se mirent à vendre leurs œuvres d'art et leurs bijoux ; ils voyaient bien qu'on les expulsait, les uns après les autres, de leurs belles demeures au profit des officiers allemands. Ils devaient désormais chercher des propriétés plus modestes ou loger chez des parents. Le quartier juif était de plus en plus peuplé.

Il y avait toutefois une question plus urgente et plus délicate dont l'ombre planait sur l'avenir de Yolanda. Ses parents, elle l'avait remarqué, manigançaient pour lui trouver un parti convenable au sein de la communauté séfarade.

— Nous ne rajeunissons pas. Nous devons te savoir établie et voulons tenir nos petits-enfants avant que…, soupira Solomon Markos dans un rare moment partagé de recueillement causé par une migraine que la fête de la veille lui avait laissée.

Abram Carlos avait commandé son propre linceul en soie, tissé à la main et, selon la coutume, avait passé la nuit avec ses amis à en démontrer la qualité, avec force rakis et friandises, assez pour que sa future veillée funèbre soit totalement inutile.

Yolanda trouvait morbide la vision d'un vieil homme dansant avec un linceul au-dessus de sa tête mais chez les juifs haniotes, c'était la tradition. La soirée avait dû être bien gaie. Pourtant, elle avait laissé son père un brin morose.

— Qui sait quand nous serons libres de partir en Palestine ? se lamentait-il. Tu es assez âgée à présent pour construire ton propre foyer ; il y a beaucoup de jeunes gens qui s'intéressent à toi, si seulement tu voulais bien leur accorder un deuxième regard ! Commencer à coudre ton trousseau, à border tes jupes de pièces d'or, cela emplira de joie le cœur de momma, dit-il avec un sourire.

Yolanda savait qu'il essayait d'infléchir sa décision de rester célibataire et de créer en elle un sentiment de culpabilité.

Ils étaient tous prisonniers du passé. Personne n'avait d'argent pour des dots ou des fêtes de mariage. Cette époque était révolue. Les quelques noces récentes avaient été de modestes cérémonies. Les hommes d'affaires souffraient de voir leurs revenus chuter, leurs maisons réquisitionnées pour les soldats, leurs biens pillés. La plupart des gens de la communauté cherchaient à survivre : ils faisaient des travaux de couture, servaient à table, quémandaient des emplois subalternes et vendaient leurs plus beaux bijoux pour une bouchée de pain. Ce n'était pas le moment de se marier et, de plus, personne ne ferait chavirer son cœur comme Andreas Androulakis.

— Mon cher papa, l'heure n'est pas aux vœux de mariage. Notre monde se désagrège, n'es-tu pas conscient de la situation ? Le mariage peut attendre...

Ses parents voulaient son bien et souhaitaient qu'elle soit heureuse dans cette période sombre. Les femmes travaillaient durement, devenaient plus indépendantes, exigeant d'être éduquées et d'avoir le choix d'épouser qui bon leur semblait. Tout n'était pas négatif, songea-t-elle avec culpabilité.

Si seulement Penny avait été à ses côtés pour renforcer sa détermination ! Comment expliquer à ses parents qu'elle ne pouvait épouser un homme qu'elle n'aimait pas ? Si seulement ils avaient accepté qu'Andreas devienne leur gendre, mais elle savait que c'était impossible.

Elle devait rester ferme, même si ce ne serait pas facile. Oncle Joe et tante Miriam intriguaient aussi en coulisses.

Yolanda s'angoissait, elle se sentait en sursis. *Un tigre ne rentre pas facilement dans une cage quand il a connu la liberté de la jungle*, se dit-elle. Il valait mieux ne pas se marier du tout que de passer une vie entière enchaînée à un homme qu'elle ne respecterait ni n'aimerait. Mais qu'elle désobéisse, qu'elle leur oppose un refus catégorique, et ses parents seraient couverts d'opprobre. Comment pouvait-elle les blesser ainsi ? Ils n'avaient qu'elle ; leur seul espoir pour l'avenir, c'était elle. Oh, pourquoi y avait-il cette guerre qui détruisait tout ?

L'inquiétude affectait son travail à la clinique, l'empêchant de se concentrer. Le lendemain de cette petite conversation avec son père, elle renversa un précieux désinfectant, trébucha et se cogna le genou, et elle éclata en sanglots à la moindre erreur, tant et si bien que les autres infirmières se plaignirent : quelque chose rendait l'infirmière Markos malade.

Andreas la découvrit en larmes dans la réserve.

— Mais qu'est-ce qui vous prend ? s'écria-t-il. Ma meilleure infirmière en train de pleurer comme une novice la première fois qu'elle entre à la morgue ?

Tout sortit alors : ses peurs, son désarroi, sa frustration, le fait que Penny lui manquait, qu'elle s'inquiétait pour son avenir, qu'elle redoutait de rentrer chez elle et d'y trouver Mordo et ses parents guettant son retour pour la saluer.

— Qui est ce Mordo ? Vous voulez l'épouser ? lui demanda Andreas qui allumait sa pipe et faisait exprès de ne pas la regarder.

— Non. C'est un homme bien, mais non, il n'est pas pour moi. Je n'ai pas l'intention de me marier, répliqua-t-elle tout en s'essuyant les yeux.

Elle se sentait idiote d'avoir pleuré sur son lieu de travail.

— Je suis soulagé, je ne veux pas perdre ma meilleure infirmière. Cela dit, au cas où vous viendriez à changer de projets, je m'imaginerais bien m'enfuyant un jour avec vous. À la mode crétoise, bien sûr, en pleine nuit, et par la fenêtre, ajouta-t-il sans plaisanter.

Sous le choc, Yolanda leva les yeux vers lui, croyant à peine ce qu'elle avait entendu.

— Vraiment ?

Il ne s'approcha pas d'elle mais s'affaira à ranger des instruments dans une boîte.

— Le temps est peut-être venu que vous déployiez un peu vos ailes, maintenant que je ne peux plus compter sur Athina. J'ai une idée : si vous la remplaciez, vous apporteriez quelques provisions ici et là à vélo dans le district...

— Mes parents n'accepteront jamais que je voyage, loin de la maison, sans chaperon.

— La liberté ou la cage, très chère Yolanda ; c'est l'un ou l'autre.

— À vous écouter, les choses sont si simples...

— S'occuper du courrier est un travail dangereux, et les femmes sont plus à même de le faire. On les arrête bien moins que les hommes. On commencera par quelques petites incursions, afin que les gardes vous repèrent lors de vos tournées dans la journée et vous voient rentrer chez vous le soir. Vos parents auront tôt fait de s'habituer à des absences plus longues. C'est une mission essentielle. Vous vous débrouillerez.

Yolanda se moucha.

— Je vais essayer ; je suppose que je pourrai présenter les choses de telle manière qu'elles sembleront n'être que le prolongement de mon travail ici, à la clinique.

— Voilà, vous voyez, vous en êtes capable. Je vous rejoindrai dès que possible, mais pas tout de suite... Je pense vraiment ce que j'ai dit, Yolanda. Je suis sérieux, vous êtes celle qu'il me faut. (Andrea l'attira dans ses bras et lui embrassa la main.) Alors, plus de larmes. Vous ne pouvez pas épouser M. Mordo si vous êtes déjà promise, n'est-ce pas ?

— Non, bien sûr, conclut-elle en riant, et elle arrêta son sourire d'un baiser sur ses lèvres.

Maleme, 2001

Rainer Brecht reprend son souffle, il s'assied sur un banc dans le cimetière militaire allemand voisin du vieil aérodrome de Maleme et, depuis la colline, regarde la baie. Il a repoussé cette visite depuis son arrivée à Athènes, tout en sachant qu'un matin il lui faudrait trouver le courage de pénétrer dans ce jardin étagé et de se promener entre les rangées de pierres tombales plates, en signe de respect.

L'endroit est désormais silencieux et paisible mais il a été jadis le théâtre de combats effrénés pour la survie, connus seulement sous le nom de Colline 107. Il est aujourd'hui entretenu et gardé par George Psychoundakis, l'un des grands héros crétois du conflit, rien de moins, qui a choisi de faire la paix avec ses ennemis en s'occupant du jardin et des tombes.

Tandis que Rainer, le vétéran, déambule dans les allées, une foule de noms et de dates connus lui rappelle, sur les stèles, ces premiers jours de la bataille, les lâchers de parachutes, les accrochages dans les collines, les exécutions. Il s'arrête pour essuyer ses larmes. Tous ces pauvres garçons perdus qui n'ont jamais eu la chance de vivre leur vie en paix comme lui ! Surgit alors un torrent de sentiments enfermés en lui pendant toutes ces années, enfouis sous les occupations de la vie : sa carrière universitaire, élever une famille, regarder ses fils s'épanouir comme lui-même n'a jamais pu le faire. Parfois, il a eu l'impression que rien de tout cela n'était arrivé, que ce massacre n'avait jamais eu lieu, mais la réalité est là dans toute sa brutalité. Comment peut-il être le même homme, celui qui, assis hors d'haleine sous le soleil crétois, voulait que ses blessures guérissent au plus vite pour pouvoir s'échapper de Crète, traverser la mer de Libye et poursuivre le combat ? Cette île a gardé prisonniers ses vainqueurs comme ses vaincus.

Été 1942

Au quartier général, à Chania, un interprète s'était détaché du lot. Un homme originaire d'un district périphérique, d'un village près de Vrisses, zone connue pour ses troubles. C'était le plus malin de tous les collaborateurs, le regard perçant, rusé et charmeur, et totalement impitoyable. Bon nombre de ces agents promettaient beaucoup mais livraient peu de renseignements de valeur, prêts à vendre amis et parents pour des privilèges, de l'argent ou l'occasion de se venger de quelque vieille querelle. Mais celui-ci s'était lié d'amitié avec un suspect connu ; il lui donnait quelques bribes de renseignements et gagnait sa confiance. Ce n'était plus qu'une question de jours avant qu'ils puissent procéder à d'importantes arrestations.

La plupart des agents étaient des hommes faibles, vaniteux, que Rainer méprisait comme il se méprisait de n'avoir pas encore pu reprendre le service actif. On avait besoin de lui en Égypte, où Rommel avançait dans le désert. Une fois que les Britanniques auraient succombé à l'attaque, leur maîtrise du Moyen-Orient serait assurée. La Crète s'avérait être un précieux relais pour le transport de troupes, le carburant et l'approvisionnement. Les citernes étaient gardées jour et nuit de crainte d'une attaque ; il commandait les troupes stationnées non loin.

La blessure à sa jambe avait raidi les muscles de sa cuisse, et il avait beau prendre des bains de mer, suivre des traitements, rien ne soulageait la douleur que lui causaient ses mouvements restreints. Rainer commençait à se dire qu'il serait estropié à vie, et cantonné pour toujours à un travail de gratte-papier. Son avenir lui paraissait sombre et il plaçait désormais tous ses espoirs dans un médecin de Chania. Cela valait la peine de le consulter puisque ses propres médecins ne lui avaient rien proposé d'autre que des traitements classiques, mais il ne s'attendait pas à une guérison complète.

Le cabinet, pièce unique avec une table de soins, près de l'hôpital de la Croix-Rouge, n'avait rien d'engageant. La première visite ne fut guère qu'une série de questions posées par un praticien borgne, du même âge que lui ; il examina sa blessure, la façon dont il se tenait et se penchait, et sa musculature.

— Votre blessure est guérie, mais tout votre côté s'est contracté et votre claudication vous tord le corps de l'autre côté, ce qui crée une tension sur votre posture. Avez-vous entendu parler de l'ostéopathie ? demanda le jeune docteur.

Rainer haussa les épaules, il n'avait jamais eu besoin de tels soins auparavant.

— Nous devrions obtenir une amélioration en à peu près quatre séances, si vous trouvez le temps de vous libérer de votre unité.

Rainer expliqua de manière succincte sa mission actuelle, veillant à ne pas en dire trop à cet étranger.

— La position assise à un bureau ne va pas vous aider. Il faut que vous corrigiez le traumatisme ; donc, exercez-vous, marchez et nagez aussi.

— Mais, et la douleur ?

— Ah, la douleur… Si nous agissons sur votre squelette et votre posture, la douleur s'en ira. Les douleurs musculaires correspondent souvent à un état d'esprit causé par les tensions et les responsabilités, facteurs de stress.

Le Dr Androulakis ne faisait pas grand cas de ses problèmes, mais Rainer était assez curieux pour lui accorder une ou deux séances. Celles-ci, à sa grande surprise, ne duraient pas longtemps ; le médecin lui remettait en place la colonne, corrigeait sa posture et lui donnait des exercices à faire chaque jour, lui suggérant même de porter des semelles pour rééquilibrer les appuis de ses jambes.

Il n'était pas toujours facile d'obtenir un rendez-vous avec ce praticien occupé, qui travaillait à la clinique de la Croix-Rouge et circulait dans le district avec un permis spécial. Il avait appris l'ostéopathie à Athènes. Son approche efficace impressionnait Rainer, persuadé qu'il devait gérer l'hôpital d'une main de fer. Il se demanda si l'infirmière des grottes travaillait quelque part pour lui. Il pensait souvent à elle, mais n'en avait plus entendu parler depuis qu'elle s'était installée au couvent, des mois auparavant. Quand il passait devant celui-ci, il se surprenait à ralentir au niveau de l'entrée au cas où elle serait visible, mais les grilles étaient hautes, et il ne l'avait jamais vue en train de faire des courses ou d'escorter une ribambelle d'orphelins dans les rues.

— J'ai connu une infirmière athénienne, une blonde du nom de Pénélope, très grande. Est-ce qu'elle travaille à votre clinique ? demanda-t-il au médecin qui lui malaxait énergiquement le bas du dos.

— Non, dit Andreas avec un sourire. Je pense que je remarquerais une grande blonde dans mon équipe féminine locale... Comment vous sentez-vous ?

— Bien mieux, ces derniers temps.

— Pourquoi avez-vous hâte de quitter ce travail de bureau ? La vie doit être agréable au Q.G., j'imagine ?

Cherchait-il à récolter des informations ? s'interrogea Rainer, mais il était tellement détendu qu'il eut malgré tout envie de lui confier un peu son désir de quitter l'île et de rejoindre une unité de combat.

— Vous n'aimez pas notre belle île ? Beaucoup de gens l'appellent la terre des mangeurs de lotus.

Rainer ne sut s'il était sérieux ou non. Question orientée, alors qu'il était là sur cette table dans une position vulnérable.

— Vous avez perdu un œil, je vois. Lors d'une bataille ? demanda-t-il pour changer de sujet.

— Une blessure stupide avec un fusil chargé, alors que j'étais gamin. Vous savez, je préfère raccommoder les gens plutôt que d'en faire de la charpie.

Un silence s'installa entre eux tandis que chacun méditait cette remarque.

— En tout cas, continuez de la sorte, et avant peu vous embarquerez votre paquetage, mais ne précipitez rien. Il a fallu du temps pour récupérer ; quelques mois de plus, ça ne compte pas. J'ai encore besoin de travailler sur votre jambe.

Rainer eut tôt fait d'apprécier ces séances. Il apprenait à se détendre, à comprendre comment les tensions de l'année passée avaient provoqué une réaction aussi violente dans son corps. Il sentait ses articulations se renforcer ; la douleur se dissipait peu à peu.

La deuxième année après la victoire, un changement important s'était produit avec l'arrivée d'officiers de la Gestapo. Des hommes froids mais efficaces lorsque, par exemple, ils triaient les informations apportées par l'agent connu seulement sous la lettre K. Rainer savait qu'une radio opérait dans les montagnes Blanches et transmettait des renseignements sur les mouvements des bateaux dans la baie de Souda. Il y avait eu plusieurs attaques de convois d'approvisionnement sur des routes stratégiques, à des dates et heures trop précises pour n'être dues qu'au hasard. L'agent K avait la confiance totale d'un chef de la Résistance du coin, et la préparation d'un raid surprise sur le groupe de résistants était bien avancée.

L'autre source d'irritation pour les hommes de Rainer était la présence avérée de quelque trois cents soldats en fuite toujours libres de leurs mouvements, abrités et approvisionnés par des villages rebelles, et guidés vers la côte sud par des bergers et des officiers britanniques arrivés du Caire. Les débusquer n'était pas aussi facile qu'ils se l'étaient imaginé de prime abord.

Ils avaient tenté de les tromper avec leurs propres volontaires qui avaient de la famille en Angleterre ou pouvaient se faire passer pour des Sud-Africains évadés eux aussi, mais ces tentatives avaient échoué et s'étaient soldées par des exécutions horribles. Ces soldats se trahissaient de façon idiote : en utilisant un argot démodé, en ignorant quel joueur appartenait à quelle équipe, comment faire le thé, ou en ne connaissant pas les paroles de certaines chansons romantiques. On avait donc décidé qu'il était plus judicieux d'envoyer de faux officiels et policiers grecs pour tromper les villageois.

Malgré ces revers mineurs, le moral dans le camp allemand était bon. L'avancée de Rommel à travers l'Afrique du Nord se faisait très vite, la résistance sur l'île se révélait faible et il y avait une chose en leur faveur : personne ne parvenait à fédérer les rebelles crétois en une armée unie ; il y avait trop de factions et d'ego rivaux chez ces montagnards voyous, aussi courageux et téméraires qu'ils fussent.

Le moment était venu de jouir des fruits et du soleil de l'été, de regarder les ouvriers construire routes et fortifications. Comme Rainer travaillait son endurance, il sentit son humeur s'améliorer. Bientôt, il aurait quitté l'île pour de bon. Il ne faisait que marquer le pas.

Un soir, il alla se promener sur le port, le regard au loin sur la mer, l'espoir au cœur. Quelques tavernes étaient ouvertes près de l'arsenal vénitien détruit par les bombardements, et il aperçut son médecin crétois assis à l'ombre d'un auvent en compagnie de deux femmes. L'une, petite et sombre de peau, l'autre grande, vêtue de noir. Cette dernière se leva dès qu'elle le vit et disparut dans une ruelle. Quelque chose dans cette silhouette lui était familier. Il l'aurait repérée n'importe où. Pourquoi Androulakis lui avait-il dit ne pas connaître l'infirmière des grottes ? Il n'existait qu'un moyen de découvrir la vérité.

Il s'avança nonchalamment jusqu'au couple et claqua les talons :

— Bonjour, *Herr Doktor*, vous voyez, je fais de l'exercice. Je suis heureux de constater que vous prenez un peu de bon temps.

Le médecin se leva, les joues rouges.

— Capitaine Brecht, je vous en prie, asseyez-vous. Nous prenons notre pause. Voici ma fiancée.

Rainer vit la jeune femme piquer un fard et lui toucher le bras.

— Andreas, s'il te plaît... Nous n'avons encore rien annoncé.

Elle portait l'uniforme de la Croix-Rouge et avait le parfait profil acéré d'une belle juive. Rainer nota qu'elle n'était pas à l'aise en sa compagnie mais ce n'était pas elle qui l'intéressait.

Il scruta la ruelle.

— Et cette autre jeune personne qui s'est enfuie… L'ai-je effrayée ?

— Athina ? Ah, elle est déjà en retard pour son service. Je crains qu'elle n'ait des ennuis.

— Quel dommage ! Elle m'a rappelé quelqu'un que j'ai connu ici. Pénélope, cette infirmière dont je vous ai parlé l'autre jour… J'ai dû me tromper.

Il vit la jeune femme tressaillir à la mention de ce prénom, mais elle se ressaisit très vite et se leva.

— Veuillez m'excuser, j'ai des courses à faire avant la fermeture des magasins…

— Quelle magnifique jeune femme ! déclara Rainer en se penchant en avant, sourire aux lèvres, et en regardant Yolanda s'en aller avec intérêt. Elle habite dans le coin ?

— Elle est d'Athènes. Ses parents sont très stricts… Je n'aurais pas dû l'appeler ma fiancée. La chose est encore secrète, répondit Andreas qui regardait sa montre.

Oui, j'imagine ! pensa Rainer. Si les lois raciales imposées en Europe l'étaient ici aussi… Les soldats allemands avaient interdiction d'épouser des juives ou des étrangères, mais, de toute évidence, cela ne s'appliquait pas à la population grecque.

— Votre secret sera bien gardé, docteur.

Il se leva et s'éloigna. Intéressant, ce médecin et son amoureuse… et s'il s'agissait de Pénélope, pourquoi travaillait-elle sous le nom d'Athina ? Fascinant, vraiment ! Quels autres petits secrets restait-il encore à découvrir ici ?

Penny s'était enfuie dans la ruelle dévastée en direction de la place Splanzia, mettant autant de distance que possible entre elle et le port. Elle sautait sur des décombres et des cailloux et trébuchait, dans sa tentative désespérée de fuir l'Allemand. L'avait-il reconnue, malgré ses vêtements de veuve ? Elle ne pouvait courir le risque d'être découverte, surtout depuis qu'elle faisait partie du réseau des soldats en fuite. Pourquoi avait-elle été tentée de revenir à Chania ? Quelle idiotie de croire qu'elle pourrait passer incognito ! Elle avait déposé une lettre pour mère Véronique, réclamant son pardon pour avoir déserté son poste, et elle était venue voir Yolanda et prendre des lettres à Andreas. Assise avec eux au café, elle avait savouré un brin de vie normale, échangé les nouvelles et pris les instructions, mais un seul regard à l'homme qui traversait la rue et s'approchait en souriant, et la fuite s'était imposée.

Elle avait été impatiente d'avoir de la compagnie, de retrouver l'effervescence de la ville, or voilà qu'elle les avait tous mis en danger. Pourquoi ce capitaine était-il toujours là ? Elle le croyait parti depuis longtemps. Quelque chose dans sa prestance imposante l'avait toujours troublée. Si elle l'avait reconnu de loin, il avait dû également deviner qui elle était.

Il fallait qu'elle quitte la ville et prenne le premier bus, n'importe lequel, en direction du sud, même si elle devait faire plus de kilomètres pour rejoindre son village.

Bruce l'avait placée chez un marchand, Ike, et sa femme, Katrina, comme gouvernante de leurs deux enfants, Olivia et Taki. Ike, revenu de

Chicago avant l'Occupation, parlait anglais, atout précieux avec les fugitifs. Sa vaste villa offrait un refuge aux soldats malades qui traînaient en arrière et pouvaient se cacher dans le sous-sol. Katrina, issue d'une longue lignée de guerriers crétois, maniait couteau et fusil aussi bien que n'importe quel homme. Par précaution, personne n'utilisait leurs noms de famille. Moins on en savait, mieux c'était, mais ils partageaient un secret : l'existence d'une antique chambre funéraire cachée dans l'oliveraie derrière la maison, ultime abri si tout le reste échouait.

Une fois installée chez Ike, Penny s'était régulièrement rendue à la grotte où se terrait Bluey pour constater ses progrès. Il y resterait jusqu'à ce qu'il soit assez robuste pour qu'on le redescende dans l'abri souterrain, sous les oliviers. Il avait besoin de légumes frais, de la chaleur des pierres au soleil, et ses amis lui rendaient visite afin qu'il garde le moral. Penny était la jeune fille de la villa, et on la voyait souvent à l'ombre des oliviers en train de jouer avec Taki. Personne ne savait qu'elle apportait de la nourriture et de l'eau à ce patient malade, caché dans cette tombe minoenne. Ruse parfaite.

Dernièrement, ses camarades avaient apporté du vin, ce qu'elle avait interdit. Empêcher les Australiens de faire la fête était une tâche désespérée. Leurs chansons résonnaient encore dans la vallée au petit matin, jusqu'au moment où Bruce les menaça de les chasser s'ils continuaient à attirer l'attention sur leurs positions. Penny l'avait revu plusieurs fois sous les oliviers, mais jamais seule, et cette première étreinte passionnée près de la grotte n'avait jamais été suivie d'autres. Elle le désirait pourtant ardemment.

Tout en négociant son trajet de retour, Penny savourait ces brèves retrouvailles avec Yolanda. Quel bonheur de voir son amie, si manifestement amoureuse ! Mais elle n'avait pu parler avec elle en privé et lui avouer son propre désespoir depuis ce moment passionné avec Bruce. Il formait, elle le savait, un groupe de résistants avec des hommes du coin pour protéger l'opérateur radio qui travaillait dans une ferme proche. Nul n'ignorait quels risques encourait cette famille en émettant si près de la bande côtière. Que Dieu les aide, s'ils venaient à être arrêtés !

À la maison, Katrina maintenait tout son monde occupé à préparer des confitures avec les maigres rations de sucre, à cueillir les légumes et les herbes aromatiques pour les saler et les sécher. La plupart des vivres étaient cachés profondément sous terre en cas de raid. Ils enfouirent un stock d'huile et de haricots dans un trou creusé dans l'oliveraie. Les troupes allemandes ne préviendraient pas de leur arrivée et exigeraient qu'on leur donne tout ce qui était dans les réserves, pillant et brisant n'importe quoi à leur gré et fantaisie.

Un jour, effectivement, une patrouille arriva. L'officier observa sans rien dire un de ses hommes qui s'emparait d'une très vieille icône de la Vierge Marie, transmise à la famille de Katrina de génération en génération. Celle-ci dut le regarder la détacher du mur sans une plainte, mais ses yeux noirs brillaient de haine. Lorsqu'ils furent partis, elle alluma une bougie, se piqua le bras, mélangea le sang avec la cire et y moula son crucifix, tout en murmurant une incantation.

— Lui et ses semblables maudiront le jour où il m'a volée, cracha-t-elle.

La plupart des villageois étaient forcés de travailler sur les routes et dans les carrières et, source d'inquiétude majeure, ils n'avaient plus le temps de s'occuper de leurs oliviers, de leurs cultures, ni de nourrir les animaux. Les travaux des champs incombaient donc aux enfants, qui faisaient de leur mieux. Nombre d'écoles avaient été bombardées et fermées, les maîtres contraints au travail ; certains soldats de l'Anzac prirent le risque de sortir, déguisés en petits gars du coin. Ils sarclaient, arrosaient, aidaient à traire les chèvres et à faire les fromages dans les cabanes en pierre des bergers. Si des uniformes apparaissaient à l'horizon, ils filaient se cacher dans des trous.

La voix clandestine des Crétois, communiquant par coursiers et enfants, avertissait avec précision de la présence de patrouilles. La semaine précédente, trois officiers allemands s'étaient arrêtés chez Ike pour boire tandis que des camarades de Bluey se trouvaient encore dans la maison. Penny, calme et posée, avait servi les officiers tandis que Katrina souriait et jouait à la parfaite hôtesse, dans sa robe américaine en coton qui mettait en valeur sa magnifique poitrine ; ni l'une ni l'autre n'avaient laissé entrevoir qu'au-dessus de leurs têtes trois Australiens osaient à peine respirer.

Au plus fort de l'été, des hommes se regroupèrent haut dans la montagne, préparant des embuscades et des raids audacieux pour le jour où ils auraient assez d'armes pour attaquer dignement. À l'automne et à l'approche de l'hiver, les occasions de mener ces raids seraient rares. Il n'y avait nul signe d'une contre-offensive alliée pour reprendre l'île. Les troupes avaient fort à faire à essayer de contenir l'avance de Rommel en Afrique du Nord, et la radio avait annoncé la sinistre nouvelle de la chute de Tobrouk.

Bruce avait expliqué que, pour la Résistance, il était vital de suivre précisément tous les mouvements de troupes et les convois. L'ennemi dépendait de l'approvisionnement en provenance de Crète, et il y eut une grande allégresse dans l'air quand on apprit que, grâce à un raid aérien sur les citernes en dehors de Chania, des milliers de litres de précieux combustible pour les chars avaient été détruits. Le ciel fut noir de fumée pendant des jours. Ce fut hélas une victoire pour laquelle de nombreux otages perdirent la vie.

Assise dans le bus qui repartait dans un bruit de ferraille vers l'est, sur la route d'Héraklion, Penny voyait défiler des maisons en ruine, des troupeaux éparpillés, des oliveraies brûlées où rouillaient les épaves d'avions britanniques. Retrouverait-elle jamais une vie normale ? se demandait-elle. La vie bien réglée qu'elle avait connue à Athènes. La maison de campagne de son enfance à Stokencourt lui paraissait si loin, elle ne pouvait même plus se considérer comme britannique.

Dire qu'autrefois son seul souci avait été de résister aux projets de sa mère en matière de saison des débutantes à Londres. Aujourd'hui, il

lui semblait avoir cent ans ; elle se sentait mal-
menée, meurtrie, mais fière d'être toujours au
combat. Tant d'autres vivaient des situations bien
pires que la sienne : indigents, endeuillés et sans-
abri. Elle avait un toit sur la tête, un cantonnement agréable. Jusqu'à présent, elle avait eu de
la chance, mais revoir le capitaine Brecht avait
ébranlé une certaine insouciance.

Au regard d'un badaud, elle n'était qu'une paysanne fatiguée, les mains rêches et le visage brûlé
par le soleil, mais sous cette apparence un cœur
s'emballait. Désormais, elle ne prendrait plus le
risque d'être identifiée comme fugitive britannique, en particulier si on la dénichait dans une
maison de village. À Chania, un officier allemand
soupçonnait quelque chose. Qu'arriverait-il s'il se
lançait à sa recherche ? Elle ne se pardonnerait
jamais d'avoir mis en danger ses camarades grecs.

Quand Yolanda eut fini son service, elle rentra chez elle d'un pas très las. Elle s'était occupée de pauvres gamins qui avaient déclenché une
bombe non explosée. Trois morts, deux autres
presque sans membres. Montrer les corps mutilés
aux mères en larmes avait été atroce. Elle avait
le cœur lourd de frustration : ils étaient si dému-
nis face à ces bombes enfouies là où jouaient des
enfants.

Quand elle poussa la porte, un groupe de
femmes réunies autour de la table la fixa avec
de tels regards noirs qu'elle se demanda quelles
nouvelles restrictions leur avaient été imposées.

— Assieds-toi, ordonna tante Miriam.

384

— Que se passe-t-il ? demanda Yolanda en s'affalant sur une chaise ; elle avait chaud et se sentait épuisée.

— Que je sois obligée de dire à ma propre fille ce qui s'est passé ? On t'a vue, lança momma sans la regarder.

— Vue ? Où ? Qu'est-ce que tout ça signifie ?

— Tu as été aperçue en plein jour, assise dans un lieu public en compagnie de deux hommes, un Allemand et un goy.

Silence. Regards furibonds. On attendait sa réponse.

— Ah, tu veux dire le Dr Androulakis. Tu l'as déjà rencontré, c'est mon médecin-chef. (Yolanda sourit, soulagée.) Nous avons pris une pause, la matinée a été horrible. Vous avez entendu parler de cette bombe dans le quartier de Kastelli ? Trois petits enfants...

— Je ne veux pas d'excuses, je veux une explication. Tu étais avec un homme, seule, et ensuite est venu un officier qui s'est assis près de toi.

— Je suis désolée, ça a été une affreuse matinée, et j'ai revu Penny... On a bu du café, enfin, ce qui tient lieu de café aujourd'hui.

Elle essayait de plaisanter mais ça ne marchait pas. Quand donc les gagnerait-elle à sa cause ?

— Le Dr Androulakis nous a rejointes, et puis l'un de ses patients est arrivé juste au moment où Penny s'en allait. Il a fallu que je sois polie.

— On t'a vue en train de rire avec lui. T'humilier ainsi en public, c'est insupportable ; t'afficher ainsi alors que tu es sur le point d'être fiancée. Que va penser Mordo ? s'exclama tante Miriam.

Yolanda bondit sur ses pieds.

— Qui a parlé de mariage ? Je n'ai nulle intention d'être fiancée à qui que ce soit, pas tant que nous sommes occupés.

— Tu passes du temps, seule, avec ce docteur à la clinique, il faut que ça cesse, dit momma.

— Andreas est un excellent médecin et un homme courageux, protesta-t-elle, les bras croisés en signe de défi.

— Tu n'es plus la fille que nous avons élevée. Et il n'est pas des nôtres.

— Est-ce si important en ces temps troublés ? Et qui m'a espionnée ? exigea-t-elle de savoir, furieuse.

— Tu t'es attachée à lui, je le craignais, soupira momma. Comment peux-tu faire ça à ta propre famille ?

— Je n'ai rien fait. Oui, nous nous sommes rapprochés par notre travail. C'est un homme bien. Tu souhaites sûrement que je sois heureuse avec un homme bien ?

— Avec un bon juif, c'est tout. Rien d'autre n'est possible si l'on veut survivre. C'est à toi qu'incombe la pérennité de notre race. Il ne peut y avoir de mélanges de races, ni de religions, ça ne marche jamais.

— À Athènes, nous avions des amis qui ont épousé des Grecques. Tu m'as toujours dit qu'un cœur doit rester libre de choisir son compagnon. Penny n'est pas juive et elle a sauvé la vie de papa, tu l'as oublié, ça ?

— C'était autrefois, on parle de maintenant, répondit momma simplement.

— Ce n'est pas un argument.

— Ne sois pas insolente avec ta mère dans ma maison, espèce d'ingrate ! explosa Miriam. Souviens-toi du commandement : « Tu honoreras ton père et ta mère... »

— Comment puis-je honorer ce qui est sectaire et injuste ? s'écria Yolanda.

— Yolanda, en voilà assez. N'aggrave pas la situation. Tu dois quitter cette clinique immédiatement, revenir à la maison et apprendre l'obéissance à notre Loi...

Sa mère avait tellement changé depuis leur arrivée ici ; elle défendait aujourd'hui les règles les plus strictes de leur religion quand, dans le passé, elle avait été bien heureuse de les ignorer.

— Cela tuera ton père de te savoir si désobéissante, si ingrate, ajouta-t-elle. Évite-moi d'avoir à le lui raconter.

— Pourquoi veux-tu que je choisisse ? S'il te plaît, ne me demande pas d'abandonner mon travail. Si seulement tu voyais les blessures de ces enfants, les visages de ces pauvres mères, cela te briserait le cœur. Dieu entend les prières des juifs comme celles des gentils dans la détresse. Il ne fait pas de distinction. Comment puis-je rester assise ici à faire la cuisine ou à coudre tandis que des vies doivent être réparées ? Tu ne peux pas exiger ça de moi !

Elle sortit de la pièce, fuyant ces femmes en colère, si promptes à juger. Soudain, cette journée atroce l'était encore plus. Si elle devait choisir, elle briserait, elle le savait, leur cœur à eux tous.

2001

Il arrive un moment, au milieu des vacances, où l'on a fait assez de visites, surtout à mon âge. Aller à la plage, observer les gens à l'ombre depuis une chaise longue et vadrouiller d'un musée, d'une église ou d'une taverne à l'autre sont des activités épuisantes par une telle chaleur. Un bon livre et me retrouver seule, voilà ce dont j'ai besoin. Plus de questions sur mon expérience de la guerre. Ce séjour fait resurgir des flots de souvenirs et me donne l'impression d'être une antiquité. Je me sens lasse et assez angoissée à l'idée de ce que je pourrais découvrir.

Loïs se tracasse sans cesse. Elle m'imagine en train de tomber dans la piscine ou de mourir d'insolation lorsqu'elle et Alex partent en excursion dans la montagne avec Mack, en passe de devenir son compagnon attitré.

Me cacher sous les oliviers et ne rien faire, ah, quelle félicité ! J'ai découvert un vieil arbre, tordu et noueux, un tronc gros comme le ventre d'un buveur de bière ; plusieurs fois centenaire et pourtant toujours debout, fier, avec ses branches sculptées et une floraison qui promet une belle récolte d'olives. Il me rappelle un olivier que j'ai connu il y a bien longtemps, avec sa face bienveillante. Je ne peux jamais regarder un très vieil arbre sans voir en lui la créature qui l'habite. Des arbres si majestueux !

Mais ici, tout s'est totalement métamorphosé. Et je ne me retrouve plus dans ces montagnes que j'ai autrefois sillonnées avec tant de facilité, je ne sens plus le thym écrasé entre les doigts, je n'entends plus la stridulation des cigales qui couvre toute conversation. Heureusement, certaines caractéristiques de la Crète demeurent : les couleurs vives, le rouge cramoisi des bougainvillées qui retombent en arc au-dessus des murs, les abricots mûrissants, la mer turquoise, les ocres clairs des tours des monastères, le bleu céruléen du ciel. La fille sous l'olivier est désormais une *yiayia,* assise à l'ombre, qui tente de se rappeler pourquoi elle est restée aussi longtemps éloignée d'un si bel endroit. On ne croit jamais que viendra le temps de la vieillesse, mais si...

Je sens que je m'assoupis, le moyen idéal d'échapper aux souvenirs de ce qui s'est passé ensuite.

De l'autre côté de Chania, Rainer prend un taxi pour aller à la plage de Georgioupolis, petite ville entre Chania et Réthymnon sur la côte nord. Il a envie de faire une pause dans son pèlerinage, envie d'un jour à la mer sur cette longue côte dorée qu'il a si bien connue. Il trouve un coin désert où le fleuve rencontre le rivage, un endroit où s'asseoir à l'ombre avec un livre et jouer au touriste. Ne rien faire, ne penser à rien. Il a acheté la traduction en allemand de *The Winds of Crete*, de David MacNeil Doren, et il se dit qu'il mettrait bien ses pas dans ceux de l'auteur qui a vécu ici dans les années 60 avec sa femme danoise.

Ce qui était autrefois un tranquille port de pêche est devenu une station balnéaire animée, prisée des touristes allemands et scandinaves, célèbre pour son avenue d'eucalyptus géants et ses liens avec la royauté. L'endroit convient à son humeur, et il sait qu'il y a de bons restaurants de poissons à essayer plus tard.

La route nationale qui relie les villes de la côte nord a accéléré le rythme. Il se remémore un lent voyage jusqu'à ce même lieu, à l'arrière d'un camion avec des amis en congé d'embarquement, allongés nus sur le sable, plongeant dans la mer et se saoulant avant de se préparer à voguer jusqu'en Afrique du Nord. Comme il les avait enviés de partir avant lui !

Il se réveille de sa rêverie, pose son livre et se dirige vers la mer. Ce n'est pas bon de s'agiter à propos du passé. Il est temps de purger son esprit de toutes ces pensées nostalgiques.

Novembre 1942

C'était une belle journée de novembre. Les corvées du petit matin s'achevaient, les poulets avaient été sortis, les enfants avaient eu à boire et à manger. Soudain, un coup de sifflet perça les oreilles de Penny. Le signal d'alerte.

— Que se passe-t-il ? hurla Penny.

— Des soldats, des centaines. Continue, fais comme si de rien n'était. Les gars savent qu'ils doivent se planquer dans la montagne, lui cria Katrina par la fenêtre.

Tout à coup, elles furent dépassées, poussées de côté tandis que les soldats se précipitaient à l'intérieur de la villa, défonçant les portes ; leurs chiens lâchés grognaient, prêts à mordre quiconque bougeait.

La première pensée de Penny alla aux hommes qui se cachaient dans la chambre funéraire. Dieu fasse qu'ils aient entendu le vacarme et tiré la dalle de pierre ! Mais étaient-ils assez loin pour que les chiens ne les flairent pas ? Elle prit son panier de linge et fit mine de partir.

— *Kalimera*, dit-elle en adressant un sourire à un soldat, avec ses lèvres mais pas avec ses yeux.

— Où allez-vous comme ça ?

Il la regardait, l'air soupçonneux.

— Porter des habits à une vieille dame.

Elle montra du doigt une cahute en pierre où vivait la veuve Calliope. Il lui arracha le panier et jeta tout le linge propre par terre.

— Rentrez à l'intérieur !

Elle ne put que s'exécuter et revenir sur ses pas, espérant qu'Ike avait réussi à s'enfuir par l'arrière. Quand elle entra dans la villa, ils étaient tous là, debout sous la menace des armes.

— Que signifie cette intrusion ? demanda Ike qui ne se laissait pas démonter.

— Papiers ! lui ordonna-t-on.

Ike sortit un portefeuille en cuir plein de documents.

— Vous, Ilias Papadakis ?

— Oui.

— Vous, venez.

Ike jeta un regard anxieux à sa femme.

— Qu'est-ce qui se passe ? Nos papiers sont en règle !

— Pas de questions. Allez. Votre femme ? demanda le soldat, dont le regard allait d'une femme à l'autre. Ou vous en avez deux ?

— Je suis Katrina Papadakis.

— Et celle-là ?

Il fixait Penny.

— Athina, la servante.

La réponse parut satisfaire le soldat et, tenant Ike en joue, il le poussa dehors. Ike se tourna pour dire au revoir à sa femme.

— Assure-toi que les mules ont bien à boire, Katrina, et ne t'en fais pas. Tout ça n'est qu'une erreur, je serai bientôt de retour.

Il rejoignit une file de villageois que l'on fit descendre de la colline coincés entre deux rangées de soldats en armes puis monter dans un camion qui attendait. Ce n'était pas un raid ordinaire. Katrina laissa échapper un hurlement d'angoisse quand elle vit disparaître la poussière soulevée par le véhicule.

— Que vont-ils devenir ? Qui nous a trahis ?

Penny jaillit de la maison comme une flèche et courut dans le champ jusqu'à l'oliveraie où les trois fugitifs, enfermés dans la chambre funéraire, ne respiraient que par une mince fente. Ils avaient entendu l'écho de l'alerte et les aboiements des chiens, et s'étaient retirés dans leur cachette souterraine. Elle leur apporta de l'eau fraîche et de la nourriture et leur conseilla de ne pas sortir avant d'en savoir plus.

Il était minuit quand un coursier put descendre discrètement de la montagne apporter des nouvelles : arrestations massives dans tout le district. Le chef du groupe de résistants, Andreas Polentas, avait été emmené, et l'opérateur radio qui travaillait depuis une maison dans le village de Vafes avait été pris alors qu'il tentait de s'échapper.

— À l'heure qu'il est, quarante hommes de valeur sont aux mains de la Gestapo ; pas le poste émetteur, heureusement, déclara-t-il, rouge de colère.

— Vous avez pu sauver le poste !

— Grâce à la rapidité d'esprit d'Elpida, la sœur de l'opérateur. Elle savait où étaient les codes :

dans les poches de la veste de son frère. Quand il est parti, elle lui en a fait enfiler une plus chaude ; elle a embarqué les documents et les a mis à l'abri. Elle connaissait aussi la cachette du poste ; elle l'a transporté sur son dos jusqu'à une grotte où elle le garde, armée. On ne sait pas où, comme ça personne ne pourra aller le dire aux Allemands… Que Dieu les protège de ces assassins diaboliques. On a été trahis ! Tous les contacts de Polentas ont été pris.

Il se signa puis repartit dans la montagne.

Cette nuit-là, personne ne dormit. Les enfants ne cessèrent de pleurer et de demander leur père ; à tour de rôle, Penny et Katrina les réconfortèrent.

Elles apprirent plus tard que le maire et son adjoint étaient descendus à Chania pour protester et plaider la cause du village, mais qu'ils n'étaient pas revenus car on les avait arrêtés eux aussi.

— Que voulait dire Ike au sujet des mules ? On n'a pas de mules en ce moment…, constata Penny.

— C'est un code entre nous. Je dois prévenir mon père et mes frères. Il y aura vengeance, l'homme qui les a donnés va mourir… (Katrina pleurait, bouleversée par le sort de son mari.) Ike n'a rien fait d'autre que d'assister à des réunions.

Penny ne répondit rien. Inutile de lui rappeler qu'il y avait trois soldats britanniques sur la propriété, que des fusils étaient cachés et qu'ils avaient stocké de la nourriture, ce qui était également interdit. Dieu merci, les gars de l'Anzac n'étaient pas dans la cuisine en train de grappiller un petit déjeuner. Ils devaient partir immédiatement au cas où il y aurait une fouille plus systématique. L'ennemi savait se montrer pointilleux.

— J'emmène les gars derrière la ligne, annonça Penny.

— Mais tu ne peux pas y aller toute seule ! s'exclama Katrina, levant des yeux pleins d'inquiétude, il y a des postes de contrôle.

— J'aurai les soldats pour m'escorter, on partira de nuit. Lors de sa dernière visite, Panayotis m'a parlé un peu de l'itinéraire vers le sud. C'est trop risqué ici, maintenant.

— Mais tu es chez toi, ici. Panayotis a insisté pour qu'on assure ta sécurité. Les gens vont le remarquer si tu disparais, et puis l'hiver approche.

— Je reviendrai, je ne te laisserai pas toute seule. Au retour d'Ike, nous réfléchirons. Vous avez été tellement gentils avec nous tous. Comment pourrais-je vivre, s'il vous arrivait quoi que ce soit ?

— Tu crois qu'ils nous reviendront de cette prison aux murs chaulés où la mort a pris ses quartiers ? La nouvelle icône de *Panagia* nous aidera en ces heures de détresse.

Penny soupira, elle redoutait que le pire ne se produise à la prison d'Agia. Elle alla jusqu'à la chambre funéraire dire aux fugitifs de se préparer à partir. Puis elle s'installa sous son olivier favori jusqu'à la tombée de la nuit. Elle voyait dans son tronc un visage, un visage qui lui rappelait l'oncle Clarence, avec ses favoris, sa peau tannée et son air bienveillant.

Amusant, la façon dont elle s'était entichée de ce vieil arbre et de la cachette sous ses branches basses où elle pouvait réfléchir sans être dérangée, priant pour que Bruce soit en sécurité. Sous cet olivier, elle passait en revue toutes leurs rencontres récentes, l'une après l'autre. Il l'aimait, elle en était convaincue, mais il ne pouvait prendre aucun engagement futur tant qu'ils vivaient une vie aussi dangereuse. Il avait raison de vouloir rester sur ses gardes, même si leurs propres désirs s'en trouvaient sacrifiés pour le bien des autres. Le danger était trop imminent.

Serait-elle à la hauteur de la tâche ? Parviendrait-elle à conduire les hommes sur cette piste rocailleuse qu'elle connaissait à peine ? Si quelqu'un le pouvait, alors elle aussi ! Peut-être était-elle *vraiment* une chèvre des montagnes, agile, mais les soldats alliés ne l'étaient pas. Bluey se remettait tout juste, il n'avait guère la force de faire trois kilomètres, a fortiori dix. S'il calait, Frank et Reg le porteraient sur leur dos. Elle le savait, leur courage et leur loyauté les uns envers les autres n'avaient pas de limite.

Le voyage fut traître : la piste était caillouteuse, les chaussures des hommes, de simples semelles de fortune à partir de morceaux de pneu attachés avec des lanières de cuir. S'ils grelottaient dans leurs pauvres vêtements, le moral était bon. La lune éclairait assez pour pouvoir suivre la piste mais, très vite, le sentier qui grimpait mit Bluey en difficulté. À tour de rôle, ses camarades firent la chaise avec leurs bras pour l'aider à franchir les parties escarpées. Les ombres planaient au-dessus de leurs têtes et les bruits de la nuit résonnaient sur les rochers.

— Vous devez me suivre, leur ordonna-t-elle.

— Esclavagiste ! maugréa Frank entre ses dents tout en accélérant.

Penny sourit. La cabane du berger était juste au-dessus de la limite des neiges éternelles, elle espérait que le vieil homme et son fils y seraient et qu'ils auraient allumé un brasero.

Ils se rendirent compte à l'aube qu'ils avaient tourné en rond et manqué la cahute de quelques mètres. Bluey, épuisé, était incapable d'aller plus loin.

Cependant, Manolis et Giorgos avaient appris d'une façon ou d'une autre que les étrangers étaient en route. Ils les accueillirent dans l'atmosphère confinée et moite de leur cabane de traite, leur resservant continuellement du lait de brebis chaud pour redonner courage à leur cœur languissant. Penny leur confia les soldats dépenaillés et ils se firent des adieux empreints d'émotion. Les gars lui promirent d'appeler leur première fille Athina, s'ils rentraient sains et saufs au pays.

Elle emprunta quelques moutons pour redescendre de la montagne comme si elle était une simple paysanne qui ramenait ses bêtes au cas où le temps se gâterait. Personne ne l'arrêterait en plein jour. Les moutons étaient aussi obstinés qu'*elle* pouvait l'être et n'avaient guère envie d'être séparés du reste du troupeau mais, avec son bâton, elle les fit avancer plus ou moins groupés et les libéra une fois le danger passé.

C'est une maison plongée dans la désolation qu'elle retrouva. Comme Katrina le redoutait, tous les hommes, avait-on appris, étaient à la prison d'Agia. Des soldats étaient revenus en force à Vafes pour chercher le poste de radio ; ils avaient tout démoli dans la maison, cassé les meubles et brisé la vaisselle dans une folie destructrice. Elpida n'avait pas parlé de la grotte.

Puis deux semaines plus tard, alors qu'ils étaient sur le point d'abandonner tout espoir, Ike revint, amaigri, contusionné et silencieux. On n'avait rien trouvé contre lui ; il avait seulement été privé de nourriture pendant des jours. En revanche, trois hommes avaient été torturés, brisés par toutes sortes de méthodes cruelles jusqu'à ce que, incapables de marcher, ils fussent traînés dans la cour, attachés et exécutés. Cette nouvelle fut transmise par d'autres plus tard. Ike ne parla quasiment de rien. Il serra les poings et cracha, découvrant des dents cassées. Le nom du traître était sur toutes les lèvres mais personne ne le prononça jamais.

— Ils seront vengés, déclara Ike. Une nuit, ce traître sentira la pointe de nos couteaux. Qu'il vive encore un peu sans savoir ni quand ni où son sang sera versé ! Qu'il dépense ses pièces d'argent en filles et en vin, ça le rapprochera de son destin !

Il retomba sur le canapé, secouant la tête de désespoir.

Katrina apporta un bassinet et s'agenouilla pour lui laver les pieds.

— Viens, repose-toi, dors. Tu es de retour parmi nous.

Elle regarda le coin du mur où était autrefois placée l'icône. Le crucifix en cire lui remémorait l'affaire. Ce soir, on jetterait un autre sort au traître.

Penny s'en alla discrètement et regagna sa soupente afin de laisser le couple à ses retrouvailles.

Ce fut un Noël et une Épiphanie tristes. Ni danse ni fête animée en raison de la mort de ces braves. Il n'y avait pas grand-chose à manger et personne n'avait assez d'énergie ; ils restèrent tous assis à chanter leurs chants patriotiques, sachant que la vie serait plus difficile encore en 1943.

Rainer Brecht fut promu commandant. Les perquisitions avaient entraîné des arrestations, mais de radio, point. On lui apprit que la torture avait brisé les principaux leaders, sans que le poste émetteur ait pu être localisé. Avec l'hiver, la garnison ne bougea guère ; à la caserne, quand tomba la nouvelle de la chute d'El-Alamein, l'atmosphère devint tendue.

Un grand nombre de ses camarades périrent dans le désert. D'autres furent rapatriés à Maleme, aveuglés par le soleil, avec des plaies infectées, la gorge paralysée, leurs espoirs de remporter d'autres victoires en aussi piteux état que leur uniforme.

La soirée de Noël se résuma à une beuverie, quelques chants et un banquet pour ses hommes, que l'ennui transformait en ivrognes. La possibilité d'un transfert n'était plus évoquée. Rainer pouvait proposer d'aller servir sur le front russe, mais il aurait fallu être fou pour échanger la chaleur contre ces steppes glacées et une mort certaine.

Pour se distraire, il jouait aux cartes et buvait avec Kurt Anhalat qui n'était pas l'un de ses amis proches, seulement un homme libre de son temps. Il y avait plusieurs passionnés des jeux de cartes qui pariaient sur tout ce qui leur passait dans les mains ; c'est par eux qu'il apprit l'importance des pillages.

— Les paysans n'ont rien de valeur, à part la virginité de leurs filles. Je les laisse à mes hommes qui, de temps en temps, me rapportent quelques bricoles prises dans des maisons plus bourgeoises et dans les églises, des poteries anciennes, des crucifix. Tu es notre expert... Que penses-tu de cette petite chose ?

Kurt sortit un taureau en argile de toute beauté, parfait exemple de poterie minoenne.

— Où l'as-tu récupérée ?

Rainer savait que cette figurine avait mille ans.

— J'm'en souviens pas. Une étagère ou une autre, ou il est remonté tout seul à la surface, répondit Kurt en faisant un clin d'œil. C'est vieux ?

— Tu en veux combien ? demanda Rainer en la palpant avec délicatesse.

— Trop cher pour toi, mais j'ai quelque chose qui sera plus dans tes moyens.

Kurt apporta un morceau de bois emballé dans du tissu qui se révéla être une magnifique icône de sainte Catherine. Elle devait provenir de l'école crétoise d'iconographie, un bel exemplaire. Rainer la toucha avec révérence, connaissant son caractère sacré.

— Tu ne l'aimes pas ?

Kurt haussa les épaules.

— Ses yeux me suivent partout dans la pièce. Elle me fiche la chair de poule et je ne raffole pas des trucs religieux. Si nous gagnons la partie suivante, elle est à toi. Des comme ça, là où elle était, il y en a plein. Accrochées au mur de n'importe quelle maison à peu près convenable. Ces gens sont si superstitieux. Elle n'a pas fini par faire la roue ? Tu vois, je n'ai pas oublié tout ce que le prêtre m'a raconté, ajouta Kurt en se mettant à rire. Oh, allez, prends-la. Elle ne vaut rien, je vois bien que tu en as envie.

— J'ai une sœur qui s'appelle Katerina. Je vais l'emballer et la lui envoyer pour son anniversaire.

Après l'avoir expédiée en Allemagne, Rainer ne pensa plus à l'icône mais, une semaine après la partie de cartes, Kurt trouva la mort, pris en embuscade dans une ruelle et poignardé. Vingt-cinq otages payèrent de leur vie pour ce meurtre. La poste avec l'Allemagne était de moins en moins fiable mais il reçut tout de même une lettre de sa mère, qui le remerciait pour les nappes en dentelle et les cigarettes envoyées à son père pour Noël. Elle lui apprenait aussi que la pauvre Katerina avait été renversée par une bicyclette lors d'une panne d'électricité à la suite d'un raid aérien. Hospitalisée avec une blessure à la tête, elle faisait maintenant de l'épilepsie, mais elle avait beaucoup aimé l'image sacrée de sa sainte patronne.

Les choses que taisait sa mère dans sa lettre inquiétèrent Rainer. Tout n'allait pas bien chez lui. La nouvelle de bombardements massifs le surprit. En Crète, on avait dit aux soldats que la R.A.F.

était faible et que les Américains avaient subi de lourdes pertes. Il était ici depuis si longtemps qu'il commençait à oublier son pays. Il se demanda s'il reverrait jamais sa famille et sa petite sœur blessée. Cela faisait deux ans qu'il l'avait quittée, et tout à coup il se sentit anxieux et pris au piège.

À qui pouvait-il faire confiance ici, sinon à ses propres hommes ? Certainement pas aux gens du coin, en apparence si désireux de les servir. Selon les rumeurs, le médecin de la Croix-Rouge de Chania qui lui avait soigné sa claudication ne serait pas ce qu'il prétendait être et ferait partie d'un réseau de résistants passant des renseignements le long d'un écheveau invisible, impossible à démêler. Les commerçants souriaient, livraient sans délai, avaient un discours attendu, mais qui pouvait savoir ce qui se passait derrière ces visages cuivrés ? songea Rainer.

Les représailles récentes n'avaient servi qu'à enflammer la population et la pousser à d'autres actes de violence. N'importe quel idiot avait des yeux pour voir que ce peuple n'était pas éduqué pour subir des intimidations. Que Dieu vienne en aide à la garnison si jamais elle devait être envahie et s'ils étaient laissés en pâture à ces Crétois au sang chaud ! Rainer en avait vu assez pour savoir ce que serait son destin.

Yolanda marchait sur des œufs avec sa famille, déchirée entre son rôle de fille obéissante et respectueuse et le désir de convaincre ses parents qu'elle n'accepterait nul autre mari qu'Andreas. Personne ne prononçait son nom mais sa présence flottait au-dessus d'eux comme de l'encens. Momma soupirait et avait l'air mélancolique tandis qu'elle vaquait à ses occupations.

Le projet de fiançailles avec Mordo était tombé à l'eau et Yolanda apprit la nouvelle de son mariage avec Rivka Katz, une jeune couturière qui ferait une bien meilleure épouse qu'elle. Pourquoi momma et papa étaient-ils incapables de comprendre cela ?

Le nombre de maris convenables diminuait. Il y avait désormais des filles plus jeunes et plus jolies qui cherchaient à se caser. Les garçons qui avaient pu fuir la ville moyennant un pot-de-vin l'avaient fait et les autres travaillaient dans des camps. Cela pourrait jouer en sa faveur, se dit-elle, et user la résistance de sa famille comme l'eau qui coule sur le calcaire.

Déjà, on l'avait autorisée à continuer son travail d'infirmière à la clinique. Le rabbin était intervenu, arguant que c'était une bonne chose que l'on voie les juifs sortir de leur communauté et accomplir des tâches essentielles pour le bien de tous.

Yolanda avait commencé à voyager hors de la ville avec d'autres assistants, munie de colis de nourriture et de vêtements pour les familles affamées et souffrantes, frappées par l'hiver rude et la pauvreté. La clinique n'avait qu'un petit stock de sirops vitaminés en réserve, mais le personnel avait demandé aux prêtres d'intervenir et quémandé des médicaments auprès des médecins de la garnison. Ils donnaient ce qu'ils pouvaient. On ne se souciait plus de connaître la provenance de ces biens précieux. Sauver des enfants de la famine était désormais tout ce qui comptait.

La récolte d'olives et la production d'huile avaient été mauvaises, et une bonne partie allait aux troupes stationnées chez l'habitant. Sans huile, peu de gens pouvaient survivre aux rigueurs de l'hiver. Le bois se faisait rare, on abattait des arbres et on cassait même des meubles pour se chauffer. Les femmes s'épuisaient à chercher sans fin du bois flotté, des escargots et des plantes sauvages. Chèvres et moutons furent tués. Yolanda pleurait de voir de petits enfants tendre la main aux soldats allemands et mendier de la nourriture. Tout à leur honneur, beaucoup leur donnaient des morceaux de chocolat et des quignons de pain à partager. Qui pouvait regarder le visage d'un petit en train de dépérir sans ressentir de la pitié ?

Mais, pour chaque bon élément, il y avait un autre type de soldat : l'ivrogne insistant, la brute mal embouchée, le glouton vorace, et l'arrogant qui, pressé d'aller trouver à se distraire en ville, forçait les Crétois à descendre du trottoir et à marcher le long des voitures.

Les infirmières soignaient les filles des bordels. Battues, aviliés, elles portaient des blessures dont Yolanda ne pourrait jamais parler avec ses parents.

Ils pensaient protéger son honneur mais elle, à son tour, leur cachait le prix réel de l'Occupation. Leur monde changeait de manière radicale, ils en étaient perturbés et s'accrochaient à leurs vieilles traditions. Au fond d'elle-même, elle le savait mais cela ne rendait pas sa vie plus simple.

La clinique privée d'Andreas contribuait à étoffer leurs maigres fournitures médicales. Comme il y soignait des officiers, il récoltait des bribes d'informations. Utile pour savoir qui était déployé et où, mais leur tirer les vers du nez n'était jamais sans risques.

Andreas n'avait rien su de l'important raid près de Vrisses : au péril de leur vie, de courageuses jeunes filles qui travaillaient dans les bureaux du Q.G. taisaient des détails essentiels sur les arrestations et les exécutions. Au risque d'être découvertes puisqu'il y avait parmi elles un traître qui se faisait passer pour interprète. Pour sa sécurité, cet agent K avait été envoyé dans une villa proche de la rue Venizelou, mais la résistance connaissait l'adresse et ses jours étaient comptés.

Une nuit, Andreas retrouva Yolanda à leur lieu de rendez-vous secret, il avait les joues rouges et était hors d'haleine.

— Je suis suivi. Il a fallu que je brouille les pistes. À mon avis, un jeune otage a dû parler en prison sous la torture. Sa mère en est folle de chagrin, complètement dérangée : elle s'en va crier dans les rues à quiconque veut l'entendre que son fils est innocent et que d'autres devraient être fusillés, des hommes qui devraient se montrer plus avisés. Elle a montré du doigt la clinique. Je n'ose pas faire courir plus de risques à mes employés. Je vais partir. D'autres me remplaceront et je continuerai mon travail là-haut, *sta vouna*.

Il désigna la chaîne de montagnes indistinctes.

— Tu dois venir avec moi, il n'y a pas d'avenir pour nous ici. S'ils me font prisonnier, ils te prendront et tes parents aussi, tous les prétextes sont bons pour harceler les juifs. De nouveaux agents du renseignement ont été envoyés ici pour durcir les choses. J'ai entendu un de mes patients s'en plaindre hier encore. Ta communauté a été chanceuse jusqu'à présent, mais sur le continent c'est une tout autre histoire.

— Il m'est impossible de partir s'ils sont en danger, répondit Yolanda en pleurant.

— Si tu restes, tu les compromets. Tout le monde à la clinique est au courant de notre histoire. Les gens jasent et il y a des espions à leur solde, des récidivistes sans loyauté qui se moquent bien de savoir qui ils dénoncent si ça leur rapporte de l'alcool, des cigarettes ou des filles. Il faut faire vite. Je prie le ciel que tout ça se termine très rapidement mais en attendant il faut survivre. Mais je ne partirai pas si tu...

— Vas-y, je te suivrai quand je pourrai, mais comment ?

— Non, nous partirons ensemble. Continue comme si de rien n'était, j'en ferai autant. Un après-midi, quand je te donnerai le signal, nous sortirons simplement de la ville. Il y a des itinéraires secrets pour éviter les postes de contrôle. Nous aurons l'air de partir pour une promenade amoureuse, pas de chaussures de marche, pas de bagage, ajouta-t-il avec un sourire, les yeux baissés vers leurs pieds. Comme si, à nous deux, nous avions une paire de souliers en cuir à peu près

406

décente ! Tu porteras ton uniforme. Laisse une lettre et ne prends que ton sac et tes papiers.

Yolanda s'assit, le souffle coupé à l'écoute d'un tel projet.

— Comment abandonner mes parents ? Tu as une famille là-haut, soupira-t-elle, la main levée en direction de la montagne. Que vais-je devenir, moi, la juive, au milieu des chrétiens ?

— Tu seras *Kyria* Androulakis, personne n'a besoin d'en savoir plus. Tant que tu es en sécurité, le reste n'a pas d'importance.

Il l'embrassa, et ils se cramponnèrent l'un à l'autre comme si la fin du monde s'annonçait.

— Du courage, mon cœur de lion ! Rappelle-toi, il faut que nous partions bientôt.

Cette nuit-là, Yolanda ne trouva pas le sommeil, les mises en garde d'Andreas résonnaient en boucle dans sa tête. Si elle restait et qu'un traître la dénonce, ils arrêteraient sa famille. Si elle s'en allait avec Andreas et que les soldats viennent la chercher, ses parents ne verraient qu'une chose : elle s'était enfuie avec un chrétien et avait déshonoré les siens. Aux yeux de la communauté, elle serait morte, on ne prononcerait plus jamais son nom. Ce serait un scandale, une traînée de poudre dans le quartier, mais on ne pourrait rien reprocher à ses parents, on ne pourrait que les plaindre. Cette ruse fonctionnerait-elle ?

La clinique continuerait sans eux, d'autres médecins plus âgés prendraient la relève. Andreas et elle poursuivraient leur mission ensemble, mari et femme. Elle l'aimait tellement que la pensée de vivre sans lui, de passer le reste de sa vie assise avec les femmes à la synagogue à tenter de prier était insupportable. S'il restait à cause d'elle et qu'on l'arrête, elle serait accablée par la culpabilité.

Et puis, elle savait que, quelque part là-haut dans la montagne, Penny se cachait et agissait. Elles auraient peut-être l'occasion de se retrouver et de travailler ensemble dans les groupes de résistants. Elle ne serait pas seule, avec ses deux amis les plus chers.

Sa décision était prise : à l'approche de l'aube, alors que le coq chantait et que les premiers chiens aboyaient, elle avait tranché. Elle trouva un vieux carnet, en déchira une page et se mit à écrire.

Ce foutu hiver s'arrêtera-t-il un jour ? Penny soupira. Rien ne pousserait jusqu'à la fonte des neiges. Ils avaient été isolés pendant une semaine, sans rien quasiment pour se nourrir et se chauffer, et l'on parlait d'abattre la précieuse oliveraie.

Comment pouvait-elle se montrer sentimentale à l'égard d'un arbre ? Or, couper oncle Clarence devenait de plus en plus impératif. L'élaguer était une chose, mais un abattage sauvage… inconcevable ! Les oliviers assuraient la vitalité de l'île, et pourtant il fallait que les gens mangent, vivent. Ce n'était pas à elle de prendre cette décision mais Clarence avait été le lieu d'une réunion merveilleuse et inattendue avec Panayotis, lorsque ses hommes et lui avaient fait le détour pour les célébrations de Pâques avant de regrouper les derniers soldats encore cachés dans des familles.

Penny éprouvait toujours un choc et un soulagement quand elle les voyait arriver, comme surgis de la brume, descendant de la montagne d'un pas nonchalant, leurs fusils en bandoulière tels des jougs de style crétois, puis disparaissant ici et là dans les maisons du village pour la nuit.

Elle savait ne pas devoir poser de questions sur leur itinéraire précis de fuite, ni sur l'identité de ceux qui leur faisaient quitter l'île ni sur leur destination. Un jour, imaginait-elle, ils seraient tous réunis autour de verres de vin et toutes les questions trouveraient leurs réponses. Voir Bruce si maigre, si buriné, dans ses culottes de montagne et sa chemise noire, arborant une moustache et le bandana traditionnel en dentelle noire autour de la tête, lui suffisait. Comment pourrait-elle jamais se lasser de ses traits anguleux ?

Ils se rencontrèrent comme d'habitude sous le regard vigilant de Clarence, près de l'antique chambre funéraire. Celle-ci s'avérait être désormais un précieux endroit de stockage pour leurs dernières réserves d'huile et de céréales, mises hors de portée des pillards.

Bruce s'inquiétait des luttes intestines entre les différentes factions des groupes d'*andartes*.

— La politique pointe son vilain nez, se plaignit-il. Les communistes ne veulent pas siéger aux côtés des royalistes. On pourrait penser qu'il y a déjà assez à faire pour empêcher l'ennemi d'envahir tout le pays, eh bien non : à chaque réunion, on dirait le choc des Titans. Cela nous rend fous et mes patrons au Caire s'impatientent.

C'était la première fois que Penny entendait parler de ces divisions. Elle ne voyait que des résistants avec des maux, des douleurs et des blessures, aussi dociles que des agneaux dans les mains d'une femme inconnue. Elle croyait que tous avaient pris les armes pour la même raison : débarrasser leur pays de l'ennemi. Mais pourquoi s'étonnait-elle que des êtres humains combattent d'abord pour leurs idéaux ?

— Cela rend notre tâche de plus en plus difficile. Il faut la sagesse de Salomon et la patience de Job pour traiter avec des types pareils. Je serai content d'en être sorti.

Penny n'avait jamais vu Bruce si démoralisé auparavant. Les traits fatigués, il avait besoin d'une pause, alors ils se promenèrent sur les pentes, passèrent dans des champs où elle vit avec ravissement poindre les toutes premières pousses vertes. Bientôt, la prairie serait une débauche de coquelicots, camomilles, pâquerettes, astragales ; un arc-en-ciel de couleurs dans un champ plein d'abeilles, avec la promesse du miel à venir.

La semaine de Pâques se déroula comme de toute éternité : nettoyage rituel de la maison, jours de jeûne, vêtements de deuil pour tous, procession du corps du Christ dans les rues du village sur un brancard décoré de fleurs. Obscurité complète de l'église la veille de Pâques avant de rallumer la bougie de la Résurrection et des bougies plus petites au son de *Christos Anesti*... Christ est ressuscité, est vraiment ressuscité.

Dans un déluge de lumières scintillantes vint ensuite le moment de mettre le feu à l'effigie de Judas et de partager les œufs rouge sang, bouillis dans de la teinture. Quelques-uns seulement cette fois pour régaler les enfants, car bon nombre de leurs poules avaient été sacrifiées pour le banquet. Il y eut aussi un mouton et un panier rempli de biscuits de Pâques, et personne n'eut plus faim. Ce fut pourtant un maigre festin.

Penny était tout simplement heureuse que Panayotis, comme elle avait appris à appeler Bruce, soit là et partage ce moment avec elle.

Rien n'échappait à Katrina.

— C'est ton homme, je le vois bien, et tu es sa femme. Vous devriez vous marier, déclara-t-elle en riant. La vie est trop courte, le prêtre peut célébrer, maintenant que le Carême est passé.

Penny sourit et secoua la tête.

— En temps utile.

— Non, saisis la chance quand elle arrive, ou elle s'en ira. C'est toi qui vas vers elle, et pas le contraire.

Comme elle aurait aimé que Bruce fût dans les parages pour entendre les conseils de Katrina, hélas il était parti le jour après Pâques et l'avait quittée avec un simple baiser sur la joue.

— Je reviendrai. Je sais où tu es, et Clarence te protégera.

Elle avait souri, essayant de ne pas pleurer. Ainsi, même des coordinateurs endurcis de la Résistance pouvaient se montrer sentimentaux. Soudain son moral s'assombrit. Une fois que ces hommes auraient atteint le Sud, son rôle d'infirmière et de guide serait terminé. Elle était en surnombre, une bouche de plus à nourrir. Elle pouvait travailler dans les champs, aider à la maison, c'est tout. Elle n'avait pas d'argent et dépendait de la charité de ces gens chaleureux, elle était totalement seule.

Ce fut le cœur lourd qu'elle rentra à sa cachette après avoir dit au revoir à Bruce, uniquement pour entendre Katrina lui dire :

— Nous allons à un mariage. Il y aura un banquet et des danses...

— Qui se marie ?

— C'est une famille de Vrisses, dans la montagne. Ike a fait du commerce avec eux. Nous sommes tous invités... Allez, n'aie pas l'air si abattue. Ton tour viendra.

— Mais je n'ai rien à me mettre, soupira Penny qui regarda sa jupe et sa chemise grises.

— Ne t'en fais pas, j'ai une valise de robes américaines que j'ai rapportées. Tu en mettras une, j'en ai assez de te voir en habits de veuve.

— Je suis censée porter le deuil de ma tante d'Athènes.

C'était désormais la raison qu'elle donnait pour expliquer comment elle avait cherché asile en Crète chez des parents éloignés.

— Même les gens en deuil se font beaux pour un mariage, et si tu portes un joli foulard, personne ne verra l'état de tes cheveux.

Depuis qu'elle se cachait, Penny n'avait pas refait de teinture et elle avait des racines blondes de plus de dix centimètres.

— C'est une véritable horreur !

— J'ai de la poudre de racines pour les teindre mais cela risque de virer au rouge. Cela dit, la Crète est célèbre pour ses belles rousses !

Que faire d'autre sinon se lancer elle aussi dans les préparatifs : se doucher en frissonnant sous l'eau d'une cascade de printemps, revêtir une jolie robe en coton à carreaux qui ne lui arrivait qu'au genou, et brosser ses cheveux rouge orangé qu'elle tressa et recouvrit d'un joli foulard bordé de dentelles.

Le printemps était enfin arrivé, dans toute sa splendeur ! Avec les jeunes pousses et les fleurs venaient les plantes de montagne, les salades, les herbes aromatiques et les escargots. L'oliveraie fut épargnée, le bois de l'élagage caché pour en faire de précieux fagots avant qu'il ne soit volé.

La famille se rendrait au mariage dans la charrette, tous ensemble. Penny retrouva le moral à la perspective d'avoir un spectacle joyeux à regarder, au lieu de suivre ces processions funèbres comme elle l'avait fait ces derniers mois, les anciens du village et les bébés ayant succombé les uns après les autres aux rigueurs d'un hiver très dur. Il y avait tant de rituels à suivre lorsque la mort arrivait : jours de jeûne, services particuliers à la mémoire du défunt, repas spécifiques. Superstitions et rituels gouvernaient chaque aspect de la vie, des coutumes si différentes de celles plus simples des Anglais. Comme les cérémonies anglaises paraissaient dépouillées comparées aux processions, aux chants, aux moments où il fallait allumer les bougies et embrasser les icônes ! Penny se demanda ce qu'aurait pensé de tout cela le prêtre de Saint Mark. Ces comparaisons lui firent penser à Stokencourt. Reverrait-elle jamais sa famille ?

Penny avait toujours en tête la réalité du danger. À ce mariage, elle ne devait pas attirer l'attention sur elle, l'étrangère sous un déguisement ;

sa présence même mettait Ike et Katrina en péril. Elle devait se faire invisible dans la foule mais elle souhaitait à ce couple chanceux, qui que ce fût, tout le bonheur du monde. Elle leur enviait ce courage de pouvoir regarder vers l'avenir à une époque aussi traîtresse.

— Si seulement c'était moi ! soupira-t-elle, le regard perdu sur la vallée. Si seulement j'avais une vision claire de l'avenir avec Bruce !

Mais il n'y avait rien pour eux à l'horizon. Comment serait-ce possible avec le danger qui rôdait absolument partout ? Savoir Bruce en vie quelque part dans le monde lui suffisait, devait lui suffire pour le moment.

L'odeur du pain frais sans levain flottait dans les ruelles, et Yolanda huma ce parfum avec tristesse. *Peut-être ne referai-je jamais tous ces gestes*, se dit-elle tandis qu'elle préparait la table et que momma faisait briller la vaisselle de Pessah pour le repas du seder.

Tout était prêt pour le souper, ce moment où ils pouvaient revivre la fuite précipitée de leurs ancêtres hors d'Égypte, de l'esclavage à la liberté. Chaque plat rituel commémorait cet événement : œufs durs, jarret d'agneau, plat d'herbes amères marinées dans du sel ; ensuite, il y avait la lecture de la légendaire Haggada, connue de chaque famille juive. Puis venait un vrai festin de rôts et de tourtes au fromage, de pâtisseries au miel, quelques douceurs pour rappeler que la fête durait huit jours. Cette année, cependant, trouver des friandises à mettre sur la table avait été un vrai parcours du combattant. Les épices et mets délicats à cacher pour l'occasion étaient très rares. L'excitation n'en avait pas moins gagné les maisons du quartier juif.

Yolanda avait pris sa décision. Elle était assise et essayait de ne pas pleurer, culpabilisant d'avoir ourdi des plans tortueux et sachant que personne ne la comprendrait. Pourtant, elle se sentait étrangement calme. Elle n'avait rien à emporter sauf sa précieuse brosse à dents, ses papiers d'identité et sa chaîne en or avec l'étoile de David. La chaîne seule se vendrait à un bon prix.

Elle regarda avec envie et amour ses parents attablés. Si seulement ils avaient pu fuir en Palestine au lieu d'être coincés en Crète ! Comme cela aurait été bon de les savoir en sécurité mais au moins, ces deux dernières années, le destin les avait réunis. Sa reconnaissance en serait éternelle.

Peut-être un jour, si elle leur amenait leur petit-fils... Elle soupira, c'était un rêve bien lointain. Elle devait profiter de chaque minute passée avec eux. Elle sentit les larmes lui monter aux yeux à la perspective de les abandonner. Ces larmes seraient peut-être perçues maintenant comme de la dévotion, mais il ne lui restait que sept jours avant que sa vie ne change du tout au tout.

Le matin prévu pour le départ, elle prit la lettre qu'elle avait cachée dans laquelle elle expliquait sa fuite.

Je sais que vous serez en colère et que vous me refuserez votre bénédiction, ce qui me couvrira d'une honte éternelle, mais je n'ai pas pris ma décision à la légère. Je veux continuer à travailler aux côtés de l'homme que j'aime. Je pars de mon propre chef. Je n'ai jamais voulu vous blesser ou vous faire honte, pourtant c'est le cas, j'en ai conscience, et je n'ai pas le droit de vous demander pardon. Ce que je fais, je le fais par amour. C'est le seul moyen pour nous d'être ensemble.

Elle posa la lettre sur son oreiller, sortit sans bruit de la maison pour prendre le service du matin et se faufila dans les ruelles qui s'éveillaient dans la lumière de l'aube. Ménagères occupées à battre les tapis, enfants qui pleurnichaient à l'étage. Le boulanger s'affairait et allumait son four, elle s'arrêta une dernière fois pour regarder cette scène qu'elle connaissait si bien. Sous son uniforme, elle portait tout son petit linge, et dans un *sakouli* elle avait emporté ses plus belles chaussures, une robe froissée, et le seul portrait de ses parents qu'elle possédait, datant de leur passage à Athènes. Elle imaginait la scène quand ils trouveraient la missive ; le visage de popa se chiffonnerait de chagrin, les lèvres de momma se pinceraient de rage et de désespoir. « Vous serez mieux sans cette enfant désobéissante et ingrate ! » gronderait tante Miriam.

Andreas l'attendait à la clinique.

— Tout doit se passer comme d'habitude, tu fais tes tournées avec les infirmières-assistantes.

Il vit la souffrance sur son visage.

— Sois courageuse, ma violette, dans quelques heures nous serons libres. J'ai tout prévu et demain nous serons mari et femme, je te le promets. Je n'ai aucunement l'intention de te déshonorer. Voici le paquet de fournitures à livrer. Prends-le, sors retrouver Giorgio dans sa charrette comme d'habitude puis attends-moi. Je suivrai derrière.

Yolanda travailla comme une automate, elle ne s'arrêtait que pour reprendre haleine et se demandait alors si sa mère allait faire le ménage dans sa chambre et trouver la lettre... À l'heure qu'il était, peut-être étaient-ils en chemin pour la récupérer... Ses pensées s'emballaient autant que son cœur. Bien sûr qu'ils ne viendraient pas. Ils étaient orgueilleux et elle les avait couverts de honte aux yeux de la communauté. Ils resteraient dignes, le rabbin et sa femme les conseilleraient. Tout le monde les plaindrait, et popa détesterait cela.

À cette pensée, elle faillit repartir et rentrer déchirer sa lettre, mais ses pieds refusaient de bouger. Son cœur têtu ne flancherait pas, il n'y avait aucun retour possible.

Fidèle à sa parole, Andreas avait quitté la clinique, fermé portes et volets comme à l'accoutumée, et il l'attendait ainsi que prévu. Ils sortirent de la ville à pied, puis après plusieurs kilomètres prirent une voiture à mule et la conduisirent jusqu'au crépuscule ; ils traversèrent ensuite une gorge et montèrent par une draille jusqu'à un village taillé dans le roc. Là, un groupe d'hommes armés à la mine sévère attendait. Ils tapèrent dans le dos d'Andreas comme s'il était un héros. Puis ils tambourinèrent à la porte du prêtre avec

417

leurs crosses. Le vieil homme apparut, à moitié endormi, l'air perplexe. Il reconnut Andreas.

— Nous voulons nous marier.

— Ce n'est pas une heure pour réveiller un vénérable saint homme. Le jour se lève à peine. Retournez chez vous et revenez me voir à l'église comme tout le monde.

Le prêtre s'apprêtait à refermer la porte mais les hommes la coincèrent avec leurs pieds.

— Il sera marié maintenant, ordonnèrent-ils.

— Non, docteur, lança le prêtre à Andreas.

— Qui en décide ? ironisa l'un des amis d'Andreas, bâti comme une armoire à glace, tout en agitant son fusil sous le nez du prêtre.

Le vieil homme comprit le message et enfila sa chasuble. Il conduisit la cérémonie à toute vitesse et reçut leurs vœux ; en quelques minutes, ils étaient mariés.

— Vous êtes désormais unis par les liens du mariage. Faites que je ne vous revoie plus jamais !

Yolanda ne se sentait pas du tout jeune épousée mais Andreas se signa, satisfait.

— Allons chez le maire maintenant pour légaliser la chose.

Le maire fut réveillé de la même manière par des coups à sa porte ; on lui raconta la cérémonie, et on le persuada sous la menace des fusils de leur donner un certificat de mariage qu'aussitôt ils signèrent dûment à la lumière du soleil levant. Tout le monde cria : « *Chronia Polla !* » Longue vie ! Même le maire se laissa porter par cette romantique histoire et leur offrit un pichet de vin.

— Bienvenue, *kyria* Androulakis !

Andreas embrassa longuement Yolanda ; après quoi, tandis qu'il embrassait ensuite l'anneau torsadé en argent qu'il lui avait passé au doigt puis qu'ils buvaient le vin à petites gorgées, ses amis se volatilisèrent.

— Quel maigre petit déjeuner pour un matin de noces... L'abondance viendra plus tard !

Il y avait encore peu de lumière mais la nuit avait été chaude. Leur escorte marcha en tête et dans la gorge étroite ; cependant, avant que la piste n'amorce une montée raide dans la montagne, on les laissa seuls. Andreas s'arrêta pour attacher la mule et sortit de la sacoche une couverture de laine tissée à rayures rouges, dorées et noires qu'il posa sur l'herbe sous l'olivier le plus proche. Ils s'assirent, s'embrassèrent encore, allongés, jusqu'à ce que la lune décline et fasse place au soleil. *Une nuit de noces aussi sacrée qu'on pouvait la souhaiter*, pensa Yolanda, allongée sur le dos, dans l'attente de ce qui allait arriver.

Ils étaient maintenant vraiment libres d'assouvir le désir qu'elle avait senti brûler en elle tous ces longs mois ; ces nuits entières passées à se tourner et se retourner sous les draps et à rêver d'une telle félicité étaient derrière elle. Entre les bras de son époux, elle se laissa glisser dans une étreinte qui la changerait à jamais. Andreas fut tendre et aimant ; nulle honte dans la passion qu'ils exprimèrent avec leurs corps, et les baisers qu'ils s'échangèrent, leurs corps ne faisant plus qu'un. Une fois allongée contre lui, elle eut du mal à croire que tant de choses pouvaient se produire en un jour. Yolanda Androulakis, comme cela sonnait bien ! Elle était désormais une femme mariée.

Ils cheminèrent ensuite jusqu'à la ferme de sa famille, là-haut dans la montagne ; ils traversèrent des champs couverts de marguerites jaunes et de coquelicots, et suivirent des sentiers très élevés avec une vue magnifique de la côte. Comme ils approchaient, Yolanda se mit à redouter la réaction des parents d'Andreas : il avait brisé toutes leurs traditions en épousant quelqu'un qui ne partageait pas leur foi, une fille de la ville qu'il leur amenait sans leur avoir demandé leur accord. Elle n'avait pas de dot avec de belles broderies à offrir, pas d'oliviers ni de bétail. Rien. Rien que ses propres habits. Ce n'était pas comme ça que la plupart des Crétois s'unissaient, elle en avait conscience. Et s'ils lui tournaient le dos, de dégoût ?

Ses craintes étaient vaines, elle ne reçut que des marques de gentillesse, teintées d'un peu de surprise. Quand Adonis, le père d'Andreas, apprit la nouvelle du mariage à minuit, il éclata de rire. « Mon Dieu, et la pauvre fille n'est même pas chrétienne ! »

Ce fut la seule fois qu'ils mentionnèrent sa religion. Andreas leur fit jurer de garder le secret. À partir de ce moment-là, Yolanda fut traitée comme n'importe quelle mariée. Les discussions roulèrent sur la fête, les chants et une cérémonie digne de ce nom au village, ce qui fit frémir Yolanda. Ses parents devaient être plongés dans le deuil à cause de sa fuite. Mais, pour son mari, elle apprendrait les traditions chrétiennes. Ce qui était fait était fait, elle n'avait pas de regrets.

La chaleur de l'été commençait, les conversations ne tournaient qu'autour du repas de noces, d'un mouton ou deux à tuer, des tourtes à faire, de la farine à trouver. Chacun connaissait la faim à Chania mais ici c'était la campagne et il y avait des moyens de subsister en puisant dans les réserves cachées.

En outre, les fermiers savaient comment tirer tout le parti possible du peu qu'on a. Personne ne viendrait à la fête les mains vides et ils inviteraient tout le monde afin que personne n'ait faim.

Kyria Dimitra, la mère d'Andreas, sourit.

— C'est comme l'histoire de la multiplication des pains et des poissons : beaucoup avec peu. C'est un miracle, la façon dont nous avons toujours assez à partager.

Yolanda sourit elle aussi et continua à pétrir le pain. Elle n'avait rien à offrir hormis sa chaîne en or, qu'ils ne voulurent même pas regarder.

La nuit précédant la noce, la mère d'Andreas sortit une robe blanche, simple, avec de la dentelle aux manches et à l'ourlet, qui sentait la naphtaline.

— Tu porteras ma robe de mariée ; avec ta taille de guêpe, elle t'ira bien. Vous, les filles de la ville, vous êtes comme des moineaux.

Alors Yolanda fut présentée à la foule des curieux, les cheveux tressés avec des fleurs, la robe rafraîchie à l'eau de lavande : une mariée campagnarde, une inconnue parmi des inconnus, mais en temps de guerre personne ne fut surpris que les coutumes n'aient pas été respectées. La famille d'Andreas la couvait et elle eut

421

l'impression de vivre dans un rêve où l'on jouait de la musique, où elle devait danser avec tous les beaux garçons et recevoir un peu d'argent en cadeau dans une bourse spéciale. L'impression d'être un fantôme qui flottait au milieu de l'assemblée. Elle s'attendait presque à se réveiller dans le cagibi où elle dormait et à entendre momma et Miriam se disputer depuis l'escalier.

Et elle tourbillonnait, tourbillonnait, étourdie par la danse, ivre de vin, jusqu'à ce que ses yeux se posent sur le visage d'une femme debout près du mur, et elle s'arrêta. Était-il possible que… ? Ici, non sûrement… Et ces cheveux roux… ? Quelle merveilleuse surprise ! Mais fallait-il attirer l'attention sur elle en public ? Ici, personne ne devinerait leur lien, pourquoi faire comme si elles ne se connaissaient pas ? Pourtant… Oh, et puis pourquoi pas ?

— Penny ! hurla-t-elle. Mon amie Penny est ici.

La fille en robe de coton, avec un foulard, d'abord stupéfaite, se précipita vers elle, bras grands ouverts. Mais, tout en l'étreignant, elle lui murmura à l'oreille :

— Athina, s'il te plaît, pas Penny.

— Pourquoi est-ce que je me trompe tout le temps de prénoms ! s'écria Yolanda pour masquer son erreur. Mais bien sûr, c'est Athina, l'une de mes infirmières.

Le maire qui avait pris des photos de la fête avec un minuscule appareil photo s'approcha. « Souriez ! » Elles étaient trop occupées à rire de joie, ravies de cette rencontre inattendue, pour entendre le déclic de l'obturateur.

2001

Et ainsi, pendant quelques précieux mois, un bref intermède heureux a illuminé un tunnel obscur. Nous avons dansé et chanté comme si le monde n'allait pas nous tomber sur la tête, comme si aucun ennemi ne rôdait là, à sa périphérie, car même durant la noce les mauvaises langues ont dit que le docteur de Chania avait ramené une juive à la ferme. Yolanda était si belle ce soir-là, comme je l'ai enviée ! Enviée d'avoir un amant prêt à enfoncer des portes pour l'épouser.

Mais, guerre ou non, j'ai dû attendre que Bruce revienne et que les choses se fassent à la manière anglaise. J'ai été ulcérée qu'il ne veuille même pas faire l'amour avec moi quand l'occasion s'est présentée. N'était-il pas assez viril pour saisir la chance qui s'offrait à lui ? Cela me reste encore sur le cœur qu'il ait fait passer sa mission avant ses désirs, même si je me méprise d'avoir des pensées aussi horriblement égoïstes.

Toutes ces frustrations, je les ai déversées auprès de mon auditoire silencieux, Clarence. Si un arbre est un être vivant, alors il a été pour moi ce qui se rapproche le plus d'un père confesseur. Je me demande s'il est encore debout, et devenu plus gros et plus grêlé au cours de ces soixante dernières années. J'aimerais le retrouver. Peut-être qu'avec une carte détaillée de la région nous pourrions localiser le village de Katrina ; si seulement j'arrivais à me rappeler son nom. Il commence par un K, je crois...

Je leur ai écrit après la guerre mais mes lettres me sont revenues. Je ne me suis guère doutée qu'après la victoire des choses bien pires s'étaient produites au nom de la politique entre voisins, bien pires que ce qui était arrivé durant le conflit.

Les souvenirs de ce temps passé avec Yolanda sont si précieux aujourd'hui ! Après la noce, nos chemins se sont souvent croisés. Sa compagnie a été comme une oasis dans le désert de ma vie, avant que ne reviennent les heures sombres...

Je sens le soleil réchauffer mes vieux os et son éclat me redonner le moral ; odeurs et bruits familiers éveillent mes sens. Allez, la sieste est finie. Ragaillardie, je suis prête à reprendre mon pèlerinage comme si ces souvenirs heureux me donnaient le courage d'affronter les années noires à venir.

Quatrième partie

TRAHISON

« Quand reviendront les beaux jours ?
Quand reviendra le printemps ?
Que je reprenne mon fusil
Ma belle patronnesse
Pour descendre à Omalos
Et suivre le sentier de Mousoures... »

Extrait de
« When Will the Skies Grow Clear »,
chanson folklorique crétoise

Knossos, 2001

Le palais minoen de Knossos, à l'extérieur d'Héraklion, est méconnaissable. Des autocars vomissent des milliers de touristes dans la chaleur de ce matin de mai. Il y a des portes d'entrée, des tickets à acheter, des échoppes criardes qui vendent des souvenirs, tous les attributs d'un site mondialement connu. Rainer se retrouve poussé vers un guide et conduit dans la file d'attente, ce n'est pas ce qu'il voulait. Il préférerait se promener dans les ruines à son propre rythme. Il veut voir s'il aime ce qui a été reconstruit depuis le dernier tremblement de terre, examiner le plan de sir Arthur Evans d'un œil neuf.

Il y a des zones délimitées, des caillebotis, des guides qui agitent des parapluies pour guider leurs ouailles d'une section à l'autre. Il a choisi un jour d'affluence, il fait chaud, et les gens de son groupe ont plus envie de se trouver des bancs à l'ombre et de prendre des photos que de faire un tour détaillé des bâtiments. Ces touristes ne se rendent pas compte que ces énormes blocs de grès cristallisé scintillant sous le soleil, cette maçonnerie à colombages, ces systèmes d'évacuation sophistiqués et ces magasins remplis de jarres cachent une civilisation encore plus ancienne. Ce lieu est un bois sacré depuis l'aube de l'humanité. Qui a vécu ici ? Roi, prêtre, dynastie ? Personne n'en est sûr mais chacun semble avoir une opinion.

Rainer s'éloigne du groupe pour étudier les fresques. Il ne s'est jamais lassé d'admirer ces personnages antiques, hommes en jupes plissées, avec des bijoux aux chevilles et aux poignets, des tissus aux motifs précis incluant des symboles perdus depuis des siècles pour l'homme moderne : singes ou oiseaux bleus, figures animales ou humaines. Lorsqu'il était étudiant, cet endroit représentait le cœur de l'archéologie, mais les certitudes d'alors sont aujourd'hui balayées par de nouvelles théories. Il y a tant de couches successives : le néolithique, les Minoens, les Mycéniens, les Gréco-Romains, sans oublier les tremblements de terre qui ont imbriqué les couches les unes dans les autres, créant un puzzle plus complexe encore. Son goût pour l'histoire minoenne a été alimenté par ses visites ici avant guerre. Il fait maintenant trop chaud pour un vieil homme et, assis à observer les autres touristes, il songe à la splendeur et au déclin des empires. Ce palais a été autrefois le véritable centre du pouvoir mais il n'en reste que de la poussière, des pierres et des théories.

Cela suffit, il a besoin d'une bière. Ces foules, c'est trop pour lui. Il trouve une taverne dans la rue centrale, rafraîchit ses mains autour d'une blonde frappée et fait le point. Il doit être proche de la villa Ariadne, le Q.G. de la plupart des officiers en Crète – le plus célèbre étant le général en chef Kreipe, kidnappé vers la fin de la guerre. Un événement adapté plus tard à l'écran. Quel fiasco ! Quant aux conséquences... Mais ce n'est pas à lui de relater cette histoire.

Si sa mémoire est bonne, en remontant la contre-allée, il devrait trouver une entrée sur l'arrière qui donne sur le terrain de la villa ; désormais, elle n'appartient plus à l'École britannique d'archéologie d'Athènes mais au gouvernement grec. Il aimerait la revoir.

La montée est raide, il s'arrête pour se retourner et contempler l'étendue de vallée encore verte où des hectares de ruines inexplorées attendent qu'on les dégage. Il se demande si la porte sera fermée à clé et si le court de tennis existe toujours à côté du bâtiment principal ; il a été construit dans le style d'une gentilhommière anglaise par sir Arthur Evans lorsque celui-ci a démarré ses fouilles.

Il pousse la porte et suit un chemin irrégulier vers les dépendances. Il est sur une propriété privée mais il n'y a personne alentour pour le chasser. Quelque part vers l'entrée principale existait une vieille taverne encore utilisée à son époque par les étudiants comme centre d'études de terrain. Il a séjourné à la villa autrefois et veut simplement y jeter un coup d'œil, en souvenir du bon vieux temps.

Elle est exactement comme dans son souvenir, entourée de palmiers et de dentelaires, volubilis en cascade sur les murs, colonnes et socles disséminés dans le jardin, un buste sans tête d'Hadrien au pied des marches. La terrasse où il a regardé

des généraux dîner en plein air il y a si longtemps est toujours sur le côté.

Cette villa a été tant de choses : mess des officiers, clinique, refuge, lieu de savoir. C'est là qu'a
été signée leur capitulation en 1945. La maison a
assuré sa survie et Knossos est indemne – enfin,
s'il est possible de dire qu'aucun site n'a été per-
turbé quand il y a eu des bombardements, des
batailles, des tremblements de terre et la guerre
civile. C'eût été dommage de perdre un tel patrimoine. Rainer est heureux de constater que les
fouilles continuent, que les trouvailles sont réper-
toriées, et que des étudiants y poursuivent leurs
rêves.

Pourquoi est-ce important de revoir tout cela ? songe-
t-il. Il n'a pas été cantonné ici. Il se tient sur le
court de tennis envahi par les herbes et secoue
la tête. Que de projets il a eus dans sa jeunesse !
Aucun n'a vu le jour. La guerre en est responsable. C'est un endroit où planent des ombres. Il
doit se trouver une autre bière et sortir de ce lieu
vide qui ne signifie plus rien pour lui maintenant.

Juillet 1943

Le premier voyage de Rainer à Héraklion ne fut pas sans incidents. Sur la route, quelque part près de Réthymnon, ils repoussèrent une embuscade montée par un groupe de partisans. Ces hommes farouches, barbus, avec des fusils, tirèrent sur le convoi ; mais heureusement celui-ci était accompagné de gardes armés qui leur rendirent la monnaie de leur pièce. Ces bandes de rebelles étaient sorties de nulle part et, fait troublant, savaient où et quand ils passaient. C'était préoccupant car cela signifiait qu'il y avait des espions proches du Q.G. Ils menaient à présent une avancée coordonnée dans les zones rocheuses et incultes des montagnes Blanches, afin de trouver les caches d'armes et de matériel largués par voie aérienne et de prendre en embuscade les bandits au moment où ces derniers les récupéraient. Ils avaient eu quelques succès, mais ces groupes étaient entraînés par des agents anglais et organisés en unités de combat pour mener des raids de destruction et de pillage ; les villages qui les soutenaient devaient être neutralisés.

Récemment, il y avait eu une campagne d'intoxication, des messages gribouillés en allemand sur les murs avec des nouvelles de la capitulation italienne et des mises en garde qui venaient, Rainer et ses supérieurs le craignaient, de leurs propres hommes. Certains éléments basés sur l'île étaient mécontents. Il se produisit une série de suicides et de désertions qui devaient être combattus très vite ; un affrontement difficile avec les gens du coin donna quelques informateurs.

Leur plan reposait sur la capture de ces agents ennemis en pleine action de sabotage et sur l'obtention de noms et de contacts. Rainer espérait rencontrer un jeune homme capable de l'aider dans cette tâche. Il devait le tester et vérifier qu'il n'était pas agent double.

Il le rencontra sur le site de Knossos alors qu'il explorait les ruines avec intérêt. À première vue, ils étaient deux archéologues en sortie, simplement occupés à parler de leurs centres d'intérêt. Mais l'objectif était autre.

Rainer ne sut pas de prime abord que penser de l'agent Stavros. Mélange bizarre d'un physique anglais avantageux et d'un tempérament grec volcanique : cheveux blonds, yeux bleus, partisan zélé du Führer et national-socialiste ardent, ami d'Oswald Mosley, anticommuniste au point d'en être fanatique et, en prime, joueur de tennis retors. Il battit Rainer six jeux à un. Sa jambe était guérie maintenant, Rainer n'avait donc pas d'excuses. Ce garçon était trop bon pour lui, il plaçait la balle tout simplement hors d'atteinte, image même d'une détermination de fer. Quand Rainer reconnut sa défaite, Stavros lui répondit dans un anglais parfait.

— Vous pouvez remercier mon collège privé pour ce coup droit assassin : je l'ai perfectionné sur le postérieur de mes bizuts.

Stavros avait étudié à Athènes, il aurait aimé se joindre aux fouilles dans l'ouest du pays mais il avait dû gagner sa vie. Les Allemands l'avaient recruté après la chute d'Athènes et on ne pouvait mettre en doute sa loyauté. Les convertis sont toujours les plus fervents. Mis à l'épreuve sur la zone italienne dans les montagnes, il avait attrapé quelques Anglais en fuite et avait fait en sorte qu'ils soient exécutés avant d'avoir pu percer sa couverture d'espion.

C'était un produit authentique. Avec cet homme-là, le parfait gentleman à l'accent distingué des officiers, il n'y aurait pas de gaffes idiotes. Ils lui fabriqueraient une nouvelle histoire car sa première tentative s'était retournée contre lui. Installé plus près de la côte puis infiltré comme fugitif dans les montagnes, il avait trouvé refuge pour la nuit dans un village où, très vite, il s'était fait rosser et renvoyer à la gendarmerie locale comme prisonnier de guerre.

Cas rare d'allégeance crétoise ou ruse intelligente pour les battre à leur propre jeu ? Quoi qu'il en soit, il fallait l'envoyer ailleurs avec une meilleure couverture. Ce serait difficile d'expliquer sa présence sur l'île alors que la plupart des évadés étaient partis depuis longtemps. Il devait arguer d'une blessure, affirmer qu'il était resté aider les populations autochtones à combattre mais que, maintenant, il essayait désespérément de se rendre dans le Sud pour embarquer et souhaitait rejoindre les rangs de la Résistance et rencontrer les agents. Stavros avait ajouté à ce plan sa touche personnelle : il jouerait le professeur distrait, passionné de tout ce qui est minoen. Cela justifierait ses pérégrinations en quête d'antiquités et son comportement de véritable excentrique Anglais. Il serait parfait pour transmettre des informations sur les montagnes Blanches près de Chania, où il aurait plus de chances d'être récupéré par des villageois compatissants et conduit derrière la ligne. S'il allait au Caire, il serait infiltré dans l'armée britannique. Plan risqué mais rien ne pouvait arrêter ce garçon.

— Vous êtes brave, fit remarquer Rainer.

— Je fais mon devoir. D'après ce que j'ai entendu, ce sont tous des voleurs et des bandits qui se battent entre eux. Diviser pour régner, que cela continue, c'est tout ce que je souhaite.

— Si vous êtes pris nous ne pourrons rien pour vous, l'avertit Rainer. Vous êtes seul, j'en ai peur. Nous affirmerons ne pas vous connaître.

Stavros claqua des talons et fit le salut nazi.

— *Heil Hitler !* C'est un honneur pour moi de mourir pour lui.

Comme ce garçon était résolu et engagé, mais naïf de croire que le Führer se souciait de lui, mort ou vif ! Rainer se devait d'admirer une telle loyauté. Lui-même, par comparaison, avec ses doutes et son obéissance paresseuse, semblait si indécis ! Il en avait trop vu et n'était certain que d'une chose : son désir inné de survie pour revoir sa famille. Sa sœur Katerina devait avoir seize ans, une jeune femme désormais. Comment grandissait-elle dans une pareille tourmente ?

— Vous avez des papiers d'identité sous un faux nom. Y a-t-il quelqu'un à prévenir si...

Il hésita à poursuivre.

— Je n'ai pas de famille que je souhaite informer.

Ils passèrent une agréable soirée à Héraklion, se promenèrent autour du port et dînèrent sur la place. Avoir un tel agent, actif dans le secteur de Chania, était juste le coup de fouet dont ils avaient besoin. Ils n'iraient pas trop vite en besogne ; une fausse manœuvre et il serait grillé. *Siga, siga,* lentement, lentement, comme disent les Grecs. Stavros était peut-être un peu pisse-froid mais il avait du courage et méritait le meilleur soutien possible. Rainer se demanda quelle pêche il rapporterait dans ses filets : baleine ou menu fretin ?

Yolanda trouvait la vie à la campagne éprouvante : odeurs âcres, corvées routinières, toutes ces tâches physiques attendues d'une femme. Elle était une fille de la ville dans l'âme, mais cette partie de sa vie était derrière elle. Elle apprit vite à comprendre le fort accent, les gestes, les règles qu'elle devait suivre si elle voulait être acceptée. La communauté très unie l'observait avec intérêt mais gardait ses distances.

Il n'y avait pas de livres à lire, pas de musique à écouter sur un gramophone, pas de piano sur lequel jouer, pas d'office qui pour elle ait du sens, cependant elle tint bon et essaya de ne pas

435

s'inquiéter au sujet de ses parents. Comme elle avait envie de leur écrire et de recevoir leur bénédiction ! Elle demanda du papier et soulagea son cœur, leur expliquant qu'elle était en sécurité, qu'Andreas était attentionné et qu'elle l'aidait toujours dans son travail.

Elle leur décrivit toutes les superstitions et tous les remèdes du village, certains bénéfiques, d'autres nuisibles. La lettre partit à Chania par le bus, elle pria pour avoir une réponse, mais rien ne vint. Puis il y eut une escarmouche et des coups de feu, et on eut besoin d'elle pour cacher un homme blessé et le soigner dans les grottes jusqu'à ce qu'il puisse remarcher.

Adonis et Dimitra la traitaient bien mais lui restait en mémoire le vieux dicton : « Le marié ne peut devenir un fils, pas plus que la mariée, une fille ».

Les moments où elle pouvait retrouver Penny, seul lien avec sa vie passée, n'avaient pas de prix. Parfois, quand elles ramassaient du bois pour le feu, elles se rencontraient à mi-chemin dans la montagne. Penny travaillait dans un autre district et était amaigrie et épuisée. Qui penserait aujourd'hui en les voyant à ces joyeuses infirmières d'Athènes ? Penny vivait dans l'attente de nouvelles de son amoureux, mais il ne s'était pas manifesté depuis des mois.

Yolanda n'avait jamais rencontré Panayotis ni aucun membre de son groupe. C'était dangereux de connaître quoi que ce soit sur les autres bandes, même leurs faux noms. Les agents britanniques et les coursiers avaient des surnoms, versions grecques de leur prénom : Michaelis, Ianni, Manolis, Vasilios. Leur véritable identité ? Personne n'en savait rien.

Andreas parlait peu de ses mystérieuses escapades nocturnes. À la tombée de la nuit, il décrochait son sac de la porte, prenait son couteau et le peu de nourriture qu'ils avaient pu mettre de côté. Personne ne disait mot, mieux valait ne pas demander de détails. Yolanda le suivait dans la cour, inquiète des dangers qui l'attendaient. Elle avait envie de s'accrocher à lui, de le supplier de ne pas partir, mais elle restait là, les poings serrés, et le regardait s'en aller jusqu'à ce qu'il ne soit plus qu'un point dans l'obscurité.

Quel soulagement à son retour ! Parfois en sang, toujours épuisé et affamé. Il se risquait encore à descendre à Chania, son œil aveugle caché derrière des lunettes et des pansements qui ne tenaient pas bien, vêtu d'habits de paysan sales. Il y avait des maisons sûres où il récupérait du matériel médical et les renseignements donnés par les filles du Q.G. On lui parlait de S.S. impitoyables, l'informait du nom des agents à exfiltrer et des avis de recherche sur lesquels, à son grand amusement, figurait son nom.

Chaque fois, jusqu'à ce qu'il regagne ses bras, Yolanda pouvait à peine respirer. Il leur apprit que Mussolini avait été destitué, que l'Italie allait basculer dans leur camp, qu'il y avait des slogans anti-allemands écrits à la craie sur les murs à la vue de tous.

— Il y aura bientôt une invasion, il faut se tenir prêts, et alors nous serons de nouveau libres.

J'entends ces mots, pourtant l'ennemi me semble fort, mettait-il en garde.

Une nuit, il revint avec un étranger couvert de sang, qui avait glissé sur les rochers, fait une vilaine chute et s'était ouvert la jambe. Il s'appelait Stavros, homme grand, peau hâlée, cheveux décolorés par le soleil. Stavros était confus, hésitant ; Yolanda reconnut son accent. Il avait été coincé pendant des mois, avait essayé de s'échapper et de rejoindre l'armée britannique. Il était anglais par sa mère, expliqua-t-il, mais elle lui trouva plutôt l'air d'un déserteur allemand. Parler grec avec lui sans faire d'efforts pour comprendre le patois, entendre les voyelles habituelles... c'était agréable : un jeune homme si beau, si charmant.

Elle pansa ses blessures et lui demanda comment il avait réussi à rester libre pendant aussi longtemps.

Il sourit.

— J'ai été accueilli par un fermier du district de Lassithi, près de l'endroit où le célèbre soldat-savant John Pendlebury menait ses fouilles avant la guerre. Le fermier a regardé mes bras et m'a fait travailler dans les champs. Ils m'ont nourri comme un fils mais quand le fermier quittait la maison, sa femme avait d'autres idées en tête et elle a entrepris de me séduire... La situation est devenue difficile. C'était une peste, elle me faisait les yeux doux à table. Il fallait que je m'en aille avant que le fermier ne me tue. Une nuit, je suis parti. J'erre depuis des semaines, en direction de l'ouest, mais partout on me dit que nos soldats ont quitté l'île.

— Vous devez être fatigué alors, répliqua-t-elle.

Elle remarqua que ses jambes étaient fermes, bronzées, comme s'il avait vécu en short.

— Qu'est-ce qui amène une Athénienne si haut dans la montagne ? demanda-t-il en sirotant son thé avec délice.

— Mon mari souhaitait revenir chez ses parents. Je l'ai suivi, bien sûr.

— Vous êtes son infirmière ?

— Oui, à la clinique de la Croix-Rouge.

Yolanda se tut, inquiète d'en avoir trop dit, et changea de sujet.

— Votre blessure n'est que superficielle, elle n'est pas belle à voir mais il n'y a pas de vraie lésion. Nettoyez-la bien et l'air frais fera le reste.

— Yolanda, quel joli prénom. Cela veut dire violette. C'est peu courant...

Elle opina du chef.

— C'est mon père qui l'a choisi, il aimait la couleur, je crois.

— Un homme de goût. Il vit encore à Athènes ?

— Non, il est mort, mentit-elle.

Mon Dieu, qu'est-ce que je raconte ! Yolanda frissonna, ce garçon posait trop de questions.

Plus tard, quand il fut parti dormir dans la cabane des moutons, allongée à côté d'Andreas, elle ne put trouver le sommeil.

— Où as-tu déniché ce Stavros ?

— Blessé sur un rocher, déshydraté, en état de choc. Un pauvre gars qui a raté le bateau, je crains. Un de plus. Pourquoi ?

— Il m'a raconté qu'il avait fui les avances d'une femme de fermier. Cela explique, j'imagine,

439

pourquoi il est si bien nourri et si bronzé. Cela fait deux ans qu'il est en cavale, ça fait long tout de même ? Il n'a pas de plaie, ni de poux. De toute évidence, il n'a pas vécu à la dure. Il serait sale et piqué au sang.

— C'est un étudiant en archéologie d'Athènes, un peu fêlé à cause du soleil, répondit Andreas en riant.

— Penny le connaîtrait peut-être ? Elle a étudié là-bas avant de devenir infirmière, chuchota Yolanda.

— Bien sûr… Mais prudence, pas de noms, ne courons pas de risques. Il a l'air de savoir tenir un fusil. On sera content d'avoir un tireur de plus.

Alors qu'ils s'enlaçaient, ils oublièrent Stavros. Malgré les épreuves, le plaisir de faire l'amour n'avait rien perdu, ces derniers mois, de son intensité.

Yolanda garda Stavros près d'elle à la ferme, le surveillant pour vérifier s'il savait traire les brebis et faire du fromage. Il était plutôt expert et maniait bien la bêche. Ses bras vigoureux se révélaient fort utiles quand Andreas s'absentait ; pour Dimitra, c'était un dieu grec tombé de l'Olympe.

Comme il n'y avait plus de soldats fugitifs à rejoindre, il se mit à accompagner Andreas, lors de ses tournées, ou son coursier pour aller aux nouvelles, mais il n'avait guère d'endurance dès qu'il fallait marcher longtemps ou escalader. Malgré sa bonne forme physique, il était très vite essoufflé.

— Ses poumons sont affaiblis, dit le coursier d'Andreas. Il est toujours le dernier, incapable de suivre le rythme. Il a vécu dans du coton. Trop de tartes au fromage et de *krassi*. Il faut l'aider à s'adapter s'il doit nous servir à quelque chose dans un raid. Ce n'est qu'un gars de la ville, et à moitié anglais. Ils ne sont pas faits pour la montagne. Donne-lui du temps. Emmène-le à Chania. Il parle parfaitement grec, personne ne l'arrêtera.

Stavros avait très envie de se dégourdir les jambes, en descente aussi.

— Je suis allé à Héraklion mais jamais à Chania. Reste-t-il encore des palais vénitiens debout ? Un musée ? Passerons-nous à côté de fresques ? J'ai lu que la Crète regorge de trésors.

— Tu n'es pas là pour faire du tourisme, rétorqua Andreas d'un ton sec. Il ne reste rien, et ce qui avait de la valeur est déjà parti à l'étranger. Ça grouille d'Allemands, alors prudence, ne te fais pas remarquer !

Yolanda les regarda partir, contente qu'Andreas ait de la compagnie même si ce Stavros avait quelque chose de mystérieux. Peut-être aurait-elle une chance de rencontrer Penny à mi-colline en train de ramasser des baies pour les confitures. Il y avait beaucoup de points à vérifier à propos de leur nouvelle recrue, Penny était tout indiquée.

Personne ne remarqua un jeune et grand berger qui se dirigeait à grandes enjambées dans les ruelles vers la vieille entrée ouest, dans le quartier en ruines de Kastelli. C'était jour de marché, nombre de paysans apportaient des paniers de légumes à troquer contre de la paraffine et du sel. L'homme s'arrêta près d'un puits pour s'asperger le visage d'eau. Personne ne le vit tirer d'un mur une pierre mobile et y fourrer une lettre ; personne, sauf un gamin maigre, aux membres comme des allumettes, qui attendait que l'homme s'en aille. Il récupérerait la livraison à la faveur de la nuit.

Le Q.G. fut content de la première lettre de Stavros. Il logeait dans une ferme sous la garde du Dr Androulakis, ostéopathe et chirurgien, et de sa femme, originaire du quartier juif. Il écrivait aussi que la plupart des évadés avaient quitté l'île, sauf ceux qui étaient trop mal en point pour bouger de leurs tanières, mais que le réseau d'espions était actif, qu'ils recevaient de nouvelles munitions larguées par la voie des airs, comme ils s'y attendaient. Stavros resterait proche du centre des opérations et s'assurerait qu'aucune unité ne rafle les espions avant d'être certain de leurs projets.

Était-ce vrai, demandait-il, que l'Italie avait capitulé en septembre et s'était désormais alliée à la Grèce ? Il avait appris par des émissions radio secrètes que les Américains avaient pris pied en Sicile. Il croyait que tout cela n'était que de la propagande et des mensonges pour démoraliser les troupes. Il fallait tenir la Crète, le Führer le voulait.

Rainer sourit à la lecture de cette missive. Pauvre Stavros, il se préparait à une sacrée déception s'il pensait qu'ils pouvaient repousser la chute, inévitable depuis qu'ils avaient perdu la bataille d'Afrique. Les rumeurs selon lesquelles de nouvelles armes seraient envoyées pour écraser les armées de l'autre côté de la mer de Libye n'étaient rien d'autre que cela : des rumeurs.

Quant aux agents ennemis actifs, ils connaissaient la plupart de leurs noms de code : Leigh Fermor, Dunbabin, Woodhouse, Reade ; des hommes intelligents et courageux, endurcis par des années de bivouac. Il ne serait pas facile de les débusquer, quoi qu'en pense ce jeune exalté.

Penny passa un autre long hiver coupée de la civilisation. Une importante chute de neige bloquait les chemins et rendait toute visite à Yolanda impossible. Avec désespoir, elle regardait l'étendue blanche et brumeuse. Les itinéraires qu'elles prenaient suivaient les marques laissées par les bergers, amas de pierres posés sur des branchages. Un faux pas hors de la piste, et c'était la chute dans un ravin et une mort certaine. À chaque avancée, il fallait tâter le terrain avec une houlette pour trouver la terre ferme. Elle se faisait du souci pour les groupes en errance dans les montagnes, qui vivaient à la dure, à la merci des éléments et des « girouettes », des voleurs de bétail qui n'avaient de loyauté que pour leur clan mais sur lesquels on pouvait compter pour défendre leur territoire au cas où l'ennemi ferait intrusion. C'était l'époque où, grâce à tout le travail éreintant, couper des branches d'olivier, ramasser du petit bois quand il faisait sec, on pouvait mettre la marmite sur le feu. C'était l'époque où l'on se blottissait dans les maisons : les femmes faisaient leurs travaux de couture, filaient la laine, tissaient le drap pour les capes, les couvertures et les tapis, ce qui maintenait tout le monde au chaud. C'était l'époque où l'on racontait les histoires du passé :

quand les Turcs régnaient sur l'île, les générations d'avant s'étaient réfugiées dans la montagne pour tenter de regagner leur liberté.

Trop de gens pleuraient des parents brûlés, fusillés, chassés d'un village attaqué plus haut. Les femmes jeunes et les enfants fuyaient sur les flancs rocheux pour se cacher dans des grottes, mais les vieux étaient parfois trop faibles pour bouger et finissaient brûlés lors des raids sur leurs maisons. Cruelle époque. Noël arriva et ne fut guère célébré. Ils attendaient maintenant que les résistants reviennent chercher des produits frais et du matériel. C'était une dangereuse activité que d'apparaître dans des villages où étaient cantonnés des Allemands, pourtant elle continuait.

La nouvelle vola de massif en massif : les Italiens à l'est devenaient des alliés, même s'il y avait de nombreux prisonniers de guerre et déserteurs. On parlait aussi maintenant de querelles et de brouilles sérieuses entre des villageois nationalistes qui luttaient pour le roi et d'autres, sympathisants communistes, qui ne voulaient combattre qu'aux côtés de leurs camarades. Des rencontres secrètes avec les agents britanniques se soldaient par des désaccords et de la méfiance.

Ike refusait de prendre parti. Depuis son arrestation, il n'était plus si désireux de se ranger d'un côté ou d'un autre. Il buvait beaucoup et parlait sèchement à Katrina. L'atmosphère avait changé à la villa. Tout le monde était fatigué, redoutait l'avenir et en avait assez de l'hiver. Penny s'inquiétait pour ses amis et pour « Cyclope », dont la réputation enflait. Personne ne pouvait empêcher les Crétois de louer leurs héros et de raconter des potins. Le médecin borgne était célèbre, elle espérait que leurs sifflets d'alerte rapide le maintiendraient en sécurité.

Parfois, elle fermait les yeux et essayait d'imaginer la maison : Nanny, Zander et Effy qui jouaient aux cartes près du feu, dont les flammes tremblotaient dans la cheminée de la nursery ; les muffins que l'on faisait griller sur la fourchette en cuivre avec un manche en forme de tête de cheval ; le parfum de mummy quand elle entrait dire bonne nuit, la façon dont les paillettes sur sa robe de bal brillaient dans la lumière de la lampe. Comme ces soirées d'hiver de son enfance avaient été tranquilles et confortables ! Où étaient-ils tous aujourd'hui ? Pensaient-ils parfois à elle ?

Penny essayait de compenser le fait d'être une bouche de plus à nourrir en amusant les enfants : elle fabriquait des cartes à partir de tout ce qu'elle avait sous la main, leur racontait les contes de fées de son enfance, *Cendrillon*, *Hansel et Gretel*, *Blanche-Neige*. Elle apprit à filer la laine de mouton avec une quenouille à l'épaule. Son travail fut d'abord grossier mais, avec de la pratique, elle obtint un fil plus lisse et plus fin. La lanoline contenue dans le suint soulageait ses mains irritées, et ses cheveux, en poussant, retrouvèrent leur couleur naturelle. Lorsqu'elle les remontait, elle entrevoyait de manière fugitive la jeune et élégante oisive qu'elle avait été à Athènes. Elle soupirait alors et se détournait du miroir fêlé.

On eût dit que sa vie était en attente. Attente d'un signe de la part de Bruce, mais rien. Personne ne pouvait se déplacer avec de telles tempêtes de neige. L'espoir qu'elle avait de le revoir un jour s'amenuisait. Pour la première fois depuis des mois, elle commença à se demander si le moment n'était pas venu de s'en retourner à Chania, de se rendre même. Comme elle avait envie de retrouver la routine paisible des salles d'hôpital, le calme du couvent Saint-Joseph ! Puis elle se rappelait aussi le désir aigu qu'elle avait ressenti d'échapper à ses contraintes là-bas.

Comment imaginer une seconde de se rendre ? De compromettre ses amis ? Elle connaissait trop de visages, trop de lieux. La faim, l'inquiétude, l'ennui, voilà ce qui s'exprimait. 1944 arriverait bien vite et ce serait un nouveau début : l'Occupation ne pourrait tout de même pas durer encore bien longtemps !

Elle se lassait aussi des commérages du village : qui avait salué qui, qui ne passerait pas l'année, comment la veuve X faisait des réserves. « Cela me rendra folle », soupirait-elle. Seul point positif : la neige empêchait les Allemands de venir à leurs portes, les patrouilles préféraient rester à la caserne, se saouler avec du vin et du raki volés, continuer à donner aux gamins des aumônes et des restes de nourriture et garder la tête basse.

Les troupes distribuaient des prospectus offrant une nouvelle amnistie à la population à condition qu'elle ne prenne plus part aux actes criminels des bandits, lui demandant de rapporter tout mouvement, en échange de quoi on les laisserait en paix. Toute résistance serait réprimée sévèrement. C'était toujours la même vieille stratégie : soyez gentils, les enfants, et vous ne serez pas punis. Enfin, les prospectus servaient tout de même à allumer le feu.

Puis, un matin, vers la fin du mois de janvier, Penny se réveilla et sentit un air doux passer à travers le volet, elle entendit la neige qui gouttait et le pépiement des oiseaux. Le printemps avait gagné sa bataille annuelle. Les amandiers seraient bientôt en fleur, il y aurait sous peu des légumes frais à cueillir. L'espoir lui remonta le moral.

Quelques jours plus tard, un coursier arriva annonçant qu'un groupe se reposait plus haut dans la montagne et avait besoin de vivres. Il emporta ce qu'il put et Penny offrit de porter le reste.

— Nous sommes vingt et nous avons un autre Anglais à nourrir, venez vite, s'écria-t-il.

Elle partit, une sacoche attachée dans le dos, avec Olivia, la fille d'Ike, âgée de douze ans. La fillette était terriblement excitée et fière d'être à la fois coursière et la couverture de Penny.

— Tu n'oublies pas, nous collectons de la nour-riture, nous avançons en zigzag au cas où on nous suivrait à la jumelle. Tu n'attires pas l'attention sur toi. Les montagnes voient tout et entendent tout ! la mit en garde Penny, alors que l'enfant la regardait les yeux écarquillés. Tu es mon assis-tante mais tu ne dis à personne comment tu t'ap-pelles, ni où tu vis. Des bavardages ont coûté des morts et des destructions à tout un village juste parce que quelqu'un a fait le vantard…

Elle devait avertir la fillette, lui faire peur pour qu'elle ne divulgue aucun renseignement. Penny savait que des bandes isolées, coincées dans des grottes et autres cachettes pendant des semaines, mouraient d'envie d'avoir des nouvelles à se mettre sous la dent. Rien que de très naturel mais, poussée par son désir de faire plaisir, Olivia pourrait en dire trop.

Elles firent l'ascension sur le flanc du massif, et traversèrent des bois de cyprès et de pins ruisselant de la fonte des neiges. Quel bonheur d'être dehors et de se dégourdir les jambes ! Penny ressemblait à un poulain qu'on lâche dans un pré ; elle avait envie de sauter sur les rochers mais, consciente que sa petite assistante peinait sous sa charge, elle ralentit et sortit quelques amandes et quelques raisins secs de sa poche pour l'encourager dans la montée.

Puis elles entendirent un coup de sifflet connu : on observait leur approche depuis des postes de guet cachés dans des arbres. L'une après l'autre, des têtes apparurent ; visages souriants, gestes de la main, des hommes sortirent de la caverne. On aurait dit des trolls, mal rasés, cheveux longs, peau noircie à cause de la fumée, tous vêtus de ces habits grossiers qui se fondaient si bien dans la terre et les rochers. Puis un jeune homme parut au soleil, retira sa casquette et secoua ses cheveux blonds. Il avait la barbe pailletée de touches d'or.

Penny, ahurie, fixa le visage de ce type qu'elle avait connu il y avait si longtemps dans les bars d'Athènes, celui-là même qui s'était rendu désagréable jusqu'à ce qu'elle le rembarre. Steven Leonidis. Que faisait-il ici ? Elle se rappelait certaines des théories douteuses qu'il soutenait avant la guerre et une pointe de malaise la traversa. Heureusement, il ne l'avait pas vue. Elle poussa Olivia en avant et lui dit en chuchotant : « Va porter le panier, j'ai quelque chose dans ma chaussure. » Elle se pencha pour remettre son foulard, l'avançant sous le menton et sur le front comme le font les veuves. Elle avait le cœur battant. Pourquoi était-il là ? Devrait-elle aller le saluer ?

L'un des *andartes* se précipita pour lui prendre la sacoche et l'emporter dans la grotte.

— Viens faire la connaissance de notre nouvel homme, Stavros. Il est d'Athènes, Athina... Viens lui parler.

— Non, non, il faut que nous rentrions ; nous avons du bois à ramasser.

Elle fit ses excuses, regrettant qu'Olivia soit obligée de se presser pour sa première mission importante. Les hommes étaient contents de voir un enfant, lui tapotaient la joue. Et si la fillette leur disait que l'infirmière Athina venait d'Athènes ? Elle devait l'empêcher de parler, l'éloigner d'ici.

Puis il y eut un cri.

— Athina ! Viens regarder ces plaies, lui cria un jeune homme. Elles ne veulent pas se guérir.

Steven la regardait mais, à son grand soulagement, elle le vit se détourner. Elle traîna les pieds, se courba pour paraître plus vieille et examina le jeune gars.

— Des furoncles, encore et toujours ! s'exclamat-elle d'une voix rauque et de son accent le plus marqué.

Ce n'était guère étonnant qu'avec le manque de produits frais, l'humidité et la crasse, leurs bras

449

et leurs jambes soient couverts d'abcès purulents. Elle se retourna pour prendre son pot d'onguent, en badigeonna un chiffon propre et banda le bras du jeune homme ; pendant toute l'opération, elle s'efforça de ne pas regarder où se trouvait Steven. Il ne devait pas la reconnaître.

Elle n'avait jamais filé si vite mais une peur irrationnelle, causée par la soudaine vision de son ancien petit ami, la propulsait en avant. Quelque chose clochait.

Pourquoi était-il soudain apparu de nulle part ? Elle avait toutes ses antennes en état d'alerte tandis qu'Olivia et elle fonçaient à travers les pins, ramassant des brindilles ici et là pour remplir leur panier. La fillette était contrariée, croyant qu'elle avait fait quelque chose de mal.

Penny se remémorait toutes ces discussions politiques que Steven et elle avaient eues lorsqu'ils buvaient un verre ensemble. Il détestait ses racines grecques et se réjouissait d'être aussi blond, d'avoir les yeux aussi bleus. Si quelqu'un à l'époque était sympathisant fasciste, c'était bien lui. Et il se présentait désormais comme fugitif anglais... alors que la plupart des hommes étaient partis depuis longtemps. Il parlait grec couramment, il avait pu s'échapper facilement à moins... à moins que... Oh, mon Dieu, se pouvait-il qu'il soit une taupe ? Se faisait-il passer pour anglais, au service de l'ennemi ?

Peut-être qu'après avoir vu toutes les atrocités commises sur l'île il avait changé d'avis ? Les gens changeaient, ça arrivait. Lui aussi, certainement. Depuis combien de temps était-il là, et pourquoi si près du village de Katrina et Ike ? Comment pouvait-elle avoir l'assurance de sa sincérité ? Toute cette nuit-là, le doute semé dans son esprit la travailla. Un mot à Ike et à son groupe, et Steven Leonidis serait un homme mort. Comment vivre avec l'idée qu'on avait tué un innocent, quelqu'un qu'à certains égards elle pourrait défendre ? Mais, et si elle le démasquait, alors il connaîtrait son identité. Elle devait prévenir Andreas, trouver Bruce, donner l'alerte : l'Athénien pouvait être un espion. C'est l'unique réponse que lui donna son cœur.

Parfois, il faut prendre une décision sur-le-champ, une décision qui change tout, songea-t-elle alors qu'elle se réveillait d'un cauchemar, revivant ces moments où elle avait eu l'intuition que ses amis couraient un danger. Elle n'avait que peu d'éléments pour la guider, juste son instinct. Si elle donnait l'alerte à tort, elle aurait la mort de Stephen sur la conscience ; si elle avait raison de le soupçonner, d'autres personnes bien plus précieuses à ses yeux risquaient de connaître le même sort.

Le lendemain matin, elle chercha Ike pour lui faire part de son intention.

— Votre gentillesse est trop grande, je suis un fardeau pour ta famille. Je retourne à Chania et reprends ma vie au couvent. Transmets mes bons vœux à tout le monde ; au fond, je suis une citadine dans l'âme. S'il y a du danger ici, je ne ferai qu'aggraver les choses pour vous tous.

Elle vit l'air déçu qui se peignait sur son visage.

— S'il te plaît, fais bien attention à qui tu laisses entrer chez toi, le mit-elle en garde. Que les *andartes* restent hors du village. Si quelqu'un demande après Athina, montre-leur la porte, sauf si c'est Panayotis, bien sûr. Dis-lui que je suis repartie en ville.

— Qu'essaies-tu de me dire, mon amie ? Nous n'avons pas de secrets.

— Oh, si, Ike, nous en avons, plus que la plupart des gens. J'aimerais savoir pourquoi, mais je sens que le danger approche, je dois vérifier certains points.

— Tu vas nous manquer.

— Quand tout sera terminé, je reviendrai, promit Penny qui sentit les larmes lui monter aux yeux.

— Viens nous voir avec tes enfants et nous serons heureux. Tu as été comme une fille pour nous, chère Athina. Que les saints bienheureux te guident sur la route. *Kalo taxidi*... Bon voyage.

Difficile et impoli de partir en douce. Katrina se précipita dehors pour la serrer dans ses bras. Penny lui mit dans la main une lettre qu'elle avait gribouillée entre les lignes d'un vieux tract. Elle n'avait pas trouvé d'autre papier. Une lettre écrite pour Yolanda en grec soutenu, l'avertissant de la présence possible d'un espion en leur sein. Penny l'avait entourée du petit mouchoir qu'elle gardait précieusement depuis toutes ces années, ainsi Yolanda saurait forcément que cela venait d'elle.

— Donne-la à Yolanda ou à quelqu'un de sa famille. Cela explique un peu les choses. Dis bien à tout le monde de se méfier des étrangers souriants.

Penny les embrassa tous, les larmes coulant sur son visage. Elle leur tourna le dos, prit la piste qui descendait vers le village puis vers la grand-route, souhaitant qu'il y ait un bus pour Chania.

Andreas, en compagnie de son groupe élargi, vint à la ferme isolée chercher du lait frais et du pain. Cela faisait des semaines que les troupes ne patrouillaient plus et les *andartes* se mirent à espérer que le pire était passé.

Le nouvel homme de la bande, Stavros, aidait utilement à la ferme et Adonis trouvait que, pour un Athénien, c'était un champion. Un soir, alors qu'ils étaient assis dehors, Dimitra apporta fièrement toutes les photos de la noce d'Andreas et Yolanda, prises par le maire.

— Nous n'avons pas toujours vécu comme des mendiants. Voyez, nous avions même un photographe. Nous avons nourri cent personnes ce soir-là, exceptionnel ! se vanta-t-elle avec fierté.

Les photos passèrent de main en main afin que tout le monde les voie bien : la mariée et le marié avec les enfants du village, toute la famille, les danses et... une photo de Penny et Yolanda qui riaient ensemble.

— Mon Dieu, mais je connais ce visage ! s'exclama Stavros, qui scruta les deux jeunes femmes.

Avant que Yolanda ne puisse dire à sa belle-mère d'arrêter, Dimitra sourit.

— Possible. Athina est infirmière, originaire d'Athènes elle aussi... Comme Yolanda, une fille de la ville.

— Oh, ça nous ne le savons pas.

Yolanda lui coupa promptement la parole.

— Mais tu as dit qu'elle était infirmière à Chania ?

— Ah ? Je ne m'en souviens pas.

Yolanda la fixait, priant pour qu'elle se taise.

— Où est-elle maintenant, cette Athina ? demanda Stavros, le regard concentré sur la photo.

— Je l'ignore.

— Mais elle est venue à ton mariage avec le Grec américain et sa femme. Tu l'as revue plusieurs fois...

Oh, tais-toi, s'il te plaît, de grâce, pensa Yolanda.

Andreas remarqua son angoisse.

— Allez, Stavros, au travail.

Après cet échange, Yolanda ne put se détendre. Stavros avait reconnu son amie et cela voulait dire qu'il connaissait son vrai nom. Elle devait avertir Penny. Il y avait quelque chose chez cet étranger qu'elle ne parvenait pas à saisir. Il se montrait obligeant et poli, mais distant et, souvent, en retrait. C'était un tireur d'élite mais il n'avait encore pris part à aucun combat.

Andreas avait toujours affirmé que l'on ne pouvait juger un homme avant l'épreuve du feu. S'il était fait prisonnier et torturé il pourrait donner l'emplacement des fermes, des grottes, les surnoms et noms des familles qui leur fournissaient de la nourriture. Il parlait bien anglais et grec, elle le savait, pourtant il avait quelque chose de différent, différent des autres fugitifs et elle se sentait mal à l'aise.

— Je vais rendre visite à Athina, annonça-t-elle peu après, cela fait trop longtemps que nous ne nous sommes pas vues.

— Mais c'est à une journée de marche, et dans ton état..., objecta Dimitra, qui jeta un coup d'œil à son ventre.

Yolanda sourit de son inquiétude. Elle n'avait plus ses règles depuis deux mois, mais était-elle vraiment enceinte ? Elle n'en était pas certaine. La faim perturbait souvent le cycle menstruel, avait-elle remarqué, et ce pouvait être une fausse alerte. Dans la montagne, les femmes travaillaient dur jusqu'à l'accouchement. Eh bien, si ce joyeux événement se profilait pour elle, il lui faudrait en faire autant.

— Ça ira, si vous pouvez vous passer de moi, bien sûr. Je dois parler à mon amie, il y a des choses qu'elle doit savoir.

Ils lui donnèrent la vieille mule qu'elle pourrait monter en amazone sur la piste jusqu'au village d'Ike. Partout, c'était une explosion de verts printaniers. Une puissante odeur de feuilles et fleurs nouvelles régnait, les buses tournoyaient au-dessus de sa tête en piaulant, et elle aperçut les mystérieuses chèvres *kri-kri* qui s'élancèrent comme des flèches à son approche, longtemps avant qu'elle ne croise leur chemin. Elle s'assit à l'ombre, tout excitée à l'idée de revoir Penny. Comme elle serait surprise ! Quelle bonne nouvelle elle portait, si un bébé devait naître !

Son arrivée causa du désarroi. Katrina était occupée à ses tâches ménagères et n'avait pas de nouvelles de Penny.

— Nous avons cru qu'elle passerait d'abord te voir mais hop... elle s'est envolée. Tu as eu sa lettre ? (Katrina marqua une pause.) Sainte Mère, j'ai oublié… dans la précipitation. Elle est quelque part sur l'étagère, je suis désolée.

Elle farfouilla dans les assiettes, les carafes et les images pieuses.

— Elle est sans doute partie à la recherche de son amoureux, Panayotis. Elle a dû prendre le bus pour Chania. Je ne comprends pas les jeunes femmes d'aujourd'hui. À mon époque, notre père nous interdisait de sortir de la maison dans la journée pour ne pas être déshonorées, mais cette guerre bouscule tout. Les filles vont et viennent comme elles veulent. Il ne reste plus d'hommes pour les surveiller. Voyons, cette lettre… où l'ai-je mise ? Ah, la voici.

Yolanda prit le petit paquet, elle reconnut le mouchoir et le mit dans la poche de son tablier, bien en sécurité. Elle s'assit avec eux, but du thé de montagne et mangea des biscuits, puis elle se reposa un moment et lut la missive qui n'avait pas grand sens, à peine lisible à cause des taches de vin rouge et du papier délavé.

Avec un soupir las, Yolanda reprit son chemin vers la montagne. Troublée et plus mal à l'aise encore qu'avant. Pourquoi Penny était-elle partie ? Panayotis pouvait se trouver n'importe où sur l'île. Les officiers britanniques allaient et venaient, gardaient leur messager sous la main et ne faisaient confiance qu'à leur coursier et leur guide. Penny ne trouverait jamais Bruce. Son projet était fou, semé d'embûches. À quoi avait-elle pensé ? Abandonner ainsi sa meilleure amie ! Qu'essayait-elle de lui dire ? Était-il possible qu'elle aussi sente le danger ?

La lettre suivante de Stavros fut déposée à un carrefour, dans une cachette à l'arrière d'un sanctuaire. De là, donnée à un gendarme ami, elle fut apportée au Q.G. Stavros les avertissait que l'heure était venue de remonter les filets. Il connaissait leur principale zone d'opération, les fermes amies et les avant-postes. Renseignements habituels et utiles qui justifiaient l'envoi d'une patrouille aux premières lueurs du jour pour les prendre par surprise. Pendant ce temps, Stavros s'échapperait et irait trouver le groupe suivant. Mais ce fut la dernière partie de la missive qui intrigua Rainer.

La femme du médecin est une juive de Chania. Elle a une amie, que j'ai reconnue sur une photo, qui habite dans la montagne ; une infirmière prénommée Athina, mais je l'ai connue sous le nom de Pénélope George quand elle était étudiante avec moi à l'École britannique d'Athènes. Elle se fait passer pour ressortissante grecque et aide la Résistance. Elle devrait être détentrice de précieux renseignements.

Ainsi donc Pénélope avait quitté la ville en douce et c'était bien elle qu'il avait vue avec le médecin. Toutes ces années, elle s'était cachée dans les montagnes. Il s'était souvent demandé ce qui lui était arrivé. Elle les avait tous trompés avec son accent grec.

Pourquoi n'avait-elle pas dit la vérité et n'avait-elle pas été internée avec tous les autres Britanniques ? Quelle fascination exerçait sur elle cette île pour qu'elle y risque ainsi sa vie ?

Ce n'était plus qu'une question d'heures avant qu'on ne l'amène pour un interrogatoire. Mais Rainer n'aimerait pas la voir soumise aux méthodes brutales de ces S.S. sadiques qui avaient leurs moyens à eux de faire parler les femmes. Quelle créature entêtée, stupide ! Pourquoi n'était-elle pas partie ?

Par la fenêtre, Rainer regarda la baie et se remémora l'image de Penny dans les grottes : calme, forte, imperturbable, décidée à rester auprès de ses patients. Si quelqu'un méritait une médaille, c'était bien elle. Quelle horreur de voir une si belle femme détruite par cette bande de voyous et de violeurs déterminés à semer la terreur, mais il ne pouvait rien faire maintenant pour la sauver.

2001

— Réveille-toi, tante Pen. Tu vas bien ? Faut-il que j'aille chercher un docteur ? dit Loïs, penchée sur moi d'un air inquiet. Cela fait des heures que tu dors. Nous partons dîner bientôt. Mack connaît un endroit spécial à Chania, mais si tu es trop fatiguée...

— Ça va, cesse de te tracasser, mais tu devrais y aller seule. Alex peut rester avec moi.

Je ne veux pas tenir la chandelle. Je sais tout à fait ce que l'on éprouve quand on a le cœur brisé, et je suis décidée à ce que Loïs ait la chance de raccommoder le sien.

— Non c'est moi qui invite. Nous t'avons trop négligée, à sortir comme ça tous les jours, à te laisser ici avec des livres pour seule compagnie.

— Les livres sont les plus formidables compagnons qui soient, et celui-ci est un bijou : *The Winds of Crete*, il faut que tu le lises. De plus, j'ai eu le temps de mettre mes souvenirs en ordre.

— Pense à la cérémonie de samedi. Mack dit que nous devons y aller de bonne heure. Tu es impatiente ?

Quelle question idiote ! Seuls les jeunes peuvent penser à une chose pareille. Les souvenirs sont parfois si douloureux !

— Nous sommes ici pour ça, dis-je en étirant mes jambes raides. Je vais me faire présentable !

— N'oublie pas que tu as promis à Alex de lui raconter comment c'était la vie à la rude, dans les montagnes, crie Loïs alors que je me dirige vers la porte.

— Peut-être... Mais le moment n'est pas indiqué ce soir pour mes vieilles histoires. Ce Mack me semble très attentionné tout à coup, dis-je, n'ayant pu résister au plaisir de la faire rougir.

— Je sais, et il est super avec Alex, mais il est bon avec tous ses clients, j'imagine. Il va à la cérémonie. Tu t'en souviens, il a dit que son père était dans les sous-marins pendant la guerre, quelque part dans le coin.

Tandis que je sors ma robe en soie bleue et mon étole en pashmina, que je relève mes cheveux, leur redonne une forme puis m'enduis de lotion antimoustiques, je souris : il est temps de laisser un peu la guerre de côté et de ne plus penser à ces jours terribles où j'ai essayé d'avoir des nouvelles de Bruce dans les ruines de Chania, où j'ai vu les habitants survivre dans des baraquements et des caves, indigents, privés d'espoir et de nourriture. Y retourner fut une erreur, mais à l'époque j'étais désespérée.

Mack nous conduit par les rues animées de la ville à un restaurant situé dans un bâtiment sans toit, ouvert sur le ciel nocturne. L'endroit est bondé. Dans un coin, des musiciens jouent des chansons crétoises, les serveurs passent à toute allure portant bien haut leurs plateaux. Taverne pleine de bruit et de vie au cœur de la vieille ville. L'espace d'un instant, la coïncidence me prend de court : c'est le quartier où habitaient les parents de Yolanda. Cette bâtisse a été autrefois une savonnerie proche de la synagogue, bombardée plus tard. Comme c'est étrange de voir des gens rire et chanter à la lumière des bougies à l'endroit même où j'ai accompli une visite si douloureuse, au printemps 1944 !

Mars 1944

Penny alla au seul *kafenion* qu'elle reconnaissait près des anciens murs, elle savait qu'elle y trouverait des amis de la Résistance. Elle tourna autour, dans l'espoir d'y obtenir du travail, mais elle avait l'air si usée et abattue qu'elle craignit qu'on se détournât d'elle comme d'une vagabonde. Cela faisait des jours qu'elle ne mangeait pas à sa faim et elle se sentit faible, le cœur au bord des lèvres. Elle agrippa une chaise pour reprendre son équilibre. Une femme sortit du *kafenion* et elle lui demanda de l'eau.

La femme s'arrêta.

— Asseyez-vous, *kyria*, vous avez l'air malade. Vous venez de loin ?

— Des Apokoronas. « Quand le ciel s'éclaircira-t-il » ? demanda-t-elle à voix basse, sachant que le premier vers de ce chant patriotique pourrait l'aider.

— Vous connaissez le docteur spécialiste des os, alors ?

La femme cherchait clairement à en savoir plus.

— Cyclope, le héros aux mains de guérisseur, sa femme est mon amie.

La femme sourit.

— Il me semblait bien vous remettre. Vous êtes déjà venue ici. Je n'oublie jamais un visage. Je m'appelle Stella.

Penny sentit que la femme se détendait.

— Je suis Athina, je cherche du travail et je dois retrouver quelqu'un. C'est important.

— Vous ne trouverez pas de travail. Entrez... Athina, venez faire la connaissance de Nikos. Aidez-moi en cuisine et au service et vous pourrez manger et dormir ici.

Stella et Nikos lui donnèrent une soupe, des biscuits secs, et une cuvette pour se laver ; elle mit la seule robe correcte qui lui restait, avec le sentiment de redevenir un être humain.

— Nous avons encore quelques habitués, des gens des bureaux, des prêtres et des enseignants, et des soldats, des types corrects bien sûr. (Stella fit une pause.) Il n'y a pas d'argent, même les soldats comptent leurs drachmes. Ils viennent jouer au trictrac, bavarder, n'importe quoi pour oublier cette guerre. On entend des choses et on passe les informations à ceux en qui nous pouvons avoir confiance. Vous avez des nouvelles ?

Penny expliqua son dilemme et sa crainte qu'il y ait un agent infiltré dans leur groupe, qui pourrait les trahir tous.

— Il faut que je trouve Panayotis ou Michalis.

Stella se mit à rire.

— Ils fanfaronnent comme des gens du cru, plus crétois que nous. Michalis est redoutable. Il boit avec les soldats allemands, et ceux-ci n'ont pas idée de qui est cet homme avec lequel ils parlent. Mais d'abord, il faut renouveler vos papiers, il y a des contrôles surprises. Il faut aller à la mairie, vous faire enregistrer, c'est le plus sûr. Ils recherchent les « visiteurs suspects ». Ne jamais rien dire à personne avant de nous en parler. L'année dernière, il y a eu cet espion qui a trahi son village et causé tant de martyrs. Un escadron de la mort est venu dans sa maison en septembre et ils l'ont poignardé. Désormais, la famille Polentas est vengée. Ne faites confiance à personne, Athina, surtout pas à ceux qui posent des questions. Vous avez un bon accent mais il vous trahit quand même auprès des gens d'ici.

Ainsi mise en garde et fortifiée par ces paroles, Penny se sentit en mesure d'aller enquêter au sujet de Bruce. Ses espoirs furent vite anéantis quand elle comprit qu'il était reparti dans la montagne en mission et que des raids importants étaient en préparation.

Un après-midi pendant l'heure de la sieste, elle s'en alla au *limani*, le vieux port ; elle dépassa les boutiques aux volets clos, marcha jusqu'à la rue Kondilaki, découvrit des maisons en ruine et tourna dans Portou, qui mène à la porte de la vieille enceinte vénitienne. Elle allait rendre une visite qui n'avait que trop tardé, une visite pour Yolanda.

D'abord, personne ne la reconnut. Les parents de Yolanda la regardèrent avec méfiance comme si elle était quelque fonctionnaire.

— Je suis Pénélope... vous vous souvenez, d'Athènes ? Je suis venue prendre de vos nouvelles.

Les lèvres de Solomon s'étirèrent en un demi-sourire.

— Ah oui, nous nous souvenons de vous, n'est-ce pas, Sara ?

Le regard de Sara Markos avait l'air vide. *Qu'elle a vieilli depuis l'année dernière !* se dit Penny avec un pincement au cœur.

— Momma a été malade. Elle ne se rappelle plus très bien les choses. Il se peut qu'elle se répète. Et vous, comment allez-vous ? Entrez donc.

Solomon lui fit passer le seuil de l'appartement, tout en guidant Sara avec ses deux cannes.

— Vous êtes toujours à l'école à Halepa ?

Penny fit non de la tête.

— C'était il y a longtemps, monsieur. Les choses ont beaucoup changé depuis. J'ai travaillé comme infirmière dans les montagnes mais je viens de revenir en ville. Je voulais vous informer que j'ai vu Yolanda récemment et qu'elle va bien...

— S'il vous plaît, n'en dites pas plus. Cela va perturber momma.

— Nous n'avons plus de fille, elle est morte, ajouta Sara en détournant son visage de Penny.

— Elle ne sait pas que je suis ici, répondit Penny, je voulais simplement m'assurer que vous alliez bien, pour le lui dire. Elle s'inquiète tellement pour vous...

— Elle aurait dû y penser avant de s'enfuir et de nous briser le cœur. Je vois à vos yeux que vous ne comprenez pas cela.

Solomon poussa un long soupir.

— Il n'y a plus de joie possible pour nous maintenant qu'elle est partie, mais elle a fait son choix.

Si on appartient à une communauté religieuse, on respecte ses lois. On ne peut pas prendre et laisser les croyances à sa guise.

Sara, entendant son mari, devenait de plus en plus agitée.

— Pourquoi elle parle de la fille ? Elle est morte. On n'en parle plus, hein, papa ?

Elle tirait sur sa manche, bouleversée.

— Vous voyez comment elle est ; son esprit s'égare, épuisé par les soucis et la peine. La vie n'est pas facile pour nous ici.

— Je suis désolée, déclara Penny, sentant tout le poids de la tristesse du vieil homme. Que dirai-je à Yolanda si je la revois ?

— Ce que vous voudrez. Nous n'avons rien à dire. Elle nous a écrit des lettres. Nous les avons brûlées. On ne reçoit pas de lettres des morts, quelle que soit l'envie de les lire. Ce ne sont pas nos coutumes.

Solomon vit le visage de Penny s'assombrir.

— Oh, et puis, dites-lui que nous allons bien, que nous faisons notre vie sans elle, si c'est ce que vous voulez. Combien de temps cela durera, c'est au Seigneur d'en décider. Nos hommes sont toujours les premiers à être pris en otages, quand il y a des ennuis.

Penny prit congé d'eux avec réticence. Elle était désireuse de plaider la cause de Yolanda, mais leur état d'esprit était comme elle l'avait redouté. Elle ne comprenait pas comment, à cause de la foi, on pouvait renier sa propre fille. À une époque comme celle-ci, tout le monde n'aurait-il pas dû se réjouir de trouver le bonheur et se moquer des différences ? Que dirait-elle à Yolanda ? Elle soupira. Mieux valait ne rien dire.

La fête, le *glendi*, allait durer toute la nuit mais Yolanda était trop fatiguée pour y participer.

Les hommes célébraient un largage réussi grâce auquel ils avaient reçu de nouveaux uniformes, des fusils et des bottes. On aurait dit des enfants : ils faisaient des rondes en portant leurs nouveaux jodhpurs, chapeaux mous et bérets. Ils avaient tué un mouton et sorti le meilleur vin du fût de chêne, à l'effet puissant comme une ruade de mulet. Tout le monde était détendu.

La seule ombre au tableau était la mort d'un courageux « Kiwi », tué dans une embuscade en février. Grand meneur d'hommes, brave au point d'en être téméraire, on le pleura. La légende de ses hauts faits se répandait déjà. Ses funérailles somptueuses avaient uni pendant quelques heures certains groupes de combattants.

À peine deux jours auparavant, des étrangers étaient arrivés avec un autre agent britannique pour une rencontre dans le rucher où des projets devaient être discutés et débattus âprement. Ce fut à cette occasion que Yolanda se trouva nez à nez avec Panayotis.

Elle comprit pourquoi Penny était si éprise. Il avait cette *levendia*, ce mélange de charme, de bonne humeur et de courage insouciant, cet amour de la vie et du danger. Il essaya de danser la danse du feu. Tout le monde applaudissait et attendait qu'il saute ou se brûle le pantalon. Andreas se moqua, cria puis le rejoignit. Bruce s'épuisait à tenter de préserver la paix entre les différentes factions, mais ce soir-là il était ivre et comme retombé en enfance. Yolanda ne souhaitait qu'une chose, la présence de Penny pour partager ce moment de bonheur.

Assis près du feu, Stavros buvait avec les autres. Ses craintes à son égard s'étaient avérées infondées, songea Yolanda, car il avait combattu courageusement à l'arrivée d'une patrouille ennemie, continuant de faire feu, et il avait prouvé qu'il était de leur côté.

Elle aurait voulu isoler Panayotis du groupe mais sans attirer l'attention sur elle : une femme enceinte ne parle pas à un homme seul, alors elle resta assise dans l'ombre à les regarder danser et enlever leur veste, ce qui lui donna une idée pour faire savoir à Panayotis que Penny avait quitté le district.

Elle alla prendre les photos du mariage dans le tiroir de la commode et trouva le cliché d'elle avec Penny. S'en séparer l'attrista mais elle le glissa avec soin dans une des poches de la veste de Bruce après avoir écrit au dos : « *Votre amie est à Chania.* »

Le lendemain matin, dès l'aube, ils étaient tous partis. Mieux valait ne pas savoir où.

Cela faisait un mois maintenant que Penny travaillait à la taverne, et grâce aux repas de Stella elle se sentait reprendre des forces. Elle avait fait la queue à l'administration pour obtenir de nouveaux papiers, mais on la remarquait à cause de sa grande taille et l'attente était trop longue à supporter. Les lieux publics ne lui inspiraient aucune confiance, elle s'y sentait constamment mal à l'aise.

Un soir, alors que la nuit tombait et que les soldats patrouillaient dans les rues, elle eut la sensation que des gens l'épiaient dans l'embrasure des portes et elle vit l'éclat d'une cigarette allumée. Elle se précipita à l'intérieur et prévint Nikos qu'on les surveillait.

— Je ne crois pas, dit-il en riant. Nous avons des visiteurs ce soir.

Tandis qu'elle nettoyait les tables en bois et jetait les détritus sur le trottoir, elle sentit de nouveau qu'elle n'était pas seule. Elle s'arrêta et se retourna. Personne en vue, pourtant elle se savait observée. Ses mains tremblaient tout en ramassant les dernières carafes de vin. Elle prit une profonde inspiration.

— Sortez, qui que vous soyez..., cria-t-elle d'une voix qui se voulait assurée.

Une haute silhouette en habit crétois, chemise noire et bandana, sortit de l'ombre et, d'une démarche chaloupée, traversa la rue pavée.

— Athina ? C'est donc bien toi ?

Elle aurait reconnu Bruce n'importe où.

— Dieu merci, tu es là ! s'exclama-t-elle en anglais tout en courant vers lui.

Il porta la main à la bouche.

— Je ne suis pas seul.

L'une après l'autre, des hommes quittèrent l'obscurité, avec un sourire penaud.

— Voici la belle maîtresse qui réchauffe le cœur de Panayotis, chantaient-ils.

Tout à coup, six d'entre eux se précipitèrent dans l'arrière-salle. Penny sentit une pointe de déception la traverser, c'était un rendez-vous secret et elle en serait exclue.

— Comment m'as-tu trouvée ? murmura-t-elle tout en leur servant des assiettes de mezze et des verres de tsikoudia.

— Eh bien, voici une chose étrange : j'ai trouvé une photo de toi et de ma charmante hôtesse, Yolanda, dans l'une de mes poches. Avec au dos l'indication que tu étais à Chania.

Il lui sourit et la frustration de Penny se dissipa.

— Chania est pourtant une grande ville.

— Pas vraiment quand on sait où chercher. Il n'y a pas des masses de Grecques blondes qui jurent comme un troupier et savent vite remettre en place une main baladeuse.

Quand il s'agissait de blaguer, on pouvait compter sur Bruce !

— Toujours aussi désobéissante, ajouta-t-il. Je t'avais dit de rester dans les montagnes. Tu n'as même pas prévenu tes amis.

— J'avais mes raisons. Il y a ce type qu'on appelle Stavros, il est d'Athènes et à l'époque où on était étudiants, on se connaissait.

— Oui, il est dans le groupe d'Andreas, un gars bien. Je l'ai rencontré la semaine dernière.

— Je ne lui fais pas confiance. Autrefois, il était sympathisant fasciste... On a été proches un temps. Je crois que c'est un espion.

— Tu te trompes... Il se bat, là-haut. Il est à moitié grec. Les gens pensent que c'est un déserteur allemand ; du coup, on peut l'utiliser pour

470

tromper les autres prisonniers qui croient que c'est l'un des leurs.

— Mais quand nous étions à Athènes..., commença Penny à voix basse.

Bruce se montra impatient.

— Qu'a-t-il dit quand il t'a vue ?

— Il ne m'a pas vue. Je l'ai reconnu en premier. Crois-moi, tu devrais te renseigner sur lui.

— C'est fait. Tu crois qu'il durerait cinq minutes si on pensait que c'était un agent double ? Les traîtres sont des gars du coin avec de vieilles rancunes, des criminels sortis de prison qui ont une famille à nourrir. Oui, il y a eu des collabos qui venaient du continent mais ça fait longtemps qu'on les a débusqués. En plus, il s'y connaît en poterie minoenne et a l'intention de revenir après la guerre pour fouiller certains sites qu'il a trouvés, donc plus d'inquiétude. Tu étais en sécurité dans la montagne, retourne chez tes amis. Je crois que Yolanda attend un heureux événement, à en juger par la façon dont Andreas fait le coq.

— Viennent-ils tous ici ? demanda Penny lorsqu'elle vit un tel nombre d'*andartes* réunis sous un même toit.

— Ils s'occupent de leurs propres affaires et nous aussi maintenant, alors tu te sauves. Je ne veux pas que tu saches quoi que ce soit. Une grosse opération se prépare, on l'a appris par la radio. Il faut qu'on soit prêts.

Il la repoussa avec douceur. Elle en aurait pleuré. Bruce, égal à lui-même, la traitait comme une enfant.

471

— Athina, pi-pi, couina Viki, la petite fille de Stella.

— Viens avec moi...

Stella et Nikos étaient occupés et les enfants, encore debout, avaient besoin d'elle. Se retrouver à la fois si proche et si loin de Bruce, quelle torture ! Bien sûr, certains sujets avaient plus d'importance mais, se prit-elle à espérer, peut-être auraient-ils un moment seuls tous les deux, à la fin de la réunion.

Les hommes passèrent toute la nuit à discuter, et aussi à chanter et boire, sans tenir compte des femmes, jusqu'aux premières lueurs du jour. Puis ils avalèrent des fruits et du pain et se dirigèrent vers la porte. Bruce s'arrêta pour remercier son hôte et prit Penny par le bras, tout comme il l'avait fait dans les grottes des années de cela.

— Promets-moi de retourner chez Yolanda. Je te contacterai là-bas.

Il lui fit un baiser rapide sur la joue et elle le regarda s'en aller.

Rainer lut la missive de Stavros que venait de lui remettre un soldat – en patrouille, il l'avait arrêté, fouillé puis laissé repartir. Stavros avait dessiné une carte pour montrer où était cachée la radio, enfouie profondément dans une grotte ; il lui donnait des nouvelles de l'agent britannique Panayotis, actif dans le secteur d'Apokoronas, et de son amie, l'infirmière Athina, repartie pour Chania. *« N'est-il pas temps de l'arrêter et de l'interroger ? »*

Rainer n'aimait pas qu'on lui dicte sa conduite. Il n'avait rien à voir avec les méthodes de la Gestapo. Son rôle était de renforcer la coordination des raids de masse dans les montagnes et de s'assurer que la police locale ne prenne pas trop de libertés. Il y avait eu trop d'évasions après des captures, trop d'arrestations accidentelles d'hommes qui n'étaient pas les bons. La discipline était soit peu rigoureuse, soit délibérément relâchée. On ne pouvait pas faire confiance à ces Crétois souriants qui promettaient beaucoup mais réalisaient peu de choses. Certains chefs de police avaient fui dans les montagnes pour éviter l'arrestation.

Ainsi donc, Pénélope était de nouveau à Chania. Elle n'assistait pas aux offices catholiques. Décision sensée que de revenir vers la côte. Où mieux se cacher que dans une foule ?

Yolanda sentit la tension. Tout le monde avait revêtu un uniforme de fortune, cartouchières en travers de la poitrine. Le père Pavlo était venu les asperger d'eau consacrée et les bénir. Andreas tenait sa trousse prête. *Mon Dieu, faites qu'il n'ait pas trop à s'en servir*. Elle leur fit au revoir de la main, ne sachant pas quand ils reviendraient. L'envie la démangeait de les suivre car elle savait que d'autres filles s'armaient et suivaient leur homme, mais la famille ne voulait pas en entendre parler dans son état.

Ils partaient rejoindre un autre groupe sur la route de Sphakia, quelque part avant Askifou. En ce matin d'avril, elle contempla le ciel. Nul autre endroit n'égalait la beauté des montagnes

473

Blanches au printemps : feuilles vert tendre, ajoncs jaune soleil, pavots écarlates, marguerites jaunes, blancheur des roches sèches et toutes sortes de vert émeraude. Il y aurait bientôt des herbes aromatiques à cueillir qui donneraient des agneaux nourris au thym de printemps.

Pâques était passé, elle avait pensé à la fête de seder qui s'était déroulée sans elle. Son cœur se serra. Comme elle avait envie de porter à ses parents la bonne nouvelle ! Peut-être leur donnerait-elle un petit-fils ? Ils ne lui tourneraient certainement pas le dos, alors ?

Plus tard dans la matinée, la femme d'un berger arriva en courant depuis le village.

— Vous ne savez pas ? Le général a été capturé. Il est dans les montagnes…

— Quel général ? Nous ne sommes au courant de rien.

— Le gros bonnet, venu d'Héraklion… Le général Kreipe. Ils le cherchent partout. Les Britanniques et nos hommes ont enlevé le chef de l'île à leur barbe !

Elle cracha sur le sol.

Yolanda n'éprouva aucune allégresse, seulement une peur terrible. Était-ce en rapport avec le groupe d'Andreas ? Comment était-ce possible ? Il l'avait quittée seulement avant l'aube. Héraklion était à plus de cent cinquante kilomètres de distance. Cela n'avait rien à voir avec eux, et pourtant… Il y aurait des recherches et des représailles. Elle se sentit mal. Capturer le commandant de la forteresse était assurément une bonne chose pour le moral, mais à quel prix ?

Comment pouvait-elle se mettre à filer après une telle nouvelle ? Autant ne pas inquiéter les parents d'Andreas. Tout le monde profitait du beau temps, creusait, plantait, préparait les arbres fruitiers et les oliviers. Elle, cette histoire l'accablait. Et si leur compagnie ignorait ce drame et tombait sur une patrouille décidée à se venger, des hommes en colère, violents, résolus à libérer le prisonnier par tous les moyens ? Ils encercleraient les montagnes, bloqueraient les sentiers au sud. C'est ce qu'elle-même ferait. Les hommes d'Andreas étaient-ils en train de se lancer contre un rempart de fusils ?

Il existait peut-être une chance de pouvoir les avertir avant qu'ils n'avancent trop loin. Yolanda se couvrit la tête d'un fichu, prit son *sakouli* avec une gourde d'eau et du fromage et partit dans la direction qu'ils avaient dû prendre. *Pas de temps à perdre*, se dit-elle, marchant, puis courant comme si sa vie en dépendait. Elle connaissait un raccourci vers Omalos, un sentier difficile mais qui diminuait la route de moitié si elle supportait la chaleur du jour.

Apprenant la nouvelle de l'enlèvement de Kreipe par des agents britanniques, tout le Q.G. allemand fut en émoi. Personne ne croyait qu'ils quitteraient l'île, et donc toutes les garnisons se retrouvèrent mobilisées pour encercler les massifs, du mont Psiloritis aux montagnes Blanches ; des patrouilles sillonnèrent la côte afin d'empêcher un départ par mer. Des avions de reconnaissance écumaient les reliefs pour tenter de repérer le commando mais ils n'avaient aucune preuve tangible permettant de savoir s'il était déjà dans ce district. Les rumeurs fleurissaient : il aurait déjà quitté l'île par bateau depuis le Nord. La voiture du général avait été abandonnée près de la route côtière. À l'intérieur, une casquette militaire britannique et un message en parfait allemand spécifiant qu'aucun Crétois n'était impliqué dans cette capture et qu'il ne devait donc pas y avoir de représailles. Rainer sourit, ce n'était qu'une ruse pour les distraire et les éloigner de la vraie piste, pensa-t-il intuitivement.

Lui aussi savait réfléchir comme un agent secret. On avait trouvé la voiture au nord, ses ravisseurs pouvaient se diriger en zigzag vers le sud, en voyageant de nuit. Des chiens suivaient la piste de Kreipe. Il fallait le retrouver vivant, ce qui impliquait un ratissage systématique des ravins, gorges et grottes qu'ils connaissaient déjà. Une somme importante serait offerte pour sauver le général, et de nombreux preneurs se présenteraient, mais, pour être sûr de leur succès et de leur loyauté, Rainer était décidé à participer lui-même aux recherches.

Yolanda se fatiguait. Elle ne s'était guère reposée et une trop grande exposition au soleil lui donnait le tournis, elle trempa son visage dans un ruisseau et remplit sa gourde. Elle fut soulagée de savoir qu'elle marchait dans la bonne direction. Un berger lui avait indiqué le chemin et offert de l'accompagner mais elle avait préféré poursuivre seule. Les *andartes* seraient invisibles, enfermés dans les grottes à cause de la chaleur, sans soupçonner le danger qu'ils encouraient, à moins que le bouche-à-oreille n'ait déjà fonctionné. Comme ils se déplaçaient sans radio, il pouvait se passer des jours avant que cette nouvelle énorme ne leur parvienne.

Ses jambes tremblaient de fatigue, mais juste au moment où elle se dit qu'elle ne pourrait faire un pas de plus, elle vit, tout à fait par hasard, le reflet d'un mouvement derrière des rochers. Des jumelles avaient dû être braquées sur elle tandis qu'elle montait, avec à la main un chiffon rouge – rouge comme danger – qu'elle avait agité jusqu'à ce qu'elle ait mal au bras. Puis elle les vit jaillir d'une fente dans la paroi et venir à sa rencontre.

Andreas se précipita vers elle.

— Mais que fais-tu là ! Assieds-toi tout de suite. Qu'est-ce qui t'a pris, femme ?

Elle lui apprit la nouvelle, l'île était couverte d'équipes de recherche. Il n'eut pas l'air surpris.

— Nous sommes justement là pour ça, pour freiner leur avancée.

— Tu *savais* ?

— On nous a dit de nous préparer. Quelle victoire s'ils s'en tirent ! Viens à l'intérieur, au frais. Il faut te reposer.

Yolanda fut déçue. La nouvelle ne semblait leur avoir fait ni chaud ni froid ; elle s'allongea, épuisée par l'effort, de plus, Andreas n'était pas du tout content d'elle.

— Tu n'aurais pas dû quitter mama et papa, surtout dans ton état. Ça ne t'a pas traversé l'esprit

477

que nous avons assez l'habitude du combat pour prendre des précautions ? lui reprocha-t-il.

— Ce sont tous les remerciements que j'ai de t'avoir couru après ? répliqua-t-elle d'un ton cassant, fatiguée et frustrée. Tu aurais dû me prévenir.

— Tu connais les règles : on ne dit rien, mais c'était gentil de ta part de t'inquiéter, admit-il avant de lui tourner le dos.

Yolanda sentit la rage exploser en elle.

— De m'*inquiéter* ? Tu es mon mari, le père de mon enfant. Qui s'occupera de nous si tu disparais ?

— Ne me parle pas sur ce ton devant mes hommes !

Yolanda fonça sur lui comme un taureau, hurlant en djudezmo, le vieux dialecte judéo-espagnol que ses parents employaient lorsqu'ils se disputaient. Toutes les frustrations de ces derniers mois se déversèrent.

— Tu sais ce à quoi j'ai renoncé pour te suivre. Tu sais que pour mes parents, à cause de toi, je suis morte maintenant ? Et tu dis que je suis stupide d'être venue t'avertir ?

Andreas se défendit.

— Je n'ai pas dit ça, mais c'est le boulot des hommes. (Ses hommes à cet instant s'éclipsèrent, essayant de se rendre invisibles.) Tais-toi ! Voilà ce qui arrive quand les femmes mettent leur nez dans des affaires qui ne les regardent pas.

Yolanda découvrait soudain un côté de son mari qu'elle n'avait jamais perçu avant. Ils s'envoyèrent des insultes à la figure jusqu'à ce qu'elle pleure et hurle. Alors, Andreas leva les mains en l'air et s'en alla.

— Calme-toi ! Le bébé ne va pas apprécier.

— Va au diable !

Et à ces mots, elle s'éloigna comme une furie. Jamais, auparavant, ils ne s'étaient disputés en public, ni querellés en privé avec une telle virulence, et Yolanda en eut le cœur brisé. Pourquoi Andreas exerçait-il son autorité devant ses hommes de la sorte ?

Le soir tombait, elle était coincée avec eux pour la nuit. Elle avait froid, était au bord des larmes et boudait. Andreas l'ignora, restant de l'autre côté de la caverne ; elle aussi garda ses distances, trop honteuse pour se rapprocher de la lumière.

Dès l'aube, elle prit ses affaires, enjamba sur la pointe des pieds les hommes endormis et s'en fut. Elle descendit de la corniche et suivit la piste tandis que le soleil se levait tel un orbe d'or. Elle n'était pas allée très loin quand tout à coup, horrifiée, elle vit une ligne de soldats allemands, des centaines, déployés avec des chiens, remontant la piste plus en contrebas. Un raid à l'aube ! Elle était désormais bien trop loin pour donner une quelconque alerte, et ne put que se baisser rapidement derrière un bloc de roche et attendre de voir ce qui allait se passer. Tandis que les soldats avançaient, elle se mit à prier.

C'était agréable d'être dehors dans l'air frais du petit matin et de se dégourdir les jambes avec cette marche. Rainer dirigeait en personne cette patrouille. Toute l'île était désormais en alerte. Son instinct lui soufflait que les agents britanniques se cachaient quelque part sous les crêtes. Ses hommes savaient déjà que le groupe d'Androulakis se trouvait un peu plus haut, endormi, cuvant le vin de la veille. Stavros sortirait pour se soulager et leur indiquerait en morse la position exacte. Il ne devait pas y avoir d'avertissement, et cette fois ce serait un beau coup de filet. Pendant l'affrontement ou après avoir été capturé, Stavros s'échapperait rapidement. Personne ne remarquerait rien. Tout dépendait du silence et de l'effet de surprise. Avec de la chance, ils récupéreraient le poste émetteur et les codes de l'opérateur. On était en guerre, l'honneur des troupes de l'île était en jeu.

Avant de commencer la marche, Rainer n'avait pas compris que les camions les déposeraient aussi loin au sud. Toute la nuit, ils avaient progressé, les hommes étaient assoiffés, las, et il fallait les regrouper. Chaque chef de section avait ordre de limiter le bruit et de museler les chiens. Rainer sentit cette poussée d'adrénaline habituelle au combat, l'excitation qui montait. L'action lui procurait un frisson égal à nul autre ; tous ses sens étaient en éveil et tendus comme des cordes de piano.

Tout avait été trop bien préparé pour que cela rate. Le droit était avec eux ; la résistance, futile. Il leva les yeux vers les rochers. Pour beaucoup là-haut, ce serait le dernier sommeil de leur vie.

Yolanda s'accroupit, le dos endolori, regardant tour à tour vers le haut et vers le bas, impuissante. Si seulement elle avait eu un fusil pour donner l'alarme. Elle n'avait sous la main que des pierres à lancer. Mieux valait observer et attendre. Elle récita les psaumes afin que Dieu se montre clément envers son mari. Elle ferma les yeux, puis les rouvrit et remarqua une infime lumière qui vacillait, s'allumait et s'éteignait, sans cesse. Elle avait déjà vu cela sur le front albanais. Le miroir était positionné de façon à réfléchir, ou non, la lumière du soleil levant et à transmettre un code. Quelqu'un envoyait un signal depuis la grotte où se trouvaient Andreas et ses hommes, un message destiné aux soldats en contrebas, les dirigeant vers leur repaire. Qui était en train de les trahir ?

En une fraction de seconde, elle devina qu'il ne pouvait y avoir qu'un seul homme, un étranger, capable de leur faire cela : Stavros, lui qui avait posé tant de questions au sujet de Penny.

« Tes tripes ne te mentent jamais », avait-elle entendu dire son père. *Tu t'es méfiée de lui depuis le début...* La crainte qu'Andreas ne soit tombé dans un piège mortel fit battre son cœur à se rompre. Elle cria mais le vent emporta sa voix. Elle sentit une haine hargneuse monter en elle comme de l'acide dans l'estomac. « Tu regretteras le jour où tu as vu mon visage, maudit-elle Stavros dans le vent. Je te trouverai, dussé-je en mourir. »

Les soldats arrivaient à environ deux cents mètres de la falaise quand ils furent repérés. Rainer entraperçut des silhouettes qui s'élançaient dans toutes les directions, ouvrant le feu et forçant ses hommes à se mettre à couvert. Ce ne serait pas aussi facile qu'il l'avait imaginé, déjà les fugitifs s'étaient enfuis vers d'autres grottes plus profondes où la radio était censée être cachée. Des grenades eurent tôt fait de débusquer de leur cache les *andartes* encore présents ; les vivants furent traînés dehors puis ligotés, les morts et les mourants abandonnés à leur sort, mais ni le médecin ni Stavros n'étaient en vue.

Selon les instructions, leur agent devait être capturé, avec assez de flottement pour qu'il puisse prétendre ensuite s'être échappé. Futur héros du jour dans les villages ! Rainer fut surpris de constater qu'il n'y avait pas autant d'hommes qu'escompté. Stavros avait indiqué qu'il y aurait deux groupes et, parmi les morts, il n'y avait pas d'agents britanniques. Quelque chose clochait. Son instinct l'avertit soudain : et s'il s'agissait d'un piège ?

Les choses avaient été trop faciles, trop rapides, trop prévisibles. Alors même que ces pensées traversaient l'esprit de Rainer, une salve partit tout à coup de l'extrémité de la crête opposée, les clouant au sol. Les rebelles avaient l'avantage de l'altitude et ils allaient devoir se battre avec acharnement.

Donc, Stavros était un agent double qui l'avait attiré dans une embuscade. « Je le tuerai à mains nues », grommela Rainer.

On envoya un messager chercher en renfort les hommes partis à la poursuite des fugitifs. Comment débusquer des montagnards sur leur propre terrain ?

Rainer retrouva ses réflexes d'antan tandis qu'il rampait d'une position à couvert à une autre, encourageant chaque soldat pour que chaque balle compte. Il vit tomber trois tireurs isolés, mais ils étaient désormais de force égale, et surtout il remarqua les fusils et les uniformes des rebelles : ce n'était pas une bande dépenaillée de combattants de la liberté mais une armée, avec des bérets, des cartouchières – une armée confiante sur son propre terrain. L'issue était incertaine, décida-t-il, et il ordonna à ses hommes de battre en retraite de façon ordonnée, rocher après rocher, en traînant les blessés et les morts avec eux.

Il leur faudrait se contenter des prisonniers qu'ils avaient. Ce paysage lunaire, aride, hostile, était comme un deuxième ennemi à vaincre. Inutile de chercher à prendre l'avantage ici, il avait été perdu avant de commencer.

Rainer se retira avec ses hommes, calmés par l'humiliation, inquiets de savoir combien d'autres armées de bandits attendaient là, tapies, pour les prendre en embuscade. La défaite épuise les jambes et l'esprit. Il lui faudrait pourtant expliquer comment tant de combattants avaient été tués ou blessés, et pourquoi Stavros les avait tous bernés.

Yolanda écouta les coups de feu qui résonnaient dans la vallée : des échanges de tir rapides puis une pause, puis encore des coups de feu. Les explosions et les cris, la fusillade sporadique et un embrasement des armes l'intriguèrent. Qui livrait bataille de l'autre côté ? Assise, tremblante, elle se mit en boule pour protéger le bébé dans son ventre. Andreas devait être mort ou captif. Pourtant, elle vit la patrouille allemande ramasser les blessés et battre en retraite avec seulement une poignée de prisonniers. Elle n'en compta pas plus de dix sur tout le groupe, et de si loin ne put rien distinguer. Dans le silence qui suivit, elle eut conscience qu'il lui fallait remonter et voir qui était encore là-bas, le cœur battant la chamade à la pensée du spectacle qu'elle ne manquerait pas d'y trouver.

Dans la grotte, les grenades et les flammes avaient causé les pires dommages. Yolanda avait vu des corps calcinés auparavant à Arta, mais là elle connaissait chaque victime par son nom : Manolis, le fils du berger ; Lefteris, le garçon du boulanger ; Giorgos, le petit-fils de la veuve, mais pas de signe d'Andreas. Il devait faire partie des prisonniers. Elle entendit quelqu'un approcher et, terrifiée, se cacha.

— *Kyria, kyria,* venez, nous avons des blessés ; vite, s'il vous plaît !

Elle suivit le jeune homme, grimpant avec difficulté de l'autre côté vers un groupe d'étrangers en uniforme qui attendaient les instructions pour rejoindre le groupe d'Andreas quand ils avaient vu, comme elle, ces signaux envoyés aux patrouilles qui approchaient. Ils n'avaient donc pas tiré et étaient restés en embuscade.

Andreas n'était pas avec eux et, voyant l'état des blessés, Yolanda pensa qu'il y avait peut-être une petite chance que, dans sa fuite, il ait laissé sa trousse dans la grotte. Elle appela un jeune, lui décrivit l'objet et lui dit de courir là-bas le chercher. Elle fut soulagée de le voir revenir avec.

— Je suis la femme du docteur. Je peux vous aider. J'ai été infirmière sur le front albanais... N'ayez pas peur, j'ai vu pire, les rassura-t-elle, remarquant l'inquiétude peinte sur les visages.

Elle passa d'un blessé à un autre, donna l'ordre de faire des garrots, d'appliquer fermement des compresses sur les blessures ouvertes.

Puis un homme la tira par la manche.

— Vous devez venir, un de nos chefs a besoin de votre aide.

Les hommes se tenaient autour d'une forme prostrée, à peine capable de respirer, une plaie béante à la poitrine, la chemise noircie. Le blessé leva les yeux, le regard vitreux.

— *Kyria* Yolanda, murmura-t-il, essayant de sourire. Arrêté une balle dans mon torse... Les autres se sont échappés ?

Yolanda fit oui de la tête, elle avait tout de suite reconnu l'agent britannique.

Elle se pencha pour examiner ses blessures, lui tenant le poignet pour prendre son pouls, et essaya de ne pas pleurer.

Le port de Chania, 2001

Les plats ne cessent d'arriver : une assiette de fromage fondu servi chaud appelé *staka*, un riche *stifado*, ragoût de bœuf à la sauce succulente, du pain épais et croustillant, du vin, du poulet avec une sauce citronnée, et pour terminer un verre de tsikoudia avec un gâteau à la semoule sirupeux. Je ne peux faire honneur à ce festin que lentement. J'ai perdu l'appétit de ma jeunesse et j'ai l'estomac noué à cause de l'emplacement de ce restaurant. Comment puis-je être assise là, sous les étoiles, sans me souvenir de tout ce qui s'est passé dans ces rues ? Mais pour les autres, c'est une soirée consacrée à la musique et à la danse à la lumière vacillante des lampes. Tout autour de moi, des visages dispos, bien nourris, détendus ; tous les peuples de la terre qui bavardent dans un même lieu, sans couvre-feu ni uniformes pour gâcher le plaisir. Mack et Loïs rient, Alex se goinfre comme seuls le font les jeunes garçons aux jambes maigrichonnes ; nous écoutons les musiciens qui, au son du luth et de l'accordéon, chantent des ballades lyriques et des chants folkloriques entraînants que, pour certains, je comprends à peine.

Je suis heureuse d'être revenue dans cette ville et de la voir reconstruite et prospère. Cela aide à chasser de mon esprit des images aussi tristes.

Les vieux commerces juifs de la rue ont été remplacés par des boutiques et échoppes qui vendent les habituels cadeaux pour touristes, quelques magasins d'artisanat avec de beaux bijoux et des pierres précieuses, et des tavernes qui, jour et nuit, racolent les clients. Je veux acheter un cadeau à Loïs pour la remercier, quelque chose de crétois en souvenir de notre séjour. Je vais inventer une excuse pour me promener et faire du repérage. Je leur dis que je les retrouverai à la voiture sur le port.

— Attention, ne te perds pas, me dit Loïs qui pense que je ne suis pas capable de mettre un pied devant l'autre.

— Je viens avec toi, propose Alex. Maman, je la surveillerai.

J'ai envie de répliquer sèchement que je ne suis pas sénile mais je mets ma langue dans ma poche et, avec un sourire, remercie poliment.

Une fois dehors, j'explique à Alex ma mission, nous nous promenons dans les rues passantes et examinons colliers, boucles d'oreilles, bracelets, écharpes, ainsi que des bols à huile d'olive. C'est alors que je remarque le panneau sur le mur d'enceinte de la synagogue : « ETZ HAYYIM ». Je suggère à Alex d'aller jeter un coup d'œil là-bas et nous avançons dans la ruelle jusqu'à la cour où se trouve la synagogue mais les portes en bois sont fermées pour la nuit. Je regarde le panneau d'information, qui mentionne les heures d'ouverture et les services.

Je dois honorer leur mémoire avant de partir, par respect pour Yolanda. Comment pourrais-je ne pas me souvenir de ma chère amie ?

— Pourquoi tu fixes le mur comme ça, tante Pen ?

— J'ai une amie qui a vécu près d'ici, une amie chère, lui dis-je, sortant tout à coup de ma rêverie.

— Où est-elle maintenant ?

— Elle est morte pendant la guerre, comme tant d'autres de mes amis.

Je ne souhaite pas lui expliquer ce que je sais de son terrible sort.

— C'est l'une de leurs églises, mais ça s'appelle une synagogue.

Celle-ci a été reconstruite à partir d'une ruine que j'ai connue, mais celle que fréquentaient les Markos a disparu.

— Tu crois qu'il y a un sanctuaire avec une bougie à l'intérieur ?

Alex est toujours fasciné par les petits monuments commémoratifs sur le bord des routes et ne cesse de photographier ceux qui retiennent son attention.

— Je ne crois pas. Viens, allons trouver quelque chose de joli pour ta mère.

— Elle aime bien les grosses perles, précise Alex. Je vais te montrer où elle a cherché.

Je me détourne du mur, je sais que je dois revenir. C'est un soulagement de pouvoir fixer mon attention sur la course à faire, et rester dans le présent en compagnie d'Alex plutôt que de ruminer un passé que je ne pourrai jamais changer. Cependant, impossible de faire abstraction des lieux qui m'entourent, si changés fussent-ils. Le passé m'encercle et ramène à la surface tant de souvenirs. C'est ici, dans cette même rue, que ma vie en Crète a commencé à s'effilocher. Plus je revois les lieux, plus je plonge au fond de ma mémoire, et plus je me trouve face à des choses que je n'ai jamais racontées à personne. Comment une rue aussi animée et lumineuse a-t-elle pu un jour être la rue de la mort et du désespoir ?

Mai 1944

Après l'enlèvement du général Kreipe et son transfert en Égypte, un fait que les civils n'étaient pas censés savoir, l'atmosphère changea en ville. L'orgueil se réveillait, une lueur d'espoir brillait. Les occupants, après tout, n'étaient peut-être pas si en sécurité ; on pouvait peut-être les attaquer et les vaincre.

Dans les rues, les soldats se tenaient sur leurs gardes, ils n'hésitaient pas à donner des coups et vérifiaient les papiers comme si derrière chaque Crétois se cachait un suspect. Penny ne quittait quasiment jamais le *kafenion*. Stella étant alitée avec de la fièvre, on avait besoin d'elle nuit et jour pour tenir le ménage et s'occuper des enfants. Elle faisait les courses mais les vivres se raréfiaient, elle savait qui avait des magasins secrets au noir pour des clients privilégiés. Des bébés qu'elle avait aidés à naître étaient devenus des bambins qui couraient partout et les mères la saluaient, lui fourrant dans la main des cadeaux qu'elles ne pouvaient guère se permettre. Les refuser aurait été une insulte. Ce fut dans les rues qu'elle apprit la nouvelle de raids importants dans les montagnes :

des hommes avaient été capturés et ramenés en ville. Le raid d'Andreas avait été repoussé, on n'en savait pas plus.

Penny se sentit coupable de ne pas être là-haut pour aider les rebelles. Cela faisait des mois qu'elle n'avait pas vu Yolanda, elle ne lui avait pas écrit non plus à propos de sa visite au quartier juif. Ce n'était pas quelque chose à coucher sur le papier, il fallait parler, face à face.

Le *kafenion* était calme, finies les réunions à minuit pour les groupes d'*andartes* derrière des portes closes. Elle put se dépêcher d'aller rue Kondilaki où un petit cordonnier, qui travaillait depuis sa maison, faisait d'excellentes réparations. Ses coutures étaient les meilleures, les plus fiables, mais les matériaux, rares. Si elle devait repartir dans la montagne, il lui faudrait de bonnes semelles aux pieds. Quand elle arriva, elle vit de l'agitation et une foule qui se bousculait. Un soldat traînait un vieil homme dans la rue et le rouait de coups.

— Qu'a-t-il fait ? voulut savoir Penny.

— Juif, hurla le soldat. Salaud de voleur !

L'homme se couvrait la tête et protestait.

— Je ne vous ai rien fait.

Des soldats, en renfort, le poussaient dans la rue à coups de pied.

Enfin, un homme s'écria dans leur dos :

— Espèce de porcs ! Vous vous en prenez à un petit bonhomme parce que vous n'êtes pas capables de retrouver Kreipe !

Les soldats s'arrêtèrent, mais l'objet de leur colère fila vers la liberté, avalé par la foule.

— Qui a dit ça ? lança un soldat.

Personne ne répondit. Il pointa son fusil sur la foule.

— En rang… Papiers.

Penny chercha ses papiers, quelque part au fond de la poche de son tablier, avec son badge épinglé à l'intérieur.

— Dépêche-toi…

La voix du soldat était froide et menaçante.

— Je fais de mon mieux, répondit-elle avec exaspération en les attrapant.

Il les lui arracha des mains, les regarda puis la regarda.

— Ces papiers ne sont plus valables… Ton nom ! aboya-t-il en la poussant de côté.

Écœurée, Penny se rendit compte soudain que, pendant tous ces mois, elle avait totalement oublié de retourner aux bureaux d'enregistrement. Non seulement ces papiers étaient faux, mais en plus ils n'étaient plus valables. Que Dieu lui vienne en aide maintenant !

— Je suis désolée, j'ai été occupée…

— Suis-moi.

— Mais je dois acheter à manger. Ma patronne est malade, l'implora-t-elle. Je vais les faire renouveler.

Il la menaça de son fusil.

— Avance !

Elle dut se résigner à marcher devant lui, sous les regards de pitié des gens. C'était sa faute, et quelle faute stupide ! Elle n'avait aucun moyen de prévenir Nikos de son arrestation. Elle eut envie de pleurer de dépit et de peur.

Yolanda suivit la triste procession des hommes qui, ramenant les blessés et les morts sur des mules, progressa à la lumière de la lune dans le ravin, lent et tortueux chemin pour aller au village le plus proche. Là le prêtre, d'abord mal à l'aise, sortit pour célébrer les rites funéraires.

— Mes pauvres garçons, soupira-t-il, examinant le visage de chacun des cadavres. Nous ne les oublierons pas.

Yolanda avait fait de son mieux pour soigner ces hommes sur le flanc de la montagne mais leurs blessures étaient trop graves. Si seulement Andreas avait été là, elle était sûre que leur chef aurait pu être sauvé. Quand les villageois vinrent récupérer le corps de leurs fils, le chagrin fut poignant. Les victimes furent enterrées côte à côte et des croix noires marquèrent l'endroit. À la fin de la journée, il y aurait d'autres croix noires peintes sur les portes dans tout le district, indiquant le sacrifice de chaque famille.

Yolanda se sentait lasse, rongée d'inquiétude pour Andreas. Personne n'avait de nouvelles du groupe, ils avaient été faits prisonniers, elle en était certaine. Elle observa les femmes du village chanter les lamentations funèbres. Quand elle revint chez Dimitra et Adonis sans nouvelles, ils furent bouleversés.

— Il faut que vous grimpiez haut dans la montagne, loin des regards indiscrets, pour pleurer ; emmenez les troupeaux avec vous, que les voleurs ne s'en emparent pas, leur conseilla-t-elle.

Elle les aida à empaqueter leurs affaires et à charger la mule en vue du voyage. Son corps était encore douloureux après l'ascension et la terreur des jours passés, son dos était raide et contracté. Elle ne pouvait les accompagner, alors qu'Andreas avait disparu.

Où était-il ? En prison ? Le torturait-on ? Elle n'osait penser à ce qu'il endurait. Qui parlerait au nom de ces héros, qui les défendrait ? Ils finiraient au poteau d'exécution, mais pas avant que la Gestapo n'ait réussi à faire couler de leurs membres brisés les toutes dernières gouttes d'informations.

Il était de son devoir d'obtenir des renseignements, de suivre les captifs et de trouver quelqu'un à Chania pour plaider leur cause. La tâche serait difficile, semée d'embûches, mais elle n'allait pas rester assise ici à ne rien faire. Quitter la montagne était ardu. Peut-être aurait-elle dû attendre Andreas ? Le besoin de savoir ce qui se passait là-bas la déchirait, et puis il fallait certainement trouver une autorisation de voyage. Elle n'allait plus à la ville depuis si longtemps qu'elle avait oublié l'horaire de passage du bus en direction du nord. Le maire lui donnerait un passe, au prétexte qu'elle se rendait au marché pour vendre des produits. Peut-être retrouverait-elle Penny, et qu'en ces heures sombres toutes les deux se serreraient les coudes. Le maire promit de lui envoyer un message si Andreas réapparaissait.

Debout face au fonctionnaire aux lunettes sans monture, Penny attendait qu'on l'interroge. Debout depuis des heures, à essayer de ne pas trembler.

— Papadopouli ?

On la poussa en avant, elle avait les mains moites.

— Pourquoi vos papiers ne sont pas à jour ? aboya-t-il. Vous n'êtes pas au courant des ordres et de la sanction ?

— Ma patronne est malade, elle me donne toujours à faire. En fait, je suis venue à l'enregistrement et j'ai fait la queue, mais j'allais prendre du retard…

— Elle doit être malade depuis longtemps, ça fait des années qu'ils ne sont pas à jour !

— J'étais dans la campagne.

— Et vous y êtes encore maintenant, mademoiselle Papadopouli ? ironisa-t-il sèchement.

— Je suis venue aider ma tante et mon oncle Nikos.

— Nikos qui ?

— *Kyrie* Mandolakis dans son *kafenion*… sa femme est malade.

L'homme examina ses papiers. Venait-elle de mettre Stella et Nikos en danger ?

— Ils m'ont prévenue qu'il fallait que je les fasse refaire mais j'ai oublié.

— De plus, sur ces papiers, il est écrit que vous avez travaillé au couvent, qu'est-ce que vous y faisiez ?

— Je voulais me former pour devenir infirmière mais ça n'a pas marché. Et puis, on a eu besoin de moi au café.

Elle sentit que les soupçons de l'homme grandissaient.

— Vous êtes vraiment un mystère, mademoiselle Papadopouli, je ne vois aucun élément retenu contre vous... (Il tamponna les documents.)... mais il faut que je vérifie. Cette situation est irrégulière. Attendez là-bas, ajouta-t-il en désignant une chaise. Et toi, veille à ce qu'elle ne bouge pas d'ici, ordonna-t-il à un employé.

Celui-ci s'installa près de Penny, l'air soupçonneux. Elle avait du mal à rester assise calmement, le pied gauche mû par une envie compulsive de taper le sol carrelé. Elle ravala sa peur et essaya de lui faire la conversation.

— Vous devez être sacrément occupé dans ce bureau.

L'homme ne répondit rien à sa remarque. Qui prêterait attention à une paysanne grossière avec une blouse minable, le visage tanné par le soleil et le grand air ? Désormais, sa propre sœur serait passée devant elle sans la reconnaître.

Son voyage allait-il s'achever là, dans ce petit bureau ? se demandait Penny. Les pensées se bousculaient dans son esprit saisi par le doute et la peur.

Puis le petit fonctionnaire revint l'air affairé et agita la main dans sa direction.

— Bon, elle peut aller faire la queue pour les autres tampons. Affaire classée.

Il laissa l'employé partir et se rapprocha d'elle.

— Mademoiselle Athina, soyez prudente. Vous avez eu de la chance cette fois, lui dit-il tranquillement, en lui indiquant la porte. Mais n'allez pas encore traîner dans le quartier juif. En ces temps troublés, ce n'est pas conseillé.

Un moment plus tard, sur les marches du tribunal, soulagée, Penny respira l'air à grandes goulées. Parmi tous les officiels qui travaillaient dans ces bâtiments, elle était tombée sur un homme acquis à leur cause. Hasard ou destin ? Il connaissait le *kafenion* de Nikos, peut-être y avait-il mangé et était-il au courant de l'organisation secrète. Elle avait eu de la chance de s'en tirer mais elle se demanda ce qu'il avait voulu laisser entendre au sujet du quartier juif. Cela ressemblait à une mise en garde.

Yolanda arriva en ville après un voyage fatigant sur des routes cahoteuses, elle ne savait où chercher de l'aide. Après la quiétude de sa vie à la montagne, l'effervescence de la ville, le bruit, la saleté, tout l'énervait. Elle trouva d'abord un marché où dresser un étal et vendre les fromages, les œufs et les légumes qui justifiaient son voyage.

C'était un beau matin de mai, et l'espace d'un instant elle se sentit revigorée, jusqu'à ce qu'elle pense à Andreas, enchaîné sans doute, peut-être déjà mutilé ou mort. Quelqu'un ici connaîtrait son sort. *Pas de nouvelles, bonnes nouvelles ; faites que ce soit vrai*, se dit-elle. Dans ses habits de veuve, elle n'était guère différente des centaines d'autres femmes qui rasaient les murs. Penny se cachait quelque part. Elle devait la trouver mais d'abord elle devait rendre visite à ses parents, au risque de se voir claquer la porte au nez. Il fallait qu'ils sachent qu'elle attendait un bébé, que la famille ne s'éteindrait pas, quoi qu'il arrive.

Quand les marchands commencèrent à remballer et que la chaleur devint trop forte pour rester dehors, elle eut envie de s'arrêter dans un endroit où reposer ses pieds enflés.

Non loin de là, elle savait qu'elle trouverait, elle en était sûre, un bon accueil. Pourquoi n'y avait-elle pas songé plus tôt ? Yolanda gravit le chemin qui menait à la clinique de la Croix-Rouge, un lieu où elle avait trouvé à la fois l'amour et un but dans la vie. Cela lui ferait plaisir de voir qui y travaillait encore, et les médecins l'aideraient peut-être à chercher Andreas. Elle avait envie d'être entourée d'amis si des nouvelles terribles à supporter devaient arriver.

Nikos jeta les bras en l'air d'horreur quand Penny lui avoua sa bêtise.

— Tu es folle, ma fille, tu veux que nous soyons tous arrêtés ? Tu as eu de la chance que ce soit un de nos hommes qui t'interrogent, l'un de nos fidèles qui nous tient informés de ce que nous devons savoir.

— Je suis navrée, mais le spectacle de ces brutes dans la rue, c'était atroce.

— Les choses vont empirer avant de s'améliorer, répliqua Nikos, égrenant à toute vitesse son chapelet et rejetant la tête en arrière, en proie à l'agitation. Il faut qu'ils trouvent un bouc émissaire maintenant que Kreipe s'est volatilisé, et les juifs sont toujours les premiers à être pris en otages. Selon les rumeurs, sur le continent, les Allemands extirpent des villes les juifs par milliers et les emmènent au nord pour travailler dans des camps. Ce n'est qu'une question de temps...

498

— On devrait les prévenir, s'insurgea Penny qui pensait aux parents de Yolanda.

— Qu'est-ce que notre ami t'a dit ? Ne va pas fourrer ton nez dans ce que tu ne pourras pas contrôler. S'ils t'arrêtent, on ne pourra pas te protéger de la torture. Quand Stella ira mieux, tu devras repartir dans les montagnes. Il te faudra une autorisation de voyage, cela dit, et elles ne sont pas si faciles à contrefaire. Les choses sont calmes en ce moment, trop calmes, mieux vaut continuer comme avant et attendre que ça passe.

Après les événements dont elle avait été témoin, Penny fut mal à l'aise. Elle finissait par ne plus savoir qui elle était : étudiante un temps, puis infirmière, ouvrière agricole, serveuse, on eût dit un caméléon, elle, l'ancienne débutante britannique avec un patronyme grec qui désormais se faisait passer pour une Crétoise. Vivre dans ce monde dantesque où un faux pas pouvait coûter la vie à tant de gens lui procurait un sentiment d'irréalité.

Cette nuit-là, elle fit un cauchemar : elle essayait de se jeter dans une eau profonde, des silhouettes la pourchassaient, la poussant là où elle ne voulait pas aller. Elle se réveilla en sueur. Chania n'était plus une cache sûre, il était temps de se sauver du danger, car elle avait la prémonition étrange du péril, la sensation au plus profond de ses tripes que tout n'allait pas bien.

Rainer revint de sa mission avortée pour retrouver Kreipe avec seulement quelques prisonniers dans ses filets. Androulakis s'était échappé.

Stavros avait été capturé parce que Rainer n'était plus certain de sa loyauté mais le Grec protesta de son innocence avec véhémence durant l'interrogatoire.

— Comment pouvais-je savoir qu'on vous avait repérés et que le deuxième groupe, du coup, vous attendait pour vous prendre en embuscade ? Cet agent britannique est un vrai roué et ses hommes ont l'avantage de connaître les moindres coins et recoins de ces foutues montagnes.

Quand ils l'avaient traîné hors de la cellule pour l'interroger, il s'était montré nerveux. Ils le malmenèrent afin qu'à son retour parmi les *andartes*, avec des contusions sur le corps, son histoire soit crédible.

Le chef de Rainer ne fut guère impressionné par les résultats de sa mission.

— Plus d'excuses ! Cette fois, vous superviserez quelque chose qui ne ratera pas, exécuté dans le plus grand secret et avec un effet de surprise maximal. Nous avons ordre de déporter tous les juifs à Athènes.

— Aucun trouble n'est à déplorer dans leur quartier, rétorqua Rainer. Qu'est-ce qui presse ?

— Les ordres, capitaine Brecht. La solution finale aux problèmes qu'ils ont posés partout dans le monde doit être exécutée. Elle est déjà engagée. Nous avons une liste mise à jour par le rabbin lui-même, et tous ceux qui y figurent doivent être emmenés… bébés, enfants.

Rainer regarda par la fenêtre.

— Chacun de leurs nouveau-nés est notre ennemi. Les maux de l'Europe doivent leur être imputés. Vous veillerez à ce que chaque sortie, chaque entrée soit bouclée, que les camions attendent, et que l'exercice soit rapide et efficace ; tout sera terminé avant l'aube.

— Où doivent-ils être emmenés ?

— À Agia, bien sûr, et enfermés dans la prison jusqu'à ce que des dispositions soient prises et que nous puissions rafler aussi les juifs vivant à la périphérie.

Rainer prit une profonde inspiration : pousser des femmes et des enfants dans des camions, les fourrer dans ce trou à rats... Sa carrière militaire se réduisait-elle désormais à ça, devoir obéir à de tels ordres ? Au fond de lui, il comprit que c'était aller trop loin. Tous les arguments que son humanité, sa décence lui opposaient l'encourageaient à ne pas obéir. Il était dans une impasse. Que faire à présent ?

Yolanda retrouvait des sensations d'autrefois : dormir au sous-sol de la clinique comme elle l'avait fait pendant les bombardements de 1941, être allongée sur un matelas entourée des étagères habituelles dans les odeurs de Lysol et d'éther. On l'avait bien accueillie, elle avait eu un ragoût chaud à manger et on l'avait examinée. Elle se reposait maintenant, les pieds surélevés. Personne n'avait de nouvelles d'Andreas, mais quelqu'un qui connaissait quelqu'un dans la police lui assura qu'il n'avait pas été fait prisonnier. Le docteur était trop connu, trop respecté pour ne pas avoir été aidé à se faire la belle par des gendarmes compatissants. Yolanda sentit son dos douloureux se

détendre et elle étreignit son ventre avec soulagement. Peut-être Andreas vivrait-il, après tout,
et verrait-il son enfant naître. Quand elle serait
reposée, elle irait au quartier juif faire la paix
avec ses parents. Elle devait prendre les devants…

Mais le lendemain matin, elle se sentait encore
si fatiguée, si courbatue que personne ne voulut
qu'elle bouge de son matelas et, puisqu'elle en
avait la possibilité, elle replongea dans le sommeil.

Penny fut réveillée par le grondement des
camions qui passaient dans les rues. Le boucan
était tel dehors qu'on eût dit que des troupes
venaient d'arriver dans le port, et les feux inter-
mittents de projecteurs par la fenêtre ouverte les
firent tous se lever. C'était encore le milieu de
la nuit.

— Qu'est-ce qui se passe ? grommela Penny
qui craignait une descente chez eux.

Elle enfila sa robe, regarda par la fenêtre et vit
une cohorte de camions qui reculaient.

— Ne sors pas ! cria Nikos. Ne bouge pas !

Penny fit oui de la tête mais de l'autre côté
de la place des visages apparurent, attirés par le
bruit, puis des volets furent refermés à la hâte.
Elle traversa furtivement le *kafenion* jusqu'à l'escalier qui menait au balcon, d'où la vue était meilleure. Ouvrant la porte, elle jeta un œil dehors.
Un bataillon de soldats courait partout dans les
rues avec des mégaphones. « Dehors ! Dehors !
Les juifs dehors ! » Elle entendit des hurlements
de peur, des coups aux portes, des aboiements de

chiens. « Vous avez dix minutes, prenez un sac et un sac seulement... Dehors ! Dehors ! »

— Ils sont dans le quartier juif, ils les sortent des maisons ! s'écria-t-elle.

— Ferme les volets et reste à l'intérieur. Ce ne sont pas nos affaires, ordonna Nikos d'un ton sec.

Penny vit une foule traînante d'hommes et de femmes avec des enfants endormis, à moitié habillés, des familles entières en file tandis que des soldats leur aboyaient des ordres comme s'ils étaient des criminels. Elle resta silencieuse, observant la façon dont ils étaient poussés sans ménagement dans les camions. Personne n'avait eu le temps d'emporter grand-chose. Des enfants serraient des jouets dans leurs bras ou tenaient des morceaux de pain tandis que les voisins, réveillés par le vacarme, restaient là, silencieux d'abord, puis agitant les mains et criant au revoir à leurs amis comme s'ils partaient en voyage.

— Nous devrions réagir, marmonna Penny, mais Stella fit non de la tête.

— Ces moutons noirs sont trop nombreux, armés de plus. Nous garderons nos balles pour le lieu et l'heure où nous pourrons leur faire le plus de mal.

— Mais je connais certaines de ces personnes... mes amis... Oh, mon Dieu ! Solomon et Sara ! Je dois y aller.

— Athina ! Ne sois pas idiote...

Penny était déjà à la porte, elle courut dans la rue, fendit la foule.

— Où les emmène-t-on ? demanda-t-elle à une femme qui jouait les badauds.

— En prison, là où vont tous les prisonniers, répondit-elle, haussant les épaules. Et bon débarras !

Penny continua sa course, essayant d'apercevoir la famille de Yolanda mais, dans cette pénombre, il était difficile de reconnaître les visages. C'est alors que, levant les yeux, elle aperçut le capitaine Brecht, debout, bien droit, les bras pliés, qui regardait ses soldats se comporter en voyous, comme s'il s'agissait d'un défilé pour quelque victoire dont il pourrait s'enorgueillir. La confusion régnait, des enfants en pleurs, certains séparés de leurs parents, des jeunes filles qui criaient à des amis : « Prends mes livres... Dis à Maria que je lui écrirai quand nous serons fixés quelque part... » De nombreuses voix perdues dans le remous des visages.

Les retardataires avançaient lentement à l'arrière en boitant, une femme clopinait sur deux cannes avec toute la dignité dont elle pouvait faire preuve. Les soldats s'impatientèrent, la traînant et la soulevant à moitié.

— Il faudra que vous attendiez, leur répondit-elle.

Penny vit un soldat donner des coups de pied, comme à des mules, à un couple âgé qui avait du mal à marcher. La rage la poussa en avant et, ne pouvant se retenir, elle leur chuchota : « Je vais vous aider. Prenez mon bras. » Ce n'était pas Sara et Solomon, c'eût été trop beau, mais ils s'agrippèrent à elle.

— Nous allons marcher ensemble, leur dit-elle avec un sourire. Je suis de la Croix-Rouge. Nous veillerons à ce que vous soyez bien traités, ajouta-t-elle, et elle lança au soldat un regard de total mépris. Nous, les Grecs, nous savons traiter les vieilles personnes, si vous, vous ne le savez pas. Honte à vous, montrez du respect !

L'espace d'une seconde, le soldat fut décontenancé par ce reproche mais comme il ne voulait pas perdre la face, il lui appuya son fusil contre la poitrine.

— Eh bien, si tu aimes les juifs tant que ça, monte là-dedans toi aussi.

Tout alla très vite. L'instant d'avant, Penny escortait le couple jusqu'aux camions ; l'instant d'après, on la poussait à l'intérieur sans qu'elle ait le temps de protester. Comment la vieille dame allait monter, elle, si infirme, voilà à quoi Penny pensait, mais les soldats la balancèrent dedans comme un vieux sac. Penny fut stupéfaite mais elle garda la tête haute et lança un regard dur à l'officier. Elle palpa son badge de la Croix-Rouge épinglé à l'intérieur de sa poche. *Ainsi, capitaine, tout cela est de votre fait. Quelqu'un doit être le témoin de ce qui se passe ici. On dirait bien que ce témoin, ce sera moi...*

Rainer supervisa l'arrestation des civils comme un automate. La vision pitoyable de ces femmes et de ces enfants poussés dans les ruelles qui se rétrécissaient jusqu'à des points de collecte lui donnait la nausée. À l'œuvre, leur efficacité habituelle, l'oppression impitoyable – rien de différent du traitement réservé aux autres villages où les gens étaient tirés de leur lit, mis en rangs, exécutés, et où les maisons étaient détruites. Pourquoi cet acte, un parmi tant d'autres, était-il différent ? Ne mettait-il pas à coup sûr en miettes le dernier espoir déjà très ébranlé d'un rapprochement futur avec la population crétoise ?

Il avait honte. Debout, là, à regarder ces familles marcher vers une mort certaine, il savait que tous ses efforts pour montrer de la miséricorde étaient anéantis.

Personne ne protestait car les nazis avaient perfectionné un régime de peur et de soumission. Ces gens, devenus bien trop affamés et démoralisés, ne pouvaient se rebeller. Enfin si, une jeune femme s'était insurgée.

Il l'avait vue aider deux vieillards, et pour sa peine se faire embarquer avec eux. Il était trop loin alors pour intervenir et plaider sa cause. Lorsqu'elle se redressa, il reconnut son visage.

L'infirmière le regardait, elle le remettait, elle aussi, et le voyait maintenant pour ce qu'il était désormais : contaminé, pollué par cet acte lâche de haine et de cruauté. Il en eut la nausée. Ce regard de mépris vivrait en lui pour le reste de ses jours, un regard qui le dépouillait d'espoir et de dignité.

Yolanda se réveilla après avoir dormi longtemps, fraîche et dispose ; cependant, l'atmosphère chez les infirmières avait changé du jour au lendemain, elles marchaient sur la pointe des pieds et évitaient de la regarder. Chacun souriait, mais avec la bouche et non les yeux, et lui conseillait de ne pas bouger. Que se passait-il donc ? Avaient-ils appris quelque chose de grave au sujet d'Andreas ?

— Pourquoi tout le monde fuit mon regard ? demanda-t-elle à un médecin. C'est Andreas...

— Non, Yolanda, calme-toi, ce n'est pas cela. (Il fit une pause.) C'est que... on vient de nous dire qu'il y a eu une descente cette nuit, enfin plutôt une rafle.

— Et... ?

Elle se leva, consciente soudain que l'heure de quitter ce refuge sûr était arrivée.

— Une rafle dans le quartier juif, ils ont embarqué tous les juifs qu'ils ont pu trouver.

— Ce n'est pas possible ! s'écria-t-elle en se dirigeant vers la porte.

— Vos parents y habitent encore ? lui demanda-t-il tout en essuyant ses lunettes.

— Oui, oui, et l'oncle Joseph et ma tante Miriam.

— J'ai bien peur que toutes les rues n'aient été vidées.

Yolanda comprenait à peine ce qu'il lui racontait. Cela paraissait trop énorme, trop abominable, même de la part de leurs ennemis ici, en Crète.

— Non, non, ça ne peut pas être vrai ! Pas tous ? Je dois aller voir sur place ce qui se passe.

— Ce n'est pas judicieux, il y a une liste et ton nom sera dessus. Tout danger n'est pas écarté.

— Mais où les ont-ils emmenés ?

— Je ne sais pas, on ne peut pas poser ce genre de questions. Tu sais combien nous dépendons de l'hôpital de la garnison pour ce qui est de l'aide médicale.

— Mais nous faisons partie de la Croix-Rouge, on ne peut pas laisser faire une telle chose. Je dois savoir si ma famille est en sécurité, rétorqua-t-elle sans tenir compte de sa mise en garde.

— Yolanda, calme-toi. Tu dois te reposer. Je suis certain que les officiels de la Croix-Rouge contrôleront la déportation.

— Comment peux-tu en être certain ? Je dois y aller en personne. Ça ne peut pas être vrai. Pourquoi les voisins ne les en ont-ils pas empêchés ?

Elle jeta sa cape sur ses épaules et il comprit qu'il n'y avait pas moyen de l'arrêter.

— Oh, sois prudente, Yolanda. Si tu tiens à y aller, alors porte cet uniforme et on te laissera tranquille. Je regrette de te l'avoir dit aussi vite. Tu ne peux rien faire.

— J'ai le droit de savoir ce qui leur est arrivé.

— Je t'en prie, Yolanda, si tu protestes et s'ils comprennent qui tu es, tu seras déportée à ton tour.

Après avoir passé un uniforme d'infirmière, elle se dirigea vers le port aussi vite que ses jambes enflées pouvaient la porter, dans l'espoir que par quelque miracle tout cela fût une fausse rumeur.

Des gens remontaient les rues avec des tapis, des marmites et des meubles sur le dos ; dégoûtée, elle comprit que ces objets avaient été pillés. Quand elle arriva, le spectacle du quartier la fit pleurer. Chaque maison avait été dépouillée, même de son plancher ; des gens balançaient des affaires par-dessus les balcons, des femmes se battaient pour de la literie et même pour des oreillers de plumes. Des inconnus dévalisaient les appartements, comme des vautours rongeant un os. Les rues étaient jonchées de déchets : photographies déchirées, bretzels et biscuits éparpillés sur les pavés, réduits en miettes, cadres brisés pour récupérer quelques grammes d'argent. Une telle profanation l'abasourdit tellement qu'elle se sentit engourdie. Elle ne pouvait rien faire pour arrêter cela. Un peu plus loin, des soldats se contentaient d'être là, d'observer les scènes, de rire et de plaisanter.

Comment des êtres humains pouvaient-ils se comporter ainsi vis-à-vis d'autres êtres humains ? Comment des voisins pouvaient-ils regarder et laisser faire ? N'avaient-ils donc aucun sens moral ?

Yolanda se figea ; le cri de protestation qui s'élevait dans sa gorge fut brisé par un tel spectacle. Toute la communauté avait disparu ! Les amis religieux, les voisins indiscrets, le rabbin et sa famille, ses parents bien-aimés… et elle comprit qu'elle ne les reverrait plus jamais. Elle s'effondra de douleur.

Une jeune femme se précipita pour l'aider, la redressa et la conduisit vers sa porte.

— Je vous connais, vous êtes de la famille Markos, l'infirmière.

Yolanda trembla d'avoir été reconnue mais la jeune femme sourit.

— Ne vous inquiétez pas, je ne dirai rien. J'ai tellement honte pour nous tous ! C'étaient nos amis, nos voisins. Ma fille pleure ses camarades de classe. Vos parents sont des gens bien. Venez, vous ne devriez pas voir de telles horreurs. Les soldats sont entrés dans les maisons dès que les gens ont été embarqués, des sales types qui cherchaient des trésors. Ils ont tout pillé, jusqu'aux clous sur les portes.

Elle fit asseoir Yolanda et lui apporta une carafe et un verre.

— Buvez, vous êtes si pâle, reprit-elle. Quand ils ont été repus, ils ont laissé la racaille de Chania venir prendre ce qui restait, et ils cherchent encore partout, abattant des murs au cas où des bijoux ou de l'or y seraient cachés. Moi, je vous dis, qui vivrait dans ce trou à rats s'il avait de l'or à vendre ? Ah, pardonnez-moi, je ne voulais pas vous offenser. Cette journée fait honte à tout le monde. On ne l'oubliera jamais. Mais maintenant, il faut que vous partiez. Si je vous ai reconnue, d'autres le feront aussi, et je ne parierais pas sur leur honnêteté. La honte n'engendre pas le meilleur des comportements en nous. Ne revenez pas tant que l'ennemi est là.

Yolanda ne l'écoutait déjà plus : elle était à nouveau pliée en deux de souffrance alors qu'une vague de douleur montait de son dos et déferlait jusqu'à l'aine.

— Qu'est-ce qui se passe ? C'est trop tôt. S'il vous plaît, aidez-moi ! supplia-t-elle.

Puis elle perdit connaissance.

Juin 1944

Rainer Brecht, bien mis et très droit, se tint au garde-à-vous devant le commandant.

— J'aimerais me porter volontaire pour un transfert sur le continent, déclara-t-il regardant droit devant lui.

Son supérieur leva les yeux de son bureau, l'air étonné.

— Réfléchissez, capitaine Brecht. Pourquoi maintenant ? Nous ne vous avons pas assez promu ? Vous vous fatiguez du soleil et de la mer ?

— Il est de mon devoir de servir mon pays là où on a le plus besoin de moi, expliqua-t-il, le regard toujours droit devant lui.

Il ne pouvait justifier sa décision de manière rationnelle, il savait seulement qu'il devait racheter son honneur, se lancer un défi à lui-même sur un véritable théâtre d'opération.

— Qu'est-ce qui vous amène à cela ? Pas la déportation des juifs ? J'ai entendu dire que vous l'aviez trouvée déplaisante. Quel manque de sagesse, d'exprimer de tels sentiments en public, jeune homme ! Vous avez de bons états de service, variés, et vos hommes vous respectent. Vous êtes un bon exemple. On a besoin de vous ici.

— Mon commandant, je sais que personne n'est irremplaçable. J'aimerais combattre là où je peux être utile, n'importe où, et en ayant un rôle actif. Je sens que j'ai fait mon temps au soleil, je veux simplement servir.

— Colmater les brèches, vous voulez dire ? Souhaitez-vous vraiment le front de l'Est ou la France ? Bon, je vois que vous avez pris votre décision, et j'admire votre courage. Cela sera extrêmement difficile de garder tout ce que nous avons remporté. Qui sait où cela finira ? Prenez une permission à Athènes. Nous pouvons vous y envoyer en avion...

— Pourrais-je solliciter l'autorisation de faire le voyage en bateau ? Je suis venu sur cette île en avion, j'aimerais en repartir par mer, sur le temps de ma permission, bien sûr.

— La mer de Crète n'est plus aussi sûre qu'autrefois. Des sous-marins britanniques et italiens rôdent... Enfin, comme vous voulez. Je serai triste de vous voir partir.

— Merci, mon commandant.

Rainer salua, il se sentit soudain plus léger. Il fuyait, peut-être vers une mort certaine, mais il ne voulait pas rester un moment de plus sur cette île maudite.

Mai 2001

— Tu veux dire que l'endroit où nous avons dîné hier, c'est là que tout s'est passé ? demanda Loïs en me saisissant la main. Je n'en avais pas idée. Grand-mère ne nous a jamais raconté.

— Ma sœur Effy ne le savait pas. Je n'en ai jamais parlé à personne avant. C'est une histoire terrible et, une fois la guerre terminée, personne n'évoquait de telles choses. Nous avons tous voulu oublier, et vivre. Évadné et Walter étaient en poste à l'étranger quand ta mère est née. Zander est revenu à la maison, presque entier. Nous avons balayé sous le tapis tout ce qui était désagréable. La seule personne avec laquelle j'aurais pu partager mon histoire, c'était mon père, mais il était mort. Ma mère ne me parlait pas. Voilà, mais je ne suis pas sûre qu'ignorer les événements terribles de la vie soit la meilleure des solutions. Quand je regarde en arrière aujourd'hui, je ne sais pas comment j'ai survécu.

— Et ton amie, a-t-elle survécu à la rafle ?

— Non. Elle a disparu, comme tant d'autres juifs. La situation a été chaotique pendant des années, après. La Grèce a été déchirée, de nombreux résistants ont choisi leur camp durant la guerre civile et ont été exécutés par les leurs. J'ai écrit à des gens qui auraient pu savoir ce qui était arrivé à Yolanda, rien n'en est sorti. Mais je suis ici maintenant et je vais enquêter. J'aimerais lui rendre hommage.

— Nous pouvons vous aider à faire les démarches nécessaires, propose Mack. Mon père ne voulait pas non plus parler de ses exploits en temps de guerre. Il est revenu à la maison et a poursuivi sa vie mais son mariage a échoué, et il s'est remarié bien plus tard. Je suis le bébé de ses vieux jours...

— Qu'est-ce qui t'est arrivé ensuite ? Tu es allée en camp avec le couple âgé ? demande Loïs à Penny.

— Je crois que c'est assez pour ce soir.

Je n'ai pas envie que ces tristes souvenirs s'invitent à notre table et gâchent cette délicieuse soirée.

— La commémoration a lieu demain, faisons quelque chose de différent, de gai et de reposant. Jouons donc aux touristes pour la journée. Mack, une idée ?

— Je connais l'endroit parfait pour vous, répondit-il avec le sourire en sortant une carte. Que diriez-vous d'une excursion à Réthymnon ? Pléthore de magasins et de restaurants. Alors ?

Je fais oui de la tête, je ne veux pas gâter leur enthousiasme. Je me souviens de cette jolie ville, aperçue depuis l'arrière d'un camion d'approvisionnement. Bon, assez de tout cela. Nous sommes en pèlerinage et aussi en vacances, oui, mais voilà, pas moyen d'oublier ces chaudes nuits de juin et la terreur des derniers jours que j'ai passés sur l'île. Aucun survivant n'oubliera jamais les horreurs dont nous avons été témoins. Est-il juste de faire porter aux jeunes le fardeau de ces terribles histoires ? Il n'y aura pas de sommeil paisible pour moi ce soir, seulement le cauchemar qui hante mes rêves enfiévrés.

La prison d'Agia,
juin 1944

Le fait que le nom de Penny ne figure pas sur la liste créa de la confusion, ainsi que son statut déclaré d'infirmière de la Croix-Rouge. Le gardien de prison la mesura du regard avec une grande suspicion.

— Alors que faisiez-vous dans ce camion ?

— J'aidais ces gens âgés. Et du coup, on m'a fait monter avec, répondit-elle tout en regardant autour d'elle avec consternation.

Les rumeurs qui couraient sur ce camp d'emprisonnement entouré de murs étaient vraies. Des murs hauts et menaçants, qui jetaient des ombres sinistres sur les prisonniers.

— Donc vous avez été arrêtée ?

— Parce que j'ai aidé des vieilles personnes ? Non, bien sûr que non, j'appartiens à la Croix-Rouge. Nous devons être présents pour aider les malades et les faibles.

Le fixer droit dans les yeux n'eut aucun effet.

— Alors, vous êtes juive ?

— Non, je m'appelle Athina Papadopouli. Comme vous le voyez, mes papiers sont en règle. Je fais partie de la Croix-Rouge.

— Vous n'êtes pas en uniforme.

— Regardez, voici mon insigne. Dans la précipitation, je n'ai pas eu le temps de revêtir mon uniforme, protesta Penny qui voyait que le gardien était encore plus perdu.

Il la poussa sur un côté.

Penny dut rester spectatrice tandis que d'autres civils étaient déchargés, emmenés comme du bétail dans une cour à l'intérieur de la prison, serrés dans un espace réduit et surveillés par des soldats armés et des chiens.

Ses papiers furent portés à un officier supérieur. Les regards des soldats pesaient sans cesse sur elle. Penny comprit qu'elle était en danger ; on l'escorta loin des autres jusqu'à une cellule puante où étaient assises une vingtaine de femmes, écrasées les unes contre les autres.

Les femmes la dévisagèrent avec intérêt.

— Un nouvel agneau qu'on mène à la boucherie, déclara une fille vêtue d'une robe déchirée qui tenait avec des morceaux de ficelle. Bienvenue en enfer, ajouta-t-elle.

Penny fut assaillie de questions. « D'où tu viens ? Tu sais ce qui est arrivé à... Quand sortirons-nous ? »

Elle ne put guère leur être d'une grande aide. Elle se trouvait en compagnie d'*andartissas*, membres de la Résistance, capturées parce qu'elles avaient apporté de la nourriture à leur groupe, trahies par des villageois et condamnées maintenant à être déportées dans des camps de travail. Elles paraissaient avoir été battues, dévêtues, maltraitées ou pire, et restaient allongées là sur de la paille sale.

Penny leur raconta ce qu'elle avait vu à Chania, comment les juifs avaient été isolés, ses craintes pour les bébés et les enfants dans la chaleur et la poussière du camp. Comment elle avait voulu être le témoin des traitements qu'on leur infligeait mais était maintenant incapable de faire quoi que ce soit.

— Le mieux, c'est que tu te fasses libérer et que tu préviennes la Croix-Rouge de ce qui se passe ici, lui conseilla une des femmes. On entend des bruits terribles la nuit. Ce n'est pas un endroit pour des enfants.

Penny perdit le compte des jours où elle resta enfermée dans cette cellule bondée. Personne ne vint la libérer, personne ne savait qu'elle était là dans la chaleur et la paille pouilleuse, autorisée à sortir seulement pour faire quelques rapides exercices physiques dans la cour. L'endroit était sordide, effrayant même lorsque leur parvenaient des cris dans la nuit, le bruit de pas sur les pavés et de coups de fusil. Elle avait la peur au ventre. Comment s'était-elle fourrée dans ce lieu ? Qu'était-il arrivé à Solomon et à Sara ? Avaient-ils aussi pris Yolanda lors des rafles dans les quartiers périphériques ?

Ces journées sans nourriture décente, avec de l'eau fétide, les ravageaient toutes ; comment le couple âgé survivrait-il à un tel traitement ?

Il n'y avait pas assez de place pour qu'elles puissent toutes s'allonger et elles le faisaient à tour de rôle. Maria, Rosa, Angeliki – toutes avaient des histoires à raconter sur leurs exploits, leurs hommes, et elles s'encourageaient mutuellement. Penny, à son tour, leur parla de sa vie d'infirmière sur le front albanais, des trains-hôpitaux et du courage de la 5ᵉ division crétoise. De ces souffrances partagées grandit très vite entre elles de la camaraderie, leur intimité étant renforcée par l'utilisation du même seau pour les besoins. Les puces piquaient et les plaies grattaient. Maria eut ses règles, mais il n'y avait rien d'autre que de la paille pour absorber son flux. Dans de telles conditions, elles seraient toutes malades, et pourtant elles s'en sortaient mieux que ces pauvres gens dehors. Rien n'avait préparé Penny à cette captivité, ni à l'ennui qu'elle ressentait, enfermée dans la chaleur du jour et la froidure de la nuit. Comment pourraient-elles travailler si elles s'affaiblissaient autant ?

Puis vint le jour où on les réveilla, on leur donna un seau d'eau pour se laver et on leur dit de se préparer à partir, en rangs comme des enfants.

Penny exigea de voir un officier.

— Je suis venue ici de mon propre chef pour aider de vieilles personnes. J'exige que l'on m'autorise à regagner Chania.

— « J'exige » ? (Le garde éclata de rire.) Personne n'exige rien ici. Rentre dans le rang !

— Mais c'est un scandale, je n'ai pas été jugée. Vous n'avez rien à me reprocher. Pourquoi me garde-t-on enfermée ?

Le garde la frappa avec la crosse de son fusil.

— La ferme ! Pute, lèche-youpin...

Penny recula, chancelante, aveuglée par la force du coup sur sa joue. « Dehors, dehors, remue-toi ! » hurla le garde tandis que Maria l'aidait à avancer en trébuchant. Elle comprit qu'elle était mise dans la même catégorie que ces femmes et serait déportée. Pas moyen d'échapper à ce destin. Son action pour la résistance ne différait pas de la leur, étrange forme de justice vraiment.

Des camions les attendaient en file indienne, et elle essaya malgré ses yeux meurtris de voir ce qui se passait plus loin : encore le rassemblement du bétail, encore des cris, pourtant la foule de civils apeurés restait calme. Puis ils se retrouvèrent enfermés derrière des bâches, impossible de voir à l'extérieur tandis que le convoi traversait Chania dans un bruit de ferraille et prenait la route de l'est vers Héraklion. Trajet lent, sinueux, cahoteux, sous la garde de soldats assis devant, hommes à la mine renfrognée, les yeux fixés sur la route, incapables de croiser aucun regard.

Parfois, lors des pauses ou couvrant le bruit du moteur, des chants s'élevaient, des chants de liberté leur insufflaient du courage et de la défiance. Ils passèrent la première nuit dans une forteresse turque près de Réthymnon, en altitude et au froid, à dormir sur le dallage. Le lendemain, on les réveilla de bonne heure et on les fit remonter dans les camions. Voyage épuisant, douloureux, et pourtant elles étaient encore jeunes. Que Dieu vienne en aide à ces pauvres âmes trop frêles ! Combien de personnes furent déchargées sur le bas-côté, jetées des camions tandis qu'elles agonisaient ?

Penny se creusa les méninges pour tenter de trouver du sens à cette équipée forcée. Peut-être devrait-elle essayer d'expliquer à nouveau sa mission mais, sans uniforme ni autre preuve, même son nom britannique ne serait d'aucun secours. Elle avait endossé une autre identité pendant si longtemps, qui se souviendrait de Pénélope George ou s'en soucierait ? Elle n'avait plus son passeport, perdu depuis un bail, rien désormais en sa possession pour confirmer son statut britannique.

Elle observa le visage de ses nouvelles amies qui jetaient un dernier regard à leur île bien-aimée. Seuls Bruce et Yolanda pleureraient son départ. Même Bruce lui semblait être devenu un fantôme. Des mois s'étaient écoulés depuis cette dernière étreinte, mais elle l'imaginait là-bas en train de donner du fil à retordre à l'ennemi : c'était le seul espoir auquel s'accrocher dans cet enfer. *Tu sors du rang et tu te retrouves ici*, songea-t-elle, et un étrange sentiment d'orgueil rebelle l'envahit.

J'ai essayé de faire ce pour quoi j'ai été formée et je continuerai, quoi qu'il arrive. Cela me donnera le courage de tenir le coup jusqu'au bout, me donnera un but et de la dignité dans ces heures sombres. Je fais partie de la Croix-Rouge, et si je m'en sors vivante je consacrerai ma vie à faire en sorte que plus personne, jamais, ne souffre ainsi.

Maintenant qu'un deuxième front avait été engagé en France, Rainer prit congé de ses collègues officiers et de ses hommes avec un sentiment d'urgence. Tous savaient que cela devait arriver. Avec la puissance des troupes américaines

521

derrière les Alliés, la France tomberait. Personne ne parlait beaucoup des nouvelles, mais un air de résignation voilait les visages. On lui donna l'ordre de porter des documents au Q.G. à la villa Ariadne, puis il prendrait le premier bateau venu de Héraklion au Pirée.

À l'approche du départ, il aurait voulu trouver de bonnes raisons de regretter sa décision mais n'y parvint pas. Plus que jamais, on aurait besoin de lui là-bas. Son transfert n'était pas le strata-gème d'un pleutre ; il serait plus lâche, estimait-il, de rester confortablement ici et d'attendre la fin de la guerre.

Au milieu de toutes ces réflexions, il pensait encore à l'infirmière des grottes. Il savait que les convois avaient quitté la prison. Il ne voulait plus être mêlé à cette histoire. Toutefois, pour que le mal triomphe, dit le sage, il suffit que les hommes de bien restent en retrait et ne fassent rien. Quelle tristesse de voir combien il s'était endurci, insen-sibilisé ! Les civils ne comptaient pas, seule comp-tait la sécurité de ses hommes et voilà qu'il les abandonnait.

L'état-major parlait de construire tout autour de Chania un cercle d'acier derrière lequel les troupes se retrancheraient, si le pire devait se produire, et d'où l'on gouvernerait. Non, décidément, il était heureux de partir, quel qu'en fût le coût.

On le mena au bateau sous escorte armée, conduire seul n'étant plus sûr. Il aurait mieux valu appareiller depuis la baie de Souda mais, dans l'avant-baie, des bateaux avaient été cou-lés en série par des sous-marins. Aucun incident ne perturba le trajet vers l'est. Il fut logé dans la taverne proche de la villa, et passa la nuit à boire sec avec des officiers qui l'informèrent des passages en cour martiale et des rétrogradations à la suite de la capture de Kreipe. La politique du Q.G. ne l'intéressait plus, il ne désirait que retrouver cette fraternité spéciale qu'ont les combattants résolus à accomplir leur devoir. Le bateau sur lequel sa place était réservée n'avait pu traverser le détroit en raison d'une attaque alliée, on le dirigea donc vers un bateau à vapeur du nom de *Tanais* pour une traversée de nuit afin de réduire le risque d'être repéré, et sous l'escorte d'une frégate armée.

— Il y a une cargaison spéciale à bord, mais secret, secret, lui dit son compagnon de beuverie.

Rainer leva les yeux et se demanda avec quels objets pillés il allait voyager.

— Des juifs, des milliers de juifs, en partance pour Auschwitz, ajouta l'homme avec une grimace de mépris.

— Il en reste à peine quelques centaines sur l'île, dit Rainer, et son cœur se serra en apprenant cela.

— Un seul, c'est déjà trop, ricana l'homme qui aspira bruyamment sa bière.

Rainer ne répliqua rien, inutile. Le destin l'avait rattrapé. Il n'allait pas s'en tirer si facilement, de cette île. Pourquoi craignait-il que le sort de ces juifs soit, d'une manière ou d'une autre, mêlé au sien ?

523

Mai 2001

Rainer a pris place sur un banc, sur la place proche de la cathédrale située en face du musée. Il a fait le tour des salles d'archéologie et s'est émerveillé de voir de si magnifiques poteries et statues, s'efforçant d'oublier les souvenirs de ces derniers jours en Crète. Le passé n'est plus, toutes les nations peuvent désormais admirer les trésors de ces civilisations antiques, apprendre de leurs conceptions et leurs techniques. Il observe un groupe scolaire, les enfants veulent tout dessiner et toucher par eux-mêmes. Ils sont si bien habillés, si bien en chair et si contents de ne pas avoir école pour la journée ! Si différents des gamins insolents qui, autrefois, leur tournaient autour, mendiant, la main tendue, leurs visages juvéniles déjà vieux, ratatinés par la faim.

Les drapeaux flottent sur le port pour la semaine de commémoration de la bataille de Crète et pour la cérémonie de samedi soir au cimetière militaire de Souda Bay. Ce sera bien d'y assister et de voir de vieux messieurs, comme lui. *La vieillesse n'est pas pour les lâches mais elle est cependant le lot de tous,* songe-t-il avec le sourire. Il est curieux. Quelqu'un pourrait savoir ce qui est arrivé à son infirmière des grottes.

Héraklion,
juin 1944

Encore une nuit, encore le sol d'une cellule, écrasés les uns contre les autres dans des conditions que même un rat ne supporterait pas. Puanteur des corps, sueur de l'angoisse. Penny sentait sa détermination faiblir à mesure que chaque jour passait, interminable. Sans bouger, sans manger, entourés de chiens hargneux prêts à sauter sur quiconque sortait du rang. La vieille forteresse turque renfermait encore plus de prisonniers en attente de déportation, des prisonniers de guerre, de nombreux partisans. Il allait falloir un gros bateau pour les transporter tous.

Les gardes étaient efficaces, ils les séparaient par groupes, loin de la foule des juifs. Elle ne put que les apercevoir, impuissante. Sa sortie ne lui avait servi à rien, sauf à récolter un œil au beurre noir. Puis, le long des rangées de captifs, une rumeur chuchotée se propagea, mince filet qui se transforma en un torrent : les Alliés avaient débarqué en France, la libération de l'Europe commençait, et quelque chose dans la façon dont ces messages secrets étaient formulés sonnait vrai. Était-il possible que la fin de la guerre soit en vue ?

Les camions revinrent et dès l'après-midi ils formaient un lent convoi qui se bousculait vers le port où la vue d'une véritable armada les attendait. L'odeur de la mer emplit les narines de Penny d'espoir jusqu'au moment où elle vit le bateau qu'on leur avait réservé. Petit, bien trop petit pour tous ces gens, une vraie poubelle mouillée là, son unique cheminée crachant de la fumée. Autour du port était visible le résultat des bombardements récents : bâtiments calcinés en ruine, vaisseaux détruits et mazout en flammes.

Tout alla très vite sans qu'ils aient le temps de prendre des repères ; on les remit en file, on les recompta et la passerelle fut abaissée. Hommes, femmes et enfants furent poussés dans la cale. Noms cochés, comptage constant. Penny n'avait jamais vu une telle embarcation et cela n'augurait rien de bon. Elle leva les yeux, des soldats les regardaient depuis le pont supérieur. « Courage, mon brave », marmonna-t-elle. Encore une nuit et, le lendemain matin, elle serait de nouveau à Athènes. Mais ensuite ?

Rainer se tenait sur le pont du *Tanais*. Il n'était impressionné ni par la taille ni par l'état de ce vieux navire qui flottait bas sur l'eau, avec une seule cheminée s'élevant sur la partie centrale. C'était un transporteur de troupes endommagé, avec une ou deux chaudières, un équipage d'environ dix marins et seulement deux ou trois frégates armées en guise d'escorte. Un miracle que ce bateau soit encore à flot après les bombardements intenses de la nuit. Il avait pourtant survécu, et puait le mazout et la fumée. Deux canots de sauvetage étaient visibles, ils n'inspiraient guère confiance si le pire venait à se produire, mais ce rafiot le mènerait à Athènes où il accosterait dans la matinée.

Comme il se tenait sur le pont à observer la procession d'hommes, de femmes et d'enfants qui montaient à bord, il remarqua qu'ils avaient ajouté des prisonniers de guerre italiens et des civils, pitoyables malheureux en loques que l'on poussait dans la cale. Ce serait l'enfer pour ces trois ou quatre cents prisonniers coincés là. Nullement un lieu pour des enfants. Un groupe de femmes avançait sur la passerelle, l'une d'elles leva alors les yeux et, horrifié, il reconnut son infirmière : c'était elle, sans aucun doute possible, plus grande que les autres, avec ses cheveux blonds retenus en une tresse qui lui pendait dans le dos comme une corde épaisse. Il ne put détourner son regard.

Ces passagers n'avaient été que des numéros pour lui, anonymes, jusqu'à ce qu'il la voie. Elle, l'orgueilleuse infirmière anglaise qui l'avait trompé : Pénélope Georgiou. Il avait été témoin de son acte de bonté sur la place et de son arrestation. Pourquoi diable embarquait-elle avec les prisonniers ?

Reste calme, se dit Penny, *encore quelques heures seulement*. Ils étaient écrasés les uns contre les autres, à peine capables de bouger ; elle eut pitié des prisonniers juifs, encore plus à l'étroit. Ses pensées et son cœur allèrent à la famille Markos, où qu'ils se trouvent, et à ces petits enfants qui s'accrochaient à leurs parents sans comprendre pourquoi ils étaient ainsi confinés dans un endroit sombre, sans air, sans toilettes. *Il est impardonnable de traiter des êtres humains de la sorte*, fulmina-t-elle. Des soldats supporteraient un tel confinement mais pas des bébés, ni les mères qui tentaient de les protéger.

Maria eut du mal à ne pas paniquer. Angeliki la releva et essaya de se frayer un chemin vers la porte. Il faisait une chaleur accablante. La nuit allait être bien longue, debout dans ce bateau qui sortait lentement du port.

Comment osaient-ils les traiter comme du bétail ? Penny essaya de faire obstacle à la peur qui montait en elle en s'imaginant de retour chez Ike, sous son olivier préféré, avec dans les yeux le spectacle majestueux de ces hautes montagnes enneigées et dans les oreilles le bourdonnement des abeilles au-dessus des prairies. Elle songea à Blair Atholl et à ses premiers tirs en plein sur la cible, à l'odeur de la bruyère et des ajoncs, à la liberté de courir la campagne comme un cerf. Si elle parvenait à s'accrocher à ces images, elle pourrait s'échapper de cet enfer.

Tout à coup, quelqu'un se mit à hurler de panique : « De l'air, j'ai besoin d'air ! »

Penny tambourina à la lourde porte.

— Pour l'amour de Dieu, laissez-nous respirer ! Je suis infirmière à la Croix-Rouge, je ferai un rapport à Athènes. C'est une honte, vous ne pouvez pas traiter les gens comme des animaux !

Elle tapait des poings, folle de rage, un geste ô combien futile – mais, à sa grande stupeur, la porte s'ouvrit. Rai de lumière et souffle d'air.

— Pénélope Georgiou… Infirmière de la Croix-Rouge ? hurla un soldat. Viens à la porte.

Un murmure parcourut la foule compacte des prisonniers, qui se bousculèrent pour pouvoir respirer un peu et la poussèrent en avant.

— Oui, je suis l'infirmière Pénélope Georgiou, dit Penny qui força le passage jusqu'à la sortie avant de se retourner et de crier à ses amis : Je vais revenir, je vais leur montrer…

— Avance ! lui ordonna-t-on.

Et elle entendit la plainte tandis que la porte se refermait derrière elle. On la poussa dans l'escalier en fer, un fusil dans le dos. Que se passait-il ? Comment connaissaient-ils son vrai nom ? Elle agrippa ses faux papiers coincés sur le devant de ses vêtements et palpa son badge, redoutant le pire.

Puis elle se retrouva dans un espace restreint, et les gardes s'écartèrent pour lui faire de la place. Par terre, un homme gémissait, il saignait et son bras formait un drôle d'angle, l'os dépassant de sa chemise.

— Vous lui avez donné de la morphine ? leur demanda-t-elle mais ils ne comprenaient pas le grec.

Elle mima l'action et ils firent oui de la tête.

S'il n'y avait aucun médecin à bord d'un aussi petit bateau, il devait y avoir une trousse de premiers soins quelque part. Elle dit à un membre de l'équipage de la chercher. Le blessé avait besoin d'attelles et de bandages. Elle se mit à la tâche, sachant parfaitement quoi faire. L'homme était saoul et se débattait, ce qui n'arrangeait pas la situation.

— Tenez-le ! ordonna-t-elle d'un ton sec.

Hébété, le type avait fait une chute, s'était cogné contre du fer et sérieusement cassé le bras. Penny ne ressentait rien pour lui, elle se concentrait sur son travail et en profitait pour respirer de l'air frais. Elle se demandait toujours comment ils avaient su qu'elle était à bord. Elle referma la blessure, la nettoya soigneusement et banda le blessé du mieux qu'elle put. Hélas, celui-ci ne mourrait pas de sitôt et se battrait de nouveau !

— Merci, dit une voix en anglais, je savais que vos soins seraient de qualité.

Penny se retourna et vit Rainer Brecht debout, dans l'encadrement de la porte, une cigarette aux lèvres.

— Pourquoi êtes-vous sur ce bateau ? ajouta-t-il. Vous ne devriez pas y être.

— Et ceux qui sont en bas, vous pensez qu'ils devraient y être ? rétorqua-t-elle, s'efforçant de ne pas trembler sous son regard attentif.

Il semblait plus mince, les traits tirés, ses cheveux décolorés par le soleil, les tempes grisonnantes. Pourquoi était-il, *lui,* sur ce navire ? Elle allait le lui demander quand une explosion soudaine et stridente leur parvint depuis le pont inférieur. Aussitôt retentirent cloches et alarmes mais le courant fut coupé, les moteurs s'arrêtèrent et les lumières s'éteignirent. De la fumée noire provoqua un grondement de panique et de confusion parmi l'équipage. Penny fut projetée en arrière et alla cogner contre une paroi. Le milieu du navire venait d'être torpillé.

— Tout le monde sur le pont ! hurla Brecht. Vite, les gilets de sauvetage !

Ils n'eurent pas le temps de les chercher. Penny remit debout le blessé et le traîna à moitié, étourdie par le bruit.

La confusion était totale : bousculade pour retrouver des gilets, efforts pour respirer, tentatives pour décrocher les canots de sauvetage avant que le navire ne sombre.

— Laissez-les sortir, pour l'amour du ciel, libérez-les de la cale ! s'entendit crier Penny qui ne voulait pas fuir le danger.

Déjà, le bateau gîtait. Puis il y eut un vrombissement terrible ; le bateau, frappé une seconde fois, explosait.

— Je dois aller les secourir !

Un bras saisit le sien.

— Non, mademoiselle George, vous restez sur le pont. Vous ne pouvez plus rien, à part risquer votre vie.

— Lâchez-moi ! On ne peut pas les laisser se noyer, cracha-t-elle à Rainer.

— On ne peut rien faire… venez.

Et son étreinte se resserra autour de son bras.

Une détonation énorme retentit alors, juste sous eux, jetant Penny dans l'eau noire et froide. Le bateau se fendait en deux. Épais nuages de fumée noire, bouts de métal violemment projetés dans l'eau. Pétrole en flammes qui jaillissait en arcs, hurlements des gens, hommes abandonnant le navire tandis que celui-ci se brisait et sombrait rapidement dans les profondeurs.

Saisie par l'eau froide et l'instinct de survie qui s'empara d'elle, Penny reprit ses esprits ; ses poumons étaient sur le point d'exploser tant elle faisait d'efforts pour ne pas couler. Brecht nageait près d'elle, l'exhortant à avancer. Ils avançaient dans un brouillard de fumée, pour sauver leur vie, dans la mer noire et agitée de Crète.

Penny ne ressentait rien. Elle était étrangement calme, comme si elle vivait un rêve qu'elle connaissait parfaitement. Elle n'avait eu que le temps de penser à l'eau, aux vagues, à la peur d'être aspirée par la houle et de couler. Un canot de sauvetage dansait sur l'eau, hors d'atteinte, la narguant ; si elle l'attrapait, elle s'éloignerait du bateau, de Maria et d'Angeliki, de Sara et de Solomon Markos. Elle s'éloigna pourtant du combustible en feu et des débris humains pour se diriger vers le bateau d'escorte *Héra* qui, déjà, fonçait à leur secours.

Elle se sentit faiblir, la panique de ne pas pouvoir tenir bon monta en elle, mais quand elle fut sur le point de couler un bras agrippa le sien, la guida jusqu'à ce qu'on la soulève des eaux glauques dans lesquelles le *Tanais* venait de s'enfoncer pour reposer au fond de la mer, jusqu'à ce qu'on la remonte sur un pont par l'échelle, avec les blessés, les mourants, les brûlés, les survivants qui frissonnaient, visages noircis, murés dans leur état de choc et qu'il faudrait ranimer.

Pour l'essentiel, il s'agissait de soldats allemands et de membres de l'équipage, vêtements calcinés dans l'explosion, et de quelques autres, assis, une couverture sur la tête, en larmes. Elle scruta chaque personne à la recherche d'un visage connu même si, au fond d'elle-même, elle savait bien qu'aucun des captifs dans la cale n'avait eu la moindre chance d'échapper à son tombeau marin. Elle fit ce qu'elle put pour l'équipage secouru mais nombre d'entre eux étaient trop atteints.

Assis en face d'elle, Brecht fumait une cigarette et essayait de ne pas trembler. L'espace d'une seconde, une étincelle de compassion pour cet homme qui l'avait maintenue en vie s'alluma en elle, mais elle l'étouffa très vite en pensant à tous ceux de son acabit qu'elle avait vus.

Penny ne pouvait ni pleurer ni ressentir quoi que ce soit. Comme si son corps s'était éteint, réduit à ses instincts les plus élémentaires : dormir, boire, rester en vie, faire son travail. Ils lui trouvèrent une couverture, un pantalon et un genre de chemise militaire. Personne ne posa de questions au sujet de sa présence à bord lorsqu'ils firent une brève escale à Santorin pour rapporter l'incident. Le *Héra* poursuivit sa route vers le port du Pirée avec ses passagers éclopés, accablés, muets – des passagers qui étaient allés en enfer et en étaient revenus.

Cinquième partie

RÉUNIONS

« Une dame en noir, assise
À Maleme, pleure.
Dans ses bras
Un corps sans vie
Qu'elle lave de ses larmes
Et de pétales de rose recouvre.
Elle se lamente
Et profère mille malédictions.
Hitler, ne renais jamais ! »

« Lamentation d'Olympe »,
Olympia KOKOTSAKI-MANTONANAKI

Mai 2001

Je me réveille et je vois les rayons du soleil brûlant à travers les lattes des volets. Ce cauchemar, très réel la nuit dernière, ne m'a en fait jamais quittée. J'ai le goût de l'eau de mer sur mes lèvres, je vois le visage des morts qui, des profondeurs, lèvent sur moi des regards accusateurs. Pourquoi ai-je été sauvée ? Pourquoi moi, et pas les autres ? Des années après, il n'y eut nulle mention de ce torpillage ni de ce qui était arrivé aux juifs de Crète, une communauté ancienne anéantie en un instant.

Certains diront qu'une mort rapide par noyade a été plus douce que ce qui les attendait : des camions à bestiaux depuis Athènes dans la chaleur de l'été jusqu'aux camps de la mort dans le Nord. Je ne le pense pas. Périr noyé, piégé dans une cale n'est pas concevable, mais c'est arrivé et cela ne devrait pas être oublié. Qui a coulé le navire ? Qui le sait ? Très probablement un sous-marin anglais au cours d'une patrouille de routine. Délibérément ? Des théories existent à ce sujet mais sont-elles vraies ? Je ne le sais pas. Personne ne s'est présenté pour expliquer quoi que ce soit. Rien qu'un acte de guerre parmi d'autres.

Que dois-je leur raconter de cette histoire ? Comment expliquer que j'ai été favorisée sans leur expliquer le reste ? Je l'ignore, mais je vais faire un sacré effort. Garder le secret est devenu une habitude dont je ne pourrai peut-être pas me défaire, même aujourd'hui.

Ne pense pas à toutes ces choses pendant ton jour de liberté. Contente-toi de rester dans le présent, profite des vacances, oublie tous ces cauchemars. Ces vacances sont les tiennes aussi. Tu auras bien assez de temps pour pleurer plus tard lors de la commémoration.

Je suis contente que ce soit Mack qui ait dû se garer dans une étroite ruelle menant au cimetière où se trouvent les tombes de guerre du Commonwealth. Il a eu du mal à passer devant des autocars et des patrouilles de gendarmes à vélo pour trouver un endroit. C'est un bel après-midi, le soleil est haut dans le ciel au-dessus de la baie de Souda, qui est toujours le port intérieur le plus grand d'Europe.

Nous nous sommes mis sur notre trente-et-un pour l'occasion. Même Alex a l'air élégant dans sa chemise et son short cargo. Mack a enfilé un blazer et un pantalon de coton, et Loïs est tout en blanc, ce qui va bien à sa beauté de brune. J'ai mis une veste en lin noir, un foulard en soie et, bien utiles, des lunettes aux verres teintés. Une fanfare militaire s'accorde sur l'herbe, pour cette musique particulière que seuls peuvent produire des soldats britanniques en uniforme rouge et or.

Il y a des anciens combattants avec leur béret et leur blazer sur lequel tintent des médailles ; ils tiennent des couronnes de coquelicots et s'interpellent. Les vétérans crétois attirent mon regard : chemises noires, culottes, bottes hautes blanches, ils se tiennent à l'entrée aux côtés de représentants officiels de nationalités diverses, vêtus de toutes sortes d'uniformes : les blancs de la marine, les bleus des aviateurs, les kakis et gris de l'armée de terre. En voyant tant de gens réunis, la boule qui déjà me nouait la gorge enfle encore. Je ne savais pas à quoi m'attendre.

Je ne cesse d'imaginer ce paisible port commercial rempli de bateaux de guerre et d'épaves, crachant de la fumée. Il y a bien aujourd'hui des bateaux de guerre mais ils sont astiqués, prêts à tirer une salve. Où sont les cratères laissés par les stukas hurlants qui plongeaient sur le port ? Les collines sont désormais couvertes d'élégantes villas et de beaux immeubles.

Nous nous approchons lentement de la croix centrale pour mieux voir, prenant au passage une fiche d'informations pour la cérémonie. Loïs et Alex suivent derrière parmi la foule de touristes et de gens du coin ; la commémoration commence. Je souris car je sais qu'elle est organisée par les Britanniques et qu'un visiteur royal est présent, tout sera réglé comme du papier à musique.

Un joueur de cornemuse solitaire, au chant obsédant, mène à pas lents le défilé des vétérans vers la croix blanche où les prêtres attendent pour les accueillir. Mes yeux, derrière mes lunettes, s'emplissent de larmes.

La cérémonie de dépôt de couronnes n'en finit pas. Je suis contente que l'on m'offre une chaise. Cantiques, bénédictions, puis des voix rauques entonnent l'hymne national. La salve tirée du navire de guerre est impressionnante. Qui ne serait ému ?

Je suis heureuse d'être venue ici en restant anonyme, libre de me promener dans les allées entre les croix blanches immaculées, émerveillée devant la finesse et la propreté de l'herbe si verte, les bordures de rosiers, et les noms de tant d'hommes et de femmes fauchés avant d'avoir vraiment vécu.

Un cimetière militaire offre une étrange quiétude et rend humbles même les jeunes les plus bouillonnants : lorsqu'ils fixent les âges gravés sur la pierre, ils mesurent leur chance de ne pas avoir été mis à l'épreuve de cette manière. Lieu de tristesse et de regrets, de culpabilité et de souvenirs. Tant d'émotions emplissent mon cœur ! Pourquoi ai-je attendu si longtemps ?

Je m'arrête devant la stèle du capitaine John Pendlebury, que j'ai rencontré brièvement avant la guerre. Martyr mythique, un autre héros borgne, athlète, universitaire, conservateur de l'École britannique de Knossos, vice-consul à l'ambassade et soldat d'exception, exécuté alors qu'il était blessé aux premiers jours de l'Occupation. Son courage et son amour de l'île sont toujours légendaires.

Je m'éloigne des autres rapidement, je veux que cette visite soit privée, une réunion et un moment pour accepter le souvenir depuis longtemps oublié de certains noms dont j'ai connu les visages.

Lentement, je marche dans les allées, lisant chaque stèle jusqu'à ce que je parvienne à un nom qui me coupe le souffle, celui qui a le plus compté pour moi ces années-là : Bruce Jardine.

Je ne m'étais pas attendue à le trouver là, je l'avais imaginé enterré quelque part sur une colline de Nouvelle-Zélande. Je n'ai appris sa mort qu'à mon retour en Angleterre. Évadné m'a annoncé la nouvelle, un matin, dans le jardin à Stokencourt, lorsqu'ils ont pensé que j'étais assez forte pour supporter le choc. Depuis, je n'ai jamais cessé de détester cette allée de rosiers, qui me rappelle le désespoir et la futilité absolus que j'ai alors ressentis. C'était comme si j'avais reçu un coup de poing dans le ventre, si fort que j'en avais eu le souffle coupé. Je me suis éloignée de ma sœur et j'ai marché vers le lac, secouant la tête de désespoir. Elle a cru, je pense, que j'allais me jeter à l'eau et m'a couru après. Ils me connaissaient bien peu, pour croire que je choisirais cette solution de facilité. Il valait mieux que je vive, en l'honneur de tous ceux qui n'avaient pas pu le faire.

J'avais attendu si longtemps des nouvelles qui ne venaient pas, et lorsqu'elles sont arrivées j'étais devenue une autre personne. Tant de choses s'étaient passées et mes sentiments pour Bruce avaient changé irrévocablement, mais ne pas savoir que je l'avais déjà perdu avant même que j'aie quitté l'île… Comme tout le reste, je l'ai fourré dans une valise au grenier de mon esprit, à ne pas déranger.

Alors que je caresse la pierre, la tête courbée, je remarque à demi caché dans la terre ocre bien entretenue un petit bouquet de fleurs des montagnes et d'herbes aromatiques entourées d'un ruban noir, rouge et or aux couleurs du drapeau crétois. Avec une inscription en alphabet cyrillique tirée d'un poème : « *Ton sang versé sur notre sol ne l'a pas été en vain. Merci* ». C'est tout.

Je recule, émue qu'on honore ainsi Bruce, et me retourne pour voir si quelqu'un ne rôde pas alentour, mais je suis seule dans l'allée. Je regrette de ne rien avoir de personnel à déposer ici, honteuse soudain de cette négligence. Nous n'avons même pas apporté une rose ou un coquelicot en souvenir. Je tremble encore sous le choc de ma découverte.

Qui d'autre l'ayant connu est présent ici ? Une vague de frustration et de confusion me submerge : tous les gens de ma génération sont devenus si vieux et altérés par le temps que sans un badge à notre nom nous ne nous reconnaissons pas. Ces vétérans qui ont défilé si lentement, certains en fauteuil roulant, ne sont plus que l'ombre de ces hommes présomptueux que j'ai eu le privilège de soigner. Et moi, qui me reconnaîtrait aujourd'hui ?

Le petit bouquet est sec. La personne venue ici rendre hommage a préféré ne pas assister à cette cérémonie, pour une raison ou une autre… De plus en plus curieux. Un bouquet de fleurs des champs dénote un geste féminin, simple et délicat, rien à voir avec ces couronnes voyantes couvertes du ruban national et de feuilles de palmier, empilées sur le socle de la croix où les anciens combattants posent pour les photos.

Oui, il est réconfortant de constater que Bruce n'a pas été oublié, négligé, mais cela me trouble aussi car cette personne, encore en vie, a peut-être aussi fait partie de ma vie.

Comment un petit bouquet peut-il soudain faire s'envoler tout ce que nous avons accompli ces dernières semaines ? Pourquoi n'y a-t-il pas de nom dessus ? Il faut que je sache qui l'a déposé.

Je suis là à regarder la mer et je me sens idiote. *Bruce, depuis tout ce temps, repose ici et tu ne t'es jamais souciée de le trouver*, me dis-je en soupirant. *Cela ne te tenait pas à cœur ? Tous ces amis et parents qui traversent le globe pour venir assister à cette cérémonie, et toi, tu ne t'es pas souciée de revenir, ne serait-ce qu'une fois, honorer sa mémoire ?*

En Crète tout est plus intense : la lumière et l'ombre, le noir et le blanc, les passions humaines sous la chaleur. En ce lieu où se sont passés des événements incroyables, les émotions attendent leur heure, jamais oubliées ; elles ne demandent qu'à être réveillées. Il n'y a plus moyen d'échapper au passé, et je sais pourquoi je ne suis pas revenue.

Dans la beauté de cette soirée inondée de soleil, je revis ces jours troublés. Je connais les raisons pour lesquelles je n'ai pu affronter cette île : je n'ai pas pleuré Bruce comme il le méritait. Je n'ai pas été digne d'attacher mon nom au sien. Au moins, il n'a jamais su ma honte... Les larmes coulent lentement. Je les ravale pour me ressaisir. Impossible de rester ici parmi ces gens si dignes. *S'ils savaient la vérité à mon sujet...*

— Ah ! te voici, tante Pen. Nous pensions t'avoir perdue, dit Loïs en me prenant par le bras. Cet endroit doit être triste pour toi. On y va ?

Je ravale mes larmes tandis que nous nous éloignons de cette tombe que je ne suis pas encore prête à partager avec eux. Je suis reconnaissante à Loïs de m'avoir amenée dans ce lieu sacré, par son simple geste d'amour. Ce pèlerinage a pris un tour nouveau, et je ne m'en irai pas avant de savoir où il me conduit.

Appuyé sur sa canne, en marge de la foule, Rainer observe la cérémonie, les yeux cachés derrière des verres teintés. Il n'est pas certain d'être le bienvenu ici. L'absence de son drapeau ne le surprend pas. Qui a besoin qu'on rappelle l'occupation allemande ?

Il reconnaît certains de ses anciens ennemis, ces agents secrets, officiers audacieux, qui ont fait des ravages parmi ses hommes dans les montagnes et ont kidnappé le général Kreipe. Il a lu leurs Mémoires avec intérêt ; il repère Nicholas Hammond, Monty Woodhouse – le héros de Galatas –, Sandy Thomas, Patrick Leigh Fermor, le plus impétueux de tous. Il aimerait leur serrer la main. *Les soldats sont tous les mêmes, seul l'uniforme les différencie*, songe-t-il.

Ce serait bien de les rencontrer sur un pied d'égalité et de voir ce qu'ils ont fait de leur vie. Certains ont été hommes d'État ou autres dirigeants politiques, auteurs ou aventuriers, même dans leurs vieux jours. D'autres, il le sait, gisent ici, comme tant d'autres de ses camarades à Maleme.

Le contraste entre les deux cimetières est marqué : l'un sur une frange de côte qui domine la baie, de la terre donnée en cadeau par les Crétois en signe de reconnaissance ; l'autre dans un emplacement plus sombre, plus ombragé, mais tout aussi poignant. C'est à ce lieu qu'il appartient, mais il n'est pas pressé de les rejoindre, pas encore.

Il se tient en arrière, préférant ne pas se présenter. Ce moment est celui de leur victoire. Il y a toujours deux versions d'une même histoire, il aurait pu tout aussi bien finir enterré là sous le soleil crétois. La victoire en mai 1941 s'est jouée de peu. Tant de choses ont changé depuis leur défaite. Ne dit-on pas que l'Histoire est écrite par les vainqueurs ?

Il est fier que ses concitoyens, après la guerre, aient mené de nombreuses actions de réparation : reconstruction des maisons dans les villages, remise en état des puits et des points d'eau, attribution de bourses pour les étudiants.

Il se tient sous les oliviers et regarde la foule se disperser lentement. Son regard est attiré par une femme âgée en veste noire et pantalon blanc qui s'incline sur une tombe, en un moment intime de chagrin. Quelque chose en elle imprime aussitôt une autre image dans son esprit. Elle a ce port anglais très droit d'une certaine classe de femmes, un air militaire, et la voir fait vibrer sa mémoire.

Lorsque sa petite-fille, le mari de celle-ci et leur fils viennent la chercher, la curiosité de Rainer est toujours piquée. Il aimerait savoir qui elle est venue pleurer mais, étrangement, il se sentirait impoli et indiscret de les suivre. Il les regarde s'éloigner, et note décidément quelque chose de familier dans son allure et son maintien.

Je l'ai déjà croisée, constate-t-il en souriant de soulagement, car il se rend compte qu'ils ont été sur le même ferry de nuit depuis le Pirée. Il l'a alors vue debout, seule, sur le pont à l'aube tandis que le bateau appareillait dans le port de Souda : en pèlerinage elle aussi, peut-être ?

Ce serait complètement extravagant de penser qu'elle puisse prétendre à une autre place dans ses souvenirs ; pourtant il y a dans sa présence quelque chose d'intemporel qui lui rappelle une autre époque, un autre rivage.

Juin 1944

Tandis que le port du Pirée se profilait lentement, Rainer, depuis le pont bondé du *Héra*, observa l'état pitoyable des survivants : une trentaine d'hommes environ, dépenaillés, brûlés, avachis sous le choc ; des hommes d'équipage, eux aussi choqués d'avoir survécu au torpillage du bateau, qui, le regard vide, fixaient leurs pieds.

Puis il contempla Pénélope qui travaillait parmi les rangées d'hommes prostrés ; elle distribuait des cigarettes et des boissons sans relâche, et paraissait concentrée sur la tâche à accomplir. Pas une fois elle ne leva les yeux vers lui ni ne lui adressa la parole. Il lui avait sauvé la vie mais elle n'allait pas lui donner le plaisir de le remercier. Elle avait le teint gris, les traits anguleux, les lèvres serrées, et son pantalon ample pendait sur son corps amaigri.

Légalement, en tant que membre de la Résistance britannique, elle devait être considérée comme prisonnière de guerre et envoyée au nord dans quelque camp ou peut-être pour soigner les blessés au front.

Si son nom n'était pas sur la liste, ou si elle y figurait sous son faux nom, Athina, on la porterait

547

disparue, avec tous les autres. Une fois à terre, il faudrait lui donner des papiers, prendre des déclarations, prouver son identité. Il avait conscience de détenir ce pouvoir-là sur elle et cela le mettait mal à l'aise. Était-elle trop fière, trop en colère ou trop choquée pour ne plus se soucier de ce qui lui arrivait ?

Il se sentait tellement soulagé d'être libéré de l'île – libre d'aller au nord, libéré de la chaleur et de la poussière, libre de redevenir un soldat d'active ! Pénélope, elle, n'aurait pas la liberté de retourner en Angleterre dans sa famille. Qui était sa famille ? Qui étaient les gens qui avaient élevé pareille combattante, à la détermination d'acier ? Curieusement, il aurait aimé en savoir plus avant de la laisser partir.

Même dans ce piètre ensemble concocté avec des habits de l'équipage, elle avait belle allure. Cela lui rappela cette première fois où il l'avait vue avancer le long des civières à Galatas, avec cet air sombre et stoïque sur le visage. Elle avait désormais besoin qu'on l'équipe d'un uniforme. Ses cheveux, imprégnés de mazout, étaient relevés et, à force d'être au soleil et au vent, elle avait la peau tannée. Pourtant elle ne lui avait jamais paru aussi magnifique que maintenant. Comme il aurait aimé la vêtir d'une robe de soie, avec un petit bouquet d'orchidées à l'épaule, et l'emmener dans un bon restaurant afin de remplir un peu ces joues décharnées ! Il rougit au ridicule de ce rêve.

Le bateau fut violemment secoué. Projeté contre le bastingage, Rainer faillit faire une pirouette par-dessus et plonger dans les eaux noires et troubles. Il se releva, essayant de garder un peu de dignité tandis que Penny l'observait ; l'espace d'une seconde, leurs regards se croisèrent et le coin de ses lèvres se plissa d'amusement. Et devant ce fugitif adoucissement, pareil au soleil qui efface les nuages, il sut qu'il était à tout jamais perdu.

Les survivants du *Tanais* quittèrent le navire d'un pas traînant et se mirent en rangs pour décliner leur nom, leur immatriculation et leurs projets durant leur transit. Aucun prisonnier en vue.

Quand ce fut le tour de Pénélope, Rainer s'avança.

— Vous ne trouverez pas son nom sur la liste. Elle a été embarquée à la dernière minute, au titre de la Croix-Rouge, mais rien d'officiel, et je voudrais louer Mlle Georgiou pour son courage. Sans l'attention qu'elle a tout de suite portée aux survivants, certains ne seraient pas là. Elle les a soignés malgré ses propres blessures. Comme elle fait partie de la Croix-Rouge, il faut la reloger dans un hôpital aussi vite que possible.

— Et vous, vous êtes ? lança l'employé en levant le nez.

— Capitaine Brecht. Première division de parachutistes, en charge des renseignements à Chania. En route pour le front après deux semaines de permission.

Il fit le salut et claqua des talons bien qu'il fût pieds nus.

— *Kyria*, tout cela est juste ? demanda le fonctionnaire à Penny.

— Apparemment, le capitaine connaît mon histoire mieux que moi, répondit-elle en fixant Brecht avec surprise. Je peux vous la raconter moi-même, merci, mais je veux déclarer que des centaines de prisonniers étaient enfermés dans la cale quand nous avons été torpillés, et qu'ils ont été incapables d'en sortir. Ce fait doit être rapporté au plus haut niveau...

— Oui, oui, laissez ça aux enquêtes ultérieures. Vous n'avez plus de papiers ? Il faut vous faire inscrire tout de suite. Au suivant !

Pénélope s'écarta, hésitante ; où aller ?

— Ne croyez pas, capitaine, que je ne vous sois pas reconnaissante de m'avoir empêchée de couler et, en me faisant monter sur le pont, de m'avoir sauvé la vie, mais je peux m'occuper de moi-même désormais, déclara-t-elle à Rainer.

— Vraiment ? Vous n'avez ni papiers, ni argent, ni vêtements, pas même une paire de chaussures. S'il vous plaît, laissez-moi vous aider. Après tout, vous l'avez fait pour moi autrefois..., dit-il dans un anglais hésitant.

— J'ai fait mon devoir, ni plus ni moins, rétorqua-t-elle sèchement.

— Alors, permettez-moi de vous emmener manger quelque part. Vous n'avez rien mangé depuis des jours, j'imagine.

— À qui la faute ?

— Je ne suis pas responsable des décisions prises par mes supérieurs quand ils vous ont embarquée dans ce camion et arrêtée. Nous ne sommes pas tous des brutes.

— Vous êtes resté sans rien faire. Vous les avez laissés agir, je vous ai vu là-bas.

— Et je ne vais pas vous regarder mourir de faim maintenant, ou d'épuisement plus tard dans quelque camp de travaux forcés. Je peux vous aider. Ne péchez pas par orgueil en refusant une aide proposée sincèrement !

— Je sais ce que les officiers attendent des filles qui meurent de faim ; j'en ai soigné assez.

— Pourquoi me jetez-vous ainsi tout à la figure ?

Il ne voulait pas renoncer, leurs deux volontés s'affrontaient.

— À cause de l'habit que vous portez et de tout ce que j'ai vu faire en son nom, lui cracha-t-elle, fixant son uniforme en loques avec mépris.

— Alors, si j'étais en civil, vous me traiteriez mieux ?

— Je ne sais pas, répondit-elle sans le regarder.

Il voyait qu'elle hésitait, défaillant presque d'épuisement et de faim. Il décida d'enfoncer le clou.

— Bon, nous allons en ville acheter une robe pour vous et une chemise pour moi. On ne regarde pas le cadeau d'un cheval dans la bouche.

Le soleil éclaira le visage de Penny tandis qu'elle souriait.

— Non, le proverbe exact est : « À cheval donné, on ne regarde pas la denture ». Suis-je vraiment libre de partir ? demanda-t-elle, ses yeux noirs brûlants plantés dans les siens.

— Autant que je sache, vous êtes une infirmière de la Croix-Rouge d'Athènes. C'est tout ce qu'il faut savoir, mais vous devez avoir des papiers.

Elle leva les mains en l'air.

— Des papiers, toujours des papiers, pourquoi ne pouvons-nous exister sans paperasse ni numéros ?

— Bureaucratie, j'en ai peur, un beau mot grec.

— Démocratie, c'est mieux, rétorqua-t-elle tandis qu'ils avançaient lentement d'une démarche claudicante le long de la rue pleine de gravats, essayant de ne pas grimacer.

Pour la première fois depuis des années, Rainer se sentit pourtant marcher d'un pas élastique et allègre.

Souda, 2001

Une fois la commémoration terminée, Rainer trouve le restaurant de poissons recommandé par le réceptionniste de l'hôtel. L'établissement, proche du port de Souda, se remplit de vétérans et de leurs familles, et on lui donne une table sur la rue. L'étalage de poissons qu'on lui présente en cuisine lui met l'eau à la bouche. Il attend, boit sa Mythos à petites gorgées, heureux d'avoir eu de la place. Sa vieille blessure se fait de nouveau sentir.

Cette veuve anglaise lui a rappelé Pénélope. Pourquoi tous ses souvenirs de l'île sont-ils imprégnés de flashs de cette infirmière ? Est-il toujours à sa recherche, après toutes ces années ? S'imagine-t-il qu'il a compté pour elle ? L'a-t-elle utilisé, séduit, trompé ? Et pourtant…

Il est vieux désormais, les sentiments romantiques ne sont plus pour lui. Seule la musique de Bach, Mozart, Chopin et Schubert touche son âme. Après la guerre, il a vécu une paisible vie intellectuelle, riche de lectures. Il a pratiqué la pêche et ne chasse plus depuis longtemps. Quand sa femme Marianne est décédée, il a appris à vivre seul, à cuisiner et à ne pas être un poids pour ses enfants.

C'est avec ses deux petits-enfants qu'il parvient à ressaisir l'esprit de sa jeunesse, et il les regarde avec fierté disputer des matchs de football et de tennis. Quel bonheur de les voir grandir avec des libertés qu'il n'a jamais connues !

Ils ne portent pas ce fardeau de culpabilité qu'il a remarqué chez ses propres fils à cause de tout ce qui a été commis par sa génération. Rainer n'a jamais partagé ses expériences de la guerre avec ses fils car ils ne lui ont jamais posé de questions. Il a très envie de revoir Joachim et Irmélie. Il doit songer aux cadeaux à leur rapporter, maintenant que ses pensées se tournent de nouveau vers sa famille ; un bon signe, qui sait ? Il sera bientôt l'heure de repartir pour Athènes mais pas avant qu'il n'ait accompli sa propre réparation. Il y a dans sa valise un objet qu'il doit rendre. Il l'a trop longtemps gardé. Le moment est venu de lâcher le passé et de gagner lui aussi une forme de paix.

2001

Je n'ai pas fermé l'œil de la nuit, j'ai entendu la chouette hululer dans l'oliveraie, les chiens aboyer dans le village, et j'ai attendu le chant du coq. Savoir qu'une personne vivante honore la mémoire de Bruce m'agite l'esprit.

J'ai essayé de me souvenir de tous les noms des amis crétois qui nous ont hébergés : Ike et Nikos, Tassi et Stella, le mari de Yolanda, Andreas dont je suis incapable de me rappeler le nom de famille. S'est-il remarié, a-t-il eu des enfants ? Par où commencer ? Il me reste bien peu de temps avant de reprendre l'avion pour l'Angleterre.

Oui, ce bouquet dénote une touche féminine. Bruce avait-il trouvé une amie dans les montagnes pour le réconforter ? Il n'aurait pas été le premier à jouer la carte locale. Il y a tant de choses que je ne sais pas, mais je ne partirai pas avant d'avoir découvert qui a déposé ces fleurs sur sa tombe. Il y a assez de témoins de cette époque encore en vie qui sauront la vérité.

Tandis que point l'aube, je dresse mentalement une liste des pistes à suivre. L'île est pleine de vétérans, d'anciens fugitifs. Pourquoi ne pas les rattraper avant qu'ils ne rentrent chez eux ? Il faut que je sache où ils logent ; Mack, dont l'oreille traîne partout, aura des infos, c'est sûr. Les associations de vétérans faciliteront peut-être aussi ma recherche. Et demain, Loïs m'aidera à tourner dans le coin pour en savoir plus.

La honte que je ressens d'avoir négligé la mémoire de Bruce me hante davantage encore. Je veux remercier quiconque s'est soucié de sa mémoire et l'a honorée bien plus que je ne l'ai fait. Le moment est peut-être venu de laisser en son nom des fonds pour une bourse. Pourquoi ai-je attendu aussi longtemps ? Pourvu qu'il ne soit pas trop tard.

Dans la matinée, Loïs me conduit au complexe touristique de Platanias, près de la plage où avait été dressée la tente-hôpital et où avait eu lieu la bataille pour le village de Galatas. Les oliveraies ont reculé et cédé la place à des villas et des hôtels qui ont jailli un peu partout et jouissent de la vue sur la baie. De nombreux vétérans sont sans doute déjà partis, les chances de rencontrer quelqu'un ayant connu Bruce sont minces.

Au petit déjeuner, j'ai essayé d'expliquer à Loïs ce qui s'est passé au cimetière, et l'importance que cela a pour moi d'en savoir plus sur la personne qui a laissé ces fleurs. Comme je le craignais, le groupe de vétérans est effectivement parti, mais pas pour l'aéroport, seulement pour une excursion d'une journée au lac Kournas dont ils devraient rentrer tard.

Victoria, la réceptionniste, s'inquiète que ma visite n'aboutisse à rien. Je lui ai parlé un peu de ma mission et lui dis qu'il y a urgence. Elle me sourit et me propose une piste.

— Si votre ami faisait partie de la Résistance, vous devriez contacter l'association des résistants crétois ; ils auront des histoires à vous raconter. Mon grand-père était partisan, si vous le désirez, je peux l'appeler.

Elle me demande le nom de Bruce.

— Bruce Jardine.

Je me reprends aussitôt.

— Mais non, bien sûr, ils ne l'auraient connu que sous son nom d'emprunt, Panayotis.

— Facile à mémoriser, c'est le prénom de mon petit ami, commente-t-elle avec un sourire tout en notant nos coordonnées.

Elle me promet de me contacter si elle obtient un renseignement utile.

Nous revenons à la villa, et mon air épuisé est à la mesure de la fatigue que je ressens.

— La sieste, maintenant, ordonne Loïs. Tu as besoin de te reposer.

Je n'ai plus assez d'énergie pour protester quand nous arrivons.

Cette nouvelle mission excite Alex.

— On va retrouver le copain de tante Pen ?

Loïs l'envoie dehors à la piscine.

— Bruce a toujours été l'élu de ton cœur, n'est-ce pas ? J'ai cru qu'Adam était le mien, mais les choses changent.

— Effectivement, dis-je avec un soupir. Au moins, toi, tu as vécu avec lui et tu as pu découvrir qui il était vraiment. Bruce et moi, nous n'avons pas eu cette chance. Notre histoire amoureuse ne s'est jamais ancrée de façon physique, elle a été alimentée par le danger et la séparation, nous n'avons en fait jamais...

Je fais une pause, rougissante.

— Je n'ai jamais vraiment su ce qu'il pensait de moi.

— Et tu n'as jamais regardé un autre homme ? Nous nous sommes souvent demandé...

C'est au tour de Loïs d'hésiter.

— Non, je ne dirais pas ça. Les choses ont été compliquées, j'ai vécu.

— Raconte-moi.

— Certainement pas ! Bruce a été mon premier amour, et tu connais le proverbe : « Un premier amour blesse pour toujours ». J'ignorais qu'il était enterré ici, tu te rends compte ? C'est horrible. Une fois que j'ai appris sa mort, j'ai enseveli la douleur de la nouvelle. Aujourd'hui, j'ai honte. J'ai vu toutes ces veuves, tous ces orphelins, lu les mots qu'ils ont laissés sur les croix hier, mais moi, j'ai été tellement froide, distante, tout comme ma mère à la mort de papa.

— Mais tu as continué à faire un boulot remarquable, tu as consacré ta vie à t'occuper des autres. Tout ce travail d'enseignement en Afrique, tu devrais en être fière !

Je me cale dans le fauteuil, ces compliments que je ne mérite pas me mettent mal à l'aise.

— Ne crois pas que je n'aurais pas aimé en laisser tomber une partie pour avoir une famille, des enfants, mon propre foyer.

— Mais tu as une famille, des enfants et des petits-enfants ; nous sommes ta famille. Tu es la grand-mère que je n'ai jamais eue… Tu sais, nous ne pensons jamais que nos parents, nos grands-parents ont eu des amants, des rêves et des déceptions, tout comme nous.

Je tends la main vers celle de Loïs.

— Tu as traversé deux années difficiles mais je crois que tu sors de ce tunnel noir, n'est-ce pas ?

Elle rougit.

— En fait, Mack m'a demandé si je voulais revenir ici pour faire une pause, plus tard avant que la saison ne s'achève. Il repartira ensuite en Angleterre, il a pour projet d'écrire un livre de voyage : *La Crète en voiture, à vélo ou à pied.*

Elle sourit. Je dois reconnaître que ces vacances se sont déroulées plutôt mieux que je ne l'avais imaginé.

— J'aime bien Mack. Il me semble authentique. Tu as raison de saisir les bons moments qui jaillissent de nulle part. J'aimerais te voir établie de nouveau.

— Oh, non, pas encore. Je ne veux pas qu'Alex soit impliqué dans tout cela.

— Allez, il a sa vie, l'école, et un jour tu te réveilleras et il sera parti à l'université. Suis les conseils de ton cœur, Loïs, ne te renferme pas comme moi.

— Je vais essayer. C'est bon d'avoir toutes ces émotions à nouveau, mais j'ai l'impression aussi de tout recommencer.

Elle se tait et respire un grand coup avant d'ajouter :

— Je sais que tu ne me dis pas tout, mais j'espère que ce retour ici t'a aidée.

— Oui, cela m'aura aidée quand j'aurai trouvé ce que je cherche. Je sens que ce n'est plus très loin, au contraire tout près, et que cela m'attend… Oh, écoute-moi ces niaiseries romantiques ! Tout ce que nous avons fait ici m'a amenée à ce moment. Cela m'excite et, à mon âge, c'est bien de pouvoir anticiper le plaisir de vivre quelque chose.

Je ne lui mens pas. Je sens l'espoir bouillonner en moi. Les chances de retrouver quelqu'un qui ne le souhaite pas sont sans doute minces. Par chance, nous sommes sur une petite île, les gens parlent et se souviennent. Demain, je pars pour un autre pèlerinage, une visite que je redoute mais nécessaire, et ce sera une visite privée. J'ai vu la sépulture de Bruce, j'ai désormais besoin de trouver celle de Yolanda.

En milieu de matinée, la porte de la synagogue Etz Hayyim est ouverte. L'animation des commerces sur la rue Kondilaki n'a pas encore commencé mais il fait déjà chaud, et je suis heureuse de pénétrer dans l'enceinte avec ses palmiers et une pergola ombragée où m'asseoir juste un peu.

Pour dire la vérité, c'est la première fois que j'entre dans une synagogue, d'ailleurs je ne vais plus dans aucune église. Mais sitôt après avoir mis le pied dans cette petite oasis de verdure et de calme, je ressens la paix d'un lieu de prières, d'une renaissance après les ruines et les décombres dans la vie de la communauté de Chania.

Un fil me ramène à ces jours anciens où les maisonnées alentour se regroupaient pour préparer le sabbat dans le bruit, l'agitation et l'odeur du pain en train de cuire. Je me rappelle ce repas avec la famille Markos et leurs amis, la tension qu'avait éprouvée la pauvre Yolanda, censée épouser un coreligionnaire mais aimant Andreas en secret, son mariage dans la montagne, et cette dernière visite que j'ai rendue à ses parents. Tout me revient en bloc.

Le destin de ses parents, je ne le connais que trop bien. J'y étais, je les ai vus enfermés dans la cale, condamnés à la noyade. J'ai témoigné ensuite auprès d'un officiel de la Croix-Rouge mais je n'ai jamais entendu parler d'une enquête, et s'il y en a eu une, on ne m'a jamais convoquée. Je n'étais sur la liste de personne : aux yeux du monde, je n'y étais pas.

Une vague de tristesse me submerge.

Un jeune homme sort d'un bureau et vient m'accueillir.

— *Shalom*, entrez donc, je vous en prie.

J'éprouve une curieuse réticence à l'idée de pénétrer dans la synagogue. Je me promène sous le porche et me rends compte que ce n'est plus aujourd'hui qu'une simple maison de prières. Le jeune homme, un Américain, me retrace l'histoire du lieu, ancienne église vénitienne donnée aux juifs par les Turcs lorsqu'ils ont occupé l'île. Je m'assois sous le porche.

— Je veux simplement me souvenir d'une amie et de ses parents qui ont vécu ici avant…

— Vous avez connu des gens d'avant la guerre ? Entrez donc, quand vous vous sentirez prête. Je vais nous faire un café. Nous cherchons à en savoir le plus possible sur cette époque. Il reste si peu de témoins, et ici, bien sûr, personne n'est revenu. Qui était votre amie ?

— Nous avons été infirmières ensemble à Athènes, et dans cette ville aussi, un temps. C'était une amie très chère.

Il m'est difficile de parler de Yolanda sans pleurer et pourtant, d'habitude, je ne suis pas du genre à craquer devant des inconnus.

— Je suis venue rendre hommage à sa famille.

— Nous avons la liste de tous ceux qui ont été raflés cette nuit-là, et d'autres noms également…

Je ne suis pas sûre de vouloir affronter l'énormité d'une telle liste. Pourtant, je sais qu'il est de mon devoir envers cette communauté perdue de le faire.

— … le rabbin avait dû enregistrer tous les noms des résidents juifs, leurs lieu de naissance, âge, profession et collatéraux.

Le guide me sort un livret contenant des pages et des pages de noms. Je les fais défiler, je m'émerveille des détails, et mets des visages sur certains de ces noms : Alegra, Soultana, Iosif, Miriam… Mon doigt tremble lorsque j'arrive aux noms que je redoute le plus, et c'est alors que je remarque que celui de Yolanda est dans une colonne séparée des autres.

— Pourquoi ne figure-t-elle pas avec sa famille ?

— Parce qu'elle n'était pas là la nuit de la rafle. Elle avait épousé un chrétien et ils l'ont cachée. Les nazis ne l'ont jamais trouvée…

Je n'écoute pas le reste tandis que cette pensée magnifique m'envahit : *Yolanda n'a jamais été à bord du bateau… Yolanda a survécu.*

— Hé, attendez…, me crie le guide alors que je suis déjà en train de me précipiter dehors. Votre nom nous serait utile…

Mais je fonce dans la ruelle puis dans la rue animée. Yolanda a survécu. Est-elle encore sur l'île, après tout ce temps ?

Juin 1944

Yolanda se réveilla sur son matelas, dans le sous-sol de la clinique. Le cauchemar avait été si réel : tous ces gens qui pillaient les maisons, embarquant marmites et chaises dans leurs voitures à bras, qui criaient et riaient, saccageant ce qui l'avait déjà été. La douleur dans son dos était devenue atroce, il y avait eu le grondement des roues d'une charrette et le contact d'une main inconnue dans la sienne. Un cauchemar dont elle ne voulait pas se souvenir, mais alors elle sentit le coton rigide d'une chemise d'hôpital. Le matelas était rehaussé avec des livres pour que ses pieds soient surélevés et elle avait le ventre douloureux, comme à vif. Sa langue était épaisse, une forte odeur d'éther imprégnait son oreiller. Alors, et seulement alors, après avoir repris totalement conscience, elle comprit que le cauchemar était réalité.

Elle glissa lentement ses mains vers son ventre, le palpa afin d'y sentir les battements de la vie, mais rien, rien qu'un vide, un vide terriblement douloureux, et de la ouate entre ses jambes.

— Rallonge-toi, Yolanda, repose-toi, dit une voix, et elle vit le vieux Dr Frankakis qui, penché sur elle, la scrutait. Tout est venu. Il fallait arrêter l'infection. Je suis désolé.

— Mon bébé, où est mon bébé ? articula-t-elle sans espoir.

— Il était trop petit pour vivre, le choc a causé la fausse couche.

Elle détourna le visage.

— J'ai cru avoir fait un mauvais rêve. Comment suis-je arrivée ici ? Je cherchais mes...

— Nous sommes au courant, tu as eu de la chance de ne pas avoir été dénoncée. Dieu merci, certaines personnes ont encore la décence d'aider leurs voisins. Des gens t'ont gardée jusqu'à la tombée de la nuit puis t'ont amenée ici cachée dans une charrette. Ils t'ont sauvé la vie.

Yolanda essaya de se redresser.

— Il faut que je retrouve mes parents.

— Ils sont tous partis, en même temps que les partisans faits prisonniers. À Héraklion et par bateau, c'est ce qu'on a entendu dire... Tu as perdu beaucoup de sang et nous n'en avons pas de ton groupe ici, tu dois te reposer et reprendre des forces.

— Et Andreas ? Des nouvelles ?

Frankakis fit non de la tête.

— Hélas non, mais c'est bon signe, les mauvaises nouvelles voyagent plus vite que le vent. Maintenant, du repos. C'est le meilleur traitement.

Du repos ! Comment pouvait-elle se reposer alors qu'elle avait perdu tous ceux qu'elle aimait : Andreas, son bébé, ses parents ? Leur patrimoine aussi. À quoi bon être en vie quand il n'y avait pas d'avenir ?

Elle sentit le picotement de son lait qui traversait la bande serrée autour de sa poitrine. Il fallait tirer ce lait, stopper le flux afin d'arrêter la douleur, mais celle dans son cœur, rien ne l'atténuerait. Comment se remettrait-elle d'un choc si terrible ?

Alors même qu'elle pleurait, une étincelle de rage jaillit en elle. *Vous allez payer pour tout ça, tous, vous allez payer pour ma perte ! Je serai vengée, même si cela me prend le reste de mes jours. Justice sera faite et je vous défierai tous par ma vie même. Je vous défie au nom de tout ce qui est sacré, quelqu'un paiera !*

Ce fut ce feu de la vengeance qui la poussa à manger, bien qu'elle n'eût ni goût ni appétit ; et ce feu qui la fit pester et grogner, tandis qu'à l'hôpital elle vaquait à de petites tâches jusqu'à ce qu'elle se sentît assez forte pour reprendre le vieux bus et rentrer à la ferme.

Il lui fallut près de deux mois pour se remettre, mais à présent elle était là, dans la chaleur du mois d'août, à contempler le paysage, aride, brûlé et brun.

À l'approche de la piste, elle vit une armée de partisans installés autour de la maison dans les oliveraies, et des hommes en uniforme assis autour d'un feu de camp entouré de pierres. Elle se demanda ce qu'ils faisaient là. Se pouvait-il que… C'est alors que, dans l'encadrement de la porte, elle vit leur *kapetan*, Andreas. *Andreas !* Il parlait à une femme mais lorsque Yolanda courut vers lui, il recula comme s'il venait de voir un fantôme et se signa.

— Andreas ! s'écria-t-elle, c'est moi. Oh, tu es vivant !

— On m'a dit que tu avais été arrêtée, prise dans la rafle. Que faisais-tu à Chania ? Personne ne nous a informés que tu étais encore en vie.

Il semblait réellement choqué de la voir arriver.

— Regarde ce qu'ils ont fait à la maison quand ils sont venus te chercher... Ils l'ont saccagée.

— Mais je suis là désormais. (Elle se jeta dans ses bras, pleurant de rage.) Pourquoi n'es-tu pas allé à ma recherche ?

Andreas l'attira à l'intérieur de la maison, gêné qu'elle fasse une scène en public.

— Ne reste pas au soleil. On m'a dit que tu étais partie voir tes parents, que tu avais été embarquée avec eux. Tu étais sur la liste, et ils sont venus d'abord te chercher ici et ils ont fait ça...

Il montra du doigt l'appentis brûlé, les meubles cassés, les cadres brisés empilés dehors. Une odeur de carcasses brûlées flottait dans l'air. Elle ne put tout comprendre d'un coup.

— Quelle liste ? Qui t'a parlé d'une liste ?

— Stavros. Il s'est échappé de prison, il a vu les juifs à la prison d'Agia et il y avait une infirmière de la Croix-Rouge. J'ai pensé que c'était sans doute toi. Ils ont emmené Manolis et Taki. Je ne suis pas venu car je t'ai crue morte.

— J'étais allée aux grottes te mettre en garde contre Stavros. Je l'ai vu faire des signaux à l'ennemi sur le sentier le matin où tu as failli être capturé. Je les ai vus faire des prisonniers et j'ai cru d'abord que l'un d'eux, c'était toi.

— Idioties ! Stavros signalait à l'autre groupe, les hommes sur le flanc opposé, de rester en arrière. Nous avions senti qu'ils arrivaient, répliqua

Andreas. Pourquoi lui reproches-tu toujours quelque chose ?

— Je ne lui fais pas confiance, ce n'est pas l'un des vôtres.

— Tu n'es pas l'une des nôtres non plus, lança-t-il, et il la regarda comme si elle était une étrangère. Tu es du continent, toi aussi.

— Qu'est-ce que tu veux dire ? Comment peux-tu parler ainsi quand tu sais que mes parents et toute ma famille ont disparu ? Tu n'es pas content de me revoir ?

Elle ressentit une immense panique : ce n'était pas là son Andreas, son époux.

— Désolé, nous avons des ordres importants. Les Alliés sont en train de libérer l'Europe, du nord au sud. On s'attend à une invasion en provenance d'Égypte. Nous nous regroupons pour chasser l'ennemi de chaque district maintenant que nous avons un approvisionnement régulier.

— Panayotis est mort, j'y étais, lui dit-elle dans l'espoir qu'il la réconforterait.

— Je sais, et bien d'autres *palliakaris* courageux comme lui. Nous ne devons plus nous appuyer sur les Britanniques. Nous avons notre armée nationale, et désormais d'autres alliés… Allez, assez parlé. Anna va te trouver quelque chose à manger.

Une jeune fille brune en tenue militaire sortit de l'ombre. Elle avait entendu toute leur conversation.

— Je te présente Anna, qui nous accompagne dans nos missions. Elle sait décoder les messages plus vite que n'importe qui.

Il adressa un large sourire à la jeune femme, Yolanda eut le cœur retourné.

— Je dois te dire encore autre chose, murmura-t-elle.

Son mari se retourna, impatient.

— Oui, eh bien, quoi ?

— En privé, s'il te plaît, le supplia-t-elle.

Anna eut la correction de sortir au soleil.

— J'ai perdu notre bébé. Ils m'ont expliqué que c'était le choc d'avoir vu ces pillards et de t'avoir cru mort...

— Il me semblait bien que tu avais l'air changé. Tu es si mince, si pâle. Je suis désolé, bien sûr, mais c'est mieux ainsi. Ce n'est pas le moment de mettre au monde un enfant alors que nous avons encore tant de choses non résolues à faire.

Yolanda fut tellement stupéfiée par ce discours qu'elle ne put rien répliquer. Que leur était-il arrivé ? Qui était cet homme qui les considérait, elle et son bébé, comme des distractions ? Qu'était-il arrivé à ce médecin chaleureux et bien-aimé ; où était-il parti ? À sa place se tenait un étranger, un guerrier endurci, armé jusqu'aux dents, plein de projets dont elle était exclue. Un homme trop occupé à être un héros pour venir s'enquérir du sort de sa femme.

Pourquoi Stavros avait-il été le porteur de ces nouvelles ? Et que connaissait-il au sujet de cette liste de juifs ? Comment pouvait-il prétendre l'avoir vue quand elle n'avait jamais séjourné là-bas ? Et pourquoi lui, entre tous, avait-il réussi à s'échapper de la prison ? Elle fut tout à coup submergée par un immense sentiment d'effroi.

Sa maison avait pris les allures d'un camp militaire, la ferme était quasiment en ruine, la terre négligée ; les parents d'Andreas, absents, ne pouvaient aider. Et désormais, il y avait cette séduisante jeune femme qui se pavanait autour du chef. Anna l'avait-elle si vite remplacée ?

Ces derniers mois, le monde de Yolanda s'était effondré, et elle se retrouvait là comme suspendue au-dessus du vide, entre les vivants et les morts, sans véritable domicile. Elle promena son regard sur les champs à l'abandon autour d'elle.

Non, ce n'était pas vrai à proprement parler. Sa demeure était ici. Si elle n'avait plus sa place dans la vie de son mari, sa présence à la ferme était certainement nécessaire. Une fois Andreas envolé avec son groupe, elle serait seule et la terre qui les avait nourris, soutenus, retournerait à l'état de maquis, de broussailles. Et cela, elle ne l'accepterait pas.

Du bétail errait autour de la ferme ; il fallait compter les têtes et les ramener. Après la traite, il y aurait du fromage à vendre. La terre avait besoin d'elle, même si elle travaillait encore avec maladresse. Il ne lui restait plus rien d'autre dorénavant, et elle ne reculerait pas devant l'ampleur de la tâche.

Elle mettrait un point d'honneur à l'accomplir, et la fatigue d'un tel labeur l'empêcherait de devenir folle de douleur et de se laisser submerger par le souvenir des temps heureux.

Juin 2001

— Loïs, elle est en vie ! Yolanda a survécu. Tu te rends compte ? Il faut que nous la retrouvions.

J'ai du mal à maîtriser mon émotion lorsque je rejoins Alex et Loïs, qui se prélassent au Limani Ouzeria près du port, occupés à boire leur jus d'oranges fraîchement pressées à petites gorgées.

— Du calme, tante Pen, tu vas avoir un malaise, assieds-toi. Il te faut une boisson fraîche. Raconte-moi ce qui s'est passé.

Loïs se tourne vers le serveur et lui commande un autre jus. Je lui débite toute mon histoire : la visite à Etz Hayyim, le registre avec les noms, le fait que Yolanda n'y figure pas ou plutôt y figure en tant que survivante.

— Je l'ai crue morte alors que depuis tout ce temps elle est en vie ! Je n'en reviens pas. Il faut la retrouver !

— Qu'est-ce que le guide t'a dit précisément ? demande Loïs en se penchant vers moi.

— Je dois admettre que je n'ai plus réfléchi, je suis partie à toute vitesse. Oh, quelle impolitesse ! Je ne lui ai même pas demandé son nom.

— Regarde-moi, tante Pen. T'a-t-il dit qu'elle

était toujours sur l'île ou que... (Loïs marque une pause.)... Il t'a dit qu'elle est encore en vie ?

— Oh non, je ne lui ai pas demandé.

Je commence à me lever mais sa main me retient.

— Rassieds-toi, du calme. Rien ne presse. Opérons avec méthode. Quelle est son nom d'épouse ?

— Il commençait par un A, je crois, enfin, non, c'est son mari qui se prénommait Andreas, le Dr Andreas quelque chose, mais il avait une couverture, Cyclope, parce qu'il était borgne. Et tous les noms de famille se terminent en « akis ».

— Combien de partisans borgnes, ex-médecins de la Croix-Rouge, y a-t-il en Crète ? demande Loïs en riant. Victoria, à l'hôtel, a dit qu'elle nous aiderait à prendre contact avec les vétérans de la Résistance. Nous retournerons à la synagogue ensemble. Ils ont sans doute la réponse mais attention : tout ça s'est passé autrefois, il y a eu depuis la guerre civile, des tremblements de terre et une dictature. S'il te plaît, ne te fais pas trop d'illusions !

Loïs veut mon bien mais je ne suis pas prête à entendre ce discours réaliste.

— Mais ces fleurs sur la tombe, ce doit être elle. Cela fait sens.

Mes pensées se bousculent tellement que je peux à peine respirer.

Assis sur le port, Rainer Brecht profite de ses derniers jours de vacances. Toutes les commémorations de la bataille de Crète sont terminées. Il a assisté à la réunion des vétérans allemands par politesse : beaucoup de démonstrations amicales, de conversations au sujet des anciens camarades, une cérémonie à Maleme, sobre mais néanmoins émouvante. Les voir tous si vieux lui a fait un choc et il s'est vite lassé de devoir sans cesse trinquer et chanter de vieux airs guerriers. Personne n'a pu entonner *Rot scheint die Sonne* sans verser de larmes en mémoire de tous ceux pour qui il n'y eut point de retour.

Il repart bientôt en avion à Athènes, où il passera une nuit à l'hôtel de Grande-Bretagne, en souvenir du bon vieux temps. Il s'est promené dans l'étroite rue des marchands de cuir à la recherche de ceintures cloutées pour les garçons, d'un portefeuille pour remplacer le sien qui est abîmé, et d'une jolie paire de gants bordés de fourrure pour sa petite-fille Irmélie.

Il a dans son sac de voyage le paquet qu'il a transporté avec tant de soin dans sa valise. Il avait l'intention d'aller au musée d'Art byzantin, situé dans cette vieille rue où est né le Greco, mais, comme il est fermé, il se dirige d'un pas nonchalant jusqu'à la rue Halidon et l'ancienne église vénitienne qui abrite désormais le Musée archéologique.

La vue de cette bâtisse lui rappelle cette terrible nuit de pillage où officiers et soldats avaient passé au crible tous les textes et objets sacrés de la synagogue, et jeté au feu livres et textes anciens dans une orgie de destruction.

Il s'était détourné de ce bûcher du savoir et de l'excellence, écœuré par l'ignorance de ces hommes qui n'avaient aucune idée de ce que représentait une vie entière consacrée à l'étude de la vérité. Il avait vu l'infirmière des grottes le regarder avec mépris, fouiller son âme de ses yeux et le dépouiller de toute prétention d'honneur pour ce qui avait été perpétré cette nuit-là. Il avait atteint le comble de la honte, face aux pires de leurs excès, et il avait compris qu'il devait quitter l'île.

La fraîcheur de cette vieille église est un soulagement après la chaleur des rues. Il s'assied sur un banc, tripote l'icône de sainte Katerina, fruit de ce pillage qui n'a apporté que du malheur à sa famille, et en premier lieu à sa sœur : après l'accident, elle a eu une vie diminuée, faite de crises et de souffrances. Il se souvient du reproche que lui a adressé sa mère sur son lit de mort.

— Tu lui as envoyé ce cadeau mais je ne l'ai jamais aimé. Elle nous regarde de haut, avec des yeux si accusateurs. Je suis sûre qu'elle a de la valeur, mais remporte-la. Nous sommes de bons catholiques, nous avons nos propres saints. Je crains qu'elle n'ait connu des jours tragiques. Rapporte-la en Grèce, ne la garde pas, sinon elle te pourrira la vie – et ne me dis pas comment elle est tombée entre tes mains, fils.

Rainer était trop rationnel pour être superstitieux, pourtant il s'était souvenu du sort de cet officier qui lui avait donné cette icône. Il l'avait envoyée en toute bonne foi à sa sœur, mais sans comprendre le caractère précieux de ces objets de dévotion aux yeux de ceux qui les possèdent, vénèrent et transmettent de génération en génération.

Par la suite, il avait fait des recherches sur les icônes de l'école crétoise et lu que l'acte même de peindre était sacré. Celle-ci appartenait à la maison où elle avait été volée, un foyer pour qui elle aurait tant compté. Il avait scruté ces yeux noirs, ces yeux en amande, et compris qu'il devait rapporter sainte Katerina chez elle en Crète. C'est ce petit objet qui l'avait poussé à accomplir ce pèlerinage afin d'expier tout ce vandalisme. Peut-être, alors, serait-il lavé des souvenirs anciens qui hantaient ses rêves.

Dans ce musée, cependant, il se sent nerveux, mal à l'aise. Comment expliquer la provenance de ce patrimoine souillé ?

Personne n'est à l'accueil, il n'y a pas de sonnette. Rainer a prévu de simplement laisser là le paquet emballé mais c'est trop facile, trop anonyme. Il faut quelque explication. Une cour intérieure renferme un jardin plein de statues et de vestiges ; dehors, c'est le square où le feu s'était consumé. Il trouve un coin à l'ombre pour écrire un mot, mais que dire ?

> *Acceptez s'il vous plaît cette icône. Elle a été volée par un soldat des forces d'occupation en 1942, mais je ne sais de quelle maison elle provient. Donnez-la s'il vous plaît à une église pour la dédier de nouveau à la gloire et à la louange de Dieu, et pardonnez à ceux qui ont spolié son propriétaire légitime. Un ami.*

Il revient à l'accueil au milieu de vitrines d'antiquités et voit avec soulagement qu'il y a quelqu'un. Il s'arrête.

— Vous voulez bien prendre cela pour moi ?

Il glisse le paquet à l'emballage un peu informe sur le comptoir. La femme lui sourit et commence à ouvrir le paquet, mais déjà il se dirige vers la sortie.

— Hé, attendez ! lui crie-t-elle. Où avez-vous trouvé cela ?

Il fuit dans la rue touristique bondée avant qu'elle ne le poursuive. C'était la dernière de ses obligations. Si seulement effacer les souvenirs de ces jours lointains était aussi facile !

Maintenant, alors qu'il reprend son souffle dans un café du port, il se sent suffisamment en sécurité pour sourire. Il se demande ce qu'ils vont faire de ce mystérieux paquet. Il espère qu'ils ne penseront pas à une alerte à la bombe. L'icône retrouvera-t-elle son propriétaire ou finira-t-elle dans une église consacrée à sainte Katerina ? Il préférerait la première solution.

Amusant de constater qu'il se sent tout à fait prêt à rentrer chez lui. Rien d'autre ne le retient plus ici maintenant qu'il a accompli cette ultime mission.

Il regarde les bateaux sortir lentement du vieux port dont la jetée de pierre ressemble à un bras dans la mer. Des poneys passent sur le front de mer dans un bruit de sabots, des vacanciers lapent leurs cornets glacés à l'ombre des auvents. *Nous n'avons pas tout détruit*, songe-t-il, *rien que nous, un temps*. Le peuple crétois est un peuple de résistants qui a déstabilisé groupe d'envahisseurs après groupe d'envahisseurs : les Minoens, les Romains, les Turcs et les Vénitiens.

À Chania, la garnison allemande a lutté jusqu'au bout, enfermée derrière un cercle de terre brûlée et de feu, fuyant le reste de l'île pour se retrancher dans une seule forteresse jusqu'au jour de la capitulation en mai 1945 ; ses soldats furent alors conduits sous escorte britannique dans des camps de prisonniers de guerre, mais pas avant d'avoir subi une fouille corporelle à la recherche d'objets volés.

Rainer sait combien ses camarades redoutaient la vengeance des Crétois après toutes les misères subies durant l'Occupation. Ils finirent par tous rentrer chez eux, des camps à un pays dévasté, un pays divisé en zones, et trouvèrent des familles affamées, des foyers brisés, des tribunaux, des exécutions. Ils avaient semé le vent et récolté la tempête.

Rainer a entendu l'amertume dans la voix de ces anciens soldats lors de la cérémonie, les excuses parce que leurs chefs les avaient trompés. Il n'y a pas d'excuses, et en fin de compte ils ont combattu pour le camarade juste à côté comme celui-ci a combattu pour eux.

Le monde a peut-être acquis un peu de bon sens, mais hélas il y a toujours des fanatiques qui se croient les seuls détenteurs de la vérité et veulent imprimer la marque de leurs convictions politiques ou religieuses sur le monde entier. Rainer n'est pas mécontent de penser qu'à son âge, si une telle catastrophe se reproduisait, il ne la vivrait pas.

Il suit du regard la famille assise non loin, la même famille que sur le ferry et au mémorial. La vieille dame a l'air si animée, si pleine de vie ; la fille tend le bras pour la calmer, le jeune garçon qui s'ennuie déjà joue à la Nintendo.

Il se demande ce qu'a été leur pèlerinage. Sont-ils eux aussi parvenus au terme de leurs vacances, bronzés, détendus, leurs sacs remplis de souvenirs ?

Nous autres, habitants du nord de l'Europe, aimons le soleil, songe-t-il avec un sourire, *pour compenser ces longs hivers mornes*. Il observe cette famille anglaise avec curiosité tandis qu'ils bavardent. La grand-mère, assise bien droit, est alerte. L'espace d'une seconde, elle croise son regard, il lui sourit, elle lui sourit puis se retourne vers sa famille.

Il a toujours remarqué les belles femmes et celle-ci, malgré son âge avancé, possède cette ossature fine qui ne vieillit jamais. Il aimerait connaître l'histoire gravée sur son visage, le visage de qui a vu beaucoup de souffrances. Il aimerait saisir ses traits. L'un des rares avantages, au camp de prisonniers de guerre canadien où il avait atterri, avait été de pouvoir apprendre à dessiner afin de saisir l'essence d'une personnalité en quelques coups de crayon, tout comme les artistes sur le port copient des photos ou croquent une tête d'enfant pour les parents, paiement à la clé.

Arrête de rêver, se dit-il. Le seul visage qu'il ait voulu saisir, il n'a jamais pu le faire, même s'il a essayé de nombreuses fois par la suite de se raccrocher au souvenir de Pénélope.

Le sourire lui vient aux lèvres lorsqu'il se remémore ces jours précieux à Athènes où les barrières entre eux s'étaient suffisamment ouvertes pour qu'il puisse apercevoir la vraie femme derrière le masque qu'elle offrait au monde. Ce serait à Athènes qu'il sentirait le plus sa présence.

Juin 1944

L'état de dévastation de la vieille ville fut un choc pour Rainer. Une ville devenue une jungle de tribus en guerre, factions loyales aux communistes, nationalistes réglant leurs différends tels les hors-la-loi du Far West. Le centre était reconnaissable, mais le reste... un champ de ruines, avec des baraques où des échanges de coups de feu entre la police et les partisans rendaient chaque coin de rue dangereux. Il était content de ne faire qu'y passer.

Fidèle à sa parole, il avait accompagné Pénélope dans le quartier commerçant. Sur la rue Hermès, les boutiques étaient ouvertes. Elle avait acheté des sandales, une robe en coton et des sous-vêtements. Lui, une chemise et un pantalon tout simple. Étrange de ne plus être en uniforme, illégal même pour un officier, mais il était en permission, on ne le connaissait pas, cela valait le coup de prendre le risque.

Ils formaient un couple de clients mal à l'aise : il ne voulait pas la perdre de vue, elle ne voulait pas être vue avec lui au cas où les gens penseraient qu'elle était sa putain. Silencieuse, elle s'accrochait à son ensemble miteux composé au moment du sauvetage, gênée de sa présence, mais il y avait une sorte de trêve entre eux.

En ne la dénonçant pas, il commettait une faute. Rien n'avait été dit sur l'explosion, ni sur le contenu du bateau. Comme si personne ne souhaitait finalement en connaître les détails. Il n'y avait jamais eu d'infirmière inscrite au dernier moment. Elle continuerait à se faire passer pour grecque et à les tromper comme elle l'avait longtemps trompé, lui aussi. Il se rendit compte qu'elle était encore en état de choc ; recouvrerait-elle assez de forces pour poursuivre son métier d'infirmière ? La reprendraient-ils ? Elle ne semblait même pas se rendre compte qu'elle avait changé de ville. On eût dit une somnambule.

Ils se dirigèrent vers les vastes espaces verts du jardin national mais des coups de feu sporadiques les poussèrent vers une rue tranquille et sûre où ils avisèrent une taverne. Il la regarda manger, elle avalait sans rien goûter et lui lançait des coups d'œil comme si elle ne savait plus qui il était ni pourquoi elle se trouvait là.

— Qu'allez-vous faire maintenant ? lui demanda-t-il pour briser le silence qui régnait entre eux.

Elle haussa les épaules.

— Ce pour quoi j'ai été formée.

Nul enthousiasme ne colorait sa voix.

— Mais qu'aimeriez-vous faire ? Vous m'avez dit autrefois que vous aviez étudié l'archéologie ici.

— Ah bon ? J'ai oublié… J'aimerais revoir l'École d'archéologie, enfin si elle est encore debout.

— Je vous y emmènerai.

— Je sais où elle se trouve, répliqua-t-elle d'un ton cassant.

Il avait l'impression d'essayer de briser une cloche de verre pour tenter de l'atteindre. Pourquoi faisait-il cela ? Il aurait pu profiter de sa permission dans des boîtes de nuit en compagnie de filles faciles...

— Je ne l'ai jamais vue, on dit que c'est un monument célèbre. Il y a tant à voir à Athènes.

— Plus maintenant, plus depuis que vous autres, vous êtes venus conquérir l'endroit.

— Nous ne sommes pas en uniforme maintenant.

— Si vous le dites.

Elle soupira, le visage impassible.

Désespérant ! Mais il n'allait pas faire une croix sur elle, il ne pouvait pas la laisser errer dans les rues dans cet état. Elle ne tiendrait pas la nuit.

Pourquoi ressentait-il envers elle un instinct protecteur si puissant ? Cette fragile coquille de professionnalisme s'était brisée et il craignait pour sa santé mentale. Pénélope avait vu trop de choses et avait trop souffert. Il avait déjà constaté cet air ahuri sur le visage de ses hommes blessés lors de ce premier parachutage. C'était le visage de la guerre.

Juin 2001

Assise à l'arrière de la voiture, je me concentre sur ma respiration. J'ai le cœur qui bat la chamade d'appréhension. Sera-t-elle là ? Se souviendra-t-elle de moi ? Et s'ils étaient sortis ? J'ai essayé de penser de façon rationnelle à tous les scénarios et à tous les obstacles.

Après être retournée à Etz Hayyim et m'être excusée de mon impolitesse, retrouver Yolanda s'est révélé facile. Elle n'est en fait jamais revenue à Chania, pas depuis la rafle. Elle vit dans un village dans le district d'Apokoronas, à la ferme de son fils. Oui, elle est toujours en vie. C'est là toute l'information que le guide a pu glaner.

— Je crois qu'elle a donné une interview, il y a des années de cela, mais je ne l'ai jamais écoutée. Vous pourriez demander à notre directeur, Nikos Stavroulakis, mais il est en vacances.

Puis Victoria, fidèle à sa parole, a téléphoné de l'hôtel, avec des informations au sujet de Cyclope et de son épouse. L'oncle de Victoria connaissait leur village. Personne ne peut réellement disparaître en Crète occidentale, tout le monde connaît quelqu'un qui... et les villes sont constituées de petits villages également.

Je me suis habillée avec soin, je sais combien les familles crétoises traditionnelles aiment le cérémonial lors des grandes occasions, et je joue à l'élégante avec ma plus jolie robe en soie et mon chapeau de soleil. Nous sommes partis en milieu de matinée et, tandis que nous roulons en serpentant sur une route neuve, je m'émerveille de la façon dont autrefois, mince, résistante, j'ai arpenté ces montagnes sans redouter un instant aucune montée raide. J'ai vraiment été une chèvre des montagnes !

Des montagnes qui me sont aujourd'hui devenues étrangères, et je me demande si je ne suis pas passée près de l'endroit où a combattu Bruce, où il est mort. Ces massifs me paraissent tous semblables, jaunissant dans la chaleur sèche, avec quelques pics, les plus élevés, recouverts de neige. Eux qui ont constitué ma maison pendant tant d'années ; comment ai-je pu oublier la majesté de ces sommets ?

Loïs et Alex sont responsables de la carte. Alex a son appareil photo à la main, prêt à mitrailler d'autres sanctuaires et d'autres croix avec des inscriptions qu'il me fera traduire s'il en repère. J'espère que Yolanda pourra comprendre mon grec désormais hésitant.

Et si elle avait perdu la mémoire ou carrément perdu la tête ? *Elle ne sera pas plus distraite que toi, ma pauvre Penny !* Je me morigène d'avoir eu une pensée aussi désobligeante, mais je suis tendue, si tendue. Est-ce juste de s'immiscer ainsi dans

583

sa vie après tout ce temps ? Et si elle ne voulait pas qu'on lui rappelle le passé ?

J'ai bien été heureuse, moi, de tourner la page. Ce n'est que parce que Loïs m'y a poussée que je suis ici et pourtant, désormais, je ne veux plus m'en aller. Je veux m'imprégner de toute cette beauté, de toute cette majesté comme aux premiers jours. Nous avons été si occupés à garder la tête froide qu'il ne nous restait guère de temps pour admirer les étoiles pendant l'Occupation.

— Voici le village, s'exclame Alex en montrant le panneau du doigt. Il faut chercher une piste sur notre gauche. Stop ! Par là...

Je distingue au loin le contour familier d'une maison cubique chaulée au toit plat mais, à côté, se dresse une grande villa moderne de trois étages aux murs peints dans un ocre doré. La montée est rude et nous avançons avec force crissements et cahots pour être accueillis par une cacophonie d'aboiements : les chiens annoncent notre arrivée. Je peux à peine bouger d'excitation et de nervosité. *Oh, mon Dieu, faites qu'elle soit chez elle !*

Yolanda est penchée sur le dernier de ses artichauts dans le carré de légumes qu'elle a délimité dans un champ, sur le côté de la ferme, un carré protégé des moutons et des chèvres en vagabondage par un mur de pierre et une clôture en fer. Elle a planté des rosiers le long des bordures pour leur couleur et leur parfum. Bien fumés, ils l'ont récompensée en lui prodiguant des fleurs de la taille d'une soucoupe.

Andreas junior, son petit-fils, a installé un sys-
tème d'arrosage intégré qui permet aux plantes
de résister à la pire sécheresse. Dans son jardin,
elle peut se perdre, elle peut désherber, sarcler,
inspecter les tomates, les poivrons, les courgettes
et ses plants de pommes de terre. Elle a toujours
à y faire même si elle met de plus en plus de
temps à venir à bout de ce travail.

Elle se relève en entendant les chiens aboyer.
Ce n'est pas le jour où passe le poissonnier.
Quelqu'un est peut-être en visite chez son gendre,
ou bien est-ce un maçon qui vient finir le dallage autour de la nouvelle villa ? Elle n'a plus
une aussi bonne vue qu'avant et elle ne voit pas
pourquoi les chiens font un tel raffut.

Yolanda frotte ses mains noueuses sur son vieux
tablier, s'essuie le front et remet en place sous son
fichu des mèches de cheveux blancs et fins. Elle
n'est pas en tenue pour accueillir des visiteurs,
qu'elle n'a plus guère puisque la plupart de ses
vieilles amies du village l'attendent au cimetière.

Elle referme bien la porte du jardin et se dirige
vers le véhicule qui vient de se garer ; ce n'est pas
une camionnette mais une voiture de ville. Une
femme la dévisage, grande, mince, dans une robe
de la couleur des aubergines mûres, avec un chapeau qui lui couvre le visage. Elle serre la main
d'un jeune garçon comme si ses pas n'étaient pas
sûrs. Elle s'avance, retire ses lunettes de soleil et
son chapeau.

— *Yassou*, Yolanda.

— *Yassa*, répond-elle poliment.

Il y a quelque chose dans la manière dont cette femme a prononcé son nom qui n'est pas tout à fait grec, mais qui lui rappelle une intonation entendue il y a bien longtemps. Son cœur s'accélère. Elle regarde plus attentivement ces yeux noirs. Non, impossible... Ce ne peut pas être...

— Pénélope ? C'est toi ?

Elles se regardent, se sourient. Les corps sont ratatinés et vieillis mais le sourire, la voix, les yeux n'ont pas changé.

— Tu es là, je croyais que tu étais morte ! s'écrie Yolanda, les bras au ciel.

— Je te croyais disparue toi aussi...

Et d'un coup, elles tombent dans les bras l'une de l'autre, pleurent et s'étreignent, parlent en même temps. Réunion si inattendue, si importante après toutes ces années !

Je ne sais plus combien de temps nous sommes restées ainsi à nous tenir la main, à nous sourire. Tant de choses à se dire et pourtant tant de choses laissées dans l'ombre. Yolanda nous conduit à une pergola ombragée, ruisselante de feuilles de vigne et de grappes naissantes, et elle nous fait asseoir. Elle nous apporte une carafe de limonade des plus rafraîchissantes, et une assiette de gâteaux aux amandes qu'engloutit Alex.

Je lui présente ma famille ; la fille de Yolanda arrive avec sa fille et nous salue.

— Voici Sarika et Dimitra. J'ai une autre fille qui est en Amérique. Elle vit à Chicago, médecin épouse de médecin. Elle s'appelle Pénélope.

Qu'elle ait donné mon prénom à sa fille me bouleverse, je me sens honorée et honteuse tout à la fois.

— Tu as des photos ?

— Bien sûr, et aussi de mes petits-fils, Toni et Andreas. Mon mari est mort en 1948 pendant les troubles… Je suis veuve depuis de nombreuses années, mais la terre s'est montrée généreuse avec nous, et avec mes enfants.

Elle se tourne pour leur sourire, puis se retourne vers moi.

— Et toi, mariée ?

Loïs vient vite à ma rescousse.

— Ma tante a soigné des gens en Afrique jusqu'à ses soixante-dix ans, n'est-ce pas tante Pen ?

Son grec est rudimentaire mais elle arrive à se faire comprendre.

— Nous allons nous promener toutes les deux, annonce Yolanda, nous avons tellement de choses à nous dire ! Mais vous devez tous rester et dîner avec nous ce soir.

Loïs secoue la tête.

— Non, Alex et moi sommes de sortie ce soir, mais je peux passer prendre Pen plus tard.

— Alors, demain, vous dînerez tous avec nous. C'est un ordre.

— Bien sûr, ce sera magnifique.

— Mon fils la ramènera ce soir, déclare Yolanda.

Étourdie par la chaleur et l'émotion, je reste assise à m'imprégner de la vue depuis la ferme, dont je me souviens désormais comme si c'était hier. Hier ! Invitée réticente à cette joyeuse fête de mariage à une époque aussi sombre – les danses à cette cérémonie à laquelle j'avais pu assister, les tables recouvertes de nappes de couleurs vives, les musiciens dans un coin, tout le monde en costume national, et ce merveilleux moment où j'avais découvert que la mariée, c'était Yolanda ! Qu'il est étrange d'être réunies de nouveau au même endroit !

Sarika emmène les autres voir sa nouvelle maison et nous laisse enfin seules, Yolanda et moi. Nous nous regardons.

— Par où commencer ? J'ai tellement de choses à te dire, mais ce n'est pas simple après toutes ces années.

— Moi aussi, j'ai des choses à te dire, réplique-t-elle, des choses tristes que tu n'as peut-être pas envie d'entendre.

— Une première question, Yolanda, ma curiosité ne peut plus attendre : est-ce toi qui as mis ces fleurs sur la tombe de Bruce ?

Elle sourit.

— Tu les as donc vues. Sarika en dépose chaque année le jour anniversaire de sa mort, mais cette année, à cause de la commémoration, nous avons mis un bouquet spécial. Est-ce cela qui… ?

Je fais oui de la tête.

— Je me doutais que cela venait de quelqu'un l'ayant connu. Je n'ai jamais osé espérer que ce fût toi. Je pensais que tu avais été prise dans la rafle. Il faut que je te dise…

Elle tend sa main vers la mienne.

— Pas maintenant, pas encore. Profitons un peu de ce moment avant de plonger dans ces eaux noires. Tu as disparu et j'ai appris que tu avais été déportée. J'ai attendu une lettre qui n'est jamais venue et j'ai cru que tu nous avais oubliés.

— Non, jamais. Après la guerre, j'ai été malade. Dépression nerveuse. Je n'étais plus moi-même, et j'ai simplement voulu tout oublier. Si une seule seconde j'avais pensé que tu avais survécu...

— Pendant longtemps, je n'ai pas su ce qui était arrivé à mes parents. J'ai dû mettre ça dans un coin de ma tête, et quand la vérité a été révélée, la façon dont le bateau a été coulé...

— J'étais à bord... J'en ai réchappé mais c'est terrible de survivre quand tes amis, eux, périssent.

Inutile de lui cacher cela aujourd'hui ; pourtant je piétine, car je sais que tout ce que je raconterai sera douloureux. Cependant Yolanda est solide, elle m'entraîne.

— Viens voir mon jardin, voyons ce que tu penses de mon petit paradis. Quand je suis triste ou lasse d'être veuve, je m'installe ici et contemple ces montagnes immuables. Elles nourrissent mon âme... Au fait, tu dois goûter à mon miel de thym, le meilleur de tout l'Apokoronas.

Nous nous promenons bras dessus bras dessous en signe d'amitié, savourons le plaisir de ces retrouvailles et cette récompense qu'est, pour moi, le fait d'avoir osé ce voyage de retour.

Comment puis-je traduire en grec ce vieil adage selon lequel les dames d'un certain âge se tournent vers Dieu ou vers leur jardin – et certaines, je le soupçonne, vers les deux ?

Nous nous cantonnons à des sujets sans risques et parlons du jardinage : nos petites victoires, les désastres qui ruinent nos efforts, la récolte des olives, les bonnes et les mauvaises années, les nuées de sauterelles, la sécheresse ou l'abondance de pluie au mauvais moment. Je m'émerveille de la quantité de choses qu'elle est capable de faire pousser en plein air alors qu'en Angleterre je dois les mettre sous serre. Nous avons toutes deux conscience de marcher sur la pointe des pieds autour du bassin trouble de nos souvenirs, incertaines de ce qu'il faut partager, ne voulant pas rompre cet enchantement qu'il y a à être réunies. Que reste-t-il de notre amitié aux jours de la vieillesse ? Je suis pressée d'apprendre comment elle a survécu, et elle est curieuse de savoir ce que j'ai fait de ma vie.

Nous évoquons ses visites chez sa fille aux États-Unis. Elle n'est retournée à Salonique, son lieu de naissance, qu'une fois, et aujourd'hui elle est aussi enracinée dans ce lieu que je le suis à Stokencourt. Amusant de constater qu'il n'y a pas d'hommes dans nos vies, hormis les relations familiales. Je lui parle de mon frère, de ma sœur, de la mort prématurée d'Athéna, emportée par une leucémie, et de la façon dont Loïs, sa fille, a pris tant de place dans ma vie. Je lui décris mon piètre état à mon retour en Angleterre après la guerre, avant que je ne me ressaisisse et me bâtisse une carrière à l'étranger.

Plus tard, après un délicieux repas fait de légumes de son jardin, nous nous asseyons à l'ombre, épuisées par toute cette conversation.

Loïs et Alex sont repartis à Kalyves, et je suis heureuse de partager ces instants précieux avec Yolanda sous l'olivier. Je me demande quand aborder ce que je sais ; le meilleur moyen de commencer n'est-il pas de se jeter carrément à l'eau et d'en finir au plus vite ?

— J'avais revu tes parents, j'étais allée en fait leur rendre visite. Je voulais simplement qu'ils sachent que tu allais bien. J'espère que j'ai bien fait.

Elle ne me regarde pas, garde les yeux fixés droit devant elle.

— Comment ça s'est passé ? Ils ont demandé de mes nouvelles ?

— Tu leur manquais énormément. Ils ont eu du mal à accepter ta décision, mais ils ont été soulagés de savoir que tu n'étais pas en danger et que tu vivais un mariage heureux.

Que puis-je lui dire d'autre pour la réconforter ? Je n'ai pas menti, je déguise la vérité, c'est tout.

— Je suis moi aussi descendue à Chania, mais trop tard, raconte Yolanda. Ils pillaient déjà le quartier juif. J'ai perdu mon bébé à cinq mois, un petit garçon. On m'a cachée dans la clinique de la Croix-Rouge. Il existait une liste des juifs vivant hors de Chania, y compris ceux qui s'étaient convertis au christianisme, et je crois qu'ils les ont tous raflés. Ils sont venus ici, ont saccagé la maison, volé le bétail, incendié les récoltes. (Yolanda observe une pause.) Période difficile, difficile… mais pourquoi étais-tu à bord de ce bateau ?

— Je m'étais insurgée, j'avais de faux papiers et j'ai été déportée, mais à bord quelqu'un s'est blessé et on m'a fait monter de la cale ; quand la torpille a frappé le *Tanais*, j'étais donc sur le pont.

Nous avons été projetés dans l'eau puis repêchés par le vaisseau escorte. Je te croyais dans la cale...

Je me surprends à pleurer, je ne veux plus parler de cette nuit-là, ni des raisons pour lesquelles j'ai été épargnée.

Yolanda tripote son alliance et pousse un soupir.

— C'est un sort meilleur que les fours d'Auschwitz. Qu'ils n'aient pas vécu une telle horreur, c'est mon seul réconfort. Je n'ai qu'une photo d'eux, aucune de nous trois ensemble. J'ai essayé de parler d'eux à mes enfants mais ça n'intéresse pas les jeunes, seulement Penny à Chicago. Et figure-toi, elle a épousé un juif, Lionel... ainsi le cycle de la vie continue. J'espère que mes parents en seraient heureux.

— Tu n'as pas revu Etz Hayyim alors ? La restauration est magnifique.

— Non, je n'y retournerai jamais, je préfère m'en souvenir comme c'était autrefois. Je n'ai plus la foi maintenant, enfin, plus de cette façon.

Je sens que des clapets se referment, la douleur de ces souvenirs est trop lourde pour être partagée.

— Viens, allons porter ces nouvelles aux abeilles dans le champ. Il est temps qu'elles connaissent notre histoire. Je vais te trouver un voile et te couvrir la tête. Nous avons tout notre temps pour échanger.

Yolanda ne peut détacher son regard de Penny : mince, le dos droit et un air si élégant ! Quatre maternités ont marqué son propre corps et le soleil a tanné sa peau. Quand Andreas a été tué lors de la guerre civile, elle a pris le deuil et n'a jamais plus porté que du noir ou du gris, comme le veut la tradition. Les couleurs, elle les a conservées pour les fleurs, les ornements, les tapis lumineux et le mobilier de sa chambre.

Penny a l'air si enjouée et paraît bien plus jeune qu'elle, mais elles ont vécu d'autres histoires et sous des climats différents. Il y a tellement de choses que Yolanda veut connaître de la vie de Penny en Angleterre, où, dit-on, il pleut toujours, où l'herbe est toujours verte. Mais d'abord, elle doit lui raconter la fin de Panayotis, creuser profondément dans le passé et en ressortir ces bribes qui la réconforteront – tout comme Penny, elle le devine, l'a protégée de l'horreur de la mort de ses parents.

Les enfants et les liens familiaux ont apaisé tant de chagrins et de déceptions ! Yolanda espère que Penny a été gâtée de ce côté-là. Elle ne cesse de lui toucher la main pour s'assurer de la réalité de sa présence, voir si ce n'est pas quelque fantôme qui lui jouerait des tours. Elle a connu de vieilles personnes qui, proches de leur fin, revoient leurs parents disparus comme s'ils étaient encore en vie.

Assises sous l'olivier, à la lumière de la lanterne, elles regardent les éphémères qui volettent dans la nuit et écoutent le chant des cigales qui s'éteint à mesure que fraîchit la température. Toni, le fils de Yolanda, et le mari de Sarika sont venus saluer Penny, puis sont partis regarder un match de football à la télévision.

Le moment est peut-être venu pour Yolanda de parler du passé et de cette visite qu'elle a faite au camp d'Andreas avant l'embuscade.

— Andreas était très en colère contre moi parce que j'avais pris sur moi de venir seule, et nous nous sommes disputés. Je suis partie aux premières lueurs du jour et j'ai vu le « bétail noir », comme nous appelions l'ennemi, monter à l'assaut de la montagne, et je me suis cachée. Je ne savais pas qu'il y avait deux groupes. Celui d'Andreas a subi le plus lourd de l'attaque et s'est dispersé, le second a pris l'ennemi par surprise. Il y a eu une fusillade, et dans les tirs croisés des hommes ont été blessés. Parmi eux, le chef, Panayotis.

Yolanda marque une pause.

— Je le connaissais, je savais ce qu'il représentait pour toi. Je suis restée à son côté, l'ai installé au mieux. Il n'y avait plus d'espoir, il était impossible de le bouger. Je suis donc restée là et lui ai parlé un peu en anglais mais il parlait bien grec. Il savait que j'étais ton amie, il m'a demandé : « Et Penny, comment va-t-elle ? » Je lui ai dit que tu étais en sécurité chez des amis. « Ah, Ike et Katrina, j'ai séjourné là-bas. Dans le trou près de Clarence… » Il délirait, tantôt conscient, tantôt inconscient, et puis soudain il est revenu à lui et s'est cramponné à ma main : « Dis à Penny, la boîte de Bruce avec Clarence… » Voilà ce qu'il a dit, ça n'avait pas de sens. Il luttait de plus en plus pour respirer, je l'ai aidé, et il est mort avec ton nom sur les lèvres, et j'espère qu'Andreas est mort lui aussi en sachant qu'il était dans mon cœur à jamais.

Penny s'agrippe à sa chaise, puis se met la tête dans les mains.

— Merci. Ce n'est qu'à mon retour en Angleterre que j'ai appris qu'il avait été tué, et à quel endroit. J'ai toujours eu le sentiment pourtant que nous n'avions pas d'avenir.

— J'ai laissé les fleurs car je savais que tu aurais voulu que je le fasse, et c'est la moindre des choses. C'était un homme bon, plein de vitalité, un chef courageux. Ici, les gens de sa trempe, on ne les oubliera jamais.

— Je l'ai oublié, pourtant ! J'étais si en colère, si perturbée que je ne voulais plus penser à lui. Je n'ai même pas su qu'il était enterré ici. J'ai tellement honte... Mais qu'est-ce qu'il voulait dire au sujet de Clarence ? Tu es sûre que c'est le nom qu'il a prononcé ?

Yolanda fait oui de la tête.

— Je l'ai noté pour ne pas l'oublier au cas où tu reviendrais. Ce n'est pas un nom d'ici, ni un nom de saint.

— C'est le nom de mon oncle, le frère aîné de ma mère. Un homme tout rond et jovial qui passait sa vie à cheval. Il avait la peau plissée comme du vieux cuir... Mon Dieu ! Mais non, Bruce parlait de l'olivier. Clarence, le vieil olivier. J'y ai repensé il y a quelques jours à peine.

Penny s'est levée, ce qu'elle raconte n'a pas de sens.

— Quand je vivais chez Ike et Katrina, il y avait ce vieil arbre, énorme, avec comme un visage dans son écorce. Je l'ai surnommé Clarence. Bruce et moi... Il a laissé là une boîte. (Elle se tourne vers Yolanda.) Serait-il possible qu'elle y soit encore après soixante ans ? Je ne sais pas exactement où se trouve cette maison.

— Moi si. Elle a été entièrement brûlée, comme toutes les autres maisons du district quand l'ennemi s'est retranché à Chania, avant la fin. Ils ont incendié tous les villages alentour afin que les partisans ne puissent pas y trouver refuge. Je peux t'y emmener demain. Tu restes ici ce soir, ça ne sert à rien de rentrer. Nous avons le téléphone, tu peux appeler ta nièce. Dis-lui de revenir et nous pourrons y aller tous ensemble, et nous verrons ce qui peut s'y cacher.

Trop fatiguée, Penny ne proteste pas. Perdue dans ses pensées, elle songe à son amour défunt.

— Je n'ai jamais pu lui dire au revoir, et maintenant tu me racontes tout ça et c'est dur de tout absorber. Nous faisons la paire, toi et moi, avec nos destins liés par ces terribles événements.

— Par des faits positifs aussi ! Nous avons eu des fêtes magnifiques ! Allez, viens, il est tard et demain nous nous lèverons de bonne heure. Sarika nous conduira en voiture là où, d'après moi, tu dois chercher, et nous prendrons une pioche, à tout hasard. Il a dit une boîte. Je suis certaine qu'un objet ou un autre y sera encore.

Yolanda ne trouve pas facilement le sommeil, une vie entière tournoie dans sa tête. Au récit de la mort de Bruce, Penny n'a pas versé de larmes. Elle a toujours fait bonne figure dans l'adversité. La revoir est un cadeau tellement inespéré ! Penny a raison : elles font la paire, elles qui ont vécu tant de choses ensemble et aussi chacune de son côté !

Elle n'a pas raconté pourquoi elle était ainsi partie à leur recherche à Chania, ni tout ce qui en a découlé. Pour cela, elle doit affronter l'un de ces lourds secrets qui ont entaché le combat pour la survie, le sien, un secret que seul Andreas connaissait. Elle n'a pas encore parlé de Stavros ni de ces derniers mois atroces de l'Occupation.

Septembre 1944

De fatigue et de colère, alors qu'elle essayait de remettre de l'ordre à la ferme, l'amertume envahit le cœur de Yolanda. Dégager les décombres, presque seule, était un travail éreintant. La maison en pierre fut réparée du mieux possible, et elle la remplit de fleurs pour enlever l'odeur de ces voleurs et pillards.

Andreas allait et venait ; entre eux, la froideur grandissait. Elle ne désirait qu'une chose : renouer le contact mais, entouré de ses frères d'armes, il était trop occupé pour faire grand cas des signaux qu'elle lui envoyait. Les *andartes* eux aussi allaient et venaient ; ils passaient chercher de la nourriture et de nouveaux vêtements, mais ne se risquaient guère désormais à être vus en plein jour.

Les Allemands avaient offert des récompenses en échange de toute information pouvant mener à la capture du *kapetan* Cyclope et de ses bandits. La faim était telle que certains villageois pouvaient se laisser tenter par la promesse d'un énorme sac de riz.

En cette fin d'été, la chaleur ne diminuait toujours pas et les récoltes se flétrirent de bonne heure mais Yolanda parvint à puiser dans ses réserves de volonté pour approvisionner les combattants en eau et nourriture ; parfois, si leur cache se trouvait dans un lieu aride et rocheux, elle leur portait même de l'eau sur son dos.

Elle avait l'impression qu'ils la punissaient d'avoir douté d'un des hommes d'Andreas et d'avoir amené l'ennemi à leur porte.

À présent, elle gardait son avis pour elle. Stavros revint de Chania, il eut l'air surpris de la voir et la regarda comme si elle sentait mauvais. Elle resta là, les bras croisés, sans prêter grande attention à ce retour héroïque, mais elle l'interrogea tout de même sur le sort des juifs et des prisonniers à Agia.

Il haussa les épaules.

— Ils ont été emmenés en camion. J'ai eu de la chance de pouvoir m'échapper. Un garde qui avait été soudoyé m'a laissé filer au moment où ils nous embarquaient.

Yolanda ne fut pas convaincue. Pourquoi était-il revenu ? Attendait-il son heure avant de les trahir à nouveau ? Cela s'était déjà produit, mais le prouver était une autre paire de manches. Il connaissait son identité. L'avait-il trahie elle aussi ? Les soldats allemands reviendraient-ils la chercher ? Elle avait le sentiment que tout son univers se désagrégeait. En qui pouvait-elle avoir confiance ? Qui surveillait leurs allées et venues ?

Puis, un matin, deux gars dépenaillés arrivèrent en quête de nourriture. Deux étrangers crasseux et pitoyables. On avait mis en garde Yolanda contre les déserteurs et elle fut bien heureuse de ne pas être seule face à eux, Dimitra et Adonis étant rentrés à la maison.

— Nous sommes soldats... C'est fini, l'Allemagne, plus rien à attendre... On va lutter à vos côtés, bredouillèrent-ils.

Yolanda veilla à ne pas trop en dire. Elle les fit asseoir et, comme le veut la coutume quand des étrangers se présentent à la porte, leur donna à manger et à boire, du vin râpeux qui lui restait. L'un venait de Yougoslavie, l'autre de Roumanie, c'est du moins ce qu'ils racontèrent. Ils voulaient rentrer dans leurs foyers.

— Nous ne faisons plus la guerre contre des amis.

Au cours des derniers mois, les *andartes* avaient ramassé quelques vrais déserteurs. Des gars précieux en matière de renseignements, qui bien sûr parlaient allemand. Les policiers loyaux les utilisaient pour enquêter sur de prétendus déserteurs. Ils avaient ainsi cueilli des espions et les avaient fusillés.

Adonis n'avait plus la force de les conduire dans la montagne pour une rencontre avec Andreas, alors Yolanda proposa d'y aller et de prévenir son mari de leur présence mais ils n'auraient pas le droit de s'approcher du camp de base.

Une nouvelle fois, ce fut une marche pénible : il fallait faire les détours habituels et prendre de faux virages au cas où elle serait suivie. Le temps qu'elle retrouve Andreas, assis autour d'un feu en train de rôtir des lièvres, il était midi.

— Je ne sais pas quoi faire d'eux, lui expliqua-t-elle. Ils disent qu'ils veulent se battre. Ils ne parlent quasiment pas grec.

— Viens t'asseoir et mange. Tu as bien fait de nous avertir. Emmène-les à la vieille grotte sur l'à-pic rocheux et nous les ferons parler là-bas. Tu peux y aller ? Tu te sens assez résistante ?

C'était la première fois que son mari s'enquérait de sa santé, la première fois qu'il lui savait gré de ses efforts. Cela lui donna des ailes et elle redescendit dans la vallée à toute allure. À la nuit tombée, elle escorta les deux déserteurs jusqu'en haut de la falaise, accompagnée du berger Taki qui les suivait avec un fusil pointé dans leur dos. Les étrangers, réjouis par le vin et le fromage, sifflotaient et bavardaient le long du chemin sans se soucier d'être sous escorte armée.

Andreas, Stavros et deux autres hommes les attendaient ; ils les accueillirent par des tapes dans le dos.

— Vous êtes des types bien, venez, rejoignez-nous.

Ils avaient déjà souvent joué cette scène.

Ce fut un bonheur pour Yolanda de passer la nuit avec son mari, seule avec lui pour la première fois depuis des semaines. Cette diablesse d'Anna qui lui lançait des œillades dans la cuisine auparavant s'était déshonorée car elle s'était enfuie avec l'un de ses hommes sans respecter ni règle ni coutume. Ils seraient traqués et punis. Yolanda se glissa sous la couverture d'Andreas, qui l'attira à lui avec ardeur : se sentir ainsi de nouveau désirée lui tira des larmes de soulagement.

Stavros se proposa pour surveiller les deux déserteurs qui allaient dormir dans la grotte ; un guetteur veillerait aussi toute la nuit, à l'affût de n'importe quel mouvement qui pourrait indiquer une trahison. Rien ne se produisit.

Au matin, toutefois, il y eut quelque chose d'étrange. Les deux hommes émergèrent silencieux et maussades, ils refusaient de répondre aux questions et baragouinaient entre eux en allemand, persuadés que personne ne les comprendrait : « On s'en va maintenant, pas rester ici. C'est dangereux… » Ils avaient l'air effrayés.

Andreas, qui avait perçu cette transformation, les fit attacher.

— Vous avez vu nos visages, vu ce lieu. On ne peut pas vous laisser filer maintenant. Stavros, qu'est-ce que tu leur as dit ?

Stavros haussa les épaules.

— Ce sont des espions, ils devraient être fusillés.

— Pourquoi ? demanda Yolanda sèchement. Pourquoi tu dis ça ?

Elle avait le sentiment que ces deux garçons étaient perdus et ne savaient où aller.

— On ne peut pas faire confiance à des types qui abandonnent leur unité. Ils peuvent retourner leur veste, répondit Stavros en fixant les étrangers avec mépris.

Alors un des hommes se mit à hurler :

— Pas tuer, pas tuer… Tuer lui. Lui, espion, homme mauvais ! Je le vois bien. Vous tous des espions, venus nous attraper, nous tuer. (Il tremblait de terreur.) Lui venir nous voir et nous dire de repartir, ou il nous tuera. Vous avez trahi le Reich, il a dit.

Stavros sortit son pistolet pour tirer sur le jeune gars mais Andreas arrêta son bras.

— Pourquoi raconte-t-il tout ça ? Il ne t'a jamais vu avant, ou bien si ?

— Il parle bien allemand ! s'écria le jeune gars. Lui, espion allemand. Vous êtes ses amis, vous aussi espions.

Stavros dégagea son bras et tira, blessant l'homme, et puis l'espace d'une seconde il pointa son arme sur Andreas.

— Ils mentent, ces bouseux mentent toujours pour sauver leur peau. Ils racontent n'importe quoi. Je suis l'un des vôtres. Ne t'ai-je pas fidèlement servi ?

Yolanda se précipita vers le blessé pour tenter d'arrêter le sang qui coulait de sa poitrine.

— Qu'est-ce que je t'avais dit, Andreas ? Ce garçon raconte la vérité. Tu ne vois pas qu'il les a menacés ? Ils sont terrifiés.

— N'écoute pas une juive, répliqua Stavros. Les youpins mentent tous. Elle devrait être avec ses semblables. Elle ne sait rien.

— Ne parle pas comme ça de ma femme. C'est toi qui m'as appris sa mort. Pourquoi tu t'es échappé de cet enfer, et pas les autres, à moins que...

De nouveau, Stavros pointa le pistolet sur Andreas. Les *andartes* se tenaient là, sous le choc, et cherchaient leur couteau.

— Tu fais une grave erreur, dit Stavros. C'est moi qui t'ai protégé ces derniers mois. Si je n'avais pas donné de fausses informations, il y a belle lurette que tu serais mort.

Il recula, prêt à tous les arroser de ses balles, et ajouta :

603

— Je ne suis pas un traître. J'ai toujours œuvré pour la liberté du peuple grec. Tu ne vois donc pas la menace qui se profile ? Les communistes prennent le pouvoir, les alliés de la Russie nous encerclent. Nous autres, les nationalistes, nous devons nous entraider.

— Alors c'est bien toi que j'ai vu envoyer des signaux à la patrouille allemande le jour où Panayotis est mort ! s'écria Yolanda.

— Je leur en donne un peu mais j'en prends beaucoup. Il faut ça, vous comprenez, pour faire au mieux.

Andreas fit un bond en avant.

— Comment ai-je pu être si stupide ? C'est toi qui m'as fait douter du bon instinct de ma femme, tu as insulté les siens. C'est toi qui as envoyé ces monstres à notre porte pour saccager notre maison et profaner notre terre. Pourquoi ?

Stavros recula encore et grogna tel un animal acculé.

— Pourquoi ? Mais, bande d'imbéciles, vous ne pouvez rien contre la puissance de la race des maîtres. Vous, dans votre île, vous pensez que vous pouvez résister sans encourir aucun châtiment, cacher des soldats britanniques sans être châtiés, tuer des hommes avant même qu'ils ne touchent le sol sans être châtiés, et après vous accueillez cette lie de l'humanité, ces déserteurs, vous leur donnez de la nourriture et des armes pour qu'ils se battent contre leurs propres camarades. Ce que je fais, je le fais pour le bien de la nation grecque. Je refuse de voir notre pays sous la botte de l'ours russe. Je vous ai tous protégés, il faut que vous le compreniez.

Il agitait son pistolet sous le nez d'Andreas. Ce dernier lui tint tête, ses joues crispées de rage.

— Ce que je vois, moi, c'est que des braves sont morts à cause de toi, des hommes ont été torturés, déportés, exécutés. Nous te mènerons devant notre tribunal, on ne fusille pas sans être sûr des faits. Donne-moi ton arme.

Stavros cracha par terre, puis laissa tomber son pistolet.

— À ta guise, de toute façon vous êtes morts. Ce n'est qu'une question de jours, ils vont venir vous débusquer. Ils savent précisément où vous êtes ; les pistes qui mènent au camp sont faciles à trouver, et quand ils vous auront, ils la prendront et l'enverront dans les camps de la mort rejoindre les autres.

Yolanda entendit toutes ces paroles tandis qu'elle finissait de ligaturer la blessure à l'épaule du garçon. Le coup était passé à côté du cœur et des poumons, il vivrait, mais la colère qu'elle ressentait face à la traîtrise de ce fasciste gueulard s'embrasa et la transforma en furie. Elle vit l'arme tombée au sol. Accroupie, elle se redressa, se mit à genoux, s'empara du pistolet et, comme pour achever un chien enragé, elle visa les jambes et tira, un coup pour chacun de ses parents.

Sous le choc, Stavros vacilla en arrière.

— Arrêtez cette sorcière !

Alors que ses jambes ployaient sous lui, comme s'il était en prière, il s'avança lentement vers les rochers. Personne ne parla, personne ne vint à son secours tandis qu'il s'éloignait à pas traînants du pistolet que pointait Yolanda ; il perdit l'équilibre et bascula en arrière vers le bord de la falaise. Il regarda en bas puis releva les yeux en proie à l'horreur. Yolanda le dominait.

— Qu'est-ce que tu attends ? hurla-t-elle.

À la vue du gouffre et de l'air vengeur de Yolanda qui continuait de le pousser avec sa propre arme, son visage s'emplit d'effroi. Impuissant, paralysé par la douleur, il cria tout de même :

— Arrêtez cette folle !

Mais les hommes se resserrèrent autour de lui, le forçant à reculer encore jusqu'à ce qu'il bascule dans le vide. Son cri se répercuta contre les parois rocheuses, puis ce fut le silence.

Yolanda se permit un bref sourire alors qu'elle jetait le pistolet au loin.

— Eh bien ? Vous pensiez que j'allais attendre qu'il s'en tire avec ses discours trompeurs ? Les types de sa sorte n'ont laissé à ma famille aucune chance. Andreas, ramène-moi à la maison.

2001

— Comment ai-je pu faire ça à un homme, de sang-froid ? lance Yolanda. Ses os sont toujours là-bas, je crois, sans sépulture, sans qu'il ait été pleuré. Tu te rends compte, Penny, je n'ai pas respecté mon serment. J'ai agi, voilà, mais depuis je n'ai cessé de me demander si j'avais bien agi. Mon travail consistait à sauver des vies, pas à en prendre.

Elles marchent dans les champs, inspectent les jeunes animaux tandis que Yolanda raconte à Penny son secret, ce secret enfoui depuis si longtemps.

— C'est l'uniforme et le lavage de cerveau qui ont créé de tels monstres, réplique Penny. J'espère que j'aurais eu le courage d'en faire autant.

— Mais, et s'il n'avait pas été un traître, simplement un nationaliste ? T'ai-je dit qu'il t'avait reconnue sur cette photo prise le jour de notre mariage ? Il n'a cessé ensuite de me poser des questions sur toi.

Penny fait non de la tête.

— Quand je l'ai rencontré, il avait déjà des idées fascistes, c'était un converti ardent. Nous sommes

607

sortis ensemble un temps à Athènes mais je ne supportais pas ses positions. Il représentait une menace, j'en suis persuadée. Je l'ai entraperçu un jour mais je ne crois pas qu'il m'ait alors reconnue. J'ai très vite quitté Ike et Katrina parce que je voulais prévenir Bruce, mais on ne m'a pas crue non plus. Je suis contente que tu m'aies raconté tout cela, je me suis toujours demandé ce qui lui était arrivé. Comment Andreas a-t-il réagi à cette trahison ?

— Ce fut un choc, et après il m'a regardée avec d'autres yeux, avec respect. Tous m'ont respectée. (Yolanda a un petit rire.) Surtout quand j'avais un couteau à la main...

Ses yeux noirs pétillent au récit qu'elle fait d'un tel drame.

— Nous sommes repartis d'un nouveau pied, Andreas et moi, et notre relation a été bonne.

— Sont-ils venus le capturer ?

— Non, après, nous n'avons plus jamais eu de problèmes. L'ennemi était bien trop occupé à sauver sa peau. Après la guerre, en revanche, il y a eu des accusations mutuelles, et de nombreux partisans ont été jugés par des tribunaux improvisés puis exécutés. Nous ne sommes pas restés longtemps en paix. Andreas a retravaillé pour la Croix-Rouge et a prêté la main aux organismes humanitaires ; moi, je n'ai plus jamais été infirmière. Comment l'aurais-je pu alors que j'avais tué un homme ? J'ai aidé Andreas, et distribué l'aide alimentaire. Les bateaux de la Croix-Rouge sont arrivés au port à la toute fin 44. Les cantines, l'approvisionnement en médicaments, ça a sauvé bien des vies. Quand je repense à cette époque, je me dis que ma réaction a été la bonne, je n'ai pas reculé et j'ai laissé les autres faire le sale boulot. (Elle soupire.) C'est ce que je crois maintenant mais je ne l'ai pas vécu comme ça alors. Le temps change tout.

Comme c'est étrange ce réveil dans la villa de Sarika ! Dalles de marbre fraîches, jolis rideaux en dentelle de coton blanc, meubles noirs massifs, et l'icône de la Vierge Marie à l'Enfant dans un coin. Dès l'aube, un bruit de bavardages m'est parvenu depuis l'extérieur. L'été en Crète, tout le monde profite de la fraîcheur du petit matin.

Encore couchée, je me dis que cela ne tenait qu'à un fil que je sois rentrée en Angleterre sans jamais savoir que Yolanda était en vie. J'ai l'impression de vivre un rêve, et apprendre qu'elle a pu être au côté de Bruce jusqu'à la fin me réconforte vraiment. Si je n'étais pas allée au cimetière et n'avais pas vu sa tombe, si je n'étais pas allée à la synagogue… La pensée en est insoutenable, et maintenant nous allons retrouver le vieux Clarence ! Le souvenir de cet arbre m'a traversé l'esprit il y a quelques jours à peine, et je me suis demandé s'il avait été transformé en bois de chauffage.

Au petit jour, j'ai pris la décision de changer mon vol et de le repousser d'une semaine. Cela ne gênera pas Loïs et, à part le chien en sécurité au chenil, personne ne m'attend.

Comment pourrais-je m'en aller si vite alors que nous sommes tout juste en train de refaire connaissance ? La vie n'a pas été facile pour Yolanda, veuve de bonne heure, mais il y a entre elle et sa famille des liens étroits et du respect mutuel. Les femmes ont toujours été au centre de ces familles grecques si soudées, en retrait mais contrôlant tout, et Sarika, avec ses propres enfants, suit ce même chemin.

Rien n'est trop beau pour moi et mon bien-être : quel accueil somptueux on m'a réservé ! Assise sur le balcon de ma chambre, les yeux sur les splendides montagnes qui les entourent et sur le beau jardin de Yolanda à mes pieds, j'entends leurs voix fortes résonner dans la maison de Sarika. Les clochettes des moutons tintent et je m'enivre des parfums du matin.

Alors que je m'habille, je me demande ce que cette journée va apporter. Je dois dire à Loïs de me préparer ma valise quand elle appellera.

Au petit déjeuner nous mangeons des figues blanches et du yaourt fait du jour. Quand Loïs et Alex arrivent, je leur annonce mon changement de programme. Une rafale de coups de fil s'ensuit et Mack promet de tout mettre en œuvre pour moi. Nous descendons la piste en convoi, serpentons le long d'un chemin latéral et coupons à travers les collines jusqu'à ce que je ne sache plus du tout où je me trouve. Mais, après un quart d'heure, nous arrivons à l'ancienne villa, totalement entourée d'échafaudages.

— On dit qu'elle a été rachetée par un footballeur grec pour sa famille, précise Sarika.

— Non, c'est un homme politique, conteste Yolanda. Ce sont les seuls à avoir de l'argent.

— Tout a changé depuis que nous sommes dans l'Union européenne. Les subventions, de nouvelles routes, le tourisme, un nombre incroyable de camions sur la route. Où tout cela va-t-il s'arrêter ? s'exclame Sarika dans un anglais parfait.

— Et Ike et Katrina, que sont-ils devenus ?

— Ils sont repartis en Amérique. La vie a été difficile après la guerre, les gens ont choisi leur camp. Ike a préféré ramener sa famille là-bas, et il a loué la terre. Mais ensuite la végétation a envahi la maison et l'a étouffée, explique Yolanda.

Nous nous garons à l'arrière. Personne sur le chantier et, hormis les échafaudages, rien n'a changé. Je sens la tension monter en moi. Le vieil olivier sera-t-il toujours debout ? Partout, des grillages délimitent des parcelles, certaines dégagées avec des moutons qui paissent, d'autres laissées en friche revenue à l'état sauvage, mais l'oliveraie ressemble à ce qu'elle a toujours été : arbres élagués, soignés, avec des fleurs sur les branches.

— On peut rentrer sans permission ?

— Pouf ! Personne pour nous voir. (Yolanda se moque de ma question d'un geste de la main.) Voyons, où est cet arbre à qui tu as donné un nom ? Vous, les Anglais, quel sentimentalisme !

Cela fait rire Loïs qui renchérit :

— Elle conduit encore une voiture qu'elle appelle Mabel et refuse de la changer pour un modèle récent.

— Quand Mabel prendra sa retraite, alors moi aussi. Elle a toujours été une amie fidèle, dis-je.

Je me rends compte que je presse le pas tout en essayant de me souvenir de la distance que je parcourais pour m'asseoir avec les enfants et trouver du calme dans cette maisonnée bruyante. Puis je me rappelle comment nous avons caché Bluey et sa bande de copains non loin de l'arbre.

— Il y avait une ancienne chambre funéraire, une cavité dans le sol quelque part près de l'arbre, j'en suis certaine.

Alex court partout.

— Eh, c'est celui-là ? dit-il en montrant du doigt un gros tronc trapu, de la taille d'un fût de bière, avec une écorce torsadée. C'est le plus gros de tous, tante Pen.

Je regarde l'arbre de haut en bas.

— Mais oui, c'est lui. Je ne pensais pas qu'il pouvait vivre si longtemps !

— L'olivier est l'un des arbres qui ont la plus grande longévité, explique Yolanda, il peut vivre des milliers d'années. Il a une racine qui s'enfouit profondément dans la terre, mais pour donner beaucoup de fruits il faut le tailler sévèrement, et celui-ci l'a été ; en revanche, je n'y vois pas de visage, conclut-elle en riant.

— Je me suis assise ici tellement souvent, je pensais à la maison si loin, et c'est là que Bruce et moi nous bavardions et, tu sais… Mais une boîte ? Où cacherait-on une boîte ? Le sol est dur comme de la pierre, je ne crois pas que nous trouverons quoi que ce soit ici. Raconte à Loïs ce que Bruce t'a dit.

Yolanda répète l'histoire de Clarence et de la boîte, et d'une cavité.

— Il était très confus mais il a prononcé ton prénom, Penny. Pourquoi souris-tu de choses si tristes ?

— Je pensais à Bluey et à ses camarades cachés dans la chambre. Et s'il avait voulu parler de ce trou près de Clarence, de ce trou de secours ? À l'arrivée des patrouilles, les fugitifs couraient s'y cacher. C'est là aussi qu'Ike dissimulait son huile et ses céréales. Personne n'en connaissait l'existence. On a dit que des esprits hantaient ce lieu. C'était la cachette idéale. Et c'est tout près d'ici.

— Est-ce une ancienne tombe ? s'enquiert Loïs mais personne ne lui répond. Si c'est le cas, il doit y en avoir d'autres. Que c'est excitant !

— Oh non, ne dis pas ça, rétorque Sarika. Personne n'a envie de trouver un truc pareil sur ses terres. Le gouvernement voudrait l'acheter et creuser partout.

Je leur crie de faire attention.

— Si l'entrée n'est qu'à moitié recouverte, un pas de trop et nous allons tous tomber.

— Eh, regardez !

Alex court déjà en avant.

— Une partie est grillagée. Je peux prendre des photos ?

Loïs m'agrippe par le bras.

— Prudence maintenant. Je ne veux pas que tu te casses quelque chose.

— Maman, il y a un trésor enfoui, comme dans *Indiana Jones* ! s'exclame Alex au comble de l'excitation.

Sarika écarte le fil de fer et inspecte les herbes folles.

— On dirait qu'on a trouvé, mais c'est dangereux pour les vieux os fragiles… Il ne faut pas réveiller les esprits, ajoute-t-elle en se signant.

— Il y a soixante ans, dis-je, il n'y avait pas d'esprits ici, à moins que tu penses à tous les spiritueux que les gars descendaient alors. On les a cachés là, et Bruce aussi, une fois.

— J'espère que tu ne te trompes pas, répond Loïs en souriant.

Avec Sarika, elle entreprend de dégager les broussailles. Elles se glissent dedans avec précaution puis nous parvient l'écho de leurs voix.

— Étonnant ! Que des dalles de pierre posées les unes sur les autres. Rien que des saletés et des bestioles, et ça sent le renfermé. Si on vous tient la main, vous pouvez descendre, mais pas de fantaisies… Ça serait mieux avec une lampe.

— Il y a un briquet dans la voiture, crie Sarika.

— J'y vais.

Alex a déjà détalé comme un lapin et court à la camionnette. Je le regarde avec envie. Autrefois, j'ai couru comme lui ici, à faire des allers-retours et transporter des sacs, et maintenant je pose doucement un pied devant l'autre et m'efforce de ne pas tomber la tête la première. Il fait sombre dans le trou, mais un vide dans une dalle au-dessus de nos têtes laisse entrer un peu de lumière. Et on se croirait dans un frigidaire. Ces Minoens, quels bâtisseurs !

— Je ne vois pas de boîte, dit Loïs tandis que Sarika éclaire la moindre crevasse à la lumière clignotante du briquet. Quelqu'un a tout vidé il y a des années.

La déception m'étreint le cœur. Qu'est-ce que je m'attendais à trouver ici ? Un écriteau disant : « C'EST ICI ? » S'il y a bien eu une boîte, quelqu'un l'a découverte depuis des lustres ! Et je ne saurai jamais ce que Bruce voulait que je récupère.

— Faites le tour des murs lentement, lance Yolanda une fois revenue en haut. Je me rappelle avoir lu dans un journal qu'un berger a remarqué un paquet caché dans un mur de pierres près de sa cabane, des documents laissés par un soldat ; et je crois qu'ils ont retrouvé la personne à qui cela appartenait et renvoyé les papiers en Nouvelle-Zélande. L'homme est ensuite revenu avec sa famille pour remercier le berger.

Sarika continue de chercher mais les plaques sont massives. Personne ne pourrait y glisser quoi que ce soit. *Bruce, où l'as-tu laissée ?* Je l'implore.

— Essayons les marches, suggère Loïs.

Sarika et elle se penchent et éclairent les feuilles et les détritus qui s'y sont accumulés. Et soudain…

— Regardez ! Il y a quelque chose là dans le coin ! Nous retenons notre respiration tandis qu'elles furètent au coin de la marche.

— Ce n'est qu'une vieille boîte en fer, enfin pas vraiment, plutôt un étui à cigarettes très rouillé, annonce Loïs.

— On le remonte, dis-je d'une voix rauque.

J'ose à peine espérer que c'est cela.

Sarika regrimpe la première et m'aide à sortir, puis arrive Loïs, son trésor à la main. Elle nous le tend et nous l'examinons. C'est une boîte rouillée, de la taille des boîtes de corned-beef, et assez cabossée pour correspondre à ce que nous cherchons. Alex la prend en photo et nous nous tenons en cercle à la regarder d'un air ébahi et heureux.

— Elle était coincée hors de vue, et pour moi

ça ne ressemble à rien, mais allons, ce n'est pas ici qu'on pourra l'ouvrir.

Loïs prend les choses en main comme elle l'a déjà fait plusieurs fois et je suis fière d'elle.

— Merci, merci, dis-je. Ça ressemble exactement à ce qu'un homme porterait sur lui. Léger, facile à dissimuler ; qui sait ce qu'il y a à l'intérieur ? (J'essaie de paraître détachée.) Rien de spécial, j'imagine.

— Penny ! s'écrie Yolanda en m'étreignant le bras, Bruce m'a suppliée dans son dernier soupir de la trouver. Elle est à toi. Nous l'ouvrirons. Sois patiente, les garçons nous aideront.

J'ai du mal à contenir mon émotion. Je meurs d'impatience, de curiosité, et je suis tendue. Je n'ai pas mérité une telle chance. Je n'ai pas été digne de lui. Toute ma vie, j'ai complètement tenu éloignée de moi cette époque car je savais que je devais affronter la vérité, l'entière vérité, et non choisir les morceaux qui me convenaient.

Yolanda a partagé avec moi son terrible secret : comment elle avait trouvé la force de détruire ce qui menaçait son avenir. En exécutant Stavros, elle avait gagné un respect intérieur, et en accomplissant cette vengeance « œil pour œil... », elle avait découvert une part d'elle-même qu'elle ne connaissait pas.

J'ai, moi aussi, un secret, un secret que je ne peux partager avec personne, sinon avec ma propre conscience, un secret qui, toute ma vie d'adulte, m'aura torturée. Dois-je ouvrir cette boîte rouillée, enfouie au plus profond de mon cœur, avant d'être digne d'ouvrir la vraie boîte ?

Juin 1944

Penny déambula dans les rues avec Brecht, elle n'acheta que le strict minimum car elle ne voulait pas qu'il dépense une trop grande partie de sa solde pour elle : un repas, quelques vêtements indispensables, c'était là l'étendue de ce qu'elle lui devrait. Mais alors des coups de feu sporadiques retentirent ; elle n'avait nulle part où aller et se sentait terriblement faible : c'est tout juste si elle était capable de mettre un pied devant l'autre. Ses membres refusaient de lui obéir, elle ne cessait de revoir ce moment où elle avait été projetée par-dessus bord et les cris des mourants résonnaient à ses oreilles.

Maintes fois, elle avait diagnostiqué cet état de choc chez ses patients, elle devait désormais l'accepter aussi en elle. Il lui fallait un toit et du repos, et quand Rainer prit une chambre double pour lui à l'hôtel, elle n'eut plus la volonté de refuser son invitation.

La journée entière semblait avoir conduit à ce moment, à cette dette qu'il faudrait rembourser. Elle n'avait plus l'énergie de protester, ni de jouer l'Anglaise fière et prude. Elle ne ressentait que le besoin de passer le reste de ses jours à dormir et oublier.

Quand elle se réveilla le lendemain matin, elle était seule dans le lit. Personne n'avait partagé sa couche. Les habits de Rainer étaient sur la chaise et il était évident qu'il avait dormi par terre. Comme elle enfouissait sa tête dans l'oreiller, elle entendit des bruits dans la salle de bains. Elle ne voulait pas voir son corps, un corps qui serait bronzé, mince et musclé. En accord avec ce qu'il était : un bel homme, fort ; toutes choses qu'elle avait remarquées dès leur première rencontre. Elle se demanda comment sa blessure s'était cicatrisée.

Il ne lui avait rien demandé, et elle lui savait gré de la respecter assez pour ne pas exiger son dû, mais ce moment viendrait, aussi sûrement que le jour succède à la nuit, et alors elle devrait le laisser toucher son corps et prendre ce qu'il désirait.

Brecht s'habilla et partit vérifier où était la salle du petit déjeuner, afin qu'elle soit seule pour sa toilette. Elle n'avait pas encore dénoué ses cheveux. Elle avait dormi avec sa natte en chignon serré sur le crâne. Ses cheveux sentaient la mer, le mazout, le sel qui les raidissait. Tout cela lui rappela où elle était allée, qui était resté au fond de la mer, et ces souvenirs renforçaient sa détermination et la protégeaient.

Rainer revint avec des petits pains frais et des fruits.

— Où allons-nous aujourd'hui ? Dans la montagne ou vers la côte ?

— Nous ne sommes pas en vacances, répliqua-t-elle.

— Moi, si. Je vais bientôt quitter Athènes. Vous trouverez du travail, mais d'abord il faut vous reposer. Vous n'êtes pas encore remise. Vous avez bien dormi ?

Elle fit oui de la tête et picora sa nourriture.

Ils passèrent la journée en dehors de la ville, à se promener, puis allèrent au Musée archéologique pour échapper à la chaleur. Tandis qu'ils parcouraient les différentes salles, il lui parla de sa visite de Knossos et des fouilles.

— Rien n'est endommagé, tout est en l'état.

Elle ne supportait pas de l'entendre. Il se montrait poli, respectueux, mais finalement si malin ! Il lui offrait ce dont elle avait réellement besoin : des habits, de la nourriture, une conversation intelligente, et faisait comme si, entre eux, il n'y avait pas la guerre. Mais il attendait son heure, et le bon moment. Dans une église encore debout, un jeune organiste allemand donnait un concert, il jouait la *Toccata et fugue en* ré *mineur* de Bach. Penny et Rainer s'installèrent au milieu des officiers pris par l'intensité de la musique. Si elle avait fermé les yeux, elle aurait pu se croire à la cathédrale de Gloucester.

Cette nuit-là, et la suivante, elle dormit seule. Rainer avait trouvé un train qui allait vers la côte et une plage déminée. Il voulait nager. Elle le regarda courir jusqu'à l'eau et s'y jeter. Son corps était beau mais la peau de sa cuisse était fripée par sa vilaine cicatrice. Elle avait soigné cette blessure, tâté sa jambe, lui avait pris le pouls et avait baigné ses membres. Elle sentit en elle un attrait qu'elle n'avait pas éprouvé auparavant, pas depuis la fois où elle avait été seule avec Bruce, comme si quelque chose en elle reprenait vie, un instinct qu'elle ne voulait pas troubler. Cette nuit-là, elle ne dormit quasiment pas : force du désir, peur d'être observée, agitation, images de ce corps qui plongeait dans la mer, chaleur de la chambre, bourdonnement du ventilateur. Elle sentait que sa détermination faiblissait.

Lorsqu'elle parlait, il ne cessait de la fixer, tête penchée de côté, éclairs de chaleur dans ses yeux bleu iris, et puis il dégageait un parfum, le parfum de la jeunesse et de la vigueur, arôme dangereux pour elle que personne ne consolait depuis si longtemps.

Comment pouvait-elle regarder l'ennemi avec désir ? Pourquoi jaugeait-elle la largeur de ses épaules, la minceur de ses hanches, la musculature ferme de ses cuisses ? Qu'éprouverait-elle, sous le poids de son corps ?

Elle l'excitait, elle le sentait, comme on sent l'odeur d'un feu dans le vent, et cette passion inexprimée qui grandissait entre eux la terrifiait.

— Peut-être préféreriez-vous passer la journée seule ? lui proposa-t-il, alors qu'ils buvaient un vrai café sur la place. Soyez prudente, il y a désormais des quartiers dans cette ville qui ne sont plus sûrs pour les jeunes filles, ou pour les étrangers.

— Je ne suis ni une gamine ni une étrangère. J'ai vécu des années ici. J'y ai travaillé. C'est ma ville, rétorqua-t-elle sèchement.

— Non, ce n'est plus vrai, c'est une jungle. Vous pourriez aller à votre ancienne école d'archéologie ?

Penny secoua la tête.

— Non, trop de souvenirs. Et vous, qu'allez-vous faire ?

Elle se rendit compte tout à coup qu'elle ne voulait pas qu'il la quitte.

— Pas grand-chose. J'ai des lettres à écrire. Je n'ai pas vu ma famille depuis tellement longtemps, je suis inquiet.

Il lui raconta l'accident de Katrina ; elle lui parla d'Évadné, de Zander et de la visite de son père, lui expliqua comment elle s'était enfuie à Athènes pour échapper à la présentation des débutantes et aux projets de marieuse de sa mère, comment elle les avait défiés en restant à Athènes et en menant une vie qu'elle n'aurait jamais vécue dans son pays.

Il rit.

— Je me suis enfui moi aussi, mais à l'armée, pour me libérer des exigences de mon père. Il voulait que je dirige l'exploitation et devienne fermier.

Il soupira et, les yeux sur elle, ajouta :

— Fermier, c'eût peut-être été un meilleur choix ?

Elle ne répondit pas, le regard au loin sur les bâtiments encore debout et l'agitation de la ville.

Ils marchèrent et parlèrent toute la journée, de tout, sauf de la Crète et de la guerre. Chaque jour rapprochait Rainer de la fin de sa permission. Il avait mentionné sa décision de reprendre du service actif, dit son avenir incertain, et soudain elle eut peur pour lui. Elle comprit enfin que ce qui pouvait arriver à Brecht lui importait et elle en fut effrayée.

Ce soir-là, ils dînèrent chez Zonar, comme elle l'avait fait tant de fois avant la guerre. Ils rentrèrent à l'hôtel à pied, marchant côte à côte, évoquant les fouilles, le dessin technique, les musées et tous les centres d'intérêt qu'ils partageaient, et tandis qu'ils se rapprochaient de l'hôtel, elle comprit tout à coup qu'il ne lui demanderait pas de paiement en nature. Il n'exigerait d'elle rien d'autre que sa compagnie, car au fond de lui il avait tout aussi peur qu'elle des sentiments qui s'épanouissaient entre eux. Territoire que ni l'un ni l'autre n'avait foulé auparavant, territoire miné.

Ce soir-là, l'irritation de son cuir chevelu devint insupportable.

— Il faut que je me lave les cheveux.

Mais elle eut beau les frotter et bien rincer la mousse, ils étaient toujours sales.

— Il vous faut un produit plus fort. Je vais demander à la réception.

Brecht revint avec une bouteille de détergent.

— On dirait de la térébenthine, il va falloir que je me rase la tête.

— Pas tant que je serai en vie ! Permettez, je vais vous aider. Penchez la tête sur le lavabo et je les rincerai de nouveau. Autrefois, je faisais ça pour ma petite sœur.

Elle baissa bien la tête, le laissa verser du shampoing, faire mousser, masser son crâne puis rincer.

— Est-ce que ça va ?

— Je crois.

Elle tâtonna pour trouver une serviette car elle avait du savon dans les yeux. Puis elle enroula ses cheveux dedans.

— Il vous faut un peigne, constata-t-il. On n'en a pas acheté un ?

— Il faudra les laisser sécher.

— Ma mère prenait chaque mèche séparément et la démêlait. Katrina hurlait. Elle a des cheveux comme les vôtres, de la soie dorée.

Lentement, il défit les nœuds jusqu'à ce que les mèches retombent droites et lisses.

— Je vois que vous les avez teints.

— J'avais mes raisons.

— J'imagine. Des Crétoises blondes, ce n'est pas monnaie courante.

Penny se retourna et ouvrit la serviette dans laquelle elle s'était enveloppée, pour se montrer nue.

— Est-ce vraiment cela que vous voulez de moi ?

Il fallait qu'elle sache.

— Non, dit-il d'une voix rauque. Je ne prendrai pas ce que l'on ne m'accorde pas librement. On a assez agi de la sorte. Je ne veux pas de paiement... Pour qui me prenez-vous ? ajouta-t-il sèchement, irrité et choqué par son geste.

— Vous êtes un homme, avec des besoins d'homme, et cela doit faire longtemps que vous n'avez pas été avec une femme autre qu'une prostituée. Vous m'avez acheté tout ce que je possède, vous m'avez nourrie, hébergée. Quel moyen ai-je de payer ma dette ?

— Je vais dormir ailleurs.

Il ramassa ses vêtements avec précipitation.

— Ne me quittez pas ! Je n'ai d'autre monnaie à vous donner. Je suis désolée, s'écria-t-elle, déroutée par ce besoin urgent et éhonté qu'elle avait désormais de lui.

Il s'arrêta à la porte et se retourna.

— Je ne vous toucherai pas, même si je vous trouve belle et courageuse, même si vous êtes la femme la plus merveilleuse que j'aie jamais désirée. Jamais je ne vous déshonorerai de la sorte. On m'a élevé dans le respect des femmes.

Il eut un profond soupir.

— Il est tard et vous êtes fatiguée. Dormez et je passerai la nuit dans le fauteuil.

— J'ai froid, mes cheveux sont mouillés ; comment puis-je dormir ?

Alors qu'il essayait de détourner les yeux de son corps, elle examina ses traits, vit qu'elle l'avait blessé et, sans réfléchir à ce qu'elle faisait, elle s'avança vers lui et lui caressa le visage, les pommettes, la courbure de sa mâchoire, et sentit que sa propre respiration s'accélérait.

— Brecht... Je ne sais même pas quel est ton prénom...

— Rainer. J'ai cru que tu ne me le demanderais jamais... Cela fait des années que, dans ma tête, je t'appelle Pénélope... Ce que tu m'offres, c'est... Seulement je ne peux pas, si... Tu emplis mes pensées mais...

Il la désirait, c'était visible : son regard était celui d'un homme amoureux. Elle sentit une vague de désir monter dans ses bras, ses jambes ; son cœur

cognait dans sa poitrine comme jamais auparavant. Elle ne pouvait plus nier de tels sentiments.

Elle lui prit la main et alla s'asseoir sur le lit.

— Je n'ai pas l'expérience de ce genre de
choses.

— Raison de plus pour m'en aller, dit-il en
s'écartant d'elle.

— Non, je t'en prie, reste. J'ai besoin de toi,
et je veux te remercier. Tu m'as sauvé la vie, tu
m'as sauvée tant de fois, et pourquoi ? Je ne le
sais pas. Pourquoi moi ?

Alors, ses larmes jaillirent et, avec ces larmes,
le désir d'être dans ses bras, réconfortée, embras-
sée, la submergea, et quand ses lèvres trouvèrent
celles de Rainer, plus rien ne compta que le goût
du vin sur sa bouche.

Il l'enlaça, déposa de légers baisers sur sa gorge
et ses oreilles, et elle frémit de désir. Son souffle,
alors qu'il lui chuchotait des mots doux à l'oreille,
la réchauffait. Il chercha ses petits seins et les
enserra dans ses mains comme s'il avait tenu une
porcelaine de prix. Elle enfouit son visage contre sa
poitrine, sa peau sentait le savon épicé. Ils s'allongèrent, elle laissa ses mains explorer tout son corps,
le caresser et apaiser cette sensation de solitude. Il
attendit tendrement qu'elle réponde à ses caresses
devenues plus intimes. Le manque se transforma
en une vague puissante d'excitation et de plaisir.
Lentement, il se coula tout contre elle, si étroitement que plus rien ne retint la fusion de leurs
corps.

Dans ces moments inoubliables où sa tendresse
s'allia à sa passion, elle comprit le pouvoir qu'être

femme procurait. Son corps était comblé, son esprit vidé de toutes les conséquences de cette séduction.

Dans cette étreinte, Bruce fut oublié et les souffrances de Penny s'estompèrent. Elle avait toujours su au fond que, dès qu'elle franchirait le seuil de cette chambre d'hôtel, ce moment arriverait, mais ce ne fut pas la résignation passive et morne qu'elle avait imaginée. Sans les signaux qu'elle lui avait adressés, sans sa persuasion, Rainer ne l'aurait pas touchée. Elle, et elle seule, en était responsable.

Le lendemain ils ne quittèrent pas l'hôtel, ni le lit où, dans leur cocon de draps, ils explorèrent leurs corps, découvrant des zones de plaisir dont elle n'avait pas imaginé l'existence, donnant et recevant. Là, il n'y avait plus ni guerre ni uniforme ; ni passé ni futur, seulement les délices sensuels de l'amour physique. Elle se sentait ivre de sensations, du contact de la peau nue, d'abandon dans un endroit lointain où rien ne comptait que le présent.

2001

Maintes fois, la nuit, je suis restée éveillée à revivre ces souvenirs. On peut naturellement m'accuser d'avoir couché avec l'ennemi, cédé à de bas instincts et trahi la mémoire de Bruce. Une fois sa permission terminée, Rainer m'a quittée ; il m'avait promis qu'un jour, lorsque la guerre serait terminée, nous serions réunis, et je l'ai cru. J'ai attendu une lettre qui n'est jamais venue.

Et j'ai fini par ne voir que la réalité plus sordide d'une brève liaison en temps de guerre. J'ai prétendu que mes cheveux étaient pleins de poux et je les ai coupés, comme on le faisait aux femmes qui avaient collaboré. J'ai déposé des dossiers pour redevenir infirmière mais personne n'a voulu de moi. Je n'avais plus d'argent et j'ai demandé de l'aide à l'ambassade suisse, qui m'a logée et finalement rapatriée en Angleterre où je me suis effondrée : mon père était mort, Bruce aussi.

Évadné me l'a appris un jour que nous nous promenions dans la roseraie. À l'époque, j'étais un fantôme vivant, dénuée de sentiments, incapable de pleurer, je dérivais dans une sorte de néant tel un bateau sans gouvernail dans la brume de mer. Je ne tiens guère à me remémorer en détail ce trou noir.

Aujourd'hui, assise sous l'olivier, une étrange sensation de calme m'envahit, comme si, avec un soupir, je me réveillais d'un long rêve. Je ne suis pas folle. Mes lèvres resteront scellées : certaines choses sont si intimes qu'on ne peut jamais les partager. On les porte en soi toute sa vie. J'ai compris tout à coup que le chagrin est un voyage solitaire mais que, parfois, il lui faut un exutoire physique. Ma rencontre amoureuse avec Rainer a été passionnelle. Je n'ai pas été forcée, j'ai cherché mon plaisir et j'en ai également donné. Il y a eu dans cette passion de la tendresse et rien d'avilissant.

Rainer lui aussi a été marqué par ses années sur l'île. Il a été mon crime, et mon châtiment, car toute ma vie j'ai pensé à lui, me demandant s'il avait survécu, s'il avait gagné sa propre forme de pardon. A-t-on le droit d'être amoureux quand on appartient à des camps opposés ? Nous faisions la paire ; à une autre époque, peut-être nous serions-nous trouvés, qui sait ? L'amour a son propre paysage, c'est à Athènes que le nôtre s'est épanoui. C'est tout.

Il arrive un moment dans la vie où on ne s'en veut plus d'avoir été faible. Ce moment est venu pour moi quand j'ai compris que ma vie ne se résumait pas qu'à ces deux semaines à Athènes avec Rainer, et j'ai pu me pardonner de ne pas avoir été une infirmière modèle, parfaitement droite. Je m'étais lancée dans cette aventure comme une somnambule, épuisée, fragile, désirant être protégée. La carapace que j'avais développée autour de moi était brisée, la guerre l'avait mise à nu. J'aurais pu mourir, mais grâce à lui j'étais en vie. En vie, quand tant d'autres avaient trouvé la mort. Cela devait bien avoir un sens.

J'ai fui tous ces souvenirs en me consacrant aux bonnes œuvres, pour compenser, payer une dette, et même pour me punir. Avec le sentiment que je ne méritais pas une vie de famille normale. J'avais cédé à mes instincts, trahi les exigences que je m'étais imposées. Pourtant, j'étais humaine, ni pire ni meilleure que les autres. Notre histoire, à Rainer et à moi, n'a pas été minable, mais belle, passionnée et éphémère, et plus jamais je ne la rejetterai.

Soudain, je me sens comme purifiée. Ce retour ici m'a offert une possibilité de réconciliation et la reprise d'une amitié. C'est un vrai cadeau que d'avoir pu revenir et me revoir jeune comme d'autres ont pu me voir.

Je n'ai pas toujours été agnostique, impatiente, sans enfants, « boisseau de puces » comme Loïs qualifie parfois les gens. La vie que j'ai eue en Afrique a été utile et m'a donné le sens de la mesure, car qui peut observer une pauvreté et des besoins si grands sans mépriser la course à l'argent qui prévaut de nos jours ?

Assez de dilemmes, il me reste quelques précieuses journées : profitons-en.

Pour Loïs et Alex, c'est la dernière soirée, mais moi, je reste. Sarika a insisté pour inviter tout le monde à un grand barbecue en l'honneur de ces retrouvailles et de la découverte de la boîte de Bruce. Nous n'avons pas encore trouvé le moyen de l'ouvrir sans risques, nous l'avons même trempée dans de l'huile d'olive pour dégager la rouille mais le couvercle n'a pas cédé.

C'est une belle nuit chaude ; les odeurs de thym, de marjolaine et d'autres herbes aromatiques sauvages emplissent l'air. Une table a été dressée sous la pergola et des bougies à la citronnelle l'éclairent. Loïs, Alex et Mack arrivent, en manches longues et avec une bonne dose d'antimoustiques. De l'autre côté de la vallée, les lumignons des villages en contrebas composent une superbe toile de fond. Et quelque part au loin, il y a la mer de Crète, couleur bordeaux.

Les femmes ont préparé un vrai festin : côtelettes de porc qui grésillent sur le gril, longues saucisses paysannes, morceaux d'agneau, paniers d'un pain bien dense, carafes de vin local vieilli en fût de chêne, salades, poulet, riz pilaf, et puis des glaces et des fruits ; assez pour nourrir tout un régiment. Je fais de mon mieux pour y faire honneur, et Alex finit ce que je laisse afin de ne vexer personne.

Il y a de la musique en fond, de la musique crétoise, et les jeunes se lèvent pour faire les pas *pentozali* et s'essayer aux danses plus rapides. Yolanda et moi nous entrons vaillamment dans le cercle mais finissons par simplement bouger en rythme.

Le temps d'une soirée, nos deux familles sont unies, à rire, plaisanter et porter des toasts, *Yamas*. Leur générosité est sans bornes, mais pourquoi s'en étonner ? N'ai-je pas reçu un accueil semblable en pleine période de danger et de famine ?

C'est le mari de Sarika qui m'apporte la petite boîte.

— Je crains que nous soyons obligés de la découper avec un ouvre-boîtes. Il devrait y avoir du vide, après tout ce temps. Ou voulez-vous la garder telle quelle ?

Je n'hésite pas une seconde.

— Bruce l'a laissée là en sûreté, il y a une raison. Je pense que nous devrions l'ouvrir et je suis curieuse. Faisons-le maintenant.

Je me sens en paix avec moi-même. Quel que soit le contenu, ce sera un lien arrivé jusqu'à moi par-delà les ans, un précieux cadeau.

— Une seule chose : j'aimerais être seule pour l'ouvrir, si ça ne vous ennuie pas...

— Bien sûr.

Ses traits basanés, si typiques des montagnards crétois, se plissent en un sourire.

— Mon oncle se souvient de Panayotis pendant la guerre. Il a dit que c'était un *palliakari* courageux.

C'est un vrai compliment qui l'associe à tous ces hommes et femmes si braves qui ont combattu pour que nous puissions jouir ce soir de toutes ces libertés : la liberté de se plaindre, celle de manifester ou de faire grève, de vivre notre appartenance culturelle sans oppression. Je prie pour que cela dure longtemps.

Il me fait signe de venir dans son atelier près de son établi.

— Voilà, c'est fait, prenez-la.

Il a roulé en arrière le couvercle comme il aurait ouvert une boîte de sardines.

La boîte serrée dans la main, je me dirige vers un coin tranquille pour l'ouvrir complètement. Mon cœur bat la chamade. En touchant le contenu, c'est un peu de Bruce que je toucherai. Coincé à l'intérieur et plié en deux, il y a un carnet. Comme je le sors délicatement, je m'aperçois que c'est un petit journal avec des pages volantes collées ensemble. Ce doit être le récit des aventures de Bruce sur l'île.

Mes mains tremblent, je ne veux rien déchirer. Les pages sont couvertes de lignes griffonnées et de croquis. Bruce avait donc tenu un journal, ce qui, naturellement, était strictement interdit. Je repère des dates gribouillées en haut des pages mais il me faudra une loupe pour lire les phrases. Comme c'est frustrant de ne pas entendre sa voix me parler par-delà les ans, de ne pas entendre son accent dans ma tête ! Au dos d'une page, je remarque une entrée au crayon plus foncé qui est presque lisible. Il faudra que je m'en contente pour le moment.

15 mars 1944. Une fois de plus assis dans cette foutue chambre funéraire, à me demander si je peux pointer le bout de mon nez et aller vers le sud. Plaisir de voir ma chérie à Chania. Elle prend tellement de risques, j'ai peur qu'on la trahisse. J'attends les ordres radio maintenant. Content que P soit en sécurité là où elle est pour le moment avec N. Je n'ai jamais voulu d'attaches à cause de ce boulot mais elle fait tellement partie de ma vie ici, et savoir qu'elle aussi fait sa part me donne de la force. Croyais que c'était trop risqué d'avoir des sentiments mais c'est l'inverse. Quand tout cela sera terminé, je lui achèterai une bague.

Nous luttons pour avoir le droit d'avoir une maison, une famille, d'être protégés de ces brutes, qui volent ce qui ne leur a jamais appartenu. Je combats pour rentrer à la maison et recommencer avec la seule fille capable, je le sais, de me rendre heureux quand je serai vieux. Elle est tellement pleine de surprises. La brigade des pantouflards fumeurs de pipe, ça n'a jamais été mon rêve, mais on peut en avoir sacrément marre de manger de l'herbe et des escargots et de puer les canalisations. Vive le confort domestique retrouvé !

C'est risqué de trimbaler ça avec moi, trop de noms, de lieux, alors ça peut rester ici, coincé dans cette boîte, en cas de pluie. Dieu, qu'est-ce qu'il peut pleuvoir ici...

Après, les pages sont vierges mais, glissée à l'intérieur, il y a une photo froissée, la photo de Yolanda et moi prise lors du mariage. Nous avons l'air jeunes et heureuses. Les larmes brouillent ma vue. *Oh, Bruce, qu'aurions-nous pu connaître si tu avais vécu ?* Je ne le saurai jamais, mais avoir ce cadeau me réconforte tout de même. Je serre fort le carnet tandis que coulent les larmes de la guérison.

Ainsi tu m'as aimée, comme je t'ai aimé. La lecture de ces pages m'offre la possibilité de clore le chapitre de cette vie que nous n'avons jamais eue ensemble. Je suis heureuse que tu n'aies jamais su que je t'avais trahi, mais ne parlons plus de cela...

Cette soirée est consacrée aux réjouissances, aux danses et à l'amitié, et aux années que Yolanda et moi avons encore à vivre pour rattraper le temps perdu.

Nulle honte à ce que je garde cette histoire pour moi. Mes secrets m'appartiennent, ils ne doivent pas être un fardeau pour les autres. J'ai bien utilisé notre temps ici, j'ai accompli mon pèlerinage et rendu hommage aux morts, mais désormais je dois rejoindre le monde des vivants et me délecter du parfum capiteux de l'amitié retrouvée.

Je regarde Loïs, Alex et Mack qui essaient de danser le sirtaki sur la musique du film *Zorba le Grec*. Assise, le carnet toujours serré dans ma main, je me dis que ce séjour nous a donné à tous un nouveau bail de vie ; je sais que ces chaînes de la honte qui m'ont attachée au passé se défont. Je me sens désormais libre, libre enfin de revenir ici chez moi, dans cette île si particulière.

Bien sûr, j'y ai perdu mon amour, mais j'y retrouve un lieu qui fera toujours partie de mon cœur. À Stokencourt, au calme, je lirai le carnet de Bruce et je chérirai son souvenir. Quand je ne serai plus là, ce carnet sera peut-être digne d'être donné à quelque archive militaire mais, pour l'instant, il est temps de penser au présent et à l'avenir. Quand on est vieux et que les heures s'égrènent, il y a toujours quelque bataille urgente à affronter.

Je vois une table couverte de pâtisseries crétoises à déguster, il y a de la musique et toutes les couleurs de la Crète qui se fondent dans la nuit, une nuit qui sera longue et bruyante mais c'est si bon d'être en vie et d'en jouir ! Je retourne vers les danseurs avec le sourire.

Aéroport de Chania, 2001

Rainer fait la queue sur le tarmac pour monter dans la navette qui emmène jusqu'à l'avion les passagers du premier vol pour Athènes. Il gravit la passerelle et s'arrête un instant pour jeter un dernier long regard sur les montagnes, il sent la chaleur et les parfums qui montent déjà. Le moment est venu de repartir vers le nord, de retrouver une maison vide, du courrier et la grisaille de sa vie. Le soleil et l'activité vibrante de ses vacances lui manqueront.

Le siège à côté du sien est vide mais, à sa grande surprise, il est assis une rangée derrière cette mère et son fils qu'il semble avoir suivis partout dans l'île au cours de ses visites. Il se lève vivement pour les aider à mettre leur bagage à main dans le compartiment, et la mère se retourne pour le remercier. Le garçon est déjà plongé dans sa console de jeux vidéo.

— Toutes les bonnes choses ont une fin. Vous rentrez, vous aussi ? lui demande-t-il poliment. Vous étiez bien sur le ferry au départ d'Athènes ?

— Oui, tout se termine trop rapidement. Vous venez en Crète chaque année, comme tant d'autres ?

— Non, seulement une fois avant. L'île est très belle... Pardonnez-moi de vous poser cette question, mais votre mère ne repart pas avec vous ?

Elle sourit.

— Ah, vous voulez dire ma tante, en fait ma grand-tante. Non, elle a décidé de rester, elle a changé son vol à la dernière minute. Elle a retrouvé une vieille amie...

— Ah, bien. Mais elle vit avec vous ?

— Oh, non, mon Dieu, tante Pen vit dans les Cotswolds.

Elle tourne le regard vers son fils, mais Rainer a envie d'en savoir plus.

— Ma femme et moi avons visité Stratford-Upon-Avon et fait de nombreux et plaisants séjours près de Chelten... ham, mais j'ai oublié les noms. C'était il y a longtemps.

— Oui, tante Pénélope a de la chance. Stokencourt est un si beau village. Nous y allons souvent.

Le sang de Rainer ne fait qu'un tour. A-t-elle vraiment dit « Pénélope » ? Non, sûrement pas... Aurait-elle été assise à côté de lui si elle avait pris ce vol ? Se peut-il que la femme qui lui a souri au café, la femme sur le pont à l'aube, la femme debout près de la tombe ait été Pénélope ?

Il ne veut pas s'immiscer dans leur vie privée, mais être si proche et si éloigné... Il meurt d'envie d'en savoir plus.

— Excusez-moi, mais j'aimerais vous poser une question. Votre tante Pénélope a-t-elle par hasard été infirmière ?

La nièce lui lance un sourire radieux.

— Mais oui, toute sa vie. Elle a enseigné au Malawi, elle y a formé des infirmières. Vous la connaissez ?

— Je n'en suis pas certain, mais elle m'a effectivement rappelé quelqu'un. Le monde est petit et, nous autres touristes, nous semblons toujours aboutir aux mêmes endroits. Comme c'est étrange !

Il marque une pause puis inspire profondément.

— Transmettez-lui mon bon souvenir.

— De la part de... ?

— *Doktor* Brecht, Rainer Brecht, mais elle aura peut-être oublié l'un de ses patients. C'était il y a si longtemps.

Ils sont interrompus par les stewards qui passent dans l'allée vérifier les ceintures alors que les moteurs se mettent à gronder pour le décollage.

Rainer regarde par le hublot, une telle coïncidence lui fait battre le cœur. Se peut-il vraiment que ce soit elle ? Il n'ose toujours pas y croire. Tandis que l'avion fonce sur la piste puis s'envole dans les airs, il sourit et songe que son pèlerinage n'est peut-être pas achevé. Un séjour en Angleterre à l'automne, c'est toujours agréable. Reste-t-il juste une dernière pièce à insérer dans le puzzle de son passé avant de pouvoir reposer en paix ?

Notes de l'auteur et remerciements

En mai 1941, la bataille de Crète a duré onze jours : l'île est tombée mais ne s'est jamais rendue. La résistance a continué jusqu'en mai 1945. J'ai essayé de respecter la chronologie des événements marquants et les principaux lieux de ce conflit. Johanna Stavridi, infirmière britannique de la Croix-Rouge, est restée à son poste jusqu'au moment où elle a été faite prisonnière. Pour son courage, elle a reçu la médaille de la Croix-Rouge grecque. Son histoire est racontée par Eric Taylor dans *Heroins of World War II* (Hale, 1991) et par Dily Powell dans son désormais classique *The Villa Ariadne* (Efstathiadis group, S.A., 2003). Pour le personnage et le milieu de Pénélope, je me suis inspirée de la vie et des idées de Mlle Stavridi, mais l'histoire est entièrement imaginaire.

Le sort des juifs de Chania en juin 1944 est retracé dans des articles et des essais : *The Jews of Crete, Volume 11* (Etz Hayyim Synagogue, 2002). Victoria Fermon est la seule personne connue à avoir échappé à la rafle. Yolanda Markos et sa famille sont de mon invention et ne reposent sur aucune personne en vie ou décédée.

À bord du *Tanais*, il y avait des prisonniers de guerre italiens, des résistants crétois et toute la communauté juive de l'île. On ne connaît pas le nombre exact des victimes qui périrent en mer, il y eut des survivants, et certains ont livré leur témoignage lors d'une enquête des années plus tard. J'ai essayé d'imaginer la terreur qu'ont pu ressentir ceux qui ont survécu à une telle catastrophe.

Les exploits de guerre de Rainer Brecht sont, pour certains, adaptés librement du récit de Einer von der Heyde, *Daedalus Returned*, qui m'a fourni d'utiles renseignements. Toutefois, Rainer est le produit de mon imagination. Dans un but de dramatisation, j'ai pris des libertés avec quelques dates, lieux et événements, mais je l'ai fait pour mieux saisir le courage de la Résistance dans toute l'île. Toute erreur m'est imputable.

Ce livre n'aurait pu voir le jour sans l'aide et les encouragements de Reg et Daphne Fairfoot, à Artemis Villas, Stavros. Je garde un précieux souvenir des moments passés avec Nikos Hannan-Stavroulakis, Alex Phoundoulakis et Anja Zuckmantel à la synagogue Etz Hayyim, et des heures qu'ils nous ont accordées pour nous servir de guides. Ce fut lors de la commémoration annuelle pour les victimes du 10 juin 1944 que j'ai pour la première fois entendu parler de cette tragédie : j'ai su qu'un jour il me faudrait tenter de lui rendre justice. Je dois aussi énormément à Trisha et Mike Scott de Kaina, à la famille Kokotsakis d'Aptera, en particulier à Androniki pour ses souvenirs de l'Occupation, et à Sue

Harris-Kokotsaki pour sa traduction du poème primé d'Olympia Kokotsaki-Mantonanki. J'aimerais remercier le Pr Don Everly, l'ancien conservateur de l'École britannique de Knossos, qui nous a offert une visite merveilleuse de ce site mondialement connu ; Manolis, Sofia et Marialena Tsompanakis, Jeff et Brenda Thompson pour leur hospitalité ; Ann et Graham qui nous ont montré une ancienne chambre funéraire proche de Stilos, qui faisait une cachette absolument parfaite. Vous trouverez de nombreux parents de l'« oncle Clarence » dans les anciennes oliveraies du nord-ouest de la Crète.

C'est le regretté Tony Fennymore qui, lors d'une de ses visites guidées de Chania le samedi matin il y a si longtemps, a semé à son insu les graines de cette histoire, tant son enthousiasme pour tout ce qui est crétois était contagieux. Une nouvelle fois, je dois remercier Maxine Hitchcock, éditrice, et Yvonne Holland, relectrice-correctrice, pour leur attention aux détails et leurs utiles suggestions ; et Trisha Ashley et Elizabeth Gill, mes confidentes du Club 500, pour leur soutien. Je veux enfin exprimer mon amour et ma reconnaissance à David, mon mari, chef et chauffeur, dont le sens pratique et l'enthousiasme ne faiblissent jamais.

Composition et mise en pages
Nord Compo à Villeneuve-d'Ascq

Achevé d'imprimer par N.I.I.A.G.
en novembre 2014
pour le compte de France Loisirs, Paris